ANA HUANG

AMOR
e ódio

Twisted Hate

ELE A ODEIA...
QUASE TANTO QUANTO A DESEJA

Tradução
Débora Isidoro

essência

Copyright © Ana Huang, 2022
Copyright © Editora Planeta do Brasil, 2024
Copyright de tradução © Débora Isidoro, 2024
Todos os direitos reservados.
Título original: *Twisted Hate*

Preparação: Angélica Andrade
Revisão: Tamiris Sene e Renato Ritto
Projeto gráfico e diagramação: Márcia Matos
Capa: E. James Designs/ Sourcebooks
Adaptação de capa: Emily Macedo
Imagens de capa: akirao/depositphotos

Dados Internacionais de Catalogação na Publicação (CIP)
Angélica Ilacqua CRB-8/7057

Huang, Ana
  Amor e ódio / Ana Huang ; tradução de Débora Isidoro. - São Paulo : Planeta do Brasil, 2024.
  464 p.

ISBN 978-85-422-2657-7
Título original: Twisted Hate

1. Ficção norte-americana I. Título II. Isidoro, Débora

24-1197   CDD 813

Índice para catálogo sistemático:
1. Ficção norte-americana

MISTO
Papel | Apoiando o manejo florestal responsável
FSC® C019498

Ao escolher este livro, você está apoiando o manejo responsável das florestas do mundo

2024
Todos os direitos desta edição reservados à
EDITORA PLANETA DO BRASIL LTDA.
Rua Bela Cintra, 986 – 4º andar
01415-002 – Consolação – São Paulo-SP
www.planetadelivros.com.br
faleconosco@editoraplaneta.com.br

A todos que já sentiram que
não eram suficientes.

AVISO DE CONTEÚDO IMPRÓPRIO

Este livro contém cenas de sexo explícito, palavrões, violência moderada e tópicos aos quais alguns leitores podem ser sensíveis.

Para mais informações, acesse o QR code abaixo.

PLAYLIST

"Don't Blame Me" – Taylor Swift
"Talk" – Salvatore Ganacci
"Free" – Broods
"Daddy Issues" – The Neighbourhood
"You Make Me Sick!" – P!nk
"Animals" – Maroon 5
"Give You What You Like" – Avril Lavigne
"wRoNg" – Zayn
"Waves" – Normani e 6LACK
"50 Shades" – Boy Epic
"Only You" – Ellie Goulding
"One More Night" – Maroon 5
"I Hate U, I Love You" – Gnash
"Wanted" – Hunter Hayes

CAPÍTULO 1

Jules

NÃO DAVA PARA ESPERAR NADA DE BOM DEPOIS DE CURTIR A FOTO DE um cara segurando um peixe em um app de relacionamento. As *red flags* podem ser multiplicadas por dois se o nome desse cara for Todd.

Eu devia saber, mas estava lá mesmo assim, sozinha no Bronze Gear, o bar mais agitado de Washington, bebendo minha vodca soda absurdamente cara depois de me deixarem plantada.

É isso aí.

Era a primeira vez que me davam um bolo, e o cara era um Todd que segurava um peixe. Isso era o que bastava para uma garota ligar o "foda-se" e gastar dezesseis dólares em um drinque, mesmo que nem tivesse um salário de verdade ainda.

Qual era o lance desses caras que tiravam fotos segurando peixe? Será que não conseguiam pensar em nada mais criativo, tipo mergulhar em uma gaiola no meio de tubarões? Ainda estava dentro do tema de animais marinhos, mas era menos comum.

Talvez o peixe fosse um detalhe estranho ao qual me apegar, mas pelo menos me impedia de pensar em como o dia havia sido horrível e no constrangimento que deixava minha pele quente e suada.

Ser surpreendida por um temporal repentino na metade do caminho para o campus, sem nenhum guarda-chuva à vista? Feito. (Cinco por cento de chuva? Meu rabo. Eu devia processar a empresa do app de meteorologia.)

Ficar presa em um vagão lotado e fedido do metrô por quarenta minutos devido a uma falha elétrica? Feito.

Passar três horas à procura de um apartamento e acabar com bolhas nos pés e sem nenhuma perspectiva? Feito.

Depois de um dia tão infernal, quis cancelar o encontro com Todd, mas já havia adiado duas vezes – uma vez porque tinham mudado a data da reunião do grupo de estudo e a outra porque não estava me sentindo muito bem –, e não queria passar a impressão de estar enrolando. Então respirei fundo e apareci, só para levar um bolo.

O universo tinha um senso de humor de merda.

Terminei minha bebida e chamei o garçom.

— Pode trazer a conta, por favor?

Era fim de tarde, o happy hour estava só começando, mas eu só queria ir para casa e ficar lá com os dois amores verdadeiros da minha vida: Netflix e Ben & Jerry's nunca tinham me decepcionado.

— Já foi paga.

Quando levantei as sobrancelhas, o garçom acenou com a cabeça em direção a uma mesa em um canto. Um grupo de rapazes de vinte e poucos anos com cara de universitários. Consultores, provavelmente, pelas roupas que vestiam. Um deles, que tinha cara de Clark Kent e vestia uma camisa xadrez, levantou o copo e sorriu para mim.

— Cortesia de Clark, o consultor — disse o garçom.

Segurei a risada, levantei o copo e sorri para ele. Então eu não era a única que achava o moço parecido com o alterego do Super-Homem.

— Então Clark, o consultor, me salvou de comer macarrão instantâneo no jantar, um brinde a ele — respondi.

Eram dezesseis dólares que continuariam na minha conta, apesar de eu ter deixado gorjeta. Já trabalhei no ramo de alimentação, então desenvolvi uma obsessão por gorjetas generosas. Ninguém tinha que aturar mais babacas regularmente do que os prestadores desse tipo de serviço.

Terminei o drinque gratuito e continuei olhando para Clark, o consultor, que analisava com satisfação meu rosto, meu cabelo e meu corpo.

Eu não acreditava em falsa humildade – sabia que era bonita. E sabia que, se fosse até aquela mesa, poderia massagear meu ego ferido com mais drinques, elogios e talvez um ou dois orgasmos mais tarde, se ele soubesse o que fazer.

Tentador... mas não. Estava exausta demais para executar toda essa coreografia de sedução.

Desviei o olhar, mas não antes de ver a decepção no rosto dele. Precisei reconhecer que, Clark, o consultor, soube interpretar o recado – *Obrigada pelo drinque, mas não estou a fim de continuar com esse lance* – e não tentou me abordar, o que era mais do que eu podia dizer sobre a maioria dos homens.

Pendurei a bolsa no ombro e já estava estendendo a mão para pegar o casaco do gancho sob o balcão quando uma voz rouca, arrogante e lenta arrepiou todos os cabelos na minha nuca.

— Oi, JR.

Duas palavras. Foi o necessário para desencadear uma reação de fugir ou lutar em mim. Honestamente, àquela altura, era uma reação pavloviana. Quando eu ouvia a voz dele, minha pressão subia.

Toda vez.

E o dia só vai ficando melhor.

Meus dedos apertaram a alça da bolsa antes de eu me obrigar a relaxar. Não daria a ele a satisfação de provocar em mim qualquer reação visível.

Foquei nisso, respirei fundo, assumi uma expressão neutra e, lentamente, me virei, até dar de cara com a imagem mais indesejada do mundo, acompanhada do som mais indesejado do mundo.

Josh Chen, porra.

Um metro e oitenta e três de altura, jeans escuro e camisa branca que realçava os músculos. Sem dúvida, era essa a intenção. Ele devia passar mais tempo que eu cuidando da aparência, e olha que eu não era exatamente descuidada. Deviam usar uma foto dele no dicionário para ilustrar o vernáculo "vaidade".

A pior parte era que, tecnicamente, Josh era bonito. Cabelo escuro e denso, maçãs do rosto altas, corpo esculpido. Tudo de que eu gostava... se não estivesse associado a um ego grande o bastante para precisar de um CEP.

— Oi, Joshy — cumprimentei, sabendo o quanto ele odiava o apelido.

Podia agradecer à Ava, minha melhor amiga e irmã dele, pela informação valiosa.

Vi a irritação nos olhos dele e sorri. O dia já parecia um pouco melhor.

Para ser justa, foi Josh quem insistiu em me chamar de JR primeiro. Eram as iniciais de Jessica Rabbit, a personagem do desenho animado. Algumas pessoas podiam interpretar como um elogio, mas quando se é ruiva e peituda, a comparação constante perde a graça rapidinho, e ele sabia disso.

— Bebendo sozinha? — Josh olhou para os bancos vazios ao meu redor. O happy hour ainda não tinha chegado ao ápice, e os assentos mais ocupados eram os bancos das mesas encostadas às paredes, não os que ficavam junto do balcão. — Ou já assustou todo mundo em um raio de cinco metros?

— Engraçado que tenha mencionado essa coisa de assustar pessoas. — Olhei para a mulher em pé ao lado dele. Era bonita, com cabelo castanho e ondulado, olhos castanhos e um corpo esguio envolto em um vestido incrível e justo com estampas geométricas. Pena o bom gosto não se estender aos homens, ou ela não estaria com ele. — Estou vendo que se recuperou do último episódio de sífilis e já está colocando em risco outra mulher desavisada. — Olhei para a morena. — Não conheço você, mas sei que é capaz de arrumar coisa melhor. Pode confiar.

Josh realmente tinha tido sífilis? Talvez. Talvez não. Dormia com tanta gente que eu não me surpreenderia com isso, e não estaria cumprindo o código da sororidade se não prevenisse a Vestido Justo sobre a possibilidade de contrair uma IST.

Em vez de ficar chocada, ela riu.

— Obrigada pelo aviso, mas acho que não corro esse risco.

— Fazendo piada com IST, que original. — Se Josh estava incomodado por eu tê-lo ofendido na frente da garota, não demonstrava. — Espero que sua argumentação verbal seja mais criativa, ou vai ter muita dificuldade no mundo jurídico. Presumindo que passe no exame da ordem, é claro.

Ele sorriu, revelando uma covinha do lado esquerdo do rosto.

Engoli um rosnado. *Odiava* aquela covinha. Cada vez que aquilo aparecia, debochava de mim, e minha vontade era furá-la com uma faca.

— Vou passar — respondi com frieza, contendo os pensamentos violentos. Josh sempre pensou o pior de mim. — Melhor torcer para não ser processado por imperícia médica, Joshy, ou vou ser a primeira a oferecer meus serviços à parte contrária.

Eu havia me matado para conquistar um lugar na Thayer Law e uma proposta de emprego da Silver & Klein, a renomada firma de advocacia onde havia estagiado durante o verão. Não deixaria o sonho de ser advogada escapar por entre os dedos, agora que estava tão perto.

De jeito nenhum.

Seria aprovada no exame da ordem, e Josh Chen engoliria o que havia acabado de dizer. Com sorte, sufocaria com cada palavra.

— Você fala demais para alguém que ainda nem se formou. — Josh se apoiou no balcão e pôs um braço sobre a superfície, e me irritei ao ver que ele parecia um modelo posando para uma foto de página dupla na GQ. Ele mudou de assunto antes que eu respondesse. — Caprichou bastante, para quem ia sair sozinha.

Os olhos dele passaram do meu cabelo ondulado para o rosto maquiado e, então, descansaram no pingente de ouro que repousava acima dos seios.

Meus músculos se contraíram. Diferente de Clark, o consultor, Josh me incendiava com aquele olhar quente e debochado. O metal no meu pescoço queimava a pele, e tive que me controlar para não o arrancar e jogar na cara do arrogante.

Mas, por alguma razão, continuei parada enquanto ele seguia com a avaliação. Era menos lascivo do que crítico, como se estivesse reunindo todas as peças de um quebra-cabeça e as encaixando até formar uma imagem completa.

Os olhos de Josh desceram para o vestido de cashmere verde que envolvia meu tronco, passaram pelas pernas com as meias pretas e pararam nos sapatos pretos de salto antes de voltarem aos meus olhos cor de avelã. O deboche desapareceu, deixando, no lugar, uma expressão ilegível.

Um silêncio carregado vibrou entre nós, e então ele voltou a falar.

— Está vestida para um encontro de verdade. — A atitude permanecia casual, mas os olhos se transformaram em estiletes escuros tentando abrir caminho pelo meu constrangimento. — Mas estava de saída, e são só cinco e meia.

Ergui o queixo, apesar de sentir a vergonha esquentar minha pele. Josh era muitas coisas - irritante, arrogante, o próprio filho de Satã -, mas não era burro, e ele era a última pessoa que eu queria que soubesse que eu havia levado um bolo.

Eu morreria se ele descobrisse.

— Não vai me dizer que ele não apareceu. — Havia uma nota estranha na voz de Josh.

O calor ficou mais intenso. Meu Deus, eu não devia ter vestido cashmere. Estava torrando na porcaria do vestido.

— Devia se preocupar menos com a minha vida amorosa e mais com a sua companhia.

Josh não havia olhado para a Vestido Justo desde que aparecera, mas ela não parecia ter se incomodado. Estava ocupada fofocando e rindo com a bartender.

— Pode ter certeza de que, na minha lista de tarefas, sua vida amorosa não está nem entre os primeiros cinco mil itens dignos de preocupação.

Apesar da ironia, Josh continuava olhando para mim com aquela expressão indecifrável.

Meu estômago revirou sem motivo algum.

— Ótimo.

Foi uma resposta boba, mas meu cérebro não estava funcionando direito. Decidi que era culpa da exaustão. Ou do álcool. Ou de um milhão de outras coisas que não tinham nenhuma relação com o homem parado na minha frente.

Peguei o casaco e escorreguei da banqueta, decidida a passar por ele sem dizer nem mais uma palavra.

Infelizmente, calculei mal a distância entre o apoio para pés da banqueta e o chão. Meu pé escorregou, e deixei escapar um gritinho quando meu corpo se projetou para trás. Estava a dois segundos de cair de bunda quando uma mão agarrou meu pulso, me puxou de volta e me devolveu à banqueta.

Josh e eu paramos ao mesmo tempo, ambos olhando para a mão dele no meu braço. Eu não conseguia me lembrar da última vez em que havíamos nos tocado voluntariamente. Talvez três verões antes, quando ele me jogara vestida na piscina durante uma festa, e eu havia retaliado dando uma cotovelada "acidental" na sua área mais sensível.

A lembrança dele se dobrando de dor ainda é fonte de muito conforto em momentos difíceis, mas eu não estava pensando nisso naquele momento.

Em vez disso, me concentrei na proximidade perturbadora entre nós, suficiente para eu sentir o perfume dele, que era gostoso e cítrico, diferente das notas de fogo e enxofre que eu esperava.

A adrenalina do quase tombo ainda corria nas minhas veias, acelerando minha pulsação de um jeito nada saudável.

— Pode me soltar. — Tentei respirar normalmente, apesar do calor sufocante. — Antes que o contato me dê urticária.

Josh me apertou por uma fração de segundo, depois soltou meu braço como se fosse uma batata quente. A irritação baniu a expressão ilegível de antes.

— Não precisa me agradecer por eu ter salvado você de uma fratura de cóccix, JR.

— Não seja dramático, *Joshy*. Eu teria me equilibrado.

— É claro. Deus não permita que a palavra "obrigada" saia de sua boca. — O sarcasmo ganhou profundidade. — Você é um tremendo pé no saco, sabia?

— É melhor que ser um babaca, ponto-final.

Todo mundo olhava para Josh e via um médico bonito, charmoso. Eu olhava para ele e via um cretino crítico e prepotente.

Você pode fazer outras amizades, Ava. Ela não é boa companhia. Você não precisa de alguém como ela na sua vida.

Meu rosto esquentou. Já fazia anos que eu ouvira Josh falando com Ava sobre mim, logo no início da nossa amizade, e a lembrança ainda era dolorosa. Nunca contei a nenhum dos dois que havia escutado essa conversa. Só serviria para fazer Ava se sentir mal, e Josh não merecia saber quanto as palavras dele tinham me ferido.

Ele não foi a primeira pessoa a pensar que eu não era boa o bastante, mas foi o primeiro a tentar destruir uma das minhas amizades por causa disso.

Forcei um sorriso seco.

— Com licença, mas já excedi o limite diário da minha tolerância a sua presença. — Vesti o casaco, calcei as luvas e ajeitei a bolsa. — Mande minhas condolências a sua acompanhante.

Antes que Josh pudesse responder, passei por ele e acelerei o passo até encontrar o ar frio de março do lado de fora. Só então me permiti relaxar, embora o coração seguisse batendo em um ritmo frenético.

De todas as pessoas que eu poderia ter encontrado em um bar, tive que tropeçar em *Josh Chen*. Será que dava para aquele dia piorar?

Eu já conseguia até imaginar todas as piadinhas que ele faria na próxima vez que me visse.

Lembra quando ficou plantada, JR?

Lembra quando passou uma hora sentada sozinha em um bar feito uma fracassada?

Lembra quando se arrumou toda e usou o restinho da sua sombra favorita para um cara chamado Todd?

Tudo bem, ele não tinha essas duas últimas informações, mas eu não duvidava de que desse um jeito de consegui-las.

Pus as mãos nos bolsos e virei a esquina, ansiosa para colocar a maior distância possível entre mim e o filho de Satã.

O Bronze Gear ficava em uma rua movimentada de restaurantes, onde a música pairava no ar e gente transbordava para as calçadas mesmo no inverno. A rua que eu percorria naquele momento, embora a apenas um quarteirão de lá, era quieta a ponto de ser sinistra. Lojas fechadas se enfileiravam dos dois lados, e ramos secos brotavam das rachaduras do calçamento. O sol ainda não havia se posto, mas as sombras alongadas conferiam um ar pouco convidativo ao ambiente.

Embora estivesse distraída pelo encontro com Josh e com as dezenas de coisas na minha lista de afazeres, apressei o passo por instinto. Quando ficava sozinha, minha cabeça era tomada por preocupações e tarefas, que clamavam por atenção como crianças chamando os pais.

Formatura, estudar para o exame da ordem, acabar com Todd por mensagem (não, não valia a pena), continuar procurando apartamento, a festa surpresa para o aniversário de Ava no fim de semana...

Espera um minuto.

Aniversário. Março.

Parei de repente.

Ai meu Deus.

Além de Ava, eu conhecia mais alguém que fazia aniversário no início de março, mas...

Peguei o celular do bolso com mão trêmula e senti um aperto no peito quando vi a data na tela. Dia 2 de março.

O aniversário dela era naquele dia. Eu havia esquecido completamente.

A culpa me invadiu, e pensei, como fazia todo ano, se devia ligar para ela. Nunca ligava, mas... *esse ano podia ser diferente.*

Eu também dizia isso a mim mesma todos os anos.

Não devia sentir culpa. Ela também nunca telefonava no dia do meu aniversário. Nem no Natal. Nem em qualquer outra data. Eu não via nem falava com Adeline havia sete anos.

Liga. Não liga. Liga. Não liga.

Mordi a boca.

Era o aniversário de quarenta e cinco anos dela. Importante, não? O suficiente para merecer um "feliz aniversário" da filha... isso se ela se importasse com qualquer coisa que recebesse de mim.

Estava tão ocupada discutindo comigo mesma que não percebi que alguém se aproximava até sentir o cano duro de uma arma nas minhas costas e ouvir a voz ríspida ordenar:

— Passa o celular e a carteira. Agora.

Senti o coração palpitar e quase derrubei o telefone. A incredulidade transformou minhas pernas em pedra.

Só pode ser brincadeira.

Nunca pergunte coisas para o universo sobre as quais você não quer respostas, porque, no fim, o dia podia, sim, piorar para cacete.

CAPÍTULO 2

Josh

— NÃO FALA NADA.
Abri a cerveja, ignorando a expressão de deboche de Clara. A bartender bonitinha com quem ela estava flertando havia se afastado para ir atender o movimento do happy hour, e desde então ela olhava para mim com aquele sorriso de quem sabe alguma coisa.
— Tudo bem. Não vou falar.
Clara cruzou as pernas e bebeu um gole do drinque.
Ela era enfermeira do pronto-socorro no Hospital da Universidade Thayer, onde eu era residente do terceiro ano e fazia especialização em medicina de emergência, por isso nossos caminhos se cruzavam com frequência. Éramos amigos desde meu primeiro ano de residência, quando nos aproximamos por amarmos esportes de aventura e filmes cafonas da década de 1990, mas o interesse sexual dela por mim, ou por qualquer outro indivíduo do sexo masculino, era o mesmo que ela teria por uma pedra.
Clara não estava comigo, não no sentido romântico, pelo menos, mas não corrigi a insinuação de Jules. Minha vida pessoal não era da conta dela. Que inferno, às vezes eu queria que não fosse nem da *minha* conta.
— Ótimo.
Atraí o olhar de uma loira bonita na outra ponta do balcão e sorri. Ela retribuiu com um sorriso insinuante.
Era disso que eu precisava naquela noite. Álcool, assistir ao jogo dos Wizards com Clara e um flerte inofensivo. Qualquer coisa que me distraísse da carta que esperava por mim em casa.
Ou melhor, cartas. No plural.
Vinte e quatro de dezembro. Dezesseis de janeiro. Vinte de fevereiro. Dois de março. As datas das cartas mais recentes de Michael passaram por minha cabeça.

Recebia uma por mês, pontualmente, e me odiava por não jogá-las fora assim que as via.

Bebi um gole demorado de cerveja, tentando me esquecer da pilha de correspondências fechadas na gaveta da escrivaninha. Era a segunda cerveja que eu bebia em menos de dez minutos, mas foda-se, havia tido um dia pesado no trabalho. Precisava relaxar.

— Sempre gostei de ruivas — disse Clara, me puxando de volta a uma conversa que eu não queria ter. — Talvez porque *A Pequena Sereia* era meu filme favorito da Disney quando eu era criança.

Ela sorriu quando suspirei com ar sofredor.

— Sua falta de sutileza é impressionante.

— Gosto de ter pelo menos uma característica impressionante. — O sorriso de Clara se alargou. — E aí, quem é ela?

Era inútil tentar fugir da pergunta. Quando ela farejava alguma coisa que *pensava* ser interessante, era pior que um pit bull com um osso.

— A melhor amiga da minha irmã e um pé no saco.

Senti os ombros rígidos de tensão ao me lembrar do encontro que tinha tido com Jules.

Era bem a cara dela ser arisca, mesmo quando eu tentava ajudá-la. Com ela, ofertas de paz não funcionavam. Paz não era uma opção.

Toda vez que eu tentava ser gentil – o que, para ser sincero, não acontecia com muita frequência –, ela me lembrava do porquê nunca seríamos amigos. Nós dois éramos muito teimosos, tínhamos personalidades muito semelhantes. Era como uma competição de fogo contra fogo.

Infelizmente, Jules e minha irmã, Ava, eram muito próximas desde que tinham dividido o dormitório no primeiro ano da faculdade, o que significava que eu *teria* que tolerar Jules na minha vida, por mais que nos irritássemos mutuamente.

Eu não sabia qual era o problema dela comigo, mas sabia que ela tinha uma propensão para envolver Ava em encrenca.

Nos sete anos desde que tinham se conhecido, vi Ava chapar com os brownies de maconha de Jules e quase arrancar a roupa em uma festa, consolei minha irmã depois de ela pintar o cabelo de cor de laranja com tinta semipermanente porque estava bêbada no aniversário de vinte anos de Jules e resgatei as duas de um acostamento de estrada em Bumfuck, Maryland, depois que Jules teve a brilhante ideia de acompanhar uns caras que as duas haviam conhecido em um bar em uma viagem de carro de última hora para Nova York. O carro quebrou e, felizmente, os desconhecidos eram inofensivos, mas mesmo assim... poderia ter acabado muito mal.

Esses foram só alguns destaques. Havia mil outros exemplos de Jules convencendo minha irmã a se meter em um ou outro plano idiota.

Ava era adulta e capaz de tomar as próprias decisões, mas também era muito ingênua. Como irmão mais velho, era meu dever protegê-la, especialmente depois que nossa mãe morreu e nosso pai se revelou um lunático do cacete.

E eu tinha certeza de que Jules era uma influência ruim. Ponto-final.

Clara continuava sorrindo.

— O pé no saco tem nome?

Bebi mais um gole de cerveja antes de responder sem enrolar.

— Jules.

— Hum. Jules é muito bonita.

— A maioria das súcubos comedoras de carne também é. É assim que elas te pegam. — Minha voz denunciava a irritação que eu sentia.

Sim, Jules era bonita, mas acônitos e polvos-de-anéis-azuis também eram. Uma aparência cativante que escondia um veneno mortal, que, no caso de Jules, se manifestava na forma da sua língua de víbora.

Muitos homens eram ofuscados por todas aquelas curvas e os olhos grandes cor de avelã, mas eu não. Não caía nessa armadilha. Os coitados cujos corações ela havia partido em Thayer eram a prova de que eu precisava ficar longe dela pelo bem da minha sanidade.

— Nunca vi você tão desestabilizado por causa de uma mulher. — Clara estava se divertindo. — As outras enfermeiras não vão nem acreditar.

Ai, Jesus.

Gossip Girl perdia para a sala das enfermeiras. Assim que uma notícia chegava aos ouvidos delas, se espalhava pelo hospital como fogo em mato seco.

— Não estou "desestabilizado", e não tem nada em que acreditar ou não. — Mudei de assunto antes que ela insistisse. Não queria falar sobre Jules Ambrose um segundo além do que era necessário. — Se quer uma notícia de verdade, escuta esta: finalmente decidi para onde vou nas férias.

Ela revirou os olhos.

— Isso não chega nem perto de ser interessante como sua vida amorosa. Metade das enfermeiras estão apaixonadas por você. Não entendo.

— É porque eu sou gostoso.

Se era verdade, não era arrogância. Mas eu nunca sairia com ninguém do hospital. Não comia carne onde ganhava o pão.

— E humilde também. — Clara finalmente desistiu de arrancar de mim mais informações sobre Jules e se conformou com minha óbvia recusa em falar sobre o assunto. — Tudo bem, pode desembuchar. Onde vai passar as férias?

Dessa vez sorri de verdade.

— Nova Zelândia.

Fiquei dividido entre a Nova Zelândia para praticar bungee jump e a África do Sul, onde se praticava mergulho em gaiolas no meio de tubarões, mas no final escolhi a primeira opção e comprei as passagens na noite passada.

Médicos residentes tinham horários horríveis, mas quem escolhia medicina de emergência se saía melhor que os cirurgiões, por exemplo. Eu trabalhava em um esquema de plantões mistos de oito e doze horas, com uma folga a cada seis dias e quatro períodos de cinco folgas seguidas por ano. O preço era trabalhar sem parar durante os plantões, mas eu não me importava. Era bom ficar ocupado. Isso me impedia de pensar em outras coisas.

No entanto, estava animado com minhas primeiras férias. Teria uma semana de folga na primavera e não conseguia parar de imaginar minha estada na Nova Zelândia: céu azul e limpo, montanhas de picos nevados, a sensação de não ter peso quando caísse em queda livre e a descarga de adrenalina que dava vida ao meu corpo cada vez que eu praticava um dos meus esportes radicais favoritos.

— Cala a boca — resmungou Clara. — Estou morta de inveja. Que trilhas vai fazer?

Havia feito uma pesquisa abrangente sobre as melhores trilhas no país, e fiquei contando meus planos para Clara até a bartender voltar e ela se distrair. Como não queria ser empata-foda, me concentrei na cerveja e no jogo dos Wizards contra os Raptors na TV.

Estava me preparando para pedir mais uma cerveja quando uma voz feminina e suave me distraiu.

— Este lugar está ocupado?

Olhei para trás e vi a loira bonitinha com quem havia feito contato visual mais cedo. Não havia notado que ela saíra do lugar perto do balcão, mas agora que estava ali perto, conseguia ver as sardas no nariz dela.

O hábito me fez sorrir, um sorriso lento que a fez corar.

— É todo seu.

Toda essa dança da pegação havia se tornado tão familiar que eu quase nem precisava tentar. Tudo era memória muscular. Pedir uma bebida para ela, perguntar sobre sua vida, ouvir com atenção - ou parecer atento - com um aceno de cabeça ocasional e comentários apropriados e roçar a mão na dela para estabelecer contato físico.

Antes era excitante, mas eu fazia tudo isso porque... bom, nem sei bem por quê. Porque era o que sempre fazia, acho.

— ... quero ser veterinária...

Assenti de novo, me esforçando para não bocejar. Qual era o problema comigo?

Robin, a loira, era uma delícia, e, se eu estava interpretando corretamente a mão dela na minha coxa, estava disposta a levar a situação para um lugar mais discreto. As aventuras de infância da garota em cima de um cavalo não eram exatamente cativantes, mas eu costumava ser bom em encontrar pelo menos *um* tópico interessante em toda conversa.

Talvez fosse eu. Naqueles dias, o tédio era minha companhia constante, e eu não sabia como me livrar do filho da mãe.

As festas que eu frequentava eram mais do mesmo. O contato físico era insatisfatório. Sair com alguém era uma obrigação. Eu só sentia alguma coisa quando estava no pronto-socorro.

Olhei para Clara. Ela ainda estava flertando com a bartender, que ignorava os clientes e olhava para minha amiga com uma expressão encantada.

— ... não consigo decidir se quero um lulu-da-pomerânia ou um chihuahua... — Robin estava dizendo.

— Um lulu é legal. — Olhei para o relógio, então disse: — Ei, detesto interromper a conversa, mas preciso ir buscar minha prima no aeroporto.

Não era a melhor desculpa, mas foi a primeira que me passou pela cabeça.

Robin fez cara de decepção.

— Ah, tudo bem. Talvez a gente possa se encontrar qualquer hora. — Ela anotou o próprio número em um guardanapo e o colocou na minha mão. — Me dá um toque mais tarde.

Respondi com um sorriso que não me comprometia. Não gostava de prometer coisas que não cumpriria.

Divirta-se, falei para Clara a caminho da saída, movendo os lábios sem emitir nenhum som. Ela balançou a cabeça e sorriu, e então voltou a prestar atenção na bartender.

Fazia tempo que eu não saía de um bar tão depressa. Não estava aborrecido com como a noite havia acontecido. Clara e eu sempre saíamos juntos para beber e nos separávamos quando aparecia alguma... distração, mas naquele momento eu tinha que decidir para onde ir.

Ainda era cedo, e eu não queria voltar para casa. Também não queria ir para outro bar daquela rua, porque Robin podia mudar de bar mais tarde.

Foda-se. Vou acabar de ver o jogo no boteco perto da minha casa. Cerveja e TV eram cerveja e TV, independentemente do endereço. Esperava que o metrô estivesse funcionando normalmente para eu não perder o resto do jogo.

Virei a esquina e entrei na rua tranquila que levava à estação de metrô. Estava na metade do caminho para lá quando vi um lampejo de cabelo vermelho e um casaco roxo familiar na alameda ao lado de uma loja de calçados fechada.

Diminuí a velocidade. O que Jules ainda estava fazendo aqui, cacete? Havia saído uns vinte minutos antes de mim.

Então notei o brilho de metal na mão dela. Uma arma – apontada diretamente para o homem barbudo e desgrenhado a sua frente.

— Mas que porra é essa? — Minhas palavras ecoaram na rua vazia e ricochetearam nas vitrines fechadas em incredulidade.

Talvez eu tenha dormido no bar e entrado num mundo invertido, porque a cena não fazia sentido nenhum.

Onde foi que Jules conseguiu *uma arma*?

Jules mudou de posição para olhar para mim sem tirar os olhos do homem. Ele usava uma boina velha sobre o cabelo castanho e longo, além de um casaco preto que era dois números maior que o dele e caía solto sobre o corpo magro.

— Ele tentou me assaltar — falou Jules, em um tom tranquilo.

O Boina a encarou ressentido, mas foi suficientemente inteligente para manter a boca fechada.

Apertei a têmpora, torcendo para que isso me tirasse da realidade alternativa em que havia entrado. *Não. Continuo aqui.*

— E essa arma é dele?

Por alguma razão, eu não estava surpreso por Jules ter virado o jogo em cima do assaltante. Se ela fosse sequestrada, o criminoso provavelmente a devolveria em uma hora por não suportar o quanto ela era irritante.

— É, Sherlock. — A mão de Jules apertou a arma. — Chamei a polícia. Eles estão a caminho.

Nesse momento, ouvi as sirenes.

O Boina ficou tenso, olhou em volta em pânico.

— Nem pense nisso. Ou eu atiro. E não estou blefando — avisou Jules.

— Ela atira mesmo. Vi uma vez quando ela acertou um tiro de Smith & Wesson na bunda de um cara porque ele roubou um saco de salgadinho da mão dela — confirmei, e então baixei a voz para encenar um sussurro condescendente. — Ela leva "sedento por sangue" a outro nível.

A situação já era suficientemente absurda. Eu podia pelo menos fazer piada.

Como já disse, estava entediado.

Jules esboçou um sorriso, mas logo retomou a expressão séria.

Boina arregalou os olhos.

— Está falando sério? — O olhar dele alternava entre mim e ela. — Como é que vocês dois se conhecem? Vocês se pegam?

Jules e eu fizemos a mesma careta.

Ou Boina estava fazendo perguntas idiotas e sem sentido para nos distrair ou queria me fazer vomitar. Se a intenção era me fazer vomitar, estava quase conseguindo. Meu estômago roncava e fervia como um misturador de cimento na velocidade máxima.

— *Nunca.* Olha bem para ele. — Jules apontou para mim com a mão livre. — Como se algum dia eu fosse tocar *naquilo.*

Boina olha para mim, curioso.

— Qual é o problema com ele?

— Eu não deixaria você me tocar nem se me oferecesse o pagamento de todos os meus financiamentos da faculdade de medicina — resmunguei.

Jules Ambrose poderia ser a última mulher no mundo. Ela era uma pessoa com quem eu nunca dormiria. Nunca.

Ela me ignorou.

— Nunca ouviu dizer que quanto maior o ego, menor o pênis? — perguntou Jules ao Boina. — Serve para ele.

— Ah. Que droga. — Boina me olhou, solidário. — Sinto muito, cara.

Senti uma veia pulsar na têmpora. Abri a boca para dizer que preferia me lavar com alvejante a permitir que ela se aproximasse do meu pênis, mas a batida da porta de um carro me interrompeu.

Um policial do tamanho do Hulk desceu da viatura de arma em punho.

— Parada! Larga a arma.

Gemi e quase apertei a têmpora de novo, mas me controlei.

Que porra de situação.

Deveria ter ido embora enquanto podia.

Agora eu *definitivamente* perderia o resto do jogo.

CAPÍTULO 3

Josh

Quarenta e cinco minutos e dezenas de perguntas depois, os policiais finalmente nos liberaram.

Boina foi detido, e Jules e eu andamos em silêncio para a estação de metrô que ficava na rua seguinte. Muita gente surtaria depois de ser vítima de uma tentativa de assalto, mas ela se comportava como se tivesse acabado de fazer compras no supermercado.

Eu estava menos sereno. Não só havia perdido uma hora sendo interrogado pela polícia como também o fim do jogo.

— Fala para mim, por que toda vez que tenho algum problema, *você* está no meio? — perguntei, entredentes, quando avistei a estação de metrô.

— Não tenho culpa se *você* decidiu passar por aquela rua e parar pra fazer um comentário engraçadinho, em vez de seguir seu caminho. Eu tinha tudo sob controle — respondeu Jules.

Dei risada baixinho, pisando firme nos degraus da escada. Poderia pegar a escada rolante, mas preferi gastar a energia da raiva. Jules devia se sentir como eu, porque continuava ao meu lado, me irritando.

— "Comentário engraçadinho"? Quem fala desse jeito? E não teve nada de engraçadinho naquilo, garanto. — Cheguei às catracas e peguei a carteira do bolso. — Pena que a polícia não levou você também. Você é uma ameaça à sociedade.

— Quem disse? Você? — Jules olhou para mim com desdém.

— É. — Sorri para ela com frieza. — Eu e todas as pessoas que tiveram o infortúnio de conhecer você.

Era uma coisa horrível para dizer, mas entre as cartas, os longos plantões no hospital e minha crise existencial generalizada, eu não me sentia muito caridoso.

— Meu Deus, você é... — Jules bateu com o cartão do metrô no leitor com força desnecessária — *o pior!*

Passei pela roleta atrás dela.

— Não, pior é sua noção de autopreservação. Entregar tudo a um assaltante é questão de bom senso. — Quanto mais eu pensava nisso, mais a atitude dela me chocava e enfurecia. — E se você não conseguisse desarmá-lo? E se ele tivesse outra arma e você não soubesse? Você poderia estar *morta*!

O rosto de Jules ficou vermelho.

— *Para* de gritar comigo. Você não é meu pai.

— Não estou gritando!

Paramos sobre o quadro de horários, que anunciava a chegada do próximo trem em oito minutos. A estação estava vazia, exceto por um casal se pegando em um dos bancos e um sujeito de terno, com jeito de executivo, na outra ponta da plataforma. No silêncio, eu conseguia até ouvir o sangue correndo furioso nas minhas veias.

Nós nos encaramos, com o peito arfando de ódio. Eu queria sacudi-la por ser tão idiota a ponto de pôr a vida em risco por causa de uma merda de celular e uma carteira.

O fato de não gostar dela não significava que a queria morta.

Não o tempo todo, pelo menos.

Esperei outra resposta grosseira, mas Jules se virou e ficou em silêncio.

Era completamente inusitado e muito irritante. Não conseguia me lembrar de quando havia sido a última vez que ela havia me deixado ter a última palavra.

Soltei o ar pelo nariz, me forçando a ficar calmo e pensar com clareza sobre a situação.

Apesar do que eu sentia por ela, Jules era amiga de Ava e havia acabado de sobreviver a uma tentativa de assalto à mão armada. A menos que fosse um robô, ela não podia estar tão indiferente ao que havia acontecido quanto parecia estar.

Examinei Jules pelo canto do olho, notando a mandíbula tensa e as costas eretas. A expressão dela era neutra – até um pouco demais.

Minha raiva diminuiu, e passei a mão no queixo, dividido. Jules e eu não nos confortávamos. Não dizíamos nem "saúde" quando o outro espirrava. Mas...

Droga.

— Você está bem? — perguntei, relutante.

Não podia deixar de perguntar sobre o estado geral de alguém que tinha acabado de correr risco de morte, quem quer que fosse. Isso iria contra tudo em que eu acreditava como médico e ser humano.

— Estou bem.

Jules prendeu o cabelo atrás da orelha e, apesar da voz inalterada, detectei um leve tremor na mão dela.

Descarga de adrenalina é uma coisa estranha. Dá força, foco. Faz você se sentir invencível. Mas assim que passa e você volta à Terra, é preciso lidar com os efeitos – mãos trêmulas, pernas fracas, as preocupações que sumiram da sua cabeça por um breve momento só para depois retornarem como um tsunami.

Eu apostaria meu último dólar na possibilidade de Jules estar no meio de uma queda brusca de adrenalina.

— Você se machucou?

— Não. Tirei a arma dele antes que o cara pudesse fazer qualquer coisa.

Jules olhava para a frente, um olhar tão intenso que quase esperei que abrisse um buraco na parede da estação.

— Não sabia que você era uma superagente secreta.

Era uma tentativa de deixar o clima mais leve, apesar de estar muito curioso para saber o que havia acontecido. Conversamos com a polícia separadamente, por isso não ouvi como ela havia desarmado Boina.

— Não é preciso ser uma superagente para desarmar alguém. — Jules torceu o nariz. *Finalmente.* Um sinal de normalidade. — Fiz aulas de defesa pessoal quando era mais nova. Aprendi a lidar com um assaltante.

Hum. Nunca imaginei que ela fosse do tipo que faz aulas de defesa pessoal.

O trem entrou na estação antes de eu responder. Não havia assentos vazios, pois a estação anterior era muito movimentada, então ficamos lado a lado, perto da porta, até chegarmos a Hazelburg, em Maryland, onde ficava o campus da Thayer.

Jules e eu fomos vizinhos quando ela e Ava moraram juntas, no último ano do curso das duas, mas depois minha irmã se mudou para a cidade e eu aluguei outra casa. A antiga abrigava lembranças indesejadas demais.

Mas Hazelburg era uma cidadezinha pequena, e Jules e eu ainda morávamos a uma caminhada de vinte minutos um do outro.

Inconscientemente, começamos a andar lado a lado depois de sairmos da estação.

— Não conta para Ava o que aconteceu, não conta para ninguém — disse Jules quando chegamos à esquina onde teríamos que nos separar, ela para a esquerda e eu para a direita. — Não quero que se preocupem.

— Não vou contar. — Ela estava certa. Ava ficaria preocupada, e não havia necessidade de inquietá-la com algo que já havia acontecido. — Tem certeza de que está bem?

Quase me ofereci para acompanhá-la, mas isso já seria demais. Chegamos ao limite da civilidade entre nós, como ficou evidente pelo que ela disse a seguir.

— Tenho. — Ela esfregava o polegar e o indicador na manga do casaco, com uma expressão distraída. — Não se atrase para a festa de Ava no sábado. Sei que pontualidade não está entre suas poucas virtudes, mas é importante que chegue na hora combinada.

Minha solidariedade foi extinta pela onda de irritação que me atingiu.

— Não vou me atrasar — falei, entredentes. — Não precisa se preocupar.

Eu me afastei antes que ela respondesse, sem nem me dar o trabalho de dar tchau. Jules sempre estragava tudo. Toda vez, sempre.

Talvez o comportamento agressivo fosse um mecanismo de defesa, mas isso não era da minha conta. Não estava ali para remover as camadas dela como se estivéssemos em um daqueles romances ridículos de que Ava gostava tanto.

Se Jules queria ser insuportável, eu tinha todo o direito de me poupar do sofrimento saindo de perto dela.

O vento açoitou meu rosto e uivou entre as árvores, enfatizando o silêncio das ruas. Hazelburg era uma das cidades mais seguras dos Estados Unidos, mas...

O jeito como a mão de Jules tremia quando estávamos esperando o metrô. A tensão nos ombros dela. A palidez da pele.

Diminuí a velocidade dos passos.

Está inferindo demais a partir de um movimento. Vai para casa, cara.

E daí se ela estava sozinha no escuro? As chances de acontecer alguma coisa com ela eram mínimas, mesmo que Jules fosse um ímã de problemas.

Fechei os olhos, incapaz de acreditar no que estava pensando em fazer.

— Mas que porra — cuspi as palavras, e então parei e dei meia-volta, seguindo na direção em que Jules havia ido.

Levantei o queixo, me sentindo mais furioso a cada passo.

Furioso com minha consciência, que aparecia nos piores momentos. Furioso com Jules por existir, com Ava por ter feito amizade com ela e com o coordenador de dormitório da Thayer por ter posto as duas no mesmo quarto, tornando essa amizade inevitável tantos anos atrás.

O destino gostava de me ferrar, e nunca havia me ferrado mais do que quando colocara uma certa ruiva na minha vida.

Não demorei muito para alcançá-la. Permanecia afastado para ela não me notar, mas perto o bastante para poder vê-la. As cores intensas do cabelo e do casaco facilitavam as coisas, mesmo no escuro.

Eu me sentia um maluco, mas se ela me visse ali, seguindo seus passos, teríamos outra discussão, e eu estava cansado demais para essa merda.

Por sorte, chegamos à casa dela em menos de dez minutos, e relaxei quando vi o brilho das luzes atrás das cortinas. Stella, outra companheira de dormitório de Ava e Jules na faculdade, já devia estar lá.

Jules entrou na varanda, pôs a mão na bolsa... e parou.

Fiquei tenso novamente e me escondi atrás de uma árvore do outro lado da rua, para o caso de ela olhar para trás, mas não olhou. Só ficou ali parada, congelada, por um minuto inteiro.

Que merda ela estava fazendo?

Eu me preparava para atravessar a rua, pensando que ela podia estar em choque ou algo assim, quando Jules finalmente voltou a se mexer. Levantou a cabeça, abriu a porta e entrou.

Soltei o ar em um suspiro longo e lento, que formou uma nuvem branca no ar invernal, e esperei mais um minuto, olhando para o local onde Jules estava um instante antes, depois me virei e fui para casa.

CAPÍTULO 4

Jules

— **Como foi o encontro?**

Stella levantou o olhar do celular quando entrei na sala.

— Ele não apareceu.

Desabotoei o casaco e o pendurei no cabideiro de latão ao lado da porta. Tive que tentar duas vezes, graças ao tremor da minha mão.

É o frio. Não foi a tentativa de assalto, nem o breve momento de paralisia que vivi na varanda, quando eu...

Para. Não pensa nisso.

Stella arregalou os olhos.

— Mentira! Que cuzão.

Forcei um sorriso. Stella raramente falava palavrões, e eu sempre me divertia quando um ou outro escapava.

— Tudo bem. Eu me livrei de uma roubada. Você viu a foto dele no app de relacionamento? A merda do peixe. Francamente, não sei onde eu estava com a cabeça.

Tirei as luvas e os sapatos, evitando encarar minha amiga enquanto inspirava um pouco de oxigênio.

Não demorei muito para desarmar o assaltante, mas a sensação de estar indefesa, mesmo que por poucos minutos, trouxe de volta lembranças que era melhor terem permanecido enterradas.

Madeira ferindo minhas costas. Mal hálito no meu pescoço. Mãos na...

— Jules.

Eu me assustei e quase derrubei o cabideiro.

Consegui manter a calma depois da tentativa de assalto, mas ali, segura em casa, meu corpo finalmente começava a processar o que havia acontecido.

Não foi bonito.

Meu coração parecia um tambor frenético no peito, o estômago era uma tempestade de náusea. A presença de Stella era a única coisa que me mantinha em pé.

Ela fez uma cara de preocupada.

— Você está bem? Passou os últimos cinco minutos olhando para o nada. Falei seu nome duas vezes.

— Ah. — Forcei um sorriso radiante. — Eu só... viajei. Estava pensando em como vou me vingar de Todd.

Não ia perder mais nenhuma gota de energia com aquele babaca, mas Stella não sabia disso.

Ela inclinou a cabeça, e os olhos verdes de gata se estreitaram. Blogueira de moda e influencer, Stella passava noventa por cento do tempo grudada no celular, mas também era mais observadora do que as pessoas reconheciam.

— Você não perderia mais energia com aquele cara — disse ela.

Bom, havia gente observadora, e havia coisas que eram assustadoras. Talvez aquelas raspadinhas nojentas de grama de trigo que ela tanto amava lhe conferissem superpoderes, como ler mentes, por exemplo.

— É sério, estou bem. — Abri ainda mais o sorriso. Não hesitava em pedir conselhos às amigas, mas só quando podiam me ajudar. Caso contrário, não fazia sentido preocupá-las. — Só quero ver um filme, tomar sorvete e me esquecer de Todd, o sapo.

Ainda havia uma sombra de desconfiança nos olhos de Stella, mas felizmente ela não insistiu no assunto.

— Ainda temos um pote de sorvete de caramelo salgado. Reprise de *Legalmente Loira* enquanto acabamos com ele? — perguntou ela.

— Sempre. — Eu nunca me cansava de ver Elle Woods perfeitamente penteada e arrasando. — Vou tomar banho primeiro. Você faz o que tem que fazer.

— Estou lendo minhas DMs. — Ela suspirou. — Não que exista alguma possibilidade de conseguir ler todas algum dia.

— Não precisa responder uma por uma, sabia?

Stella tinha centenas de milhares de seguidores, e eu não conseguia imaginar quantas mensagens inundavam sua caixa todos os dias.

— Quero responder. Só não os malucos. — Ela acena. — Vai fazer suas coisas. Eu espero aqui.

Stella voltou ao celular, e quando entrei no banheiro e abri o chuveiro, meu sorriso desapareceu.

Esperei até o ar ficar denso com o vapor, então entrei na banheira e apoiei a testa contra o azulejo liso da parede, deixando a água lavar as lembranças indesejadas.

Meu último ano no ensino médio. Alastair, Max e Adeline...

Para.

— Segura a onda, Jules — sussurrei, com firmeza.

Eu não era mais uma menininha indefesa presa em Ohio.

Estava em outro estado, prestes a conquistar tudo com que sempre havia sonhado.

Dinheiro. Liberdade. *Segurança.*

E não deixaria ninguém tirar isso de mim.

CAPÍTULO 5

Jules

Quando a festa surpresa de Ava começou, eu havia empurrado a tentativa de assalto para o porão da minha mente. Distração era a chave para reprimir memórias e, felizmente, eu tinha várias para me manter ocupada pelos próximos cinco anos.

— Não acredito que vocês fizeram isso. — Ava se virou lentamente, olhando admirada para o restaurante que havia sido transformado em um verdadeiro salão de festas. E quando falo "salão de festas", estou me referindo a uma escultura de gelo de dois metros de altura, várias estações de comida gourmet, um DJ, uma fonte de chocolate e uma pista de dança temporária, tudo obra do namorado mais rico que Deus. — Não precisavam ter feito isso.

— Não, mas quisemos fazer. — Sorri. — Além do mais, foi uma boa desculpa para ter uma fonte de chocolate. Sempre quis ver uma na vida real.

Eu a abracei e senti seu perfume familiar. O cheiro provocou uma onda de nostalgia.

Ava foi a primeira pessoa que conheci em Thayer. Nós nos conectamos imediatamente, e eu nunca esqueceria como ela me defendeu quando Josh insistiu para que ela acabasse com nossa amizade. Os dois eram muito próximos, e isso tornava ainda mais importante o fato de ela ter *me* defendido e ficado contra ele.

Ainda convivíamos depois da formatura, mas não tanto quanto eu gostaria. Em parte, queria poder voltar ao tempo em que Ava, Stella, Bridget e eu passávamos a noite toda acordadas, comendo pacotes e pacotes de salgadinho de queijo e ouvindo as garotas do quarto vizinho gritando umas com as outras, porque uma delas havia pegado o namorado da outra.

— Feliz aniversário, meu bem. — Sorri, tentando não soar deprimente, apesar da melancolia que me dominava. — Surpresa?

— Completamente. — Ava se virou para o namorado e deu um tapa no braço dele, mas seus olhos brilhavam de alegria. — Você disse que íamos *almoçar*!

— E vamos. — Um esboço de sorriso passou pelos lábios de Alex Volkov. Ava devia ser a única pessoa capaz de provocar tanta emoção nele. É, isso foi sarcástico. Também devia ser a única que podia bater nele, mesmo que de brincadeira, sem perder um membro. — Tecnicamente.

Fingi surpresa.

— Isso foi uma piada? — Olhei para Ava e Stella e ignorei Josh, que estava do outro lado de Ava. — Alex fez uma piada. Depressa, alguém anota a data e a hora.

— Hilário — disse ele, sem se alterar.

O homem emanava vibrações de CEO mesmo de camisa e calça jeans, suas roupas mais casuais. Os olhos dele brilhavam como lascas de gelo cor de jade em um rosto que poderia ter sido esculpido pelo próprio Michelangelo, e a expressão era fria a ponto de provocar queimaduras.

Nenhum problema. Ele podia me encarar o quanto quisesse, mas como amiga de Ava, eu era imune a sua ira, e ele sabia disso.

— Uma vez você me surpreendeu com uma festa de aniversário — disse ele a Ava, e seu rosto se tornou um pouco mais suave. — Achei que já era hora de retribuir o favor.

Dava quase para ver Ava derretendo.

— Acho que estou com dor de dente com toda essa doçura — comentou Stella quando Alex cochichou algo no ouvido de Ava, e ela ficou vermelha.

— Precisamos marcar uma consulta com o dentista — concordei.

Apesar das piadas, estávamos sorrindo como idiotas. Alex e Ava haviam enfrentado muitas dificuldades, e era bom vê-los tão felizes, embora essa palavra fosse relativa, quando associada a Alex.

Enquanto isso, Josh continuava encostado na mesa de doces com uma expressão mais sombria que a camisa preta.

Costumava ser o melhor amigo de Alex até os dois brigarem, mas essa era outra história. Agora ambos se tratavam com civilidade, mas havia uma grande diferença entre "civil" e "amigo".

— Tira essa expressão azeda do rosto, dr. Fim da Alegria. Está jogando a energia lá pra baixo — falei.

— Se minha cara te incomoda tanto, é só não olhar para ela. A menos que não consiga evitar, o que é compreensível — retrucou ele.

Fiz uma careta. Havia planejado a festa com a ajuda de Stella e Alex, e apesar de ter me sentido tentada a excluir Josh da lista de convidados, ele era *irmão* de Ava. A presença dele era esperada, como bactérias em um frango malpassado.

Antes que eu pudesse responder ao comentário convencido, um grito empolgado ecoou do outro lado, seguido por um estrondo alto e duas dúzias de cabeça se virando para a entrada.

Segui os olhares perplexos e vi o casal que havia acabado de entrar, seguido por dois guarda-costas grandes como montanhas.

Meu rosto se iluminou.

— Bridget!

Ela sorriu e acenou.

— Surpresa.

— Ai, meu Deus! — Corri para ela com Ava e Stella, e nos encontramos em um abraço feliz e barulhento que teria acabado com todas nós no chão, se o noivo de Bridget, Rhys, e Booth, o guarda-costas dela, não tivessem nos segurado. — Pensei que você não ia poder vir!

— A pessoa que organiza minha agenda descobriu um evento na embaixada ao qual, coincidentemente, minha presença era "requisitada" neste fim de semana. — Os olhos azuis de Bridget brilharam, ardilosos. — A reunião com o embaixador se estendeu demais, ou eu teria vindo mais cedo. — Ela abraçou só Ava depois que nos soltamos. — Feliz aniversário, amorzinho.

— Não acredito que você está aqui. — Ava retribuiu o abraço dela com força. — Deve ser muito ocupada...

Bridget von Ascheberg pode ter frequentado a Thayer University ao nosso lado, mas as semelhanças acabavam aí, porque ela era uma rainha de verdade, uma rainha da vida real.

Era princesa quando a conhecemos, mas depois que o irmão mais velho abdicou, Bridget passou a ser a primeira na linha de sucessão ao trono de Eldorra, um pequeno reino europeu. O avô dela, o antigo Rei Edvard, renunciou recentemente devido a problemas de saúde, e Bridget foi coroada rainha dois meses antes.

— Eu não perderia isso por nada no mundo. Além do mais, é sempre bom tirar uma folga. — Bridget afastou uma mecha de cabelo dourado do rosto. Com os olhos azuis, os traços clássicos e a elegância, havia nela uma semelhança impressionante com Grace Kelly. — O Parlamento anda criando problemas. De novo.

— Eu a tirei do palácio bem a tempo, ou ela teria rompido uma artéria — acrescentou Rhys em um tom seco que destoava do afeto com que olhava para Bridget.

Com um metro e noventa e cinco de altura e todo tatuado e musculoso, Rhys Larsen era um dos homens mais lindos e perigosos que eu já havia conhecido, mas por trás da aparência dura havia um coração de ouro. Ele tinha sido contratado para ser guarda-costas de Bridget, mas os dois haviam se apaixonado, e agora ele era o futuro príncipe-consorte, já que o título de rei-consorte não existia em Eldorra. Os dois haviam tido de superar muitos obstáculos para ficarem juntos, considerando que ela era da realeza, e ele, não, mas haviam formado um dos casais mais amados do mundo.

O estalo alto do obturador de uma câmera interrompeu nossa reunião, e de repente me lembrei de que não estávamos sozinhas. Os outros convidados ainda olhavam boquiabertos para Bridget e Rhys.

A entrada de uma rainha de verdade em uma festa de aniversário sem aviso prévio podia ser mesmo *um pouco* chocante.

Mas ninguém se aproximou de nós, exceto Josh, que cumprimentou Bridget com um abraço normal e Rhys com um daqueles apertos de mão que os homens parecem adorar. Acho que Booth e o guarda-costas de Rhys eram intimidadores o bastante para impedir a aproximação das pessoas.

— Então... — Bridget enganchou o braço no de Ava e caminhou para a mesa mais próxima. — Conta, o que eu perdi?

Durante a meia hora seguinte, contamos as novidades sobre nossas vidas, enquanto Josh ficava no bar e Rhys e Alex, sentados do outro lado da mesa, permaneciam em silêncio. De vez em quando os dois trocavam algumas palavras, mas passavam a maior parte do tempo olhando para Ava e Bridget com cara de apaixonados. Bom, tão apaixonados quanto alguém frio como Alex e ríspido como Rhys podiam parecer, pelo menos.

Ignorei o aperto no coração ao ver o evidente amor dos dois pelas minhas amigas e voltei a me concentrar na conversa.

Havia desistido do amor muito tempo antes. Era inútil sonhar com aquilo.

— Jules e eu vamos mudar de casa quando o contrato de aluguel acabar — disse Stella. Ainda morávamos em Hazelburg, porque eu frequentava a faculdade de Direito da Thayer, mas nosso contrato de aluguel terminava em abril, e eu me formava no fim de maio. Depois, nós duas iríamos trabalhar na cidade, então fazia sentido procurarmos uma casa em Washington. — Mas ainda não encontramos nada.

Tudo que víamos era muito longe dos escritórios onde trabalharíamos, muito caro ou muito feio. Eu tinha certeza de que um dos apartamentos que fomos visitar já havia sido um ponto de tráfico de drogas.

Que inferno era procurar casa na cidade.

— Para onde querem se mudar? — perguntou Rhys.

— O ideal é que seja no centro, qualquer lugar perto da linha vermelha — respondi.

A linha vermelha ia até Thayer, e quanto menos baldeações de linhas de metrô eu tivesse que fazer, melhor.

Ele ficou pensativo por um instante.

— Conheço alguém que tem um prédio no centro da cidade. Talvez ele possa ajudar. Não sei se tem algum apartamento vago, mas vou perguntar.

Stella levantou as sobrancelhas.

— Ele é dono do prédio *inteiro*?

Rhys deu de ombros. Eram ombros tão grandes que o movimento parecia o de montanhas tremendo.

— Ele investe no mercado imobiliário.

— Isso seria ótimo. — Olho diretamente para Alex. — Pelo menos *alguém* no mercado imobiliário pode nos ajudar.

Alex era CEO do Archer Group, a maior empresa de empreendimentos imobiliários do país.

Estava brincando sobre ele nos ajudar, mas Alex respondeu, em vez de me ignorar.

— Minhas propriedades estão ocupadas, mas se quiser se mudar para um shopping center, ou um prédio comercial...

— Hum... — Bati com um dedo no queixo. — O shopping tem potencial. Adoro roupas.

— Eu também — concordou Stella.

Alex não achou graça.

— Falando em imóveis — interrompeu Ava quando Josh se aproximou com uma bebida. Ele se sentou na cadeira ao lado de Alex, tomando todo cuidado para não olhar para o ex-melhor amigo. — Um dos associados comerciais de Alex tem um novo resort de esqui em Vermont, e compramos convites para a grande inauguração para apoiá-lo. Quatro convites, na verdade, então podemos levar dois convidados. Bridget e Rhys, sei que vocês não vão estar aqui, e Stella, você mencionou que tem um evento importante em Nova York no último fim de semana de março.

Stella era sempre convidada para eventos chiques de moda por causa do blog, mas se ela não poderia ir, e Bridget e Rhys não poderiam ir, sobravam apenas...

Ah, não.

— Josh, Jules, o que acham? Podemos ir juntos. — Ava sorriu. — Seria muito divertido!

Um fim de semana com Josh? Eu me divertiria mais fazendo um tratamento de canal sem anestesia, mas Ava estava tão animada, que não consegui dizer não, especialmente no aniversário dela.

— Oba. — Tentei demonstrar todo entusiasmo de que era capaz. — Mal posso esperar.

— Eu também adoraria, mas... — Josh fez uma careta, e foi a pior encenação de pesar que já havia visto na vida. — Vou trabalhar nesse fim de semana.

Graças a Deus. Eu suportaria ser a vela, se não tivesse que...

— Que pena. — Ava não se abalou com a resposta do irmão. — O resort tem uma triplo diamante negro.

Josh parou com o copo a meio caminho da boca.

— Está brincando comigo.

Senti que meu estômago se contraía. Josh era viciado em adrenalina, e poucas coisas produziam mais descargas de adrenalina que uma trilha de esqui do tipo mais perigoso do mundo. Era como passar o melhor pó embaixo do nariz de um dependente de cocaína.

— Não. — Ava bebeu um gole do drinque, enquanto Stella continuava olhando para o celular, quase sem conseguir disfarçar o sorriso, e Rhys e Bridget trocavam olhares divertidos. Alex era o único que não exibia nenhuma reação. — Sei que sempre quis esquiar em uma dessas, mas como tem que trabalhar...

— Acho que consigo trocar o plantão — falou Josh, depois de uma longa pausa.

— Ótimo! — Os olhos de Ava brilharam de um jeito que acionou meus alarmes internos. — Está combinado, então. Você, eu, Alex e Jules vamos a Vermont.

O sorriso tenso de Josh refletia o meu. Não concordávamos muito, mas ele não precisava falar nada para que eu entendesse que estávamos de acordo no que eu estava pensando.

A viagem não ia acabar bem. Não mesmo.

CAPÍTULO 6

Josh

A LISTA DE COISAS QUE EU PREFERIA FAZER NO FIM DE SEMANA, EM vez de ir viajar com meu ex-melhor amigo e a ameaça ruiva, incluíam alimentar um pica-pau na palma da mão, comer meio quilo de minhocas cruas e assistir *Glitter* várias vezes com os olhos presos por fita adesiva para não fechá-los.

Mas – e esse é um grande "mas" – era aniversário de Ava, e o resort tinha uma pista triplo diamante negro. Nunca havia esquiado em uma tripla diamante negro.

A perspectiva do desafio fez meu corpo vibrar. Eu seria um idiota se recusasse a oportunidade.

— Josh.

Meus músculos ficaram tensos quando Alex apareceu com um copo de Coca-Cola e uísque, como eu.

— Alex.

Continuei olhando para a pista de dança, onde Ava e as amigas celebravam como se fosse 1999. O grupo na nossa mesa havia se dispersado algum tempo antes, e os outros convidados se cansado de admirar Bridget e passado a dar espiadas entre uma música e outra. A equipe de segurança dela havia confiscado temporariamente o celular de todo mundo, mas aposto que algumas pessoas haviam tirado fotos de quando ela chegou, e essas fotos estariam em todos os sites de fofoca amanhã cedo.

— Estou surpreso por você não estar lá com todo mundo. — Alex se apoiou na parede de frente para a festa, mas os olhos dele acompanhavam apenas Ava. — Você era a primeira pessoa a chegar na pista de dança.

— Ah, é. — Esvaziei o copo com um longo gole. — Muita coisa mudou desde a faculdade.

O significado implícito pesava entre nós como uma guilhotina prestes a cair. Alex e eu já havíamos sido melhores amigos.

Mas havíamos nos transformado em estranhos unidos por um só ponto em comum.

Não fosse por Ava, eu ficaria feliz em nunca mais ver ou falar com Alex de novo.

Pelo menos, era isso que eu dizia a mim mesmo.

— Vermont não foi ideia minha — explicou Alex, passando por cima do assunto proibido.

— Eu sei. Ava não é tão ardilosa quanto pensa que é.

Fazia mais de um ano que ela tentava promover a paz entre mim e Alex. Talvez ela o tivesse perdoado por ter mentido para nós para se aproximar mais do meu pai, que Alex achava ter sido o homem por trás do assassinato da família dele, mas para mim a traição era mais difícil de superar.

Ava e Alex namoravam havia poucos meses quando ele descobrira que o tio era o verdadeiro culpado e revelara toda a verdade por trás do seu plano de vingança. Mas ele e eu éramos amigos havia oito anos antes disso.

Eu convidava Alex para ir a minha casa. Tratava-o como se fosse meu irmão. Compartilhava segredos, conselhos e coisas que nunca disse nem a minha própria família. E, durante todo esse tempo, ele mentia pra mim. Ele me *usava*.

O restinho do gosto de uísque se tornou amargo na minha boca.

— Ela sente sua falta — falou Alex em voz baixa.

— Estou bem aqui. — Olhei para o bar. — Trocamos mensagens o tempo todo.

— Você entendeu o que eu quis dizer.

— Na verdade, não.

A boca dele se comprimiu em uma linha fina.

— Você tem se comportado de um jeito estranho ultimamente. Ava está preocupada.

— Cara, para com isso. — Levantei a mão. — Se Ava está preocupada comigo, ela mesma pode me dizer. Mas não finja que vamos ser melhores amigos de novo. Não vamos. Porque sabe o que é necessário em uma amizade? Confiança. E você perdeu a minha muito tempo atrás.

Passei por Alex antes que ele pudesse responder e andei na direção do bar, sentindo a garganta e o peito apertados. Ele não me seguiu, e eu nem esperava que fosse me seguir. Ele não corria atrás de ninguém, exceto Ava. Esse foi o único motivo para eu não ter brigado mais quando eles se reconciliaram.

Apesar de todos os erros e defeitos, Alex amava minha irmã de verdade. Eu a queria segura e feliz, e se ela estava segura e feliz com ele, eu podia aturar e me comportar com civilidade.

Mas isso não significava que eu precisava ter conversas emocionadas com ele no canto de uma pista de dança.

— Ei, cara. — Acenei para o garçom. — Uma dose de tequila. Dupla.

Eu precisava de uma bebida mais forte que uísque para aguentar o resto da festa.

— Já vou trazer.

Eu havia acabado de pôr dois dólares na caixinha de gorjeta, quando fui interrompido de novo por mais um interlocutor totalmente indesejado.

— Problemas na Terra da broderagem? — A voz sedosa e ronronante provocou um arrepio de irritação em mim e alguma outra coisa que eu não consegui identificar.

— Não começa, JR. Não estou com paciência.

Não virei a cabeça para olhar para Jules, mas vi de relance o cabelo vermelho e o brilho dourado do vestido pelo canto do olho.

— Seu talento para criar apelidos deixa muito a desejar, Joshy. — Jules apareceu ao meu lado e sorriu para o garçom, que parou de fazer meu drinque para sorrir para ela. — Vou querer um Sex on the Beach, se não for pedir demais.

Ela bateu com a ponta da unha no cardápio, que relacionava apenas drinques básicos como vodca com suco de laranja ou cranberry, e que certamente não oferecia a porra do Sex on the Beach.

Os olhos do garçom brilharam.

— Para uma mulher bonita como você, nenhum pedido é demais.

O comentário era tão clichê que quase não consegui segurar a risada.

O sorriso de Jules ficou mais largo.

— Obrigada.

Se outro grupo de convidados não tivesse se aproximado para fazer um pedido, eu certamente teria testemunhado ainda mais daquele flerte enjoativo. Por sorte, o garçom se distraiu e terminou rapidamente de fazer nossas bebidas, depois foi atender meia dúzia de pessoas que aguardavam pela atenção dele.

— Já está apelando? — Balancei a cabeça fingindo decepção. — Esperava mais de você.

— Por quê? Porque ele é garçom, e não *médico*? — Jules arqueou uma sobrancelha. — Você está se tornando descaradamente esnobe.

— Não. É porque as cantadas deles são tão patéticas quanto seu esforço para me atingir. — Virei a dose de tequila e nem me incomodei em pedir outra bebida mais fraca. — Mas se você gosta...

— Não tente desviar o assunto do seu relacionamento fracassado.

— Não estou em nenhum relacionamento.

Nem tenho interesse em me envolver com alguém tão cedo. Sexo era só isso, sexo. Não um prelúdio para um namoro, roupinhas de casal combinando ou qualquer outra coisa que estivesse na moda. Fazia questão de deixar essa situação clara para qualquer mulher com quem dormisse, porque não queria enganar ninguém, nem alimentar falsas esperanças.

A residência ocupava a maior parte do meu tempo, e mesmo que não estivesse tão ocupado, minha vontade de ter uma namorada era praticamente inferior a zero. Não havia nascido para essa história de compromisso. Sempre ficava entediado depois de algumas semanas, e todo o lance de casal era exaustivo. Encontros constantes, telefonemas, perguntar sobre a vida do outro...

Eu sentia arrepios só de pensar.

Funcionava para quem estava feliz e apaixonado, mas eu não estava nenhum dos dois e nunca estaria.

— Estou falando de Alex. — Jules respondeu com um sorriso sedutor e depois olhou para mim. — Eu me lembro quando vocês dois eram praticamente grudados.

Uma onda gelada apertou meu peito, mas mantive o tom leve.

— Não sabia que tinha tanto interesse assim em minha vida pessoal, JR.

— Não tenho, a menos que afete *minha* qualidade de vida. — Jules bebeu um gole do coquetel. — E como vamos viajar todos juntos, esse ressentimento idiota que você alimenta contra Alex causa um impacto direto em mim e na Ava.

Segurei o copo com mais força, imaginando ser o pescoço de Jules.

— Idiota? — A palavra tinha uma nota venenosa. — *Idiota* é brigar para escolher um filme. Idiota é o pobre coitado que acabar se casando com você.

Mas eu garanto, essa palavra *não* se aplica ao que aconteceu com Alex. Não fale sobre coisas a respeito das quais não sabe nada.

Jules não desviou o olhar do meu.

— Posso não ter me envolvido pessoalmente nessa... situação — disse ela, com mais tato do que eu esperava que tivesse —, mas *sou* a melhor amiga de Ava. Sei o que aconteceu, e já faz mais de três anos. Ela perdoou Alex. Ele se desculpou. É hora de ser adulto e superar.

Pela primeira vez, não detectei nenhum sarcasmo, apenas um conselho direto, mas isso não evitou que a tensão contraísse meus músculos.

— Falar é fácil. — Meu Deus, eu precisava de outra bebida. — Voltamos a essa conversa quando você for traída por alguém próximo.

Algo sombrio cintilou nos olhos de Jules.

— Como sabe que ainda não fui?

Fiquei imóvel.

Como sabe que ainda não fui?

Eu não sabia muito sobre o passado de Jules. Caramba, eu sabia muito pouco, só o que ela mostrava às pessoas – a atitude corajosa, o flerte ousado, a estranha mistura de ambição implacável e diversão inconsequente.

Mas sabia que uma frase que ela acabara de proferir havia soado mais verdadeira que qualquer coisa que tivesse ouvido nos últimos anos.

Olhei para Jules, cujos olhos grandes e lábios ligeiramente afastados revelavam sua surpresa com as palavras que ela mesma havia acabado de dizer.

Engoli a urgência de perguntar o que havia acontecido, e o ar entre nós ficou mais pesado com... não era empatia, exatamente, mas uma insinuação de compreensão que diminuía um pouco da pressão no meu peito.

Não tínhamos o tipo de relacionamento em que discutíamos problemas pessoais. Mesmo que tivéssemos, eu duvidava de que Jules responderia a minha pergunta. Não era da natureza dela demonstrar vulnerabilidade.

Ela endireitou a postura, e um véu caiu sobre seu rosto, apagando todos os traços da suavidade anterior.

— Se vai ou não perdoar Alex, é problema seu. Só não estraga a diversão de todo mundo com sua amargura... embora sua simples presença talvez seja suficiente para isso.

E então ela se virou e se afastou balançando os quadris, de cabeça erguida.

Um grunhido baixo escapou da minha garganta sem eu pensar. Era inútil desperdiçar energia ficando bravo com ela. Eu precisava controlar cada choque de energia que movimentava meu corpo para garantir que não a mataria em Vermont. Por mais que fosse satisfatório, eu não jogaria fora meu futuro por um momento de *extrema* satisfação.

Olhei novamente para o garçom, ansioso para pedir outra bebida, mas o peguei olhando para um certo ponto na pista de dança com uma expressão hipnotizada.

Não, um ponto não. Uma *pessoa*.

Jules levantou os braços, balançando os quadris no ritmo da música de um jeito que fazia todos os homens ao redor babarem. Ela olhou para trás e piscou para o garçom, depois olhou para mim com uma expressão convencida.

Fiz a coisa mais madura em que consegui pensar: mostrei o dedo do meio.

Ela riu e fez uma cara ainda mais convencida, depois me deu as costas.

— Que delícia. — Os olhos do garçom brilhavam de um jeito que me deixou ainda mais irritado. — Por favor, fala que ela é solteira.

Disfarcei a irritação com um sorriso tenso.

— Sabe o que é um súcubo?

Ele coçou o queixo. O grupo de antes havia voltado à festa, e éramos os únicos no bar.

— São aquelas plantinhas pequenas? Minha irmã adora essas coisas. Tem um parapeito cheio delas.

— Não, cara. As plantas são *suculentas*. — Baixei a voz. — Súcubo é um demônio que aparece na forma de uma bela mulher para seduzir um homem e roubar a força vital dele. É mitologia, mas... — apontei na direção de Jules. — Ela é um súcubo da vida real. Não caia nessa armadilha. Tem um demônio cruel escondido atrás daquela carinha bonita.

Era impossível um ser humano de verdade ter cabelos tão vermelhos, olhos tão intensos e curvas tão abundantes. Diabinhos sobrenaturais eram a única coisa que fazia sentido.

— Ah. — O garçom arregalou os olhos. — Isso significa que ela vai dormir comigo?

Ah, puta que pariu.

— Vai ter que perguntar para ela. — Eu me aproximei mais, como se fosse contar um segredo. — Vou te dar uma dica: ela *adora* quando as pessoas a chamam de Jessica Rabbit. Fala para ela que sempre quis pegar uma JR da vida real, e vai rolar. Ainda tem bônus se você a chamar de JR. É o apelido de que ela mais gosta.

— Sério? — perguntou ele, com uma cara desconfiada.

— Confia em mim. — Passei a mão sobre a boca para esconder o sorrisinho. Era como tirar doce de um bebê. — Eu a conheço há anos. A comparação realmente mexe com ela.

— Que fofa. — A expressão de dúvida desapareceu do rosto do garçom, substituída por um sorriso encantado. — Valeu, cara. — Ele deu um tapa no meu ombro e serviu outra dose. — Por conta da casa.

A festa era open bar, então tecnicamente *todas* as bebidas eram por conta da casa, mas não falei nada. Apenas levantei o copo num gesto de agradecimento e sorri ainda mais quando imaginei a reação de Jules ao ser chamada de JR pelo garçom.

Ela era muito previsível. Era como se marcasse com um X gigantesco e brilhante todos os botões que eu podia apertar para tirá-la do sério.

No entanto...

Como sabe que ainda não fui?

O copo parou a caminho dos meus lábios por uma fração de segundo antes de eu balançar a cabeça e acolher o ardor feroz da tequila descendo pela garganta.

Mesmo assim, as palavras dela ecoavam na minha cabeça e me distraíam com sua ambiguidade.

Quem poderia ter traído Jules? Ela nunca havia tido uma briga grande e séria com Ava, Bridget nem Stella. Também não tivera um relacionamento sério desde que a tinha conhecido. A aversão a relacionamentos e compromissos era uma das poucas características que tínhamos em comum.

Será que algum namorado do colégio havia partido o coração dela? Alguém da família?

Olhei novamente para a pista de dança. Jules continuava dançando ao som de um remix dos últimos sucessos do pop. Ava disse alguma coisa, e ela jogou a cabeça para trás e riu, uma gargalhada que ouvi acima da música.

Vestido brilhante. Olhos brilhantes. Para o mundo todo, ela parecia uma garota bonita, sem preocupações, com o mundo a seus pés.

Como sabe que ainda não fui?

Fiquei pensando em que segredos Jules esconderia embaixo daquela aparência de garota festiva.

E, mais importante, queria saber por que eu me importava.

CAPÍTULO 7

Jules

O aniversário de Ava marcou uma virada na sorte, porque depois de várias semanas de merda, tudo voltou a dar certo. Uma pessoa mais supersticiosa poderia ter dito certo *demais*, mas nunca olhei os dentes de um cavalo dado. Aproveitaria cada segundo do clima perfeito, dos elogios dos professores e da boa sorte generalizada enquanto tudo isso durasse.

Mas a questão foi: a procura por um apartamento talvez finalmente tivesse dado bons resultados graças a Rhys.

No fim de semana depois da festa de Ava, me vi no saguão do Mirage, o luxuoso prédio de apartamentos que pertencia ao amigo de Rhys. Rhys havia conseguido uma cobiçada visita para mim e Stella, e cheguei cedo não só porque estava paranoica com medo de chegar atrasada – todo mundo sabia que não dá para confiar no metrô de Washington –, mas porque precisava de um lugar tranquilo para fazer minha entrevista com a Legal Health Alliance Clinic.

Apesar de ter recebido uma proposta de emprego da Silver & Klein no verão passado, não podia atuar como advogada até ser aprovada no exame da ordem. A maioria das firmas permitia a admissão de recém-formados antes da divulgação dos resultados, mas não a Silver & Klein.

Eu precisava de um emprego de curto prazo para pagar as contas entre a formatura e a divulgação dos resultados em outubro. O cargo de auxiliar de pesquisa temporária na LHAC, uma sociedade médico-legal onde médicos e advogados trabalhavam juntos para prestar serviços para comunidades carentes, era perfeito.

— Já fiz todas as perguntas que precisava fazer hoje — declarei depois que Lisa, a diretora jurídica da clínica, terminou de descrever como seria um típico dia de trabalho. Acomodei-me melhor no sofá de veludo do saguão, satisfeita por não ter ninguém ali além da recepcionista. Não queria ser uma daquelas pessoas que faziam ligações de trabalho incômodas em público.

Infelizmente, não havia outro lugar onde eu pudesse fazer a entrevista sem correr o risco de perder a visita. — Muito obrigada por essa conversa.

— Não foi nada — disse Lisa, com sua voz afetuosa. — Vou ser honesta, já que você é a última candidata que entrevistamos. Você é a melhor candidata com quem conversei. Experiência de trabalho excelente, ótimas notas, e acho que vai se dar muito bem com o restante da equipe. — Ela hesitou por dois instantes e, então, acrescentou: — Não costumo fazer isso logo depois de uma entrevista, mas gostaria de fazer uma proposta oficial para você se juntar a nossa clínica. Mais tarde, vou mandar um e-mail para formalizar a proposta e você pode pensar se...

— Eu aceito!

Meu rosto ficou vermelho de ansiedade, mas foda-se. Conseguir a vaga tiraria um peso *enorme* dos meus ombros. Eu poderia parar de procurar emprego e me concentrar na preparação para o exame da ordem, que consumiria todo o meu tempo livre.

Lisa deu risada.

— Ótimo! Alguma chance de começar na segunda-feira? Às oito da manhã?

— Com toda a certeza.

Tinha concentrado todas as minhas aulas na terça e na quinta-feira, deixando o resto da semana livre.

— Perfeito. Vou mandar um e-mail com os detalhes mais tarde. Estou ansiosa para trabalhar com você, Jules.

— Eu também estou.

Desliguei sorridente. Tive que me controlar para não fazer uma dancinha no meio do saguão.

Não sei que pozinho mágico havia sido soltado na festa de Ava, mas precisava de um galão dele com urgência. Nunca havia tido tanta sorte por tanto tempo.

Por outro lado, talvez o universo estivesse apenas me recompensando, depois de como o garçom havia me abordado no final da festa. Ele tinha me chamado de JR e dito que adorava minha semelhança com a porra da Jessica Rabbit. Quase joguei a bebida na cara dele.

Aposto que Josh tinha alguma coisa a ver com isso. Provavelmente, ele falara para o garçom alguma besteira sobre como eu gostava de ser chamada de JR.

Que babaca.

Mas não. Não deixaria que pensamentos sobre Josh arruinassem uma semana que havia sido incrível.

Respirei fundo e tentei voltar ao meu lugar feliz quando ouvi o homem na recepção fazer um barulho estrangulado.

Levantei a cabeça a tempo de ver Stella passar correndo pela porta giratória.

— Desculpa, fiquei presa no trabalho, vim assim que pude — disse ela, ofegante, sem perceber como o recepcionista olhava para ela. As pernas de Stella eram tão longas que foram necessários poucos passos para ela se aproximar de mim. — Estou atrasada?

— Não. O diretor de locação ainda não...

Não deu tempo de terminar a frase, porque uma mulher bem-vestida com um elegante terninho cinza se aproximou de nós, exibindo uma expressão tão altiva quanto o jeito de andar.

— Srta. Ambrose, srta. Alonso. Meu nome é Pam, sou a diretora de locação do Mirage.

— É um prazer conhecer você, Pam — cumprimentei, achando engraçado como ela falava, como se fosse diretora da NSA, e não de um prédio de apartamentos.

Essa era uma característica de Washington. Todo mundo fingia ser mais importante do que realmente era, o que não era nenhuma surpresa em uma cidade onde a primeira pergunta que alguém fazia depois de te conhecer era: "O que você faz?".

Era uma cidade de currículos ambulantes e alpinistas de carreira, e eu não me envergonhava de dizer que fazia parte do grupo. Uma boa carreira significava um bom dinheiro, e um bom dinheiro significava segurança, casa e comida na mesa. Se alguém quisesse me julgar por querer essas coisas, que saísse de perto de mim.

Dei um pulinho quando Stella me deu uma cotovelada de leve.

— Tira esse cotovelo pontudos de mim — cochichei.

— Não estraga nossa chance de conseguir esse apartamento — sussurrou ela de volta.

— Só falei que era um prazer conhecer a mulher.

— É o tom.

Stella lançou um olhar de aviso para mim enquanto seguíamos Pam até o elevador.

— *Meu* tom? — Pus a mão no peito. — Meu tom é sempre impecável.

Stella suspirou, e eu segurei uma risadinha. Ela era a mais inabalável de todas as minhas amigas, por isso me sentia realizada quando conseguia incomodá-la. Por outro lado, ela andava bem menos inabalável nos últimos meses. Nossa casa estava sempre perfeitamente limpa, um sinal claro de que Stella estava estressada.

Eu não a culpava. Pelo que havia me contado, a chefe dela na *DC Style* fazia Miranda Priestly parecer fofa.

Enquanto subíamos ao décimo andar do prédio, Pam falava sobre as instalações do condomínio. Havia uma sala de descanso e uma piscina na cobertura, uma academia de ginástica que era uma obra de arte e porteiro e concierge em tempo integral.

Quanto mais ela falava, mais ansiosa e preocupada eu ficava. O site do Mirage não divulgava o valor dos aluguéis, mas eu apostaria meu iminente diploma de advogada em como aquele lugar era caro pra cacete. Rhys havia dito que o amigo dele nos daria um desconto generoso, mas não especificara o quanto.

Deus, eu esperava poder pagar. Mataria por uma piscina na cobertura, embora não ligasse para uma academia de ginástica. Os únicos exercícios que gostava de fazer eram os que se faziam na cama e, mesmo assim, fazia tempo que não praticava. Nada arruinava uma vida amorosa como a faculdade de direito.

Paramos em frente a uma porta de madeira escura com o número 1.022 gravado em dourado.

— Chegamos. A última unidade disponível no Mirage — anunciou Pam, orgulhosa, e então abriu a porta.

Stella e eu deixamos escapar exclamações chocadas em uníssono.

Ai. Meu. Deus.

Era como se alguém tivesse pegado o apartamento dos meus sonhos e o imprimido em 3D. Janelas do teto ao chão, uma varanda, assoalho de madeira brilhante e uma cozinha novinha com uma ilha de trabalho. Sempre havia sonhado em ter uma daquelas.

Eu não cozinhava, mas só porque nunca havia tido uma ilha. Podia até imaginar como a comida do delivery – quer dizer, minhas refeições caseiras – ficariam sobre aquela linda tábua de mármore.

Embora eu estivesse tentando economizar e não devesse gastar tanto dinheiro com delivery, era melhor que desperdiçar com alimentos que acabavam estragando porque eu não sabia como cozinhá-los corretamente. Certo?

— Lindo, não?

Pam sorria com o entusiasmo de uma tutora exibindo seu poodle premiado em Westminster.

Consegui assentir. Talvez também estivesse babando; não tinha certeza.

Então Pam nos levou para conhecer os quartos, e eu tive certeza de que estava *mesmo* babando, porque os cômodos tinham closets desses que dá pra entrar. Eram pequenos, mas ainda assim, dava para entrar.

Stella fez um ruído estrangulado.

Como blogueira de moda, ela possuía mais roupas e acessórios que qualquer ser humano deveria ter, e eu já conseguia vê-la organizando mentalmente suas roupas por cores.

Na lista de coisas pelas quais Stella daria o braço esquerdo, um closet onde pudesse entrar estava em terceiro lugar, depois de uma colaboração com Delamonte, sua grife favorita, e uma longa viagem pela Itália com muitas massas, compras, pôr do sol e vinho.

Eu não estava inventando. Ela mantinha uma lista escrita e pendurada no quadro de avisos do quarto.

— O apartamento é bom. — Tentei soar casual. — Quanto é o aluguel mesmo?

Pam respondeu, e eu quase me afoguei com a saliva. Até Stella se assustou com o valor.

Sete mil e quinhentos dólares. *Por mês.* Sem os serviços.

Isso não era aluguel. Era um assalto.

— Ah — falou Stella em voz baixa. — Nosso amigo disse que teríamos um desconto especial. Qual é o valor reduzido?

Pam arqueou uma sobrancelha desenhada a lápis, e o sorriso dela murchou.

— *Este* é o valor do aluguel com desconto, querida. — A última palavra pingava condescendência, e Stella quase se encolheu.

Toquei no braço da minha amiga de um jeito protetor e encarei Pam. Quem ela pensava que era? Não tinha o direito de nos diminuir. O fato de não sermos obscenamente ricas não significava que éramos inferiores aos moradores do Mirage.

— Ela não é sua *querida* — falei, em um tom frio. — E como pode ser legal cobrar tanto por um apartamento?

As narinas de Pam dilataram. Ela endireitou a postura, e a voz soou ofendida ao dizer:

— Srta. Ambrose, garanto que tudo o que fazemos aqui no Mirage é absolutamente legal. Se o preço está fora do seu orçamento sugiro que procure em outro lugar mais...

— Está tudo bem, Pam? — Uma voz suave e profunda cortou o ar como uma faca afiada recentemente.

— Sr. Harper. — O tom arrogante de Pam desapareceu com a rapidez de uma vela apagada pelo vento substituído por uma deferência ofegante. — Pensei que estivesse em Nova York.

Eu me virei, curiosa para ver quem tinha tanto poder sobre aquela diretora de locação esnobe, e todo o ar saiu dos meus pulmões em um sopro forte.

Santa mãe de Deus.

Cabelo castanho, espesso e ondulado. Maçãs do rosto que poderiam entalhar gelo. Olhos cor de uísque e ombros largos preenchiam o caro terno italiano de lã como se ele o tivesse mandado fazer sob medida, o que provavelmente era verdade. Tudo nele gritava riqueza e poder, e seu apelo sexual era tão forte que dava quase para sentir o gosto.

Havia conhecido minha cota de homens bonitos, mas aquele na minha frente... uau.

— A reunião na cidade acabou mais cedo do que eu esperava. — O bonitão sorriu para mim. — Christian Harper. Dono do Mirage.

Harper. Por que esse nome soava tão familiar?

— Jules Ambrose. Futura proprietária de uma cobertura no Mirage — disse, brincando.

Isto é, depois que me tornasse sócia na Silver & Klein. *Ia acontecer.* Stella vivia falando dos cristais e dos horóscopos dela, mas eu acreditava secretamente em manifestação, desde que misturada com uma dose saudável de trabalho e esforço. Fora isso que havia me tirado de Ohio e me levado para a faculdade de direito da Thayer, afinal.

O humor iluminou os olhos de Christian.

— É um prazer conhecer você, Jules. Espero que no futuro compre esta cobertura de mim, então.

Levantei as sobrancelhas. Então ele realmente morava no Mirage. Esperava que o homem reinasse em uma mansão no subúrbio, mas, pensando bem, Christian Harper não parecia o tipo de cara que moraria no subúrbio. Ele emanava energia urbana.

Café puro. Relógios caros. Carros velozes.

Christian olhou para Stella. O rosto dele continuou relaxado, mas algo se acendeu nos seus olhos, algo suficientemente quente e brilhante para encobrir o humor de antes.

Ele estendeu a mão. Depois de uma breve hesitação, ela a apertou.

— Stella.

— Stella — repetiu ele devagar, como se saboreasse as sílabas.

Não se moveu nem um centímetro, mas a intensidade do olhar dele era tão forte que pulsava no ar. Foi como se o tempo passasse mais devagar, e me perguntei se este era um superpoder dos ricos, manipular a realidade até que se curvasse à vontade deles.

Um rubor tingiu o rosto de Stella. Ela abriu a boca, mas a fechou e olhou para as duas mãos ainda unidas.

Mais um longo segundo se passou antes de Christian soltar a mão dela e recuar um passo com uma expressão indecifrável no rosto perfeito.

O movimento deu play na cena, e o tempo voltou ao normal. Pam se mexeu, buzinas de carros dez andares abaixo chegaram fracas através das vidraças e eu voltei a respirar com um longo suspiro.

O olhar de Christian se demorou no rosto estranhamente acanhado de Stella por mais uma fração de segundo até que ele olhasse novamente para mim. A intensidade desapareceu, substituída por um charme relaxado e a mesma hospitalidade de antes.

— O que acharam do apartamento? — perguntou ele.

— É bonito, mas não cabe no nosso orçamento. Agradecemos por ter agendado a visita — falei.

— Bem. — Pam pigarreou. — Sr. Harper, pode deixar que eu assumo daqui. Tenho certeza de que tem muito o quê...

— Qual é o orçamento de vocês? — perguntou Cristian, ignorando completamente a diretora de locação.

Stella e eu nos olhamos antes de eu responder.

— Dois mil e quinhentos por mês. Com tudo.

Fiquei quase constrangida de admitir isso em voz alta. Era uma fração patética do aluguel real.

Estava esperando que Christian risse da nossa cara e nos colocasse para fora, mas ele colocou o polegar no lábio inferior com uma expressão pensativa.

O silêncio voltou, mas dessa vez veio recheado de uma ansiedade ofegante – minha, na maior parte, embora também houvesse um brilho de esperança nos olhos de Stella.

Tentei reduzir as expectativas. *Sem chance* de ele concordar com esse preço. Christian era um empresário, e empresários não...

— Negócio fechado — disse ele.

O choque deixou Pam boquiaberta.

Odeio admitir, mas minha cara combinava com a dela.

— Como é que é?

Havia uma diferença entre não olhar os dentes de um cavalo dado e questionar algo que era completamente insano. É claro, Christian era amigo de Rhys, e Rhys era um membro da realeza, então não havia mal nenhum em conquistar sua simpatia, mas não éramos da família de Rhys nem nada. O Mirage sofreria um grande prejuízo se Christian alugasse o apartamento para nós por um preço tão baixo.

Ou talvez não. Eu não sabia. Havia um motivo para eu estudar direito, em vez de administração ou economia.

— Dois mil e quinhentos por mês. Negócio fechado — respondeu Cristian em um tom casual, como se estivesse comprando um café na Starbucks. — Pam, providencie a documentação.

Uma veia pulsava na têmpora de Pam.

— Sr. Harper, acho que precisamos discutir...

Aqueles olhos cor de uísque ficaram mais intensos e penetraram os dela.

Pam ficou em silêncio, apesar de manter uma expressão revoltada.

— Vou esperar aqui. — Um tom cortante temperava a voz simpática de Christian.

Outro aviso, esse menos sutil.

— É claro. — Pam forçou um sorriso. — Já volto.

Eu esperei que ela se retirasse, depois cruzei os braços e olhei para Christian com ar sério.

— Qual é a pegadinha?

Ele ajeitou a manga do paletó.

— Não entendi.

— Dois mil e quinhentos por mês mal cobrem os serviços, muito menos o aluguel. Sei que somos amigas de um amigo e tudo isso, mas no âmbito financeiro, isso não faz sentido.

Se algo parecia bom demais para ser verdade, provavelmente era. *Tinha* que haver uma pegadinha.

Um canto da boca de Christian se ergueu.

— A menos que instale um parque aquático *indoor* e o mantenha funcionando em tempo integral, duvido que gaste tudo isso por mês. E não tem pegadinha. Rhys é um velho amigo, e devo um favor a ele.

— Como vocês se conheceram? — perguntou Stella.

Cristian fez uma pausa, e aquela expressão indecifrável passou pelo rosto dele de novo, então ele respondeu com tranquilidade:

— Já trabalhamos juntos.

E de repente, a peça se encaixou.

— Harper Security — falei, citando o nome da empresa de segurança privada de elite para a qual Rhys trabalhara quando era guarda-costas de Bridget. — Você é o CEO.

— Às ordens — respondeu ele.

— Espero que não. — Qualquer situação em que eu ou Stella precisássemos de um guarda-costas não seria boa. — Então não tem pegadinha mesmo?

— Não. Minha única condição é que assinem o contrato hoje. Duvido que os inscritos na lista de espera do Mirage fiquem felizes se souberem que deixei vocês furarem a fila, e não posso garantir que a oferta ainda estará disponível se esperarem até amanhã ou mesmo hoje à noite.

Stella e eu nos olhamos de novo. Odeio ser precipitada com essas coisas, mas era o apartamento dos nossos sonhos. E se Christian mudasse de ideia mais tarde? Eu nunca me perdoaria por ter deixado a oportunidade escorrer por entre meus dedos.

Pam voltou com os documentos e uma expressão azeda.

Que pena. Se ela tinha algum problema com o que estava acontecendo, que fosse conversar com o chefe, embora eu duvidasse que tivesse coragem. Christian não parecia ser o tipo que tolerava insubordinação.

— Pronto.

Ela praticamente empurrou os papéis na minha mão.

— Obrigada, Pam. — Eu a brindei com um sorriso generoso. — Estou *muito feliz* com o fato de que vamos ser suas inquilinas. — Fiz uma pausa. — Desculpe, inquilinas de Christian, eu quis dizer.

A boca dela se contraiu ainda mais, mas ela foi inteligente o bastante para não responder.

Meia hora mais tarde, depois que Stella e eu revisamos com cuidado cada linha do contrato à procura de frases preocupantes como "As inquilinas devem prestar favores sexuais mensalmente ao proprietário do edifício como forma de compensação pelo aluguel ridiculamente barato", mas não encontramos nada, assinamos na linha pontilhada.

Pam assinou depois de nós, e estava feito.

Éramos oficialmente inquilinas do Mirage, e nos mudaríamos em cinco semanas.

Surreal.

— Fico feliz por termos conseguido chegar a um acordo. — Um meio sorriso se esboçou na boca de Christian. — Tenho uma reunião para a qual já estou atrasado, portanto vou deixá-las nas competentes mãos de Pam. Tenho certeza de que vou vê-las por aí.

Ele lançou um olhar rápido para a Stella antes de ir embora.

Depois que a silhueta alta esguia de Christian desapareceu no corretor, Pam deixou escapar um suspiro.

— Parabéns. Acabaram de alugar um dos apartamentos mais cobiçados da cidade por moedinhas — disse ela, seca.

— Dona Sorte sempre sorriu para mim — comentei.

Não era verdade, mas valeu a pena só de ver o olho dela tremer.

Saímos do apartamento e descemos ao saguão em silêncio no elevador. Assim que chegamos ao térreo, Pam nos deixou com a mais fria das despedidas, mas eu não me importava.

— Conseguimos!

Esperei até estarmos do lado de fora do Mirage para abraçar Stella. Não conseguia mais controlar a euforia. Depois do aluguel e da LHAC, aquele havia sido o melhor dia da minha vida. Ponto-final.

— Conseguimos o apartamento dos nossos sonhos! — exclamei, animada com as possibilidades.

Drinques de fim de noite na cobertura. Manhãs na piscina. Mergulhar em uma pilha de roupas no meu closet só porque eu podia.

— Me belisca — falei. — Acho que eu estou son... ai!

— Você pediu para eu te beliscar — disse Stella, com ar inocente. Depois começou a rir e se esquivou da minha tentativa de bater nela. — Sério, estou muito feliz por ter dado certo, mas...

— Mas?

— Não acha que foi fácil demais? O jeito como ele simplesmente concordou com nosso preço?

Stella mordeu o lábio e uma linha se formou na testa dela.

— Foi mesmo — admiti. — Mas nós duas lemos o contrato duas vezes. Não tinha nada de anormal. Talvez Christian tenha sido legal só porque somos amigas de Rhys.

— Pode ser.

Mas a dúvida persistia nos olhos dela.

— Vai dar tudo certo. — Enganchei meu braço no dela e a levei ao Crumble & Bake, a algumas ruas dali, para comemorarmos com cupcakes. — E se não der, conheço muitos advogados.

CAPÍTULO 8

Josh

Por ser residente em um pronto-socorro, eu via coisas insa-nas, e a última semana não havia sido exceção.

Um homem havia batido com o carro em uma cerca e chegara ao hospital com a estaca da cerca *atravessada* no corpo. (Ele estava na UTI, mas tinha chances de sobreviver.)

Um paciente tirara toda a roupa e correra pelo pronto-socorro completamente nu até que duas enfermeiras finalmente o tinham segurado.

Uma pessoa com um pepino quebrado enfiado no reto? Também tínhamos atendido.

Caos total, mas era por isso que eu havia escolhido a medicina de emergência em vez da cirurgia, apesar da insistência do meu pai. Ele queria se exibir por ser pai de um cirurgião cardíaco, mas eu prosperava no caos. Na adrenalina de ir trabalhar todos os dias sem saber que desafios esperavam por mim. Isso me mantinha alerta, embora eu não fosse fazer questão de remover vegetais de orifícios alheios por muito, muito tempo.

— Vai descansar um pouco — ordenou Clara, quando encerrei mais um terrível plantão noturno. — Você tá parecendo um zumbi.

— Mentira. Sempre estou perfeito. Não é verdade, Luce? — Pisquei para Luce, outra enfermeira. Ela concordou, rindo, e Clara revirou os olhos. — Até amanhã. Tenta não sentir muita saudade de mim.

Bati com os nós dos dedos no balcão a caminho da porta.

— Não vamos sentir — declarou Clara.

Ao mesmo tempo, Luce respondeu:

— Vamos tentar!

Dei risada, mas quando saí do prédio, a graça já havia desaparecido, extinguida pela exaustão. Mas, em vez de ir para casa para algumas necessárias horas de sono, virei à esquerda em direção à parte norte do complexo hospitalar, onde ficava a Health Alliance Clinic.

Havia perdido o carregador antes do plantão e meu celular estava com oito por cento de bateria. O carregador reserva que eu deixava na LHAC era a minha única esperança de manter meu importantíssimo celular vivo.

Quando cheguei à clínica, o carro de Barbs era o único no pequeno estacionamento espremido ao lado do prédio. A maioria do estafe não chegava antes das oito e meia, mas ela abria e fechava o escritório todo dia, por isso fazia expedientes mais longos.

— Oi, linda — cumprimentei, ao entrar na recepção.

— Oi, bonitão — respondeu ela, com uma piscada.

Quando fui voluntário na LHAC como estudante de medicina, Barbs mantinha meu estoque de salgados caseiros e conselhos sábios sempre cheio, como "Quando a vida te der limões, faça uma limonada e vá encontrar alguém a quem a vida deu vodca". Ela era uma das razões para eu ter continuado no voluntariado, apesar da minha agenda frenética na residência. Ao longo dos anos, a equipe da clínica se tornara minha família substituta e, apesar de eu só ter tempo para aparecer uma ou duas vezes por semana entre os plantões, eles me ajudavam a manter os pés no chão.

— Não esperava te ver hoje. — Barbs prendeu a caneta atrás da orelha.

— Um passarinho me contou que você acabou de sair do plantão noturno.

Não perguntei como ela sabia. Barbs era a pessoa mais antenada no sistema do hospital Thayer. Ela tinha informações sobre as pessoas antes que *elas mesmas* soubessem.

— Pode acreditar, estou indo para casa dormir. — Passei a mão no rosto, tentando manter os olhos abertos. — Só preciso pegar meu carregador.

Eu era voluntário na LHAC havia tanto tempo, que tinha minha própria mesa. No geral, meu trabalho envolvia atender na clínica gratuita os pacientes que não tinham seguro de saúde, mas eu também dava consultoria em vários casos jurídicos que precisavam de uma opinião médica.

— Antes de ir, devia ir dar um oi para nossa nova auxiliar de pesquisa. — Barbs acenou com a cabeça na direção da porta da cozinha, no corredor. — Você vai gostar dela. A moça é animada.

Levantei as sobrancelhas.

— Já temos uma nova auxiliar?

Nos últimos tempos a LHAC havia sido inundada por novos casos. Lisa, a diretora jurídica, andava falando sobre contratar uma auxiliar temporária para ajudar até o movimento diminuir, mas eu não esperava que acontecesse tão depressa.

— Sim. Terceiro ano de direito na Thayer. — Os olhos de Barbs brilhavam de um jeito que me fez erguer a guarda imediatamente. — Garota inteligente. Bonita também, apesar de um pouco ansiosa. Começou na segunda-feira, e a encontrei esperando do lado de fora quinze minutos antes de a clínica abrir.

— Parabéns. Você acabou de descrever metade das garotas da Thayer. — A maioria das alunas da universidade eram certinhas. — Nem pense nisso — acrescentei, quando Barbs abriu a boca. — Não me envolvo em romances no ambiente profissional.

Eu tinha fama de jogador, mas nunca me envolveria com alguém que trabalhava comigo, nem mesmo em uma situação de voluntariado.

Barbs fez uma careta de decepção. Considerava-se o cupido do hospital, e fazia anos que tentava me flechar.

— Além do mais, se fosse para namorar alguém da clínica, seria você — acrescentei, debochado.

Ela manteve a cara séria por dez segundos, depois se derreteu em um sorriso.

— Você é um péssimo mentiroso.

— Mentiroso, eu? — Levei a mão ao peito. — Nunca.

Ela balançou a cabeça.

— Vai. Leva esse charme para outro lugar. Você é jovem demais para mim. — Quando eu já estava de saída, ela acrescentou — E me conta depois o que achou.

Barbs riu quando olhei para trás fingindo impaciência.

Peguei o carregador na minha mesa e o pus no bolso. Depois, curioso, apesar de tudo, fui à cozinha para conhecer a nova auxiliar. Era melhor ir ver o motivo de tanta comoção.

Abri a porta da cozinha, sorrindo para dar as boas-vindas e... *Que. Porra.*

O sorriso desapareceu mais depressa que doce em festa de criança.

Porque a pessoa sentada no meio da cozinha, bebendo café na minha caneca favorita e examinando uma pilha de papéis, era ninguém menos que Jules Ambrose.

Minha pressão atingiu um pico.

Não. *Nem fodendo*. Eu devia ter dormido depois do plantão e estava no meio de um pesadelo, porque Jules *não podia* ser a nova auxiliar. O universo não seria tão cruel.

Ela levantou a cabeça ao ouvir o barulho da porta, e eu teria sentido um enorme prazer em ver seu rosto empalidecer de repente se não estivesse igualmente chocado.

— Que merda você tá fazendo aqui? — perguntaram minha voz e a dela, em melodia dissonante. A dela, aguda e estressada, e a minha, grave com o peso do horror.

Um músculo se contraiu na minha mandíbula.

— Eu trabalho aqui. — Soltei a maçaneta e cruzei os braços. — Qual é sua desculpa?

— *Eu* trabalho aqui. Você trabalha no pronto-socorro. — Jules arqueou uma sobrancelha. — Pelo jeito, já está ficando senil. Isso acontece quando se usa todas as capacidades limitadas do cérebro para o funcionamento básico.

Inferno. Eu não tinha tempo para isso. Havia ido ali para pegar meu carregador e agora estava preso em uma discussão com o demônio de saia, quando tudo que eu queria era dormir.

Mas era tarde demais. Não tinha como recuar, a menos que eu quisesse passar o resto da vida com ela esfregando a última palavra na minha cara.

— Não projeta. Não é legal. Só porque você tem uma capacidade mental inferior à média, não quer dizer todo mundo também tem. — Deixei escapar um sorrisinho quando o olho dela tremeu. — Quanto à clínica, sou voluntário aqui desde que estava na faculdade de medicina.

Tradução: aquele era *meu* espaço. Eu havia ocupado primeiro.

Se esse era um jeito imaturo de encarar a situação? Talvez. Mas havia alguns lugares onde eu me sentia realmente em casa. A clínica era um deles, e a presença de Jules deixaria minha paz em frangalhos.

— Não é tarde demais para desistir. — Eu me encostei na parede, olhando nos olhos dela, em um desafio silencioso. — Você se divertiria mais passando o tempo livre em outro lugar. Se está entediada, deve ter algum idiota por aí disposto a ocupar sua agenda.

— Eu poderia dizer o mesmo para você, McJosh, o Crítico. — Jules bebeu um gole do café na porra da minha caneca. — Ou não tem mais nenhuma mulher que caia nessa sua conversinha? A menos que esteja usando o voluntariado para pegar mulher, o que é muito triste.

Percorri a distância entre nós com três passos e bati as mãos na mesa com força a ponto de fazer tremer os marcadores enfileirados ao lado dos papéis. Depois me inclinei até meu rosto ficar a centímetros do dela e os hálitos se misturarem, formando uma nuvem de animosidade.

— Peça demissão. — As palavras vibraram, tensas e furiosas entre nós.

Jules me encarou, desafiadora.

— Não.

A resposta lenta e precisa fez minha pressão subir mais um pouco.

Fechei as mãos sobre a mesa e senti os dedos pressionarem a madeira dura. Meu coração batia tão forte que o barulho ecoava na minha cabeça, debochando de mim.

Não sabia por que *aquilo* me incomodava tanto. Jules era a nova auxiliar de pesquisa. E daí? Eu não vinha para clínica com frequência, e não precisava falar com ela se não quisesse. Além disso, era uma contratação temporária. Ela iria embora em poucos meses.

Mas a simples ideia da presença dela ali, no meu paraíso, usando minha caneca, rindo com meus amigos, preenchendo cada molécula de ar com sua presença quase me impedia de respirar.

Um. Dois. Três. Eu forçava o oxigênio a entrar nos meus pulmões a cada número.

A alguns passos dali, a geladeira vibrou, ignorando a batalha que acontecia na cozinha. Enquanto isso, o relógio marcava a passagem do tempo, prestes a marcar meia hora, o que me lembrava de que eu já devia ter ido embora.

Banho. Cama. Sono glorioso.

Tudo isso me chamava, mas eu estava ali, cara a cara com Jules, incapaz de acenar com a bandeira branca na nossa guerra silenciosa.

Mesmo tão perto, eu não conseguia ver um único defeito naquela pele acetinada. No entanto, podia contar um a um os cílios que molduravam seus olhos cor de avelã e ver a pintinha sobre o lábio superior.

O fato de eu nem sequer notar esses detalhes me enfurecia ainda mais.

— Pensei que seu negócio fosse direito corporativo. Remuneração alta. Prestígio. — Cada sílaba saía severa e fria o suficiente para machucar. — A clínica pode não ser tão chique quanto a Silver & Klein, mas fazemos um trabalho importante aqui. Não é um playground para você matar o tempo até chegar a hora da grande liga.

Era golpe baixo. Percebi enquanto ainda estava falando.

Jules provavelmente precisava de um emprego para pagar as contas até ser aprovada no exame da ordem, e não havia nada de errado com isso.

Mas a frustração com meu pai, com Alex, com o vazio que eu sentia no peito que me atormentava durante mais noites do que eu gostaria de admitir me transformava em alguém que eu não reconhecia e de quem não gostava muito. Normalmente, eu conseguia fingir que era o mesmo cara despreocupado que havia sido na escola, mas por algum motivo, a máscara nunca durava muito tempo perto de Jules.

Talvez fosse por eu não me importar se ela visse o pior de mim. Havia uma certa liberdade em não dar a mínima para o que outras pessoas pensavam.

— É bem sua cara imaginar o pior de mim. — Se minha voz era fria, a de Jules era um inferno, incinerando toda a minha irritação até restarem apenas cinzas de vergonha.

— Qual é, acha que vou vir para cá toda semana, empurrar alguns papéis de um lado para o outro e fingir que trabalho só porque eu sou temporária? Notícia relâmpago, babaca: quando eu me comprometo com alguma coisa, faço direito. Não me interessa se é uma grande firma de advocacia, uma organização sem fins lucrativos, ou uma porcaria de uma barraca de limonada no fim da rua. Você não é melhor que eu só porque é médico, e eu não sou o diabo só porque quero uma carreira bem remunerada. Portanto, pode pegar essa sua atitude arrogante e enfiar no rabo, Josh Chen, porque para mim *chega*.

O silêncio invadiu a cozinha, interrompido apenas pela respiração arfante de Jules. A calma anterior havia evaporado, substituída por um rosto corado e olhos brilhantes, mas pela primeira vez, não senti prazer em irritá-la.

Abri a boca para dizer algo, qualquer coisa, mas estava chocado demais para formular uma resposta adequada.

Ao longo dos anos, Jules eu havíamos trocado mais farpas do que era possível contar. Ela sempre retribuía na mesma moeda em que recebia, mas o que havia acabado de acontecer... Se eu não a conhecesse bem, juraria que ela estava magoada de verdade.

Um ferro em brasa de culpa cutucou meu peito.

Endireitei as costas e passei a mão no rosto, tentando entender quando minha vida havia se tornado tão complicada. Sentia saudade dos dias em que Jules e eu nos insultávamos sem culpa ou remorso, quando minha irmã não estava apaixonada pelo meu ex-melhor amigo e quando meu ex-melhor amigo ainda era meu amigo.

Sentia saudade dos dias em que eu era *eu*.

Agora estava ali, prestes a tomar uma atitude que o velho Josh teria preferido cortar um braço a tomar.

— Eu não devia ter dito isso — disse, reconhecendo. — Foi golpe baixo, e eu... — Um músculo se contraiu no meu rosto. *Droga.* — Desculpa.

Cuspi as palavras. Era a primeira vez que eu pedia desculpas a Jules, e queria acabar com aquilo o mais rápido possível.

O fato de ter feito a coisa certa não significava que precisava gostar disso.

Eu me preparei para uma reação agressiva, mas não aconteceu. Jules ficou me encarando como se eu não tivesse falado nada.

Continuei:

— É só que a clínica é importante para mim e não quero que nossas... diferenças atrapalhem o trabalho. Por isso, proponho uma trégua.

Propor uma trégua podia ser o mesmo que me render, mas eu me recusava a deixar essa animosidade envenenar meu tempo na clínica. Em qualquer outro lugar, tudo bem. Mas não ali.

Ela fez cara de confusa.

— Uma trégua.

— Só quando estivermos na clínica. — Eu não era ingênuo a ponto de pensar que poderíamos manter qualquer coisa parecida com paz fora do ambiente de trabalho. — Sem insultos, sem comentários sarcásticos. Mantemos tudo no nível profissional. Combinado?

Estendi a mão, que Jules encarou como se fosse uma cobra pronta para dar o bote.

— A menos, é claro, que não se sinta capaz disso.

Fiquei satisfeito quando a vi comprimir os lábios. Havia tocado na veia competitiva, como sabia que aconteceria.

Ela não desviou os olhos dos meus quando segurou minha mão e apertou. Com força.

Jesus. Para alguém tão pequena, ela era forte para cacete.

— Combinado — respondeu ela, com um sorriso.

Retribuí o sorriso com a mandíbula travada e apertei a mão dela ainda mais forte, me divertindo ao ver as narinas dela dilatarem em resposta à pressão.

— Excelente.

Esqueça o que falei sobre tédio.

Os próximos meses seriam interessantes.

CAPÍTULO 9

Jules

Se um mês antes alguém me dissesse que eu aceitaria de bom grado uma trégua com Josh Chen, eu teria rido na cara dessa pessoa e perguntado o que ela havia fumado. Josh e eu tínhamos a mesma capacidade de nos tratarmos com civilidade quanto um tigre de trocar as próprias listras.

Mas por mais que eu odiasse admitir, o argumento dele fazia sentido. Eu me orgulhava do meu trabalho, e a última coisa que queria era que meus sentimentos afetassem o ambiente profissional. Além do mais, havia sido pega tão desprevenida pelo pedido de desculpas que não conseguira pensar com clareza, muito menos refletir sobre quais seriam as consequências de um cessar fogo com Josh Chen.

Para minha surpresa, não foram terríveis... mas talvez tenha sido porque *nem vi* Josh desde o início da trégua. De acordo com Barbs, ele só aparecia nos dias de folga, ou quando não estava exausto depois de um plantão.

Eu não tinha problema com isso, afinal, quanto menos tivesse que vê-lo, melhor. Em parte, ainda estava constrangida com como havia perdido a cabeça quando ele me acusou de não levar o trabalho a sério. Havíamos trocado insultos muito piores ao longo dos anos, mas aquele me fez explodir.

Não fora a primeira vez que tinham me julgado – pela aparência, pela família, pela carreira que escolhi, pelas roupas que usava, porque ria alto demais quando eu devia ser recatada ou porque me colocava sob os holofotes quando deveria permanecer invisível. Estava acostumada a ignorar as críticas, mas as risadinhas e os olhares de canto de olho foram se acumulando com o tempo, e cheguei ao ponto em que simplesmente *cansei*.

Cansei de me esforçar duas vezes mais que todo mundo para ser levada a sério e lutar ainda mais para provar meu valor.

Balancei a cabeça e tentei voltar a me concentrar nos documentos na minha frente. Não tinha tempo para uma festinha de autopiedade. Precisava terminar de examinar os fatos de um caso daquele dia, e a clínica fecharia em três horas.

Havia examinado metade da papelada quando a porta se abriu e Josh entrou com uma caixinha da Crumble & Bake.

— Ah, olha só, se não é... — *Meu filho do demônio favorito*. Engoli o resto das palavras quando Josh levantou uma sobrancelha. — O irmão da minha melhor amiga.

Teria que fazer alguns ajustes até conseguir controlar o instinto de insultá-lo assim que via a cara dele.

— Observação astuta. — Ele deixou a caixa em cima da mesa e sentou-se na cadeira ao meu lado. O cheiro do perfume chegou misturado com o aroma doce que transbordava da caixa. — Vamos ver se adivinho. Você irritou tanto o resto da equipe, que foi banida para a cozinha?

— Se tivesse um mínimo de capacidade de observação, teria notado que ainda não tenho mesa. — Tentei não olhar para a comida. *Não ceda à tentação dos doces*. — Estou trabalhando na cozinha até a mesa chegar. E... — Apontei a caneta para ele, triunfante. — Você quebrou a trégua.

— Eu não. — Josh dobrou as mangas, revelando antebraços bronzeados e com algumas veias salientes. Um relógio pesado brilhava no pulso dele, e como alguém que tinha uma quedinha estranha por homens e relógios, eu teria achado a imagem muito excitante se não fosse, bom, Josh. — Sarcasmo não é insulto. Sou sarcástico com meus amigos o tempo todo. É como demonstro meu amor.

Revirei os olhos tão forte que me surpreendi por não terem entrado em outra dimensão.

— Sei, é óbvio que você pretendia demonstrar seu amor por mim com esse comentário.

— Não, eu pretendia demonstrar meu *amor* por você com isto — falou Josh, bem devagar, como se estivesse lidando com uma criança, e então abriu a caixa.

Vi o cupcake bem no meio do papelão.

Caramelo salgado. Meu favorito.

Senti o estômago roncar em sinal de aprovação. Estava tão envolvida com o trabalho que não havia comido desde o almoço leve de salada e smoothie algumas horas antes.

Josh sorriu, enquanto eu mexia nos papéis para fazer barulho e disfarçar o som. Não daria a ele a satisfação de salivar por nada que ele trouxesse.

— Considere oficialmente como minha oferta de paz. — Ele empurrou a caixa na minha direção. — Como o fato de eu não mencionar que *você* desrespeitou a trégua ao ofender minha capacidade de observação, que é excelente, aliás.

Só Josh poderia reclamar o crédito por não ter feito alguma coisa que *tinha acabado* de fazer.

Em vez de discutir, cutuquei o cupcake, desconfiada.

— Você envenenou isso?

Havia uma diferença entre ser civilizado e comprar o cupcake favorito de alguém por vontade própria.

— Não, eu estava com pressa. Talvez na próxima vez.

— Hilário. A Netflix devia contratar você para um especial de comédia.

Tirei o cupcake da caixa e o examinei de perto à procura de sinais de adulteração.

— Eu sei — respondeu Josh, vaidoso. — Essa é uma das minhas inúmeras e maravilhosas qualidades.

Lutei contra o impulso de revirar os olhos de novo. Devia haver centenas de pobres coitados andando por aí sem autoestima para que Josh encarasse a vida com um ego do tamanho de Júpiter. Satã devia estar distraído no dia em que criou aquele rebento do inferno e acabou acrescentando uma dose grande demais de antipatia na receita de Josh.

— Como sabia que caramelo salgado é o meu favorito?

Estudei uma marquinha preta no papel do cupcake.

O simples rabisco de um marcador errante, ou prova de envenenamento? Hum...

— Não é preciso ser nenhum gênio para deduzir. — Josh acenou com a cabeça para a bebida em cima da mesa. — Toda vez que te vejo, você está bebendo um mocha caramelo do tamanho da sua cabeça.

Ah, é. Justo. Meu amor por tudo que tem sabor de caramelo não era exatamente um segredo.

— Continue assim e vai acabar com diabetes. Tanto açúcar não faz bem para você — acrescentou ele.

— Então está me dando mais açúcar na esperança de eu ficar diabética. — Bati a caneta na mesa com a mão livre. — Eu *sabia* que suas intenções não eram boas.

Josh suspirou e apoiou um dedo na testa, decepcionado.

— Jules, come o bendito cupcake.

Contive uma risadinha. Àquela altura, eu estava só brincando, e estava faminta, na verdade. Se eu iria morrer, era melhor morrer comendo algo que amava.

Afastei o papel e dei uma pequena mordida. A doçura morna e deliciosa explodiu na minha boca, e não consegui evitar um suspiro de apreciação.

Nada era melhor que um cupcake de caramelo salgado depois de horas de trabalho.

Josh me observava, e a expressão irritada dava lugar a outra coisa que eu não conseguia identificar.

Um constrangimento inusitado me incomodou.

— Que foi?

Ele abriu e fechou a boca, recostou-se na cadeira e entrelaçou os dedos atrás da cabeça.

— Gosto muito mais de você quando não está falando. Eu devia trazer comida mais vezes.

— Que bom que não dou a mínima se você gosta de mim ou não. — Minhas palavras eram açucaradas. — Mas se quiser comprar mais comida para mim, vá em frente. Só saiba que vou inspecionar cada pedacinho antes de pôr na boca.

Percebi o erro antes de terminar a frase.

Merda. Isso soou mais sacana do que eu pretendia.

O rosto de Josh relaxou com um sorriso maldoso.

— Não faça isso. — Levantei a mão e senti o rosto quente. — Melhor se preservar de qualquer piadinha juvenil que esteja pensando em fazer.

Para minha surpresa, ele aceitou o conselho.

Josh bateu com um dedo sobre a pilha de papéis na minha frente.

— Você sabe que pode trabalhar em outros lugares além da cozinha, né?

— Onde, por exemplo? No banheiro? — A LHAC era pequena, e eu não queria invadir o espaço de trabalho de ninguém. — Tudo bem. É confortável aqui.

Se você ignorasse a temperatura baixa, a mesa bamba e as cadeiras duras de madeira. Mesmo assim, era melhor que trabalhar sentada no vaso sanitário.

— Sim, se você comparar com a Sibéria.

Suspirei irritada.

— Veio até aqui para trabalhar ou me atormentar?

— Posso fazer as duas coisas. Sou multitarefas — brincou Josh, antes de ficar sério novamente. — Ouvi dizer que chegou um caso novo hoje.

— É. — Empurrei os papéis para ele e ativei o modo profissional. — Os Bower. A mãe, Laura Bower, caiu da escada e não vai poder trabalhar pelos próximos dois meses. Não tem seguro, então eles têm uma montanha de despesas médicas, e ela é a única fonte de renda da família. O marido dela, Terence, saiu da cadeia há alguns anos, mas não conseguiu arrumar emprego por causa dos antecedentes criminais. Eles têm dois filhos, Daisy e Tommy, de seis e nove anos.

— Estão ameaçados de despejo.

Josh deu uma olhada nos arquivos.

Assenti.

— Laura precisa de um lugar estável para se recuperar do tombo, sem falar nas questões que acompanham a perda de uma casa.

Lembranças turvas e indesejadas invadem minha mente.

Noites frias. Estômago vazio. A ansiedade constante provocando formigamento.

Minha situação era diferente da dos Bower, mas me lembro muito bem de como era acordar todas as manhãs e pensar se aquele seria o último dia em que eu teria um teto sobre a cabeça e comida na mesa.

Minha mãe era garçonete de bar, mas estava mais interessada em torrar o salário minúsculo com compras, em vez de pagar as contas. Às vezes, as luzes apagavam quando eu estava no meio do dever de casa porque ela se esquecia de pagar a conta de energia elétrica. Acabei aprendendo a desviar energia do vizinho aos dez anos. Não era a solução mais ética, mas fiz o que precisava ser feito.

Senti um arrepio.

Está tudo bem. Você não é mais aquela menininha.

— Eu a conheço. — Josh bateu com os dedos dobrados no papel com a foto de Laura grampeada, me trazendo de volta ao presente. — Fiz o atendimento inicial quando ela chegou. Várias fraturas, hematomas enormes, tornozelo torcido. Mesmo assim, estava de bom humor e fazendo piadas, tentando impedir que os filhos entrassem em pânico. — O rosto dele ficou mais brando. — O pronto-socorro é caótico, mas me lembro dela.

— É, ela parece ser bem legal — respondi em voz baixa.

Não conheci Laura, mas dava para perceber que ela era o tipo de mãe que eu teria dado tudo para ter.

Pigarreei para tentar desfazer o nó de emoção que havia se instalado na minha garganta.

— Do ponto de vista legal, a solução óbvia é limpar a ficha de Terence para ele conseguir arrumar um emprego — falei. Como represente legal na clínica, eu precisava da assinatura de Lisa em todas as minhas decisões, e ela havia concordado comigo sobre essa ser a melhor solução. — Ele foi processado por posse de maconha. Trinta gramas, e passou um ano na cadeia por isso. — O calor subiu pelo meu pescoço, como quando ouvi pela primeira vez os detalhes do caso. Poucas coisas me enfureciam mais do que a iniquidade das leis draconianas em relação a drogas. — Não é absurdo? Alguns estupradores pegam só uns meses de cadeia, mas basta ter um pouquinho de maconha no bolso e seu histórico fica manchado para sempre. Que grande *merda*. Existem produtores de maconha no Colorado nadando em dinheiro enquanto pessoas como Terence são difamadas por isso. Onde é que está a justiça nisso? Eu... que foi?

Parei quando notei que Josh olhava para mim com um sorrisinho quase fascinado.

— Nunca vi você tão furiosa com alguém que não fosse eu.

— Mais uma vez, você provou que seu egocentrismo não tem limites. — O rubor de raiva esfriou, mas a indignação com a injustiça de tudo isso permanecia. — Isso não é romper a trégua. É um fato.

— É claro que é — concordou Josh, em um tom seco. — Mas você tem razão. Não há justiça no que aconteceu com Terence.

Inclinei a cabeça, certa de ter ouvido mal.

— Repete isso. A frase do meio.

Primeiro o pedido de desculpas, depois o reconhecimento de que eu tinha razão. Era realmente Josh sentado na minha frente ou alienígenas o haviam abduzido e trocado por um clone mais agradável?

— Não.

— Repete. — Cutuquei o pé dele com o meu, e isso me rendeu uma cara feia. — Quero ouvir você dizer de novo.

— E é exatamente por isso que não vou repetir.

— Ah, vai. — Fiz cara de cachorrinho abandonado. — É sexta-feira.

— Uma coisa não tem nada a ver com a outra. — Quando caprichei no olhar de filhotinho carente, Josh soltou um suspiro profundo. — Eu *disse*... que você tem razão. — A voz dele soava tão contrariada que quase dei risada. — *Só* sobre essa questão. Mais nada.

— Viu? Não foi tão difícil. — Dobrei a embalagem do cupcake em um quadrado perfeito e o deixei sobre a mesa para jogar fora depois. — Você tem um sorriso bonito quando não está bancando o babaca — acrescentei, já que estávamos sendo gentis.

— Obrigado.

Ignorei o sarcasmo de Josh e voltei ao caso. Queria terminar todo o trabalho antes de ir embora, para não ter que passar o fim de semana preocupada. A viagem para Vermont seria no dia seguinte, e embora eu não estivesse ansiosa por dois dias em um chalé com Josh, estava ansiosa para minha primeira folga do ano.

A viagem para Eldorra para assistir à coroação de Bridget não contava. Eu havia passado apenas um fim de semana lá, e tudo fora tão corrido que mal tivera tempo para dormir, muito menos conhecer o lugar.

— Então, sobre os Bower. — Bati com a caneta no papel. — Lisa mencionou que poderíamos fornecer exames médicos gratuitos para Laura, enquanto ela está se recuperando.

— Podemos. Normalmente, pedimos para os pacientes virem à clínica gratuita. — Josh acenou na direção da saída, e só então me dei conta de que ele devia ter passado o dia todo na clínica. A barraca estava montada do lado de fora da LHAC, por isso não o tinha visto chegar. — Mas considerando a situação de Laura, podemos fazer visitas domiciliares. Só precisamos providenciar a documentação...

Durante a hora seguinte, Josh e eu trabalhamos juntos no caso Bower. Ele criou uma agenda de exames e se encarregou da documentação médica, enquanto eu terminava de investigar os detalhes e reunia a informação necessária para limparmos a ficha de Terence.

Olhei de relance para Josh enquanto ele escrevia algo em uma folha de papel. Havia linhas de concentração cravadas na testa dele, e percebi que era a primeira vez que o via trabalhar.

— Gostou? — perguntou ele, sem levantar os olhos do papel.

O calor subiu pelo meu pescoço de novo, dessa vez de constrangimento.

— Só se o dicionário agora fornece "gostar" como sinônimo de "detestar".

Um canto da boca dele se ergueu uma fração de centímetro.

— *Trégua*, JR.

Não consegui determinar se o lembrete era deboche ou não, mas senti meu estômago se contrair. Talvez ele tivesse *mesmo* envenenado o cupcake.

Sublinhei um trecho do caso com mais agressividade do que era necessário. Josh e eu formávamos uma equipe surpreendentemente boa, mas eu não me enganava acreditando que nossa trégua precedia uma amizade de verdade.

Eu tinha poucas certezas na vida: a morte, os impostos e a impossibilidade de Josh Chen e eu sermos amigos.

CAPÍTULO 10

Josh

O breve período de camaradagem que Jules e eu vivemos na clínica foi por água abaixo menos de vinte e quatro horas depois, quando cheguei ao terminal do jato particular no aeroporto e a encontrei animada, toda convencida por ter chegado antes de mim.

— Você tá atrasado.

Jules bebericou o café. Sem dúvida, era um mocha caramelo com crocante extra e leite de aveia, porque ela era intolerante a lactose e odiava o sabor de leite de amêndoa.

Tão previsível.

— Ainda não embarcamos, o que significa que não estou atrasado. — Caí no assento ao lado dela e olhei intrigado para suas roupas. Calça de ioga, botas e uma jaqueta roxa de pelinhos. Ainda por cima, havia um óculos de sol gigante equilibrado sobre a cabeça. — Onde achou essa jaqueta? Lojinha do Barney?

— Um cara que chega no aeroporto *de moletom* não tem a mínima noção de moda.

Jules olhou para minha calça e senti a irritação dar lugar à vaidade quando os olhos dela se demoraram um pouco mais em uma certa área.

— Tira uma foto. Dura mais — provoquei.

Os olhos dela buscaram os meus.

— Obrigada pela oferta, mas estou pensando em como seria fácil cortar seu bem precioso. — Ela sorriu. — Melhor dormir de olho aberto este fim de semana, Joshy. Nunca se sabe o que pode aparecer no meio da noite.

Não me incomodei em responder à ameaça ridícula, mas levantei as sobrancelhas quando ela pegou a sacolinha de papel branco ao lado e a jogou para mim sem aviso prévio.

Eu a peguei com facilidade, resultado de reflexos apurados por anos de prática esportiva.

Abri a sacola e minhas sobrancelhas se arquearam ainda mais quando vi o muffin de mirtilo no fundo.

— Retribuição pelo cupcake. — Talvez a luz estivesse me enganando, mas pensei ter visto um leve rubor no rosto de Jules. — Não gosto de ficar devendo nada a ninguém.

— Foi um cupcake, JR, não um empréstimo. — Balancei a sacolinha. — Você envenenou isto? — perguntei, repetindo o questionamento dela no dia anterior. — Ava vai ficar chateada se o querido irmão dela cair morto durante a festa de aniversário dela, o que significa que Alex vai ficar chateado, o que significa que você vai morrer.

O suspiro dela continha o cansaço de mil eras.

— Josh, come o bendito muffin.

Refleti por dois segundos antes de dar de ombros.

Que merda. Havia maneiras piores de partir que uma morte por mirtilo.

— Obrigado — falei, relutante.

Tirei um pedaço do bolinho e pus na boca enquanto observava o terminal.

— Cadê o casal feliz?

— Provavelmente sussurrando coisas doces enquanto tomam café da manhã.

Jules inclinou a cabeça na direção do restaurante chique mais adiante, no terminal.

Deixei escapar uma risadinha quando pensei em Alex sussurrando coisas doces para alguém, mesmo que fosse minha irmã.

— E você não foi com os dois?

— Não estava com vontade de dar uma de vela.

— Isso nunca te impediu de nada.

Ela olhou para mim por cima do copo, e um vinco surgiu em sua testa.

— É estranho para você? Viajar com Alex? — perguntou ela.

Parei de mastigar por um segundo com a mandíbula tensa, depois continuei.

— Nenhum grande problema. Ava convidou, e eu estou aqui. Fim — falei depois de engolir o bolinho.

Um silêncio pesado se estendeu entre nós, repleto de palavras não ditas.

Jules baixou o copo, depois o levou à boca novamente, como se quisesse se proteger do que iria dizer.

— Você é um bom irmão.

Nenhum sarcasmo, apenas sinceridade, mas as palavras me acertaram como um soco no estômago.

— Sua irmã está no hospital...

— Quase se afogou...

— Lamento, filho, mas sua mãe... ela teve uma overdose...

— Ele mentiu para a gente. — Lágrimas escorriam pelo rosto de Ava. — Mentiu para nós dois.

— Vem passar as festas com a gente. — Segurei o ombro de Alex. — Passar o Natal sozinho não é certo.

— Eu me sentiria melhor se tivesse alguém em quem confio cuidando dela, sabe?

— Você é a única pessoa em quem confio, além da família. E sabe como estou preocupado com Ava...

Lembranças desconexas invadiam minha mente.

Eu era um bom irmão?

Não fui quando Ava quase morreu, *duas vezes*. Fui cego demais para enxergar a verdade sobre nosso pai durante todos aqueles anos. O homem que era *meu exemplo*, a pessoa a qual eu fazia qualquer coisa para orgulhar. Além disso, eu havia praticamente empurrado Ava para os braços de Alex, porque, novamente, confiara em alguém que tinha acabado por me trair.

No fim, o relacionamento de Alex e Ava deu certo, mas eu nunca esqueceria os meses durante os quais ela viveu como uma sombra de si mesma. Quieta, retraída, sem a luz que a fazia ser *ela*. Todos os dias, eu acordava com medo de encontrá-la como eu havia encontrado nossa mãe... com o estômago cheio de comprimidos e sem vontade de viver.

Tudo porque tinha sido idiota e depositado minha confiança em pessoas que não a mereciam.

Eu sabia que, tecnicamente, não era responsável por Michael ter tentado matar Ava, pela minha mãe ter cometido suicídio nem por Ava ter se apaixonado por Alex. Mas a culpa é assim. Não se importa com fatos e argumentos. Brota da menor semente de dúvida, brota nas frestas da sua psique e, quando você percebe que a escuridão está escorrendo das suas veias, ela já cravou raízes tão profundas que não é possível arrancá-las sem perder uma parte de si mesmo.

— Josh. — A voz de Jules soou abafada e distante. — Josh!

Dessa vez, ouvi mais alta e mais clara, o suficiente para interromper meus pensamentos e me levar de volta ao terminal ensolarado.

Pisquei, e meu coração batia com tanta força que sacudia os ossos.

— Oi.

A ruga tinha desaparecido da testa de Jules, e algo parecido com preocupação passou pelos olhos dela.

— Estou chamando você há cinco minutos. Está... tudo bem?

— Está — respondi. Passei a mão pelo cabelo e me obriguei a respirar fundo várias vezes, até meu coração voltar ao ritmo normal. — Estava só pensando em algumas coisas.

Era a resposta mais boba que eu podia ter dado, mas Jules não a questionou. Apenas olhou para mim por mais um minuto e depois acenou para um ponto a minhas costas.

— Alex e Ava chegaram.

Olhei para trás a tempo de ver o casal se aproximando.

— Ei! — Ava se afastou de Alex e me abraçou. — Chegou na hora.

— Por que todo mundo acha que não sou pontual? Eu sou — reclamei.

Juro, você se atrasa para *uma* festa, e de repente todo mundo acha que se atrasar virou um hábito.

— É claro. — Minha irmã bateu de leve no meu braço, e então se dirigiu ao grupo. — Prontos para embarcar?

— Prontos. — Jules se levantou e jogou o copo vazio em uma lata de lixo perto de nós. — Vamos lá.

Ela e Ava começaram a andar, me deixando para trás com Alex, que eu cumprimentei com um aceno de cabeça breve.

— Alex.

— Josh.

O rosto dele estava inexpressivo como sempre, mas a posição tensa dos ombros sugeria que eu não era o único que tinha reservas em relação àquele fim de semana.

Só me restava torcer para todos sairmos dessa intactos.

Quando aterrissamos em Vermont uma hora e meia mais tarde, eu havia afogado a ansiedade do fim de semana em duas mimosas com pouquíssimo suco de laranja, cortesia do serviço de jato particular.

Um Range Rover preto esperava por nós na saída do aeroporto, que ficava a apenas meia hora de carro do resort, e Ava passou a maior parte da viagem detalhando as luxuosas instalações do hotel: um spa de primeira, dois restaurantes gourmet, a famosa triplo diamante negro e várias outras informações que não registrei.

Só queria saber sobre a pista de esqui. *Minha primeira triplo diamante negro.* Ia ser épico.

Eu estava ansioso para largar a bagagem e correr para as encostas, mas infelizmente tivemos o primeiro contratempo antes mesmo do check-in.

— Como assim, o chalé está ocupado? — Cada palavra de Alex era como uma pedra de gelo caindo sobre o coitado do recepcionista. Henry, de acordo com o crachá.

— Lamento imensamente, sr. Volkov, mas parece que houve uma confusão no sistema, e fizemos reservas dobradas para este fim de semana. — Henry engoliu em seco. — Os outros hóspedes chegaram ontem à noite e fizeram o check-in.

— Entendo. — A voz de Alex esfriou mais dez graus. — E onde, exatamente, vamos ficar, considerando que já paguei uma quantia *mais que razoável* pelo Chalé Presidencial?

Henry engoliu de novo e digitou no teclado do computador.

Ava segurou a mão de Alex e cochichou algo no seu ouvido, algo que fez os ombros dele relaxarem, embora ele olhasse fixamente para Henry.

Eu me apoiei no balcão, esperto o suficiente para não abrir a boca enquanto Alex estivesse em estado pré-guerra. Até Jules permanecia em silêncio, mas podia ser porque estava ocupada devorando com os olhos um sujeito do outro lado do saguão.

Dei uma olhada rápida no cara. Cabelo loiro, sorriso artificialmente branco, a mesma camisa azul clara e calça cáqui de todos os funcionários do resort. Eu apostaria meu último dólar como ele era instrutor de esqui. O cara tinha aquele jeito irritante, prestativo demais.

— Segura a língua dentro da boca, JR. Tá babando.

— Eu não babo. — Jules sorriu para o Mano do Esqui, que sorriu de volta.

Senti a irritação no estômago. Era o fim de semana da grande inauguração do resort, e o homem estava à toa no saguão, flertando com hóspedes. Ele não tinha nada para fazer?

— Temos um chalé VIP — disse Henry. — O Chalé Eagle não é tão grande quanto o Presidencial, mas tem os mesmos confortos e uma vista melhor. É claro, vamos reembolsar a diferença do valor das diárias e oferecer uma refeição e um cartão presente do spa como cortesias para compensar o inconveniente.

Se Ava não estivesse ali, tenho certeza de que Alex teria partido o cara ao meio e feito dois novos, mas tudo que disse foi:

— Quão menor o Chalé Eagle é?

— Tem dois dormitórios, em vez de quatro — explicou Henry, mas, quando Alex baixou as sobrancelhas, acrescentou apressado: — Mas o sofá na sala de estar pode ser transformado em cama.

— Tudo bem. — Ava tocou o antebraço de Alex. — É só um fim de semana.

Alex dilatou as narinas, antes de concordar com um movimento breve de cabeça.

— Chalé Eagle, então.

— Ótimo. — O alívio de Henry era palpável. — Aqui estão os cartões magnéticos...

Olhei para Jules, enquanto o funcionário dava as instruções para chegarmos ao chalé.

— Acabou de transar no saguão?

Jules *ainda* flertava silenciosamente com o Mano do Esqui, mas parou de olhar para ele ao ouvir a pergunta.

— Se acha que estou transando agora, acho que consigo entender por que as mulheres saem do seu quarto insatisfeitas.

Golpe certeiro.

Um sorrisinho distendeu minha boca. Se esportes radicais eram meu alívio físico, discutir com Jules era como eu relaxava mentalmente. Nada me dava a mesma euforia.

— As mulheres saem do meu quarto sentindo todo tipo de coisa, mas garanto que insatisfação não é uma delas.

— Isso é o que os homens sempre pensam. — Ela deu uma risada. — Lamento informar, mas elas fingem, provavelmente.

— Sei distinguir um orgasmo falso de um verdadeiro, JR.

— Então, está reconhecendo que as mulheres *já fingiram* orgasmos com você. — A voz dela era açúcar e arsênico.

— Nas minhas primeiras vezes. — Eu não sentia vergonha. Todo mundo começava do zero. — Mas a prática leva à perfeição. Talvez descubra por si mesma algum dia, se tiver sorte.

Jules fingiu ânsia de vômito enquanto seguíamos Alex e Ava para fora do saguão em direção ao chalé.

— Não me faça vomitar. Acabamos de chegar aqui, e eu odeio vomitar.

A risada reverberou na minha garganta. Ela era muito fácil de irritar.

Mas quando chegamos ao chalé, minha risada morreu diante do contratempo número dois: o sofá-cama, na verdade, não era um sofá-cama. O que significava que havia apenas dois quartos para nós quatro, e todas as associações possíveis eram péssimas.

— Posso dormir com a Jules. — Ava olhou para Alex como se pedisse desculpa. — Você e Josh dividem o outro quarto.

— Não — declarei.

Preferia nadar nu no rio que fazia fronteira com o resort a dividir o quarto com Alex.

— Qual é a alternativa? Não quero passar o dia todo discutindo a divisão dos quartos — retrucou Ava.

Só havia mais duas alternativas. Ou eu dormia com Ava, ou com Jules. Se ficasse no quarto com Ava, Alex e Jules teriam que dormir no mesmo espaço, e isso seria bem esquisito.

— Eu divido o quarto com a JR. — Acenei com a cabeça na direção de Jules. — Você e Alex ficam com a suíte master. O quarto de hóspedes tem duas camas, vamos nos ajeitar.

Não era o ideal, mas era a escolha menos terrível.

Jules concordou, demonstrando o entusiasmo de um rato entrando na gaiola de uma cobra.

— Tem certeza? — perguntou Ava, com total consciência da animosidade que existia entre nós, e devia estar imaginando que um de nós sairia morto.

Não era totalmente impossível.

— Tenho. Vamos acabar com isso de uma vez e esquiar.

De qualquer forma, não passaríamos muito tempo no quarto. Eu podia entrar só para dormir e fingir que Jules não estava lá.

Infelizmente, o universo e seu péssimo senso de humor tinha outros planos.

Quando abrimos a porta do quarto de hóspedes, encontramos o contratempo número três: a pior coisa que eu já havia visto na vida.

— Nem *fodendo* — falou Jules.

Ao mesmo tempo, eu resmunguei:

— Essa merda só pode ser brincadeira.

Porque bem no meio do lindo quarto, cheia de travesseiros fofos e coberta por um luxuoso edredom azul-marinho, havia uma cama com dossel.

Cama. No singular. No sentido de só tinha uma.

E eu teria que dividi-la com Jules Ambrose.

Já pode me matar.

CAPÍTULO 11

Jules

Deus estava me castigando pelos erros que eu havia cometido na vida passada. Era a única explicação em que eu conseguia pensar para a situação a que estava sendo submetida naquele momento.

Josh e eu nos recusávamos a recuar e dormir no sofá, por isso estávamos presos no mesmo quarto, na mesma *cama*, pelas próximas duas noites. Um cavalheiro teria se oferecido para ir dormir em outro lugar, mas Josh não era um cavalheiro. Ele era o filho de Satã... e nesse momento, me encarava com os olhos semicerrados enquanto eu tentava escapar com classe de esquiar.

— Vão indo — falei para Ava, fazendo um enorme esforço para ignorar o olhar desconfiado de Josh. — Acabei de me lembrar que esqueci uma coisa no chalé.

— Tem certeza? Posso ir com você.

— Não. Já perdemos tempo o suficiente resolvendo a questão dos quartos, e talvez eu até descanse um pouco no chalé antes de ir. — Acenei com leveza. — Vão vocês. Eu vou ficar bem.

— Tudo bem. — Ava não parecia convencida. — Estaremos por lá.

Prendi a respiração e esperei Alex e Ava desaparecerem no elevador da rampa de esqui para soltar o ar. Um arrepio de ansiedade percorreu meu corpo quando olhei para a grande área de neve na minha frente.

Não esperava ficar tão nervosa, considerando que meu último fim de semana esquiando havia ocorrido sete anos antes, mas aquela viagem despertou muitas lembranças horríveis. Além disso, teve a gravação...

Não vai por aí.

— O que diabo você esqueceu no chalé? — Josh interrompeu minha reflexão.

Para alguém que estava tão animado para esquiar, ele não parecia ter muita pressa para chegar à encosta.

Josh estava completamente pronto, com equipamento de ponta – calça preta, jaqueta azul e justa sobre o peito largo e óculos sobre a touca cinza. O traje dava a ele um charme rústico e atlético que atraía a atenção de metade das mulheres à nossa volta.

— O celular.

Pus as mãos nos bolsos e segurei o aparelho aninhado no fundo do bolso direito.

— Você estava com ele na mão durante a caminhada até aqui.

Droga.

— Você não tem que ir ver o tal do diamante negro?

— *Triplo* diamante negro — corrigiu Josh. — E estou indo para lá.

— Por favor, não se atrase por minha causa.

Ele me estudou novamente.

— Espera aí — falou ele, devagar, e seus olhos percorreram meu corpo de um jeito que fez minha pele formigar. — Você *sabe* esquiar?

— *Óbvio* que sei. — As sobrancelhas arqueadas de Josh eram monumentos ao seu ceticismo, e eu acrescentei de má vontade: — Depende de como você define "saber".

Max, meu ex-namorado, havia me ensinado durante *aquele* fim de semana, quando eu tinha dezoito anos. Desde então, nunca mais tinha tocado em um par de esquis.

A ansiedade se generalizou e fiquei desestabilizada, mas isso não me impediu de olhar furiosa para Josh quando ele começou a gargalhar.

Em vez de responder ao deboche, eu me virei e comecei a me afastar com toda dignidade que botas de esqui ridículas permitiam. Cada passo erguia nuvens raivosas de neve.

— Fala sério, Jules. Você não me ama, né? — Max me beijou e apertou minha bunda. — Se me amasse, faria isso por mim. Por nós.

— É por motivos de segurança, baby. Caso ele decida me processar.

— Prometo que nunca vou mostrar para ninguém.

Ao me lembrar, eu sentia o suor escorrer pelas costas, mas eu as forcei de volta para o porão da memória, onde era o lugar delas, antes que saíssem do controle. Já as havia vivido uma vez; não precisava viver de novo.

— Espera. — Josh me alcançou, ainda rindo. O som afugentou os resquícios da indesejada viagem pela estrada das recordações, e, pela primeira vez, não despertou em mim a vontade de esbofeteá-lo, embora as palavras seguintes tenham trazido essa vontade de volta. — Você tá me dizendo que vestiu uma roupa de esquiar, alugou esquis e desceu até aqui... mas *não sabe* esquiar? Por que não falou antes? Podia ter contratado aulas ou alguma coisa assim.

— Achei que daria para improvisar.

Não era o melhor plano, mas era um plano. Mais ou menos.

— Achou que daria para *improvisar* em cima de esquis?

Meu rosto queimava.

— É óbvio que mudei de ideia.

— Ah, que bom, ou teria morrido, provavelmente.

Por fim, Josh parou de rir, mas ainda havia indícios de humor nos cantos da boca dele e na covinha que ameaçava aparecer.

Senti um frio na barriga. Nunca havia visto Josh rir de verdade. O sorriso, livre de sarcasmo ou malícia, era... desconcertante, mesmo sendo só um quarto de sorriso.

— Vou passar o resto do dia no chalé, então não precisa se preocupar com minha morte. — Cruzei os braços. — Talvez eu encontre um cara para me ensinar a esquiar.

— Como aquele que estava te comendo com os olhos no saguão? — perguntou ele, em um tom seco.

— Talvez.

Não entendi a parte do "comendo com os olhos" no comentário de Josh. Ele parecia estranhamente incomodado com minha breve interação com um desconhecido, que era bem bonitinho até. Talvez eu conseguisse encontrá-lo mais tarde. Flertar sempre me animava, e eu adoraria um pouco de ação que não fosse cortesia da minha mão ou dos meus amigos movidos a pilha.

Josh passou a mão no queixo e franziu a testa, as maçãs do seu rosto como montes na paisagem nevada.

— Eu ensino você a esquiar.

— É claro.

— Estou falando sério.

Fiquei em silêncio, esperando Josh rir e dizer que era brincadeira, que eu não podia ter acreditado que ele realmente me ensinaria, não é?

Mas nada disso aconteceu.

— Por que você faria isso? — Meu estômago revirou de novo sem nenhum motivo. — E sua adorada triplo diamante negro?

A oferta de Josh para me ajudar não fazia *nenhum* sentido, especialmente depois de ele ter passado a manhã toda falando sobre a tal pista de esqui bizarra. Se ele me ensinasse a esquiar, teríamos que ficar na ladeira para iniciantes.

— Estou fazendo isso porque sou uma pessoa legal. Adoro ajudar as amigas da minha irmã — falou Josh, em um tom manso. *Sei*. E eu era a rainha da porra da Inglaterra. — Além do mais, esqui é esqui. Não importa a encosta.

— Tenho certeza de que isso não é verdade.

Até eu, uma novata, sabia disso.

Josh soltou um longo suspiro.

— Escuta aqui, você quer aprender, ou não quer?

— *Eu te ensino a esquiar*. — Os dentes de Max brilharam brancos em contraste com o rosto. — *Confia em mim, não vou deixar você cair.*

Senti um aperto no peito. Odiava perceber que Max ainda me atormentava no presente, quando deveria estar apodrecendo no passado, onde era seu lugar.

Por causa dele, eu havia passado sete anos sem esquiar. Havia sido uma escolha inconsciente, mas só então eu percebia a profundidade das cicatrizes. Tudo que me lembrava de Max me fazia querer urrar, mas talvez fosse hora de substituir aquelas memórias ruins por outras novas.

Não *queria* aulas de esqui do Josh, mas precisava delas. Seriam uma distração, e quando eu ficava assim – quando minha cabeça não conseguia parar de pensar no passado, a ponto de eu mal conseguir viver no presente – distrações eram a única tábua de salvação.

— Tudo bem. — Esfreguei a manga da jaqueta com o indicador e o polegar à procura de conforto na sensação do tecido grosso, robusto contra a pele. — Mas se eu morrer, volto como fantasma para assombrar você até o dia da sua morte.

— Anotado. Estou surpreso por você não saber esquiar — disse ele enquanto caminhávamos para a encosta dos iniciantes. — Mesmo tendo crescido perto de Blue Mills.

Blue Mills era o resort de esqui mais famoso de Ohio, e ficava a menos de uma hora de carro de Whittlesburg, o subúrbio de Columbus onde cresci.

— Minha família não era muito de esquiar. — Fechei e abri o zíper na metade superior da jaqueta para liberar um pouco da energia inquieta que corria nas minhas veias. — Mesmo que fosse, não tínhamos dinheiro para isso.

Quis deletar a admissão acidental assim que ela saiu da minha boca, mas era tarde demais.

Josh fez uma cara de confuso.

Ele sabia que eu havia frequentado a Thayer com uma bolsa para alunos carentes, mas o que nem Josh e nem mesmo meus amigos mais próximos sabiam era quanto a situação era difícil naqueles primeiros anos, antes de minha mãe se casar com Alastair. E muito menos o quanto tudo ficou pior depois que os dois se casaram, embora Alastair fosse o homem mais rico da cidade.

— Você não fala muito sobre sua família.

Josh pulou a parte de não termos dinheiro para esquiar, uma pequena gentileza que eu não esperava, mas pela qual era grata.

— Não tem muito o que falar. — Mordi a boca por dentro até sentir um gostinho metálico. — Família é família. Você sabe como é.

Uma sombra passou pelo rosto dele, diminuindo a luz dos olhos e apagando qualquer traço da covinha.

— Não acredito que a situação da minha família seja comum.

Suprimi uma careta.

É claro. O pai maluco que tentou matar Ava duas vezes e estava cumprindo pena de prisão perpétua. Não tinha nada de comum, realmente.

Michael Chen parecia normal, mas os maiores monstros sempre se escondem por trás dos disfarces menos suspeitos.

Josh e eu ficamos em silêncio pelo resto do caminho até chegarmos à encosta para iniciantes.

— Vamos começar com o básico, antes de subirmos a encosta — começou ele. — Não preciso de você atropelando uma criança e deixando a coitada traumatizada. Para sua sorte, sou um professor maravilhoso, então não vai demorar muito.

— Você é tão hilário quanto modesto — respondi, sem me alterar. — Muito bem, *professor maravilhoso*, vamos ver o que pode fazer. E lembre-se... — apontei para ele — se eu morrer, vou assombrar você por toda a porra da eternidade.

Josh pôs uma das mãos sobre o coração e fez uma expressão escandalizada. Todos os sinais do mau humor anterior haviam desaparecido.

— JR, estou chocado. Tem *crianças* por perto. Tente disfarçar sua obsessão por porra até voltarmos para o quarto.

Fingi que ia vomitar.

— A menos que queira sua roupa de esqui elegante decorada com meu vômito, sugiro que pare de falar e comece a ensinar.

— Não posso ensinar sem falar, gênia.

— Ah, cala a boca. Você entendeu.

Depois de mais alguns minutos de discussão, calçamos os esquis e começamos a trabalhar. Eu não era totalmente inexperiente, por isso peguei o básico rapidinho. Em teoria, pelo menos.

A primeira descida foi boa, mas encontramos um *pequeno* obstáculo quando Josh me fez cumprir uma série de exercícios que deveriam me deixar mais à vontade usando os esquis.

— Merda!

Fui invadida pela frustração quando meu traseiro encontrou o chão pela décima vez.

Eu não me lembrava de ter sido tão difícil na primeira vez. Eu me orgulhava de aprender depressa, mas a maior parte da manhã já havia passado e eu havia melhorado muito pouco.

— Vamos tentar de novo.

Para minha surpresa, Josh permaneceu calmo durante toda a aula, não gritou nem debochou de mim por não dominar o que crianças de onze anos faziam de jeito espetacular a nossa volta. Cada vez que eu caía, ele repetia as mesmas palavras. *Vamos tentar de novo.*

Pela primeira vez, tive um vislumbre de como ele devia ser no pronto-socorro: tranquilo, controlado e paciente. Era estranhamente confortante, mas eu jamais admitiria.

— Acho que não nasci para esquiar. — Eu me levantei de novo com um gemido. — Sugiro que a gente troque a encosta por chocolate quente e ficar olhando as pessoas. Podemos adivinhar quem está aqui com a amante e quem vai ser a primeira a ir para a cama com um funcionário.

O "a gente" saiu sem eu pensar. Desde quando eu incluía Josh nas minhas atividades por vontade própria? Mas observar pessoas não tinha graça nenhuma sem alguém para ouvir meus comentários, e como Ava estava ocupada, o irmão dela era minha única opção.

Josh se aproximou a passos lentos e precisos até estar tão perto que dava para sentir o cheiro suave e delicioso da colônia dele.

Eu me obriguei a não recuar sob o peso daquele olhar.

— Até poderíamos. Mas isso seria desistir. Você é do tipo que desiste, Jules? — perguntou ele.

Meu coração acelerou quando ouvi meu nome naquela voz profunda, meio rouca. Ele sempre falou desse jeito? A voz dele costumava penetrar nos meus ouvidos como unhas arranhando uma lousa. Agora era...

Não. Não vai por aí.

— Não. — Sustentei o olhar dele e senti outra gota de suor descer pelas minhas costas, deixando uma trilha de calor e eletricidade por onde passava. — Não sou.

A simples sugestão de que eu era uma pessoa que desistia me fez ranger os dentes.

— Que bom. — Josh manteve a voz calma e regular. — Tenta de novo.

Eu tentei, de novo e de novo, até sentir os músculos gritarem de dor e a exaustão penetrar meus ossos. Mas ia pegar o jeito. Havia aprendido coisas mais difíceis que esquiar, e fracassar não era uma opção. Precisava provar a mim mesma que era capaz. Meu orgulho não admitiria menos.

Toda a tortura finalmente valeu a pena uma hora mais tarde, quando completei todos os exercícios sem cair, e Josh anunciou que eu estava pronta para a encosta de iniciantes.

— Bom trabalho. — Os cantos da boca dele se elevaram um pouquinho. — Aprendeu mais rápido do que a maioria das pessoas.

Tentei detectar algum sinal de sarcasmo, mas ele soava sincero.

Hum.

Subimos até o topo da encosta, onde Josh apontou para um lugar distante.

— Vamos devagar — disse ele. — Vou ficar lá, e quero que você desça esquiando e pare na minha frente controlando a ponta dos esquis. Preciso repassar esse fundamento?

— Não. Eu entendi.

Meu estômago revirava de nervosismo e ansiedade enquanto Josh assumia sua posição e gesticulava para me chamar.

Aqui vou eu.

Respirei fundo e comecei a descer. Deslizava em uma velocidade *um pouquinho* acima da que deveria, considerando a distância curta entre mim e Josh, mas tudo bem. Eu consegui controlar a velocidade movendo a ponta dos esquis antes.

Para falar a verdade, não era tão complicado. Era empolgante, até – o vento no rosto, o ar fresco da montanha, o deslizar suave dos esquis sobre a neve. Muito diferente do meu fim de semana com Max. Eu poderia até...

— Para!

O grito de Josh interrompeu meus pensamentos e um alarme disparou dentro de mim quando vi que me aproximava dele muito depressa.

Merda. Afastei a parte de trás dos esquis para formar um V invertido, como ele havia ensinado, mas era tarde demais. A velocidade me empurrava cada vez mais depressa colina abaixo, até que...

— Puta merda!

Atropelei Josh com força suficiente para cairmos os dois no chão.

O ar deixou meus pulmões em um jato doloroso, e ele gemeu alto quando amorteceu meu peso com o corpo. Pernas e braços se enroscaram, e a neve que espalhamos caiu sobre nós como pequenos cristais brancos.

— Que parte do "para" você não entendeu? — grunhiu ele, e vi a irritação estampada em cada centímetro do seu rosto.

— Eu tentei. Não deu certo — retruquei, na defensiva.

— Obviamente. — Josh tossiu. — Meu Deus. Acho que você causou uma lesão nas minhas costelas.

— Para de ser dramático. Você tá bem.

Mesmo assim, olhei para baixo para ter certeza de que não estávamos sangrando, nem tínhamos braços ou pernas flexionados em ângulos esquisitos. Não *vi* nenhuma costela lesionada, mas o rosto dele não estava contorcido de dor nem nada disso, então deduzi que ele não estava morrendo.

— Você podia ter me matado.

Revirei os olhos. E as pessoas diziam que *eu* era a rainha do drama.

— Foi só um tombo, Chen. Você podia ter saído da frente.

— Não me surpreende que esteja me culpando por um erro seu. Você é difícil, JR.

— Para de me chamar de JR.

Era uma discussão ridícula para ter enquanto estávamos esparramados na neve, mas eu estava cansada demais daquele apelido. Cada vez que o ouvia, perdia um pouco da saúde mental.

— Tudo bem. — A irritação desapareceu do rosto de Josh, abrindo espaço para o deboche preguiçoso. — Você é difícil, Ruiva.

— Ruiva. Quanta criatividade — respondi, sem me alterar. — Estou chocada com sua capacidade de criar apelidos únicos e não óbvios.

— Não sabia que você passava tanto tempo pensando nos meus apelidos para você. — Josh puxou uma mecha do meu cabelo, e um brilho pervertido iluminou os olhos dele. — E não te chamei de Ruiva por causa do cabelo. É porque, na maior parte do tempo, você me faz enxergar tudo vermelho, de tanta raiva. Além do mais, soa melhor que JR.

Meu sorriso falso continha açúcar suficiente para deixá-lo diabético em um piscar de olhos.

— Eu entendo, usar cor de cabelo em vez de letras pode ser melhor para seu cérebro miudinho.

— Gata, nada em mim é miudinho.

Josh abaixou a mão e a pousou sobre meu ombro, onde ela permaneceu por tempo suficiente para queimar várias camadas de tecido e aquecer meus ossos.

Senti o ar ficar preso na garganta. Uma imagem mental indesejada do "nada" dele passou pela minha cabeça, e uma onda de eletricidade fez meu sangue vibrar, tudo tão depressa e inesperado que fiquei sem palavras.

Pela primeira vez na vida, não consegui pensar em uma resposta.

Mas, de repente, tive uma consciência dolorosa do quão perto estávamos. Eu continuava deitada em cima dele desde o tombo, e nossos peitos estavam tão colados que eu podia sentir o coração de Josh batendo depressa, descompassado e totalmente diferente do sorriso relaxado. Quando respirávamos, nuvens brancas se misturavam na pequena distância entre meu rosto e o dele, e a imagem provocou em mim um breve arrepio de surpresa.

Considerando a tensão que sentia, eu nem esperava estar respirando.

O sorriso de Josh desapareceu, mas a mão dele continuou no meu ombro – um toque leve como um sussurro, comparado ao puxão de cabelo anterior, mas o suficiente para que eu o sentisse do topo da cabeça até a ponta dos pés.

Lambi os lábios secos, e os olhos dele escureceram antes de buscarem minha boca.

A corrente de eletricidade se transformou em um raio de luz que me iluminou de dentro para fora.

Eu devia sair de cima dele. Precisava sair de cima dele, antes que meus pensamentos viajassem para partes ainda mais perturbadoras, mas havia algo muito sólido na firmeza do corpo de Josh sob o meu. Ele cheirava a inverno e calor, tudo junto em um só pacote, e isso estava me deixando tonta.

É só o ar da montanha. Segura sua onda.

— Jules — chamou ele, em voz baixa.

— Oi? — A palavra ficou presa na garganta, antes de sair toda errada. Estranha, rouca e muito diferente da minha voz natural.

— Em uma escala de um a dez, quanto você quer me foder agora?

O momento se estilhaçou em mil pedaços.

Minha pele queimava quando me levantei, fazendo questão de bater com o cotovelo na cara de Josh antes de sair de cima dele.

— Mil abaixo de zero. Multiplicado por infinito — resmunguei.

A risada de Josh destruiu toda boa vontade que ele havia conquistado durante as aulas de esqui.

Não conseguia acreditar que havia pensado que ele era minimamente tolerável. Uma manhã meio decente não mudava nada, Josh ainda era o babaca insuportável e arrogante de sempre.

A pior parte era que ele não estava completamente errado. Houve um momento, um segundo dos mais breves, em que imaginei como seria sentir as mãos dele em mim. Que gosto teria aquela boca, se ele gostava de uma coisa mais lenta e prolongada ou rápida e intensa.

Um nó de constrangimento furioso se formou na minha garganta. Era óbvio que eu precisava transar, e depressa, se estava tendo fantasias com Josh Chen.

— Julgo que o protesto da dama é veemente em excesso. — Josh se levantou e manteve o sorriso, apesar dos olhos ainda brilharem com um calor contido. A imagem me fez sentir um pouco melhor. Pelo menos, eu não era a única afetada pela proximidade entre nós. — Podemos fazer acontecer, sabe? Não me oponho mais à ideia. Nosso relacionamento está progredindo.

— O único *relacionamento* que temos acontece nos seus sonhos. — Arranquei a touca e passei a mão no meu cabelo bagunçado. — As aulas acabaram.

— Desistente.

O deboche me fez arrepiar, mas não mordi a isca de novo.

— Não estou desistindo. Estou adiando. — Levantei o queixo. — Vou me inscrever amanhã mesmo para ter aulas *de verdade* com o instrutor do resort. Talvez eu acabe aprendendo com o cara do saguão. — Loiro, sorriso fácil, corpo musculoso. O Cara do Saguão podia ter "Mano do Esqui" tatuado na testa. — Tenho certeza de que vou aproveitar muito esse tempo com ele.

O sorriso de Josh se tornou mais duro.

— Pode tentar se convencer do que quiser, Ruiva.

Em vez de responder, dei meia-volta e me afastei com toda a elegância possível para alguém em cima de esquis. Devia tê-los tirado antes da grande saída, mas era tarde demais.

A dor oca da irritação pulsava no meu estômago, cada vez mais forte à medida que eu me aproximava do chalé. Meu Deus, como eu era idiota. Eu deveria saber que não ia...

Do nada, o incômodo cresceu e se tornou uma dor ofuscante. Ela me atravessou como uma lâmina serrilhada e me forçou a dobrar o corpo para a frente com um gemido sufocado.

Não. Não, não, não.

Minha pulsação era um rugido nos ouvidos.

Era cedo demais. Não devia acontecer antes da próxima semana.

Mas quando outra pontada encheu meus olhos de lágrimas, ficou evidente que a Mãe Natureza não dava a mínima para minha agenda.

Estava acontecendo *naquele momento*, e não havia nada que eu pudesse fazer.

CAPÍTULO 12

Josh

Depois que Jules saiu furiosa, desci uma vez a pista avança-da, depois fui encontrar Alex e Ava para almoçar.

Imaginei que Jules havia retornado ao chalé, depois da nossa aula fracassada de esqui, mas o quarto lugar à mesa estava vazio.

Olhei para a cadeira, respondendo distraído às perguntas de Ava sobre como havia sido minha manhã, até que perguntei:

— Cadê a ameaça ruiva? Foi espetar alfinetes em um boneco de vodu em algum lugar?

Considerando como nos separamos, eu não ficaria surpreso se o boneco de vodu fosse uma réplica minha.

Não sei de onde havia tirado a ideia de oferecer aquelas aulas de esqui. Culpa do ar da montanha e do champanhe que havia bebido no avião, com certeza, mas passar a manhã com Jules não havia sido tão terrível quanto eu esperava. Além do mais, valeu a pena só pela reação dela quando perguntei o quanto queria foder comigo.

Contive um sorriso ao me lembrar do rosto vermelho de Jules. Ela podia negar quanto quisesse, mas tinha considerado a ideia. Vi nos olhos dela, senti na respiração rasa e no movimento rápido do peito contra o meu.

Ela não tinha sido a única a ter pensamentos impuros.

Nossa queda foi um acidente, mas o jeito como as curvas dela se encaixaram no meu corpo foi uma revelação. Nós dois estávamos totalmente vestidos com roupas de inverno, mas, na minha cabeça, foi como se estivéssemos nus. Consegui imaginar tão nitidamente – a pele sedosa, as curvas exuberantes, o comentário irritante se tornando um gemido enquanto eu a penetrava até fazê-la perder os sentidos...

Porra.

Abri o guardanapo e o estendi no colo. Meu membro pressionava o zíper da calça, e eu torcia para Alex e Ava não perceberem minha respiração mais rápida quando peguei o copo de novo.

Não sabia o que estava acontecendo para eu ter tantas fantasias com Jules naquele dia, mas isso estava ferrando com minha cabeça. Cheguei muito perto de fazer uma bobagem mais cedo, tipo...

— Ela mandou uma mensagem dizendo que não estava se sentindo bem. — Ava bebeu água com uma expressão reservada. — Ficou descansando no chalé.

A excitação esfriou com a nova informação.

— Ela estava bem uma hora atrás.

Alex arqueou uma sobrancelha.

— Como você sabe?

Merda.

— Eu, ah, encontrei com ela na pista.

— Jules disse que não foi esquiar. — A desconfiança cresceu nos olhos de Ava. — Que ficou na pousada, depois de pegar o celular no chalé.

Duas vezes merda.

— Talvez tenha passado pela pista antes, depois desistiu. — Levanto um ombro tentando parecer casual. — Quem sabe? A cabeça dela funciona de um jeito estranho.

Um sorrisinho moveu a boca de Alex.

Por sorte, o garçom chegou e me salvou da continuação do interrogatório. Depois que fizemos o pedido, mudei de assunto e perguntei sobre o último trabalho de Ava para a revista *World Geographic*, onde ela era fotógrafa júnior. Nada a animava mais do que falar sobre fotografia.

Ouvi sem muita atenção enquanto minha irmã comentava como era documentar a cena artística nas ruas da cidade. Eu a amava, mas não dava a mínima para fotografia.

Meus olhos se voltavam persistentes para a cadeira vazia onde Jules estaria. Eu a conhecia, sabia que ela devia estar com uma dor de cabeça boba, embora fingisse sintomas de quase morte.

Provavelmente.

Talvez.

Ela está bem. Cortei o frango com força desnecessária.

Não me importava e não fazia diferença se Jules estava fazendo drama ao se recusar a almoçar ou se estava realmente *morrendo*. Não tinha nada a ver comigo.

Quando terminamos de almoçar, eu já havia tirado Jules da cabeça... quase. Não reagi quando Ava pediu licença para ir ver como a amiga estava e levar o almoço, mas fiquei tenso quando insistiu para Alex e eu irmos esquiar sem ela.

Eu havia passado a manhã toda evitando interações isoladas com Alex. Pelo jeito, a sorte havia me abandonado.

Cravei os olhos no horizonte a caminho da triplo diamante negro, nossa conversa consistia no som das nossas botas na neve.

Trocamos algumas frases aqui e ali durante o almoço, mas Ava e eu dominamos a conversa enquanto Alex comeu em silêncio.

Essa sempre havia sido nossa dinâmica, antes mesmo de nos afastarmos. Eu falava, ele ouvia. Eu era o extrovertido, e ele, o introvertido. Ava costumava brincar nos chamando de yin e yang.

Eu podia dizer o mesmo sobre o relacionamento dela com Alex. O otimismo solar da minha irmã era tão distante do cinismo gelado de Alex quanto o sol da lua, mas os dois faziam a relação dar certo, de algum jeito.

— Aposto cinquenta pratas como Ava vai ficar com Jules e não vem encontrar a gente — comentou Alex quando nos aproximamos da pista de esqui.

Dei risada.

— Sem apostas. Jules sempre arrasta a Ava para as merdas que faz. Eu não ficaria surpreso se encontrássemos o chalé em chamas na volta.

A menos, é claro, que Jules esteja realmente incapacitada. Ava não explicou nada quando disse que Jules "não se sentia bem".

Será que era uma enxaqueca? Uma dor de estômago? Será que ficou dolorida depois do tombo de mais cedo?

A preocupação contraiu minha garganta, mas eu a forcei para longe. Jules se afastou furiosa depois da minha piada. Ela estava *bem*. Se não estivesse, Ava teria ficado mais aflita.

Antes que Alex pudesse responder, meu celular e o dele apitaram ao mesmo tempo. Verificamos as notificações, e balancei a cabeça ao ler as mensagens.

Ava: Vou ficar um pouco com a Jules. Não me esperem. Vejo vocês no jantar.

Ava: Divirtam-se! Bj.

— Você acertou.
Guardei o celular no bolso. Não sabia se Jules precisava de Ava, ou se essa era mais uma tentativa de Ava para forçar uma reconciliação entre mim e Alex. Provavelmente as duas coisas.
— O que a Jules tem, afinal? Ava não disse. — Eu mantinha o tom mais casual possível.
— Não perguntei.
É óbvio que não. Alex só se importava com duas pessoas, e esses dois nomes começavam com a letra A.
— Ah, tenho certeza de que ela tá bem.
Tirei os óculos da cabeça e pus na frente dos olhos.
— Você parece preocupado demais com o bem-estar dela. Pensei que a odiasse.
Fiquei tenso com a implicação.
— Não estou, e odeio mesmo.
— Sei.
Ignorei o olhar sugestivo dele e inclinei a cabeça na direção da encosta.
— Apostamos uma corrida até lá embaixo?
Era parte uma oferta de paz, parte distração. Estava enfrentando desafios demais ultimamente. Mas se consegui degelar minha relação com Jules - só um pouco, por um breve período –, talvez pudesse fazer o mesmo com Alex.
Isso não significava que o havia perdoado. Não tinha problema nenhum em alimentar ressentimento, mas odiar alguém ativamente era exaustivo, especialmente quando era necessário ficar perto da pessoa por um período pro-

longado. E naqueles dias, eu só estava muito cansado o tempo todo. Mesmo quando estava fisicamente bem, me sentia mentalmente exausto.

A vida me desgastava pouco a pouco, e eu não sabia como recuperar os pedaços que havia perdido.

Vi a surpresa passar pelo rosto de Alex antes de um sorrisinho distender seus lábios.

— Quem perder paga bebida pelo resto do fim de semana.

— Considerando que sou um médico residente e você é milionário, a situação é bem desfavorável para mim — resmunguei.

— Não me ofenda. Eu sou bilionário — corrigiu ele. — Mas se acredita tão pouco na sua habilidade com o esqui... — Alex deu de ombros. — Podemos deixar pra lá.

Fiz uma cara feia. Odiava essa besteira de psicologia reversa, mas sempre caía.

— Tenho muita fé na minha capacidade atlética, seu mauricinho. — Estendi a mão. — Combinado.

Alex soltou uma risadinha, sem se incomodar com a ofensa de mauricinho. Ele ganhava toneladas de dinheiro sentado atrás de uma mesa, portanto, acho que eu também não me incomodaria no lugar dele.

Alex apertou a minha mão com um brilho competitivo nos olhos.

— Combinado.

E, sem mais, descemos a encosta.

Éramos ambos profissionais esquiando, e não demorou muito para estarmos voando rampa abaixo.

Não devíamos esquiar em uma rampa tão difícil naquela velocidade, mas nenhum de nós nunca se importou com esse tipo de regra.

O estresse no trabalho, atenção com Alex, a nova e perturbadora fixação com Jules... tudo isso desapareceu quando entrei no meu elemento.

A adrenalina corria nas minhas veias, alimentada pelo vento que batia no rosto e o ar frio que entrava nos pulmões. Meu coração era um animal selvagem fora da jaula, e os sentidos, lâminas afiadas que cortavam cada detalhe do mundo à minha volta – os flocos de neve respingando em mim, o assobio do vento e a batida abafada do meu coração, cada saliência e depressão enquanto eu percorria minha primeira triplo diamante negro.

Uma silhueta vestida de preto passou por mim.

Alex.

Um sorriso iluminou meu rosto e a competitividade em mim cresceu mais um pouco. Fiz pressão sobre a ponta do esqui mais afastado do corpo e passei por ele.

Tive a impressão de ouvir Alex rir atrás de mim, mas o vento levou o som embora antes de ele realmente atingir meus ouvidos.

Fiz uma curva em torno de uma pedra saliente, depois outra curva fechada para retomar o caminho da descida. Muita gente surtaria se descesse tão depressa uma triplo diamante, mas, para mim, nada superava a euforia de escapar da morte por um fio.

Depois de Ava quase se afogar, minha mãe se suicidar, e as pessoas que eu salvava – e não conseguia salvar – no pronto-socorro, a morte e eu éramos velhos conhecidos. Eu odiava a filha da mãe, e cada vez que sobrevivia a uma das minhas aventuras, era mais um foda-se metafórico que eu dizia à ceifadora.

Um dia desses, ela me pegaria, como fazia com todo mundo. Mas não naquele dia.

Mais curvas. Mas obstáculos que, se eu fosse um esquiador menos experiente, teriam me mandado para o pronto-socorro como paciente, em vez de médico. Eu enfrentava uma a uma à medida que apareciam, sem nunca reduzir a velocidade, embora não descesse tão depressa quanto desceria em uma encosta normal.

Alex e eu mantivemos mais ou menos o mesmo ritmo até o fim, quando o venci por menos de cinco segundos.

Senti a satisfação enchendo os pulmões.

— Parece que os drinques são por sua conta no fim de semana. — Empurrei o óculos para cima da cabeça, arfante depois do esforço. — Que bom que você é bilionário com "b", porque vou pedir as bebidas mais caras disponíveis. Sempre.

— Ainda não. — Alex fechou um pouco os olhos. Era sempre hilário ver sua reação quando ele perdia, porque era uma ocorrência rara. — Melhor de três.

— Mudando a regra depois do evento. — Balancei a cabeça, desapontado.

— Você não sabe perder, Volkov.

— Eu não perco.

— Como chama o que acabou de acontecer?

Apontei para a pista sinuosa atrás de nós.

Um humor raro iluminou os olhos dele.

— Vitória alternativa.

— Ah, vai se ferrar.

Mas não consegui segurar a risada. Como nunca fui de recusar desafio, concordei com a melhor de três, mas me arrependi quando o Alex me venceu por um minuto na segunda descida.

A terceira descida foi ainda mais próxima do que a primeira. Ficamos literalmente pescoço a pescoço até o último segundo, quando eu o ultrapassei por um fio de cabelo.

O sorriso vaidoso iluminou meu rosto e abri a boca antes que Alex me cortasse.

— Não fala nada — avisou ele.

— Não ia falar. — Minha expressão dizia tudo. — Não fica chateado. — Dei um tapinha nas costas dele enquanto voltávamos à pousada para jantar. — Não há vergonha alguma em uma vitória alternativa. Pode perguntar para qualquer medalhista de prata.

— Não estou chateado. Se eu ficar, só preciso comprar uma medalha de ouro. Vinte e quatro quilates, da Cartier.

— Você é um babaca.

— Sempre.

Balancei a cabeça e ri. Não saía com Alex havia tanto tempo, que tinha me esquecido de como o senso de humor dele era deturpado, embora eu fosse uma das poucas pessoas que consideravam aquilo humor. Muita gente atribuía os comentários sarcásticos ao fato de ele ser um cretino, o que... bem, era justo. Ava costumava chamá-lo de "robô"...

Meu sorriso desapareceu.

Ava. Michael. Sequestros, segredos e milhares de mentiras maculavam todas as lembranças da nossa amizade.

Aquela tarde havia sido o mais próximo do nosso normal em muito tempo, e eu quase me esquecera do motivo pelo qual Alex e eu não éramos mais amigos.

Quase.

Alex deve ter percebido a mudança no clima, porque o sorriso dele também desapareceu e era possível notar a tensão na sua mandíbula.

Tensão que desceu como uma cortina de ferro entre nós.

Queria poder esquecer o que havia acontecido e começar de novo. Eu tinha muitos amigos, mas só tive um melhor amigo, e às vezes sentia tanta falta dele que doía.

Mas eu não era a mesma pessoa de três anos antes, e Alex também não. Não sabia como superar, por mais que quisesse. Cada vez que eu progredia, a corda do passado me puxava de volta como uma amante ciumenta.

No entanto, nossa competição de esqui provou que Alex e eu podíamos nos comportar normalmente um com o outro quando Ava não estava presente. Não era o suficiente, mas era um começo.

— Eu me diverti hoje — comentei, tenso, testando o terreno tanto por mim quanto por Alex.

Um instante passou antes de ele responder. Eu o havia surpreendido de novo. Duas vezes em um só dia – isso devia ser um recorde.

— Eu também.

Não falamos mais nada depois disso.

CAPÍTULO 13

Josh

Na hora do jantar, Jules estava ausente de novo, mas como eu não queria provocar mais perguntas de Alex sobre por que eu estava tão preocupado com ela – afinal *não estava*; não era preocupação, era só curiosidade – esperei até voltarmos ao chalé para interrogar Ava.

— O que aconteceu com a JR? — eu falava baixo.

Alex havia ido para o quarto deles para tomar banho, mas eu não me surpreenderia se tivesse audição supersônica.

Ava mordeu a boca.

— Ava. — Eu a encarava. — Se ela vai morrer no meio da noite, preciso saber para poder planejar meu sono de acordo.

— Engraçadinho. — Minha irmã olhou para a porta fechada. — Tudo bem, só vou contar porque você é médico. E também porque piorou hoje à tarde, mas ela é teimosa demais para pedir ajuda.

A semente da preocupação germinou em mim e se tornou uma árvore enorme, com folhas e tudo.

— O que piorou?

Minha irmã hesitou, e então explicou:

— Jules tem períodos menstruais muito dolorosos. É algo que vai além da cólica comum. A dor normalmente desaparece depois de um dia, mais ou menos, mas durante esse dia...

— É insuportável — concluí. Um nó se formou no meu peito. — Endometriose?

Muitas mulheres tinham dismenorreia primária, ou cólicas menstruais comuns. Dismenorreia secundária, como a endometriose, era resultado de problemas no órgão reprodutivo e, em geral, provocava sofrimento muito maior.

Ava balançou a cabeça.

— Acho que não, mas não quero falar por Jules. Ela não gosta de tocar no assunto.

— Entendi.

Havia um estigma social em relação ao período menstrual, e muita gente, homens e mulheres, se sentia pouco à vontade ao abordar o tema.

Depois de anos de faculdade de medicina e residência, eu não tinha problemas em discutir nenhuma função do corpo, mas não abordaria um assunto sobre o qual a outra pessoa não queria falar.

— Dá um tempo nos insultos hoje à noite, tá bem? — Ava me encarou. — Ela não está com disposição para isso.

— Não sou nenhum monstro, irmãzinha. — Baguncei o cabelo dela, o que me rendeu uma cara feia. — Não se preocupa.

Depois que Ava se recolheu para dormir, parei do lado de fora do meu quarto e bati à porta, caso Jules estivesse indecente. Nenhuma resposta.

Esperei mais um instante e então abri a porta sem fazer barulho. O abajur estava aceso, e eu vi imediatamente a silhueta encolhida de Jules. Ela estava deitada de lado em posição fetal, segurando um travesseiro contra a barriga. Não dava para ver seu rosto, mas percebi que ela ficou tensa quando entrei.

Ainda acordada.

— Oi — falei baixinho. — Como está se sentindo?

— Bem. É só uma dor de estômago — resmungou ela.

Eu me aproximei até estarmos frente a frente, e meu peito ficou apertado de novo quando notei que ela respirava ofegante, apertando o travesseiro.

— Tomou algum analgésico? Tenho alguns.

Sempre carregava um minikit de primeiros socorros, com curativos, analgésicos e outros itens essenciais.

— Tomei. — Jules me encarou com a testa enrugada. — A Ava te contou, né?

— Contou.

Não havia motivo para mentir.

Ela soltou um grunhido.

— Eu devia ter dito para ela não falar nada.

— E eu com certeza teria notado que havia alguma coisa errada quando te visse encolhida como um camarão deformado.

Não podia ser considerado um insulto se eu estava tentando fazê-la se sentir melhor. Dei a Jules a oportunidade perfeita para retrucar, e discutir comigo sempre a animava.

Meu sorriso desapareceu quando ela não respondeu.

Tudo bem, talvez o comentário sobre o camarão deformado não tivesse sido tão útil quanto eu pensava.

Será que era melhor tentar ajudar ou deixá-la em paz? Não havia um método certeiro para aliviar cólicas severas, e Jules já havia tomado o analgésico indicado, mas existiam outros remédios que poderiam amenizar a dor.

A questão era se ela queria minha ajuda.

Foda-se, eu iria ajudar. Mesmo se ela não quisesse. Decidi isso quando Jules se encolheu e apertou o travesseiro com mais força contra a barriga, e seu rosto se contorceu de dor.

Não conseguiria dormir sabendo que ela estava sofrendo. Não era *tão* babaca assim, afinal.

Fui ao banheiro e dei uma olhada nos produtos enfileirados sobre a bancada de mármore. Quando deixamos a bagagem, eu jurava que havia visto um... arrá! Peguei o frasquinho de óleo de lavanda e voltei para perto da cama de Jules.

— Talvez eu consiga ajudar com a cólica. Vira de barriga para cima — falei.

— Pra quê?

— Confia em mim. — Estendi a mão livre quando ela abriu a boca. — É, eu sei. Você *não* confia em mim. Mas sou médico, e garanto que não tenho intenções nefastas. Portanto, a menos que queira se contorcer a noite toda...

— Pode até ser médico, mas sua habilidade no quarto precisa melhorar muito.

Mesmo assim, ela fez como pedi, mudando de posição e se deitando de barriga para cima.

— Ninguém nunca se queixou. — Eu me sentei na cama ao lado dela e afastei o travesseiro. Apontei para a bainha da camiseta. — Posso?

A desconfiança ficou estampada no seu rosto, mas ela assentiu com um breve movimento.

Levantei a camiseta, expondo a barriga, depois abri o frasco de óleo e aqueci algumas gotas entre as mãos. Era óleo de banho, mas serviria também como óleo de massagem.

Passei as mãos abertas sobre a barriga dela e massageei de leve, em círculos, antes de passar para uma pressão mais localizada. Não era massoterapeuta profissional, mas havia aprendido o básico e alguns truques ao longo dos anos.

Os músculos de Jules ficaram tensos ao primeiro contato, mas os minutos foram passando e ela relaxou aos poucos.

— É isso — murmurei. — Respira fundo. Como se sente?

— Melhor. — Os olhos dela estavam fechando. — Você é bom nisso. — O comentário tinha partes iguais de relutância e admiração.

— Sou bom em tudo.

Sorri ao ouvir sua risadinha sufocada.

Continuei a massagem em meio ao silêncio confortável. A pele de Jules era macia e morna, e sua respiração logo adquiriu um ritmo constante.

Olhei para o rosto dela. Os olhos continuavam fechados, e eu me permiti estudar os cílios escuros contra as faces, a curva exuberante do lábio inferior e o leque sedoso de cabelos cor de cobre sobre o travesseiro. A testa não tinha mais a ruga profunda desenhada pela dor, e o nó no meu peito se afrouxou.

Era a primeira vez que eu via Jules tão desprotegida. Era... enervante. Estava tão acostumado às nossas discussões que nunca havia pensado muito no que ela realmente era por trás de toda aquela ousadia e fúria.

Como sabe que ainda não fui?

Minha família não era muito de esquiar. Mesmo que fosse, não tínhamos dinheiro para isso.

Jules tem períodos menstruais muito dolorosos. É algo que vai além da cólica comum.

Eu conhecia Jules havia anos, mas sabia muito pouco sobre ela. Sua família, sua história, seus segredos e seus demônios. O que ela escondia por trás daquele exterior feroz? Algo me dizia que nem tudo era sol e arco-íris.

Voltei a me concentrar na tarefa e tentei conter os pensamentos divagantes.

— Melhor? — A palavra saiu estranhamente rouca.

— Aham. — A resposta sonolenta de Jules provocou outro sorriso.

Levantei o olhar novamente e senti um calor no peito quando a notei olhando para mim com uma expressão preguiçosa, lânguida.

Os lábios dela se afastaram ligeiramente quando nosso olhar se encontrou. E se prolongou. E queimou.

O ar antes tranquilo ficou carregado de uma eletricidade que dançava sobre minha pele, que de repente parecia esticada demais sobre os ossos, meu coração galopando.

Jules ofegava outra vez. Eu não só podia ouvi-la inspirar e espirar sem ritmo regular como *sentia* os movimentos sob as mãos, e tudo combinava com o ritmo insano da minha respiração.

Ela lambeu a boca, e nem Deus teria sido capaz de impedir as imagens eróticas que inundavam meu cérebro. Aqueles lábios cheios envolvendo a cabeça do meu pau, a língua rosada e delicada lambendo todo o comprimento, subindo e descendo, enquanto ela me encarava com aqueles grandes olhos cor de avelã...

Minhas mãos pararam e se fecharam em punhos relaxados. Era inútil fingir que eu ainda a massageava. A única coisa em que conseguia me concentrar era a ereção dentro da calça e o esforço para tentar escondê-la de Jules.

Eu estava muito ferrado. Ela morrendo de dor, e eu ali, duro como uma pedra. Prova de que corpo e mente eram incompatíveis mais frequentemente do que eram compatíveis.

Mas Jules não parecia mais sentir dor. Apenas olhava para mim como se...
Não vai por aí.

— Acho que vai ficar bem, por enquanto. — Pigarreei para me livrar da rouquidão, então continuei: — Vou buscar uma compressa morna para você usar durante a noite.

Eu me levantei e fui para o banheiro antes que ela pudesse responder, arqueando as costas para ela não ver a barraca armada extremamente inconveniente na minha calça. Quando voltei com a compressa de toalha, Jules dormia profundamente.

Alívio e decepção me invadiram igualmente.

Pus a toalha dobrada sobre a barriga dela com todo cuidado e posicionei suas mãos sobre o corpo para impedir que caíssem. Puxei o edredom para cobri-la, apaguei o abajur e voltei ao banheiro, onde abri o chuveiro na força máxima e deixei a água expulsar a tensão dos músculos.

Esfreguei as mãos no rosto na tentativa de entender tudo que havia acontecido naquelas catorze horas.

Naquela manhã, Jules e eu havíamos trocado insultos normalmente, mas ao longo do dia, eu havia me oferecido para dar aulas de esqui, me preocupado com o bem-estar dela e a tratado com massagem e aromaterapia. Sem mencionar que continuava duro como um cano de aço.

O que está acontecendo comigo, porra?

Em vez de ceder à tentação de resolver meu problema ali embaixo, terminei de tomar banho e vesti uma calça de moletom.

Não podia bater uma para Jules, não enquanto ela dormia no mesmo quarto que eu, e eu nem *gostava* dela. Por outro lado, luxúria e simpatia nem sempre andavam juntas.

Fui para a cama, tomando o cuidado de ficar tão longe dela quanto era possível, e tentei dormir, mas meu cérebro não desligava.

Jules. Alex. As cartas de Michael. Jules. A porra da ereção que não ia embora. Jules.

Meu pau pulsou mais forte, e um gemido baixo escapou da minha garganta.

A noite seria longa.

CAPÍTULO 14

Jules

Acordei com o cheiro fraco de lavanda e o peso de um braço musculoso em cima da minha cintura. Não conseguia me lembrar da última vez que havia acordado com um homem na minha cama. Normalmente, não dormia com ninguém.

Mas o braço era agradável. Forte, sólido e reconfortante, como se pudesse me proteger de tudo, e pertencia a alguém que cheirava *muito* bem.

Suspirei satisfeita e me aninhei mais perto do dono do braço. Continuei de olhos fechados. Não estava pronta para sair do ninho aconchegante e encarar a realidade.

O braço envolveu minha cintura com mais força e me puxou para perto, até minhas costas encontrarem o peito dele. Meus lábios se curvaram por conta própria quando ele deixou escapar um ronco baixo e sonolento e enterrou o rosto na minha nuca. Enquanto isso, o calor se espalhava pelo meu ventre, reagindo a como as linhas esculpidas daquele corpo se encaixavam nas minhas.

Quem era ele? A gente tinha transado na noite anterior?

Meu cérebro ainda não havia carregado completamente, e me lembrar das últimas vinte e quatro horas era uma tarefa árdua demais para aquela hora da manhã.

Eu me espreguicei e rocei em algo suave e fofo. Abri um olho por curiosidade e vi uma toalha dobrada em cima da cama ao meu lado.

O que eu estava fazendo com uma toalha em...

Vermont. Confusão de chalés. Aulas de esqui. Menstruação. Josh. Massagem.

Meu cérebro finalmente acordou, e os destaques do dia anterior me bombardearam em uma velocidade alucinante.

Meus olhos arregalaram. Se Josh e eu tínhamos precisado dividir um quarto, isso significava que o braço...

— Aaah!

Eu o joguei longe, pulei da cama e, na pressa, bati a canela na mesa de cabeceira.

Um dia, eu olharia para trás e sentiria vergonha daquele grito indigno, mas tudo em que conseguia me concentrar naquele momento era que havia *dormido* com Josh Chen. Só dormido, graças a Deus, mas mesmo assim...

— Jesus. — Ele gemeu e cobriu os olhos com o antebraço. O lençol escorregou, revelando o peito nu e musculoso. — É cedo demais para essa imitação de alma penada, Ruiva.

Minha respiração era rápida e indignada.

— Você estava me *abraçando*. E está sem camisa — acusei.

Eu me forcei a olhar apenas para o rosto dele, em vez de descer até os músculos que se contraíam a cada movimento. Firmes e fortes, os músculos de alguém que praticava esportes ao ar livre, não em uma academia.

Ombros largos, peitorais definidos, um tanquinho espiando por baixo do lençol amontoado na linha da cintura...

Para com isso.

— Você estava aqui quentinha. Foi instinto. — Josh bocejou e estendeu os braços acima da cabeça. — É bom te ver viva, acho. Ontem tive a impressão de que você estava prestes a pifar.

Apesar do tom blasé, ele me examinava com um olhar atento, como se procurasse sinais do desconforto da noite anterior.

Felizmente, minha menstruação era uma agonia apenas durante as primeiras vinte e quatro horas, mais ou menos. Depois a dor amenizava e se tornava uma cólica normal. Eu lidava com aquilo desde os onze anos, e havia aprendido a adequar a agenda às datas estimadas de início dos períodos menstruais. Mas, aquele mês, eu estava adiantada quatro dias, por isso havia sido pega tão desprevenida.

— É, não vai se livrar de mim assim, tão fácil.

Parte da indignação desapareceu da minha voz quando lembrei o que ele havia feito por mim na noite anterior. Não sabia se fora a técnica de Josh, ou o simples fato de ter alguém me confortando, já que, normalmente, odiava ter pessoas por perto no primeiro dia do meu período, mas a massagem tinha aliviado a dor mais do que qualquer outra coisa que eu havia experimentado ao longo dos anos. Ele também devia ter feito a compressa de toalha quente depois que apaguei.

Josh não precisava ter feito nada disso, mas por alguma razão, fez.

— Obrigada. — Minha gratidão era relutante e sincera ao mesmo tempo. — Por... você sabe.

Apontei para a barriga.

Esperei Josh se gabar por eu ter agradecido – e era a primeira vez que isso acontecia –, mas ele respondeu com um simples "Não tem de quê".

O silêncio vibrou entre nós. Coloquei uma mecha de cabelo atrás da orelha, de repente envergonhada. Estava inchada, como acontecia todos os meses, e minha aparência devia estar horrível, com o rosto todo amassado e o cabelo desgrenhado depois de uma noite de sono.

Em vez de olhar para o outro lado, Josh me encarava com uma intensidade que atravessava minha pele e acendia um fogo na parte inferior do meu ventre, parecido com aquele que havia me queimado na noite anterior, antes de eu pegar no sono.

Eu flutuava à beira da inconsciência, mas a combinação de mãos fortes, olhos quentes e o alívio provocado pela diminuição da dor havia guiado minhas fantasias por caminhos nunca antes percorridos. Fantasias de como seria sentir o toque de Josh em outras partes do meu corpo e descobrir se a língua dele era tão talentosa quanto as mãos...

Batidas na porta me assustaram e interromperam os pensamentos impróprios.

Josh e eu rompemos o contato visual. A tensão visível nos ombros dele se igualava à rigidez dos meus músculos. Não estávamos fazendo nada inapropriado, mas isso não me impediu de sentir que era como uma criança pega em flagrante com a mão no pote de biscoitos quando a voz de Ava atravessou a espessa porta de carvalho.

— Vocês já acordaram? O café da manhã termina em meia hora.

Olhei para o relógio na parede. *Merda*. Tínhamos dormido mais do que eu imaginava.

— Já. Vamos sair daqui a pouco — respondi.

Josh e eu nos arrumamos em silêncio. Não havia a menor possibilidade de eu ir esquiar naquele dia, por isso vesti uma calça de ioga macia e um suéter *oversized*. Quando estava menstruada, a vontade de me arrumar era reduzida a zero.

— Como você está se sentindo? — perguntou Ava enquanto caminhávamos para o salão de café da manhã.

— Muito melhor. — *Graças ao seu irmão*. — Obrigada, meu bem.

Ela enroscou o braço no meu.

— O que acha de a gente ir ao spa depois do café da manhã, em vez de esquiar? Temos aquele cartão-presente que ainda não usamos.

Ai, graças a Deus.

— Ava, não conta para o Alex, mas você é o verdadeiro gênio no relacionamento — respondi.

Ela riu.

A manhã passou voando, com Alex e Josh esquiando e Ava e eu desfrutando dos serviços de massagem e estética no spa. Apesar de ter recebido treinamento profissional, a massoterapeuta que me atendeu não encontrava o ponto certo do jeito que Josh havia encontrado.

— Um pouco para a esquerda, por favor... para a direita... um pouco mais forte...

Eu fazia o possível para identificar o que não funcionava na sessão.

— Assim? — A terapeuta seguia minhas orientações à risca, mas o toque dela ainda não se comparava ao de Josh. — Melhor assim?

— Ótimo — resmunguei, e desisti. — Obrigada.

Talvez fosse o óleo que Josh havia usado. Tinha um cheiro melhor que os florais do spa.

Quando Ava e eu encontramos os rapazes para almoçar, eu estava mais irritada que relaxada devido aos pensamentos constantes sobre um certo médico.

Ele era bem capaz de ter misturado algum tipo de poção sexual no óleo de massagem e aplicado em mim. Essa era a única explicação plausível para eu continuar pensando nele.

Tinha que ter alguma pegadinha em toda aquela gentileza.

— Como foi no spa? — perguntou Alex, apoiando a mão no encosto da cadeira de Ava e beijando o rosto dela.

— Foi ótimo. — Ela sorriu, e seu rosto transmitia tanto amor, que senti uma dor no peito. — E vocês? Foram esquiar na triplo diamante negro de novo?

— Sim — confirmou Josh.

Ao mesmo tempo, Alex respondeu:

— Não. Hoje eu preferi snowboarding.

— Ah. — Ava olhou de um para o outro. — Sei.

Constrangedor para cacete.

Examinamos os cardápios em silêncio. Josh estava sentado ao meu lado, e cada vez que um de nós se mexia, nossas pernas se tocavam.

Hambúrguer da casa, salmão grelhado...

A calça dele roçou minha panturrilha. Levantei o queixo e tentei me concentrar. *Salmão grelhado com salada de funcho...*

Ele pegou o copo, e a manga da camisa roçou minha mão.

Puxei o braço e olhei determinada para a lista de entradas. *Salmão grelhado com salada de funcho...*

Quando o garçom se aproximou, animado e sorridente, eu havia lido a descrição do mesmo prato umas dez vezes.

— Vou querer o salmão — murmurei, depois que todo mundo pediu. — Obrigada.

Eu odiava salmão.

Olhei irritada para Josh. Era tudo culpa dele. Se não tivesse me distraído, eu teria conseguido ler o restante do cardápio, e teria pedido um prato de que gostava.

Ele levantou as sobrancelhas.

— Pelo jeito, de volta à postura bélica — disse ele, enquanto Alex e Ava conversavam em voz baixa do outro lado da mesa. — Senti falta dessa sua cara irritada. É como um bálsamo para minha alma.

— Porque está acostumado a ver essa cara em todo mundo que entra em contato com você.

Discutir com Josh era como vestir uma velha calça jeans, confortável e familiar.

A covinha apareceu no rosto dele.

— Não. Só na sua, Ruiva. Todo mundo me ama.

— Garanto que isso não é verdade.

A tela do meu celular acendeu com uma notificação de mensagem. Peguei o aparelho, ansiosa por uma distração, mas fiz uma careta ao ler o que tinha recebido.

Desconhecido: Oi, Jules.

O código de área indicava que o número era de Ohio.
Tudo à minha volta desapareceu, e um apito alto disparou nos meus ouvidos. Digitei a resposta com dedos trêmulos.

Eu: Quem é?

Esperança, medo e ansiedade se misturaram no meu estômago. *Talvez seja minha mãe...*
Os dez segundos que a resposta demorou para chegar pareceram uma eternidade, mas quando recebi a notificação, fiquei tão chocada que quase derrubei o celular.

Desconhecido: É o Max.

Max. Meu ex-namorado. Como ele havia conseguido meu número? Por que estava entrando em contato comigo depois de sete anos de silêncio?
Só havia uma razão, e a possibilidade fez a bile subir até minha garganta.

Desconhecido: Precisamos conversar.

Guardei o telefone na bolsa. Minhas mãos suavam frio, e eu as enxuguei nas coxas, tentando me controlar.
— Ei.
Virei a cabeça de repente ao ouvir o som da voz de Josh.
Ele se inclinou para frente, as sobrancelhas juntas em uma expressão que poderia ser de preocupação, caso ele fosse qualquer outra pessoa.
— Quem era? Você está com cara de quem viu um fantasma.
Ele olhou para minha bolsa, onde o telefone ameaçava abrir um buraco no couro.
Eu não ia responder à mensagem. Não sabia o que dizer a Max, e não queria saber o que ele tinha para dizer. Se o ignorasse, talvez ele desaparecesse por mais sete anos.

Esquece isso de joias e diamantes; mulheres gostam mesmo é de negação.

— Ninguém. Só spam — menti.

Josh não insistiu no assunto, mas o peso do olhar dele me oprimiu durante toda a refeição.

Levei um pedaço de salmão à boca e mastiguei. Tinha gosto de papelão.

Eu apostava que Max ainda tinha a fita. Estava sentado em cima dela havia anos. E se tivesse decidido que era hora de ganhar dinheiro me chantageando? E se eu não pudesse atender às exigências dele?

Se ele divulgasse a gravação, minha carreira chegaria ao fim antes de começar. Tudo pelo que havia trabalhado tanto desceria pelo ralo em um piscar de olhos.

Minha barriga doía, e não era só cólica.

Vou vomitar.

Empurrei a cadeira para trás e corri para o banheiro, ignorando os olhares assustados dos meus amigos. Consegui entrar em um reservado bem a tempo de botar o almoço para fora. Mesmo depois de vomitar tudo que tinha comido, continuei tendo espasmos até minha garganta ficar esfolada.

Pensava que havia escapado do passado, mas, no final, nossos demônios sempre acabam nos alcançando.

CAPÍTULO 15

Jules

MAX NÃO FEZ MAIS CONTATO COMIGO DEPOIS DAS PRIMEIRAS MENSAgens. Fui a primeira a ignorar a aproximação, mas o silêncio fermentou até eu me sentir dominada pela ansiedade no embarque do voo de volta para Washington.

Usei o mal-estar da menstruação como desculpa para explicar por que havia saído correndo do restaurante tão de repente, e ninguém me questionou, embora o ceticismo de Josh fosse tão evidente que era quase tangível. Ignorei; o que ele pensava sobre mim era o menor dos meus problemas no momento.

Bati com a caneta na mesa e olhei para a tela. No dia anterior, quando minha mesa chegou, finalmente havia começado a trabalhar no andar principal da LHAC, e ouvia o farfalhar de papéis na mesa de Ellie atrás de mim, o som distante da descarga no banheiro do corredor e o tilintar de sinos sobre a porta da frente cada vez que era aberta. Era mais caótico que trabalhar sozinha na cozinha, mas eu funcionava bem com ruído de fundo.

A menos, é claro, que estivesse distraída com outras coisas.

Olhei para o celular. Continuava apagado e silencioso ao lado do porta-canetas, mas isso não me impedia de prender a respiração, como se a tela fosse se acender a qualquer minuto com uma nova mensagem de Max.

Eu deveria ligar pra ele e acabar logo com aquilo, mas não conseguia sair do ciclo de ignorância meio miserável, meio abençoada.

Foco.

Respirei fundo e endireitei os ombros. Havia voltado a digitar, quando Ellie gritou atrás de mim.

— Josh! Não sabia que viria hoje.

— Oi, El. — A voz profunda e sedutora de Josh me provocou um arrepio. — Cortou o cabelo?

Surpresa e lisonjeada, ela riu.

— Cortei. Não acredito que você percebeu.

Vi minha careta refletida na tela do computador. Ellie era um amor, mas sua paixão por Josh era tão evidente que se tornava dolorosa.

— Ficou bom. Cabelo curto combina com você — comentou ele.

— Obrigada.

Outra risadinha.

Digitei mais depressa, esbofeteando o teclado com um "tec tec" furioso quando ouvi os passos se aproximando. Eles pararam perto de mim.

Tec, tec, tec...

— Jules.

Esperei vários segundos até levantar a cabeça e olhar para Josh. A primeira coisa que notei foi o jaleco. Era a primeira vez que o via vestido de médico, já que ele geralmente vestia suas roupas comuns antes de chegar à clínica. O uniforme azul era muito largo e sem forma para favorecê-lo, mas mesmo assim...

Algo em mim deu uma cambalhota.

Ah, não. Ah, não, não, não.

Meu estômago revirou horrorizado. Não era possível que... eu estivesse me sentindo atraída por Josh Chen. Não ali, em Washington. Em Vermont, eu havia atribuído a temporária perda de bom senso ao ar da montanha, mas ali eu não tinha desculpa.

Frio na barriga, arrepios e palpitações eram inaceitáveis. Impensáveis. Completamente repulsivos.

— Estou vendo que sua mesa chegou. — Ele desviou o olhar do meu rosto para analisar a caneta cor de rosa e fofa, minha favorita. Um sorriso ameaçou distender os lábios dele. — Pelo jeito, somos vizinhos. Sorte a sua.

Ele acenou com a cabeça para a mesa na frente da minha, do outro lado do corredor. Eu havia me perguntado de quem seria, já que a decoração esparsa não dava nenhuma indicação sobre a identidade do proprietário.

— Estou eufórica — respondi, sem me alterar. Encostei na cadeira e estreitei os olhos. — Não sabia que voluntários tinham mesa.

— Não têm. Eu sou o único. — A voz dele assumiu aquele tom vaidoso familiar. — Sou muito amado por aqui, Ruiva.

Infelizmente, era verdade. O restante da equipe da clínica o adulava como se ele fosse a reencarnação do messias. Era o suficiente para fazer uma garota querer vomitar.

— Não consigo imaginar o porquê. — *Mantenha a trégua.* — Bom, por mais que a conversa esteja boa, preciso voltar ao trabalho. Tenho muita coisa para fazer — comentei, com uma animação falsa.

Os olhos de Josh brilharam, bem-humorados.

— É claro.

Ele se acomodou atrás da mesa, e não voltamos a nos falar durante toda a tarde.

Pouco antes das cinco, eu sentia os olhos arderem depois de tanto tempo encarando a tela do computador, e meus pulsos doíam devido à digitação. Talvez tenha sido *um pouquinho* agressiva com o teclado, mas era uma boa válvula de escape para a tensão acumulada.

— Que dia. — Ellie bocejou. — Queria beber alguma coisa. Alguém topa? O Black Fox tem um especial de happy hour excelente.

O Black Fox era o bar do outro lado da rua e ponto de encontro muito frequentado pelo pessoal do hospital.

— Eu topo. — Marshall era a personificação da animação. Como Ellie, ele era auxiliar de pesquisa em tempo integral, e se o interesse de Ellie em Josh era um sinal luminoso de neon, o de Marshall por Ellie era um cartaz completo com holofotes e letras de três metros anunciando EU AMO ELLIE. — Quer dizer, eu vou com você.

— Ótimo — disse Ellie. — Josh?

— É claro. Nunca recuso bebida barata. — A covinha fez uma aparição rápida. — Você vem, Ruiva?

Hesitei. Precisava estudar para as provas finais e começar a encaixotar as coisas para minha mudança iminente, mas estava precisando *mesmo* espairecer.

— Vou, por que não?

Nenhum dos outros funcionários podia se juntar ao grupo, e meia hora mais tarde, nós quatro estávamos espremidos em volta de uma mesa no Black Fox tomando bebida aguada, mas ridiculamente barata.

— Proponho que a gente faça um jogo.

Ellie falava com a mesa inteira, tecnicamente, mas os olhos dela não se desviavam de Josh.

Ele sorriu.

— Que tipo de jogo?

Josh estava sentado ao meu lado, com um braço sobre o encosto da cadeira ao lado dele e a outra mão segurando um copo meio vazio de Coca-Cola e uísque. Tinha tirado as roupas de médico, e a atitude combinava com o cabelo bagunçado e a roupa que vestia - suéter de cashmere azul-marinho com as mangas levantadas, relógio brilhando no pulso - e criava a impressão de que ele estava posando para uma revista de moda masculina.

Bebi o que restava no meu copo, tentando amenizar o calor que se espalhava por meu corpo.

— Verdade ou desafio — decidiu Ellie.

— El, não sei se é uma boa ideia. — Marshall mudou de posição na cadeira. — A gente trabalha junto. Não vai dar certo.

Tentei não fazer uma careta. Marshall era apenas alguns anos mais velho que Ellie, mas advertir alguém sobre o que vai ou não dar certo no meio de um happy hour não é o melhor jeito de despertar o interesse de uma garota.

— Somos só nós. Lisa não veio. — Ellie acenou com desdém. — Então? O que acham?

Josh levou o copo à boca, e parecia estar se divertindo.

— Vamos lá.

— Ótimo. — Ela olhou para mim animada. — Jules?

— É claro.

Em situações normais, eu mesma teria sugerido uma brincadeira, mas a preocupação da última semana havia me deixado sem energia, então o melhor que dava para fazer era seguir o fluxo.

— Marshall?

Ellie o empurrou de leve com o cotovelo e ele ficou vermelho.

— Tudo bem.

Ele parecia resignado.

Ninguém se surpreendeu quando Ellie escolheu Josh na primeira rodada.

— Verdade ou desafio? — perguntou ela.

— Verdade.

Hum. Não demonstrei minha surpresa. Esperava que ele escolhesse desafio.

Ellie se inclinou para a frente, de modo que ele tivesse uma vista ampla do decote dela. Havia tirado o blazer fazia tempo, e os seios estavam praticamente pulando de dentro da camiseta regata.

Olhei para Josh, cujo olhar permanecia fixo no rosto de Ellie. Ele nem se abalava.

Não dava para dizer o mesmo de Marshall, que parecia muito perto de entrar em combustão.

— Está interessado em alguém da clínica? — perguntou Ellie.

Que sutileza.

Josh levantou e abaixou as sobrancelhas algumas vezes.

— Voluntária ou membro da equipe?

Mudei de posição na cadeira, e o vinil do assento fez um barulho constrangedor quando minhas coxas desgrudaram do material. Josh olhou para mim e pareceu se divertir ainda mais. Levantei o queixo, desafiadora.

— Tanto faz — respondeu Ellie, atraindo novamente a atenção dele. — Mas digamos que seja membro da equipe.

— Estou interessado em todo mundo na clínica. Todos vocês são ótimos — declarou Josh.

Ela murchou, percebendo que deveria ter sido mais específica.

— Jules. — Josh olhou para mim, e endireitei as costas. — Verdade ou desafio?

— Desafio — respondi, sem hesitar.

Um sorriso lento se abriu no rosto dele.

— Eu desafio você a beijar alguém da mesa por trinta segundos.

Reconheci o brilho satisfeito em seus olhos; ele esperava que eu recuasse. Azar o dele, porque nunca recuei de um desafio em toda minha vida.

Olhando fixamente nos olhos de Josh, me inclinei para reduzir a distância entre nós centímetro a centímetro, até que o sorriso dele desapareceu e o calor invadiu seus olhos.

Esperei até meu rosto estar bem perto do dele, então desviei e beijei Marshall, que levou um tremendo susto.

— Mmmphm — resmungou ele.

— Tudo bem para você? — sussurrei, com os lábios tocando os dele.

— Mmmphm — repetiu ele, dessa vez com um tom mais agudo, mas, como não se afastou, interpretei que o ruído era um sim.

Eu o guiei durante o beijo, que prolonguei pelos trinta segundos necessários, antes de me afastar. Um sorriso satisfeito curvou minha boca diante das reações a minha volta. O queixo de Ellie quase tocava a mesa e Josh me encarava, sem o bom humor de antes, mas com uma expressão severa. Enquanto isso, Marshall continuava paralisado na cadeira, de olhos vidrados e a boca meio aberta.

— Desculpe por ter envolvido você nisso. Mas foi um beijo ótimo. Nota dez — falei.

— N... não tem problema — gaguejou ele. — Eu, hum, eu... — Marshall olhou para Ellie, que o fitava com um pouco mais de interesse que antes.

Disfarcei um sorriso. O melhor jeito de despertar o interesse de uma mulher era temperar a história com um pouco de concorrência.

— Foram trinta segundos?

A pergunta foi dirigida a Josh, que respondeu em um tom frio:

— Mais de trinta. Acho que você se empolgou.

— Como eu disse... — Brinquei com o copo, já vazio. — Marshall beija muito bem.

— Vou aceitar sua palavra nesse assunto. — Ele olhou para Marshall. — Sua vez, cara.

Fizemos mais três rodadas do jogo, até que Ellie anunciou, relutante, que precisava ir embora porque embarcaria em um voo bem cedo na manhã seguinte. Pelo jeito, a avó ia comemorar oitenta e cinco anos, então ela ia para casa, em Milwaukee, para a celebração.

Ellie olhou para Josh como se quisesse sua companhia, mas ele apenas se despediu e desejou boa viagem. Marshall, é claro, se ofereceu para dividir o Uber com ela, já que iriam na mesma direção.

E, assim, restaram só nós dois.

— Ellie é meio apaixonada por você — comentei, depois que nossos colegas de trabalho tinham ido embora.

Peguei a última batata frita do cesto e pus na boca. Não estava desrespeitando o código de ética das mulheres, porque tinha certeza absoluta de que Josh sabia. Ele era arrogante demais, devia ter certeza de que todas as mulheres hetero eram apaixonadas por ele, mesmo quando não eram.

— Eu sei.

Ele sorriu.

— Está interessado nela?

— Faz diferença para você?

Mastiguei a batata sem pressa e a engoli, antes de responder:

— Nenhuma.

A animosidade que vibrava entre nós mascarava algo escondido.

— É claro que não — retrucou Josh em voz baixa, depois terminou a bebida sem desviar os olhos de mim. — O espetáculo com Marshall foi muito bom.

— Não sei do que está falando.

— Não se faz de boba. Não combina com você.

— Não estou me fazendo de boba. Acha que eu não teria beijado Marshall fora do jogo só porque ele não tem um rosto perfeito e uma barriga de tanquinho? — Encarei Josh. — Aparência não é tudo. Marshall é fofo, pelo menos.

O sorriso de Josh adquiriu uma nuance sombria.

— Você não quer nem precisa de fofura, Ruiva. Morreria de tédio com isso.

— Ah, é? — Minha voz pingava uma doçura venenosa. — Então me diga, por favor, o que eu quero e de que preciso? Já que me conhece tão bem.

Josh se inclinou para frente até a boca quase tocar minha orelha, e tive que fazer um esforço enorme para não me afastar. Meu coração batia tão forte que eu não teria ouvido a resposta se a voz dele não fosse despejada em mim como uma seda escura e perigosa, mas sedutora.

— Você *quer* alguém que a desafie. Que a excite. Que a mantenha em estado de alerta. E quanto às suas necessidades... — O hálito de uísque acariciava minha pele, provocando arrepios. — Você *precisa* de alguém que te pegue de jeito e meta em você até acabar com essa sua marra.

Minha reação foi instantânea.

Os mamilos enrijeceram, e uma umidade quente molhou minha calcinha. Cada sopro de ar na minha pele sensível aumentava a necessidade que pulsava no meu interior.

— Acha que Marshall é capaz disso? — A voz de Josh me envolvia como um abraço de veludo. — De meter em você do jeito que precisa?

— E você é? — Consegui responder. *Oxigênio.* Eu precisava de oxigênio.

— Vai sonhando.

— Não foi uma oferta. — A mão de Josh roçou meu joelho por uma fração de segundo, apenas o suficiente para incendiar meu corpo. — Mas é bom saber que pensou nisso.

Fui poupada de ter que pensar em uma resposta espirituosa no estado atordoado em que estava porque alguém interrompeu a conversa.

— Jules?

A voz desconhecida teve o efeito de um balde de água fria.

Olhei para trás com o coração disparado enquanto Josh se ajeitava na cadeira com um sorriso sombrio e satisfeito.

O filho da mãe.

Assim que a interrupção desaparecesse, eu retribuiria na mesma moeda. De algum jeito.

Mas naquele momento havia outra pessoa com quem interagir.

Olhei para o sujeito com ar de universitário e aparência meio familiar que havia nos interrompido. Usava o uniforme masculino não oficial de Washington, camisa de algodão azul e branco e calça cáqui, e tinha o cabelo penteado para trás de um jeito que não favorecia em nada seus traços.

O rapaz olhava para mim com uma expressão cheia de expectativa enquanto minha expressão seguia atordoada, até as peças soltas na memória se juntarem, levando ao reconhecimento.

Era Todd... o cara que havia me deixado plantada no bar semanas antes.

CAPÍTULO 16

Josh

Eu já havia me deparado com uma quantidade razoável de em-bustes, mas podia dizer com total confiança que o sujeito parado na minha frente era o maior de todos.

Talvez fosse o sorriso oleoso e o jeito como ele penteava o cabelo para trás, como se fosse um político adulador na disputa por um cargo público. Ou o jeito como olhava para Jules, como se ela fosse um filé suculento e ele não comesse havia dias.

Um ódio irracional substituiu a satisfação anterior por ter conseguido afetar Jules.

Precisa de alguém que te pegue de jeito e meta em você até acabar com essa sua marra.

O uísque havia soltado minha língua, e o beijo de Jules em Marshall havia sido a gota d'água para me fazer dizer o que estava pensando. O que *nós dois* vínhamos pensando desde Vermont.

Jules podia chiar e rosnar quanto quisesse, mas não conseguia esconder o desejo. Ela me queria tanto quanto eu a desejava, e nós dois nos odiávamos por isso.

— Todd.

Jules injetou um litro de desprezo na palavra.

Minha boca se curvou em um sorriso involuntário, que apaguei em seguida. Ela *conhecia* o cara?

— Achei que era você, mas não tinha certeza. Você é ainda mais linda pessoalmente — falou ele para o peito dela.

Minha mandíbula ficou tensa. Eu gostava de seios tanto quanto qualquer homem, mas aquilo havia sido bem grosseiro. Ele não havia olhado nos olhos de Jules desde que se aproximara.

Em parte, fiquei grato pela interrupção, que aconteceu justamente quando eu me preparava para fazer algo de que me arrependeria. Outra parte de mim, mais sombria, queria arrancar os olhos do cara por olhar para ela daquele jeito.

Girei o copo nas mãos, inquieto com os pensamentos violentos e inconvenientes. De onde aquilo tinha vindo? Desde quando eu me importava com como outros homens olhavam para Jules?

Não me importo. Todd tem uma cara boa de socar. Só isso.

— Você não. — A voz de Jules vertia um veneno doce que seria capaz de apagar um elefante. — Acho que fotos podem *enganar*.

Dessa vez, não consegui evitar o sorriso, apesar da irritação.

Ela era selvagem. E eu adorava isso.

Se Todd ficou ofendido, não demonstrou. Eu não sabia nem se ele havia ouvido o comentário; estava ocupado demais secando os peitos dela, que desafiavam a resistência dos botões da camisa.

— Queria me desculpar pelo nosso encontro outro dia — disse ele, e meu sorriso desapareceu de novo. — Meu carro quebrou e o celular ficou sem bateria. Mandei algumas mensagens depois, mas você não respondeu.

Juntei as peças do quebra-cabeça antes de Jules responder. *Todd* era o cara que a havia deixado plantada no Bronze Gear?

Jesus. Pensei que ela tivesse um gosto melhor para homem.

— Se com "outro dia" você está falando de quase um mês atrás, não aceito suas desculpas — anunciou Jules, com frieza. — E você nunca mandou mensagem nenhuma, mas tudo bem. Dar match com você foi um tremendo erro de julgamento. Agora voltei ao normal, portanto, pode vazar. — Ela o dispensou com um gesto. — Além disso, meu rosto está aqui em cima, seu babaca.

O rosto de Todd corou até atingir um tom furioso, quase roxo.

— Estava tentando ser gentil porque fiquei me sentindo mal pelo que aconteceu. Não precisa bancar a cretina.

Um rosnado baixo brotou de minha garganta.

Abri a boca, mas Jules foi mais rápida.

— Até onde eu sei, você é o único bancando o cretino aqui. Eu estou só curtindo minha bebida. — Ela levantou uma sobrancelha. — Continua me incomodando e vou pedir para a segurança jogar você lá fora por assédio. Então, se não quiser ser humilhado na frente de toda essa gente... — Jules gesticulou para as pessoas à volta — Sugiro que siga meu conselho anterior e vá embora. Agora.

Todd comprimiu os lábios, mas foi inteligente o bastante para não testar a validade da ameaça.

— Nem uma palavra — avisou Jules, assim que Todd se afastou, depois bebeu o que ainda havia em seu copo de uma vez só, sem olhar para mim.

Levantei as mãos em sinal de rendição. A tensão acumulada nos meus músculos diminuiu com a partida de Todd, embora ainda houvesse um pouco correndo nas minhas veias.

— Nem um pio. — E acrescentei, depois de uma longa pausa: — Você deu match com *aquele* cara?

O rosto dela ficou vermelho.

— Estou ocupada com a faculdade de direito. — Ela ficou irritada. — Minhas opções são limitadas, e tenho necessidades, então...

— Baixou o nível desse jeito?

— Talvez, mas pelo menos ainda não cheguei em *você* — respondeu ela, em um tom doce. — Falando nisso, não tenho te visto com ninguém, ultimamente. O que aconteceu, Joshy? Esgotou todas as opções de mulheres que caem na sua conversa mole?

— É uma escolha, Ruiva. Posso ter a garota que eu quiser a qualquer momento.

— Mentira. Não consegue me ter.

— Não tentei.

Nós nos encaramos, e o desafio implícito no olhar deixou o ar mais carregado.

Se eu tentasse... será que Jules sucumbiria ao que o olhar dela me dizia que queria? Será que deixaria eu fazer o que havia insinuado, pegá-la de jeito e fazer tudo com ela, ou disputaria o controle comigo a todo instante?

Meus lábios se curvaram.

Algo me dizia que eu já sabia a resposta. Jules nunca facilitava nada. Essa era uma das características dela que eu apreciava em segredo.

— Você é um babaca arrogante. — O olhar dela adquiriu um brilho calculista. — Já que confia tanto na sua habilidade com as mulheres, vamos fazer outra brincadeira.

Fiquei curioso.

— Que tipo de brincadeira?

— É simples. Vamos ver qual de nós dois consegue mais números de telefone em uma hora. — Jules inclinou a cabeça, e seu cabelo caiu sobre um ombro em ondas de seda cor de cobre. — O vencedor conquista o direito de se achar melhor que o outro.

Podia parecer pouco para um observador externo, mas para nós, ter o direito de se achar melhor que o outro valia tanto quanto um Rolex ou uma Lamborghini. Talvez mais.

Nada era mais importante que o orgulho.

— Fechado.

Sorri, convencido. Jules era boa, mas eu sairia daquele jogo vencedor. Sempre saía.

— Ótimo. — Ela olhou para o relógio enorme na parede. — Voltamos aqui às dez para as sete.

Quando ela terminou a frase, eu já me afastava da mesa. Estava examinando o bar desde que ela havia explicado as regras do jogo, formulando um plano, por isso não hesitei e segui diretamente para um grupo de mulheres de vinte e poucos anos em um canto do salão.

Para minha sorte, a proporção de mulheres para homens no bar era mais ou menos duas para um, o que me dava uma vantagem considerável, mesmo que eu me mantivesse longe das que estavam acompanhadas.

Engatei conversas rápidas e flertes diretos. Não prometia mais do que podia dar, e fazia as mulheres com quem conversava se sentirem bem o bastante para não terem motivos para não darem o número depois de poucos minutos. Algumas devem ter percebido que eu estava envolvido em algum jogo, considerando a velocidade com que me movimentava pelo bar, mas isso não as impedia de corresponder ao flerte.

Às seis e meia, eu já acumulava mais de uma dúzia de números. Devia estar empolgado, mas fiquei desconfiado quando vi que Jules não havia saído do lugar. Ela saboreava a bebida e, com uma expressão serena, observava minha movimentação pelo bar.

O que ela estava tramando?

Não aguentei mais, encerrei a conversa com a mulher com quem estava falando e voltei para perto de Jules. Apoiei as mãos na superfície da mesa de madeira e estreitei os olhos.

— Beleza, qual é a pegadinha?

— Como assim? — perguntou Jules, inocente como um carneiro recém-nascido.

— Temos... — olhei para o relógio outra vez — mais dez minutos, e você nem *tentou* conversar com ninguém. Não me fala que está apostando em ser abordada primeiro.

Alguns a abordaram, mas Jules não fazia o tipo passivo. Ela gostava de atirar primeiro, em qualquer que fosse a situação.

— Não estou.

— Desistiu, então? Se está com medo de perder, é só dizer. Não precisa fazer todo esse teatro.

— Ah, eu não desisti.

Jules finalmente deixou o copo em cima da mesa e se levantou da cadeira. Tirou a jaqueta, e seus movimentos eram como mel deslizando pelas curvas suaves de uma garrafa de vidro.

Lentos, suaves, sensuais.

Puta que pariu.

Minha boca ficou seca.

Jules usava uma roupa que era uma espécie de uniforme profissional – camisa branca para dentro de uma saia cinza, sapatos pretos de salto alto e um colar dourado discreto que espiava de dentro do decote. Mas, com aquele corpo e a confiança, era como se ela vestisse a lingerie de renda mais sexy do mundo.

Por mais que eu me esforçasse, não conseguia impedir meus olhos de devorarem cada centímetro do colo visível e das curvas generosos abraçadas pela roupa. A silhueta exuberante não era tonificada e esguia como a de muitas mulheres na academia que eu frequentava, mas macia. Robusta. E muito atraente.

Senti um calor imediato quando uma imagem invadiu minha cabeça: eu empurrando Jules contra uma parede, levantando aquela saia e fodendo aquela mulher até fazê-la gritar.

Bani a imagem assim que apareceu, mas era tarde demais. Meu pau já estava endurecendo, e a excitação pulsava pelo meu corpo.

A tensão fez minha mandíbula enrijecer. *Odiava* esse efeito recém-descoberto que ela exercia sobre mim. Havia passado anos sem sentir nada por Jules, e agora não conseguia afastar as fantasias. Não sabia o que havia mudado, mas estava me deixando furioso.

— Eu vou ganhar essa aposta. Observe e aprenda, Chen — disse Jules, ronronando, e então se afastou rebolando em direção à cabine do DJ.

A visão não contribuiu para diminuir a dor que eu sentia entre as pernas.

De todas as coisas horríveis que poderiam acontecer comigo, sentir atração sexual por Jules Ambrose estava no topo da lista. Sem dúvida.

Necessidade, frustração e curiosidade disputavam a primazia quando ela disse algo para o DJ. Ele assentiu, solidário.

A desconfiança se juntou às outras sensações incômodas quando ele interrompeu a música. Por que ele...

Entrei em pânico quando entendi a carta que Jules guardava na manga.

Ela não faria isso. *De jeito nenhum.*

— Peço desculpas por interromper o happy hour, pessoal, mas vou ser rápida. — A voz de Jules ecoou no bar, que ficou silencioso, clara e forte, mas com uma nota de vulnerabilidade que prendeu a atenção de todo mundo. — Para resumir uma *longa* história, acabei de sair de um relacionamento longo e terrível, e meu amigo... — ela apontou para mim, e dúzias de cabeças se viraram na minha direção — me fez lembrar que o melhor jeito de superar alguém é estar embaixo de outro alguém. Portanto, estou atrás de um empurrãozinho. — A mistura de hesitação e insinuação na voz dela era o suficiente para tirar o juízo de qualquer homem de sangue quente. Caramba, ela era *boa* nisso. — Então, se tiver alguém interessado em uma ou duas noites sem compromisso, é só me passar o telefone. Obrigada.

Direta ao ponto, mesmo que o ponto fosse mentiroso. Jules no modo clássico.

O bar foi dominado por um silêncio perplexo durante um, dois, três segundos antes de o pandemônio explodir. Assobios e aplausos ecoaram pelo espaço, e dezenas de homens correram para ela, quase tropeçando uns nos outros, na ânsia de ser o tal "empurrãozinho".

Balancei a cabeça, incapaz de processar o que estava acontecendo. Eu me sentia como se tivesse sido jogado no meio de uma cena de um filme nada realista. Não teria acreditado se não estivesse observando tudo com meus próprios olhos.

É claro, esse era o plano de Jules. Ela era a *única* pessoa que eu conhecia que seria capaz de uma atitude daquelas.

Ela olhou para mim através da multidão, e vi o triunfo iluminando seu rosto. "Perder é uma merda", li nos seus lábios.

Era mesmo. Eu odiava perder. Mas não consegui nem ficar bravo, porque o que ela acabara de fazer tinha sido... genial.

Cobri a boca com a mão, incapaz de conter uma risada de admiração relutante.

Jules Ambrose era única.

CAPÍTULO 17

Jules

O RESULTADO DO NOSSO JOGO? DEZESSEIS NÚMEROS PARA JOSH, vinte e sete para mim.

— Você roubou.

Apesar da declaração, o brilho no olhar de Josh revelava que ele estava mais aborrecido por não ter tido a mesma ideia do que por eu ter usado uma estratégia nada convencional.

— Não dá pra roubar em um jogo sem regras.

A euforia da vitória dava uma energia extra ao meu andar.

Saímos do bar depois de contarmos os números, e estávamos andando para casa, depois de sairmos da estação Hazelburg de metrô. Talvez fosse o álcool, ou o calor do corpo de Josh ao meu lado, mas parecia que eu estava cozinhando dentro do casaco, embora a temperatura no início da noite se aproximasse dos dez graus. Como não queria carregar nada, continuei de casaco.

— Eu devia ter imaginado que você daria um jeito de trapacear. — Josh inclinou o queixo em direção a minha bolsa, onde eu havia guardado as dezenas de guardanapos com números de telefone. — Vai ligar para alguém?

— Talvez. Não pode ser pior que tentar encontrar alguém em um app de relacionamento.

Meu sorriso perdeu força quando me lembrei do encontro com Todd. Havia sido muita cara de pau me abordar daquele jeito. Por outro lado, os homens tinham pouca coisa além de audácia.

— Hum.

O som descontente penetrou nos meus ossos e acelerou a pulsação. Josh estava... com *ciúme*?

Não. Isso era ridículo. Para sentir ciúme, ele precisava gostar de mim e, apesar de termos desenvolvido um respeito mútuo, apesar de relutantes, não gostávamos um do outro. Eu ainda queria apagar aquele sorrisinho arrogante do rosto dele a socos cada vez que o via.

— E você? Vai ligar para algum número que conseguiu? — perguntei casualmente.

— Talvez. Não pensei nisso.

— Hum.

Merda. Resmunguei a resposta sem pensar. Agora ia parecer que *eu* estava com ciúme.

— O que está acontecendo com você ultimamente? — Segui em frente depressa, tentando desviar a atenção do meu deslize. — Enrolava uma garota diferente toda semana, mas não te vejo com ninguém há meses.

— Está exagerando, e eu não *enrolava* ninguém. Deixava minhas intenções bem claras desde o início. Não tinha interesse em relacionamento e compromisso, e todas estavam bem cientes disso antes de fazermos qualquer coisa. — Ele olhou para mim. — Você entende.

Entendia. Nossa visão de sexo e relacionamentos era uma das poucas coisas que tínhamos em comum. Como Josh, eu nunca havia tido interesse em relacionamentos sérios. Havia muitos objetivos para alcançar, muita coisa para ver no mundo, e muita vida para viver sem estar amarrada a uma pessoa.

Além do mais, depois da minha experiência com um relacionamento sério, não estava com pressa para me meter em outro.

— *Você quer estudar direito?* — Max fez uma careta. — *Por quê?*

— *Acho que eu daria uma boa advogada.* — Torci a barra da camisa em volta de um dedo. Era uma peça nova que eu havia comprado com a mesada que ganhava de Alastair, meu padrasto. Depois de anos de roupas velhas, eu precisava tocá-la sempre para ter certeza de que era de verdade, de que eu estava realmente usando uma camisa de grife que custava mais que meu antigo orçamento mensal para alimentação. — *Direito corporativo rende um bom dinheiro, e posso ajudar...*

A gargalhada alta me interrompeu.

— *Ai, fala sério, Jules...*

— *O quê?*

Fiquei confusa e um pouco magoada.

— Você é muito fofa. — Ele sorriu para mim com condescendência, como se eu fosse uma criança anunciando o desejo de ser presidente. — Mas vamos cair na real, meu bem. Você não quer ser advogada.

Torci a camisa com mais força.

— Estou falando sério.

— Então aja com seriedade. — Max deslizou a mão pelo meu ombro e afagou meu braço, depois apertou meu seio, e os olhos dele se iluminaram com o habitual brilho de luxúria. — Você é gostosa demais para ficar presa em um tribunal empoeirado o dia todo. Devia ser modelo. Lucrar com esse rosto e esse corpo. Nem todo mundo tem a sorte de nascer com sua aparência.

Forcei um sorriso. Sim, eu havia sido abençoada com uma aparência acima da média, mas não me sentia uma pessoa de sorte. Não quando essa era a única coisa que as pessoas viam quando olhavam para mim, e não quando minha mãe me enxergava como concorrência, e não como família.

Mas talvez Max tivesse razão. Talvez eu estivesse me precipitando. De onde havia tirado a ideia de que poderia ser advogada? Eu era uma boa aluna, mas havia uma diferença entre ir bem em um colégio de bairro de Ohio e estar entre os melhores de uma faculdade de direito.

— Chega de conversa chata. — A respiração de Max acelerou quando ele abriu os dois botões de cima da minha camisa. — A gente pode fazer coisa melhor com a boca...

Senti um gosto azedo na boca. Eu era muito jovem e ingênua na época. Não sou a mesma pessoa que fui aos dezessete anos, mas às vezes, os sussurros do passado retornavam e me faziam questionar tudo que havia conquistado e tudo pelo que havia lutado tanto.

As últimas mensagens de Max também não estavam ajudando. Ele era o típico ex que se recusava a morrer. No sentido figurado, não no literal.

O zumbido provocado pelo álcool ficou mais alto na minha cabeça. Talvez eu devesse ligar para ele para ver qual era o assunto. Depois poderia deixá-lo no passado de uma vez por...

— Jules!

O grito apavorado de Josh furou meus ouvidos ao mesmo tempo em que uma freada brusca interrompeu o silêncio da noite. Levantei a cabeça e arregalei os olhos ao ver a luz dos faróis vindo na minha direção.

Estava tão imersa em pensamentos que havia atravessado a rua sem olhar.

Corre!, gritava meu cérebro, mas o corpo não obedecia. Fiquei congelada até que dedos de ferro envolveram meu braço e me puxaram para a calçada uma fração de segundo antes de um caminhão passar em alta velocidade, buzinando.

Com o impulso do movimento, meu rosto se chocou contra o peito de Josh. Foi como bater em uma parede. A força do choque, combinada à descarga de adrenalina do quase encontro com a morte, me deixou sem palavras e sem ar. Fiquei imóvel, com o rosto pressionado contra o tronco de Josh, enquanto ele me abraçava com força.

— Você está bem?

O coração dele batia acelerado contra minha bochecha.

— Estou — respondi, com a voz rouca, em choque demais para dar uma resposta melhor.

Levantei a cabeça e engoli em seco quando vi a expressão dele. Havia preocupação, mas os olhos queimavam e uma veia pulsava visível na têmpora.

— Que bom. — Os braços me apertaram mais, até eu perder o fôlego outra vez. — Onde estava com a cabeça, cacete? Por que atravessou a rua daquele jeito? — A voz baixa vibrava de raiva. — Você quase se matou!

— Eu...

Não tinha uma boa resposta.

O que eu deveria dizer? "Estava imersa demais nas lembranças do merda do meu ex, por isso não prestei atenção no que estava fazendo"?

Tinha a sensação de que não ia colar.

Meu Deus, se Max tivesse sido a última pessoa em quem eu pensasse antes de morrer, eu teria ficado furiosa.

— Chamei você duas vezes e você nem reagiu. — A luz pálida da iluminação pública banhava o rosto de Josh, ressaltando as faces esculpidas e a linha do queixo. — Que porra aconteceu?

— Nada. Só me distraí. — Era verdade, tecnicamente. Mesmo assim, meu estômago revirou quando pensei no que teria acontecido se Josh não estivesse ali. — Obrigada por me salvar, apesar de ter sido uma surpresa. — Tentei amenizar a tensão que pairava no ar. — Sempre pensei que seria mais provável você me empurrar para baixo de um caminhão, em vez de me tirar da frente.

— Não tem graça.

— É meio engraçado, sim.

— Não é, não tem graça nenhuma — repetiu Josh. Cuspia cada palavra como se fosse uma pílula amarga. — Você acha a morte engraçada? Acha que é *divertido* para mim ver alguém quase morrer?

Meu sorriso desapareceu.

— Não — respondi, em voz baixa.

Tinha a sensação de que não falávamos mais sobre mim.

Como médico de um pronto-socorro, ele trabalhava mais perto da vida e da morte que qualquer pessoa que eu já havia conhecido. Não dava para imaginar as coisas que ele via no hospital, as decisões que precisava tomar e as pessoas que não conseguia salvar. Mas Josh era tão sarcástico e tinha uma postura tão relaxada o tempo todo que nunca havia pensado em como isso o afetava.

Josh me soltou e recuou um passo, e a expressão dele parecia ser de granito.

— Vou levar você para casa. Não dá para saber em que tipo de encrenca vai se meter se eu deixar você sozinha.

Estávamos a apenas dois quarteirões, então não perdi tempo protestando. Sabia escolher minhas batalhas.

Andamos em silêncio até minha casa, que estava escura quando chegamos. Stella devia estar no escritório, ou em algum evento. Com a revista e o blog, ela praticamente tinha dois empregos.

Entrei na varanda e peguei a chave na bolsa com a mão trêmula.

— Você me trouxe para casa sã e salva. Cinco estrelas para o serviço, duas estrelas para a conversa — brinquei, enquanto inseria a chave na fechadura. — Eu te daria uma estrela pela conversa, mas como salvou minha vida, estou sendo generosa.

Talvez devesse ser mais séria, considerando o humor de Josh, mas na dúvida, eu sempre recorria ao sarcasmo. Não conseguia evitar.

Um músculo pulsou na mandíbula dele.

— Tudo vira piada para você, ou é realmente desatenta desse jeito? — perguntou ele. — Entrou na faculdade de Direito Thayer, o que me faz pensar que tem alguma consciência do mundo a sua volta. Então para com o teatro, Ruiva. Ninguém quer ver essa peça.

Endireitei as costas. Reconhecia aquele tom de voz. Era o mesmo tom que Josh havia usado quando disse para Ava deixar de ser minha amiga. O mesmo tom que usava quando me via fazer algo que considerava uma "má influência", como se eu não fosse boa o bastante para ele ou seus amigos.

Incisivo. Julgador. Moralmente superior.

Um rubor furioso esquentou meu rosto.

— E o que isso quer dizer?

A fechadura estalou, enquanto um tom severo e defensivo dominava minha voz.

— *Quer dizer* que você se faz de durona e desencanada, mas é só teatro. — Josh deu um passo na minha direção. Um passo curto o suficiente para a ponta dos sapatos tocarem os meus. O contato funcionou como um canal para a raiva dele, que passou para mim e alimentou as brasas de indignação queimando no meu estômago. — Eu não me importaria, se as consequências afetassem só você. Mas também afetam as pessoas a sua volta. Mas você nunca pensou nisso, né? — As bochechas dele estavam vermelhas. — Só pensa em si mesma. Não sei que merda aconteceu no seu passado, mas não é preciso ser um gênio para decifrar você. Uma menininha assustada que aposta alto para fugir dos próprios demônios sem nunca se incomodar com a destruição que deixa por onde passa. A porra do modo clássico Jules Ambrose.

Uma dor profunda e arrasadora me deixou sem ar e com os olhos ardendo.

Qualquer camaradagem que Josh e eu tivéssemos desenvolvido nas semanas anteriores evaporou, incinerada pela tempestade de fogo que as emoções despejavam sobre nós.

Não tinha a ver apenas com aquela noite, e não tinha a ver apenas com nós dois. Era sobre os sete anos anteriores – cada insulto, cada cara de desprezo, cada discussão e frustração da nossa vida, mesmo que não tivesse a ver com o outro. Tudo entrou em ebulição, até que uma névoa vermelha surgiu diante dos meus olhos, e só consegui me concentrar no quanto eu estava *furiosa*.

Em vez de tentar acalmar a raiva, eu me joguei nela com prazer.

Raiva era bom. Raiva me impedia de lidar com a verdade por trás da declaração dele, e raiva revestia minhas palavras com o veneno que destilei quando voltei a falar.

— Olha só quem fala. — Levantei o queixo, e meus olhos incineraram os dele, escuros como uma meia-noite infinita. — Josh Chen, o garoto de ouro. Viciado em adrenalina. Quer falar sobre apostar alto? Legal, vamos falar de como você põe sua vida em risco cada vez que vai atrás de uma atividade nova e estupidamente inconsequente, mesmo sendo o único familiar vivo que Ava ainda tem? Ou de como anda por aí olhando por cima para tudo, porque é *médico* e tudo que faz é pelo suposto bem maior? — Minhas unhas cortavam a palma das minhas mãos. — É você quem não consegue superar a merda que aconteceu anos atrás. *Ele mentiu para mim. Ele me traiu.* — Imitei sua voz. — Grande merda! O mundo é assim. Você sobrevive e supera, ou fica preso no próprio martírio. Vai dizer que me escondo atrás de uma encenação? Então eu digo que você se apega a esse ressentimento porque não tem mais *nada* a que se apegar. Essa é a única coisa que te mantém vivo, e você não liga se isso machuca as pessoas que supostamente ama.

Era um golpe baixo para combater outro golpe baixo, até estarmos os dois no inferno, no ápice da animosidade e enroscados em palavras que nunca teríamos dito a ninguém, exceto um ao outro. Mentiras despidas, verdades descobertas apenas para serem disfarçadas de insultos.

Uma parte de mim estava enojada; a outra, eufórica.

Em um mundo que esperava cortesia e louvava a contenção, não havia nada mais libertador do que finalmente pôr tudo para fora. Sem nenhuma reserva.

A fúria desenhava linhas selvagens no rosto de Josh.

— Vai se foder.

— Vai sonhando.

Nossas respirações condensadas se misturaram no frio. O ar parou a ponto de a quietude parecer sobrenatural, como se tudo estivesse estático, na expectativa por nosso próximo movimento.

— Não preciso sonhar, Ruiva. — A voz dele se tornou sombria. Nebulosa. Ultrapassou minhas defesas e acendeu um fogo na parte inferior do meu ventre que não tinha nada e tudo a ver com a raiva. — Posso te foder agora até você perder a cabeça. Posso te fazer desmentir cada palavra que disse e implorar por mais quando eu terminar.

Era um aviso, e não um jogo de sedução. O fogo ardeu com mais intensidade dentro de mim.

— Você sabe o que dizem sobre homens que falam demais. — A expectativa subia pelas minhas costas com o perigo que girava no ar. Estávamos a um passo de atravessar uma barreira da qual não haveria volta, e eu estava tão transtornada que não me importava. — Isso é só um jeito de compensar o pau pequeno.

Um sorriso transformou o rosto de Josh, cruel o suficiente para introduzir na interação uma semente de perigo.

— Ah, Ruiva. Você está bem perto de descobrir quanto isso está longe da realidade — falou ele, em voz baixa.

Josh se moveu tão depressa que não tive tempo nem de respirar antes de ele me puxar e me beijar.

Então, o mundo como eu o conhecia se estilhaçou em um milhão de pedaços.

CAPÍTULO 18

Jules

O CHOQUE ESTACOU MEUS PÉS NO CHÃO. EU JÁ DESCONFIAVA DE QUE isso acabaria acontecendo, de que eu empurraria Josh para além do ponto de ruptura. Eu o forcei àquilo, afinal.

Mas agora que estava *acontecendo*, eu não conseguia formular uma resposta. Nenhuma palavra, nenhum movimento, apenas uma completa incredulidade e um calor perturbador que percorria minhas veias como fogo.

O calor de antes havia se tornado um vulcão em erupção, que cuspia lava até todas as terminações nervosas estarem em chamas. Meu coração retumbava com a força de mil cavalos galopando, e o retumbar se espalhou até pulsar em todas as partes de mim – cabeça, garganta, o ponto repentinamente sensível entre minhas pernas.

Josh segurou minha nuca, me mantendo cativa enquanto invadia minha boca.

Ele beijava como brigava. Era intenso. Rude. Explosivo.

Eu odiava o quanto adorava isso.

Recuperei o controle sobre os membros e levantei as mãos para empurrá-lo, mas me surpreendi quando, em vez disso, agarrei a camisa dele. Segurei camadas de algodão branco e puxei para mais perto até estarmos tão juntos que eu não sabia onde eu terminava e ele começava.

Deixei escapar um gemido quando Josh mudou de posição para encaixar a ereção na parte inferior entre as minhas pernas.

— Você quer mais, né? — O sussurro debochado roçou meus lábios, e a suavidade contrastou com a força com que ele puxava meu cabelo.

Lágrimas de dor brotaram nos meus olhos. O pulsar entre as minhas pernas ficou mais intenso.

— Vai se foder — murmurei.

— Já sei que é isso que você quer, Ruiva. — Ele mordeu meu lábio inferior e puxou com força a ponto de provocar outra onda de dor e prazer. — Não precisa implorar.

Um rosnado abafado brotou da minha garganta. Finalmente o empurrei, com o coração disparado, e os lábios e a vagina latejando com a mesma intensidade.

— Eu *nunca* vou implorar nada para você.

Josh limpou a boca com o dorso da mão, um movimento tão lento e deliberado, que se tornou mais sexual do que deveria ter sido. Um rubor de excitação coloria o rosto dele, e a intensidade do olhar que desceu do meu rosto até o decote queimava minha pele.

— Não tenha tanta certeza. — As brasas nos olhos queimaram mais intensamente. — Vamos fazer outra aposta, Ruiva. Aposto que, se eu pegar você e levantar essa sua saia, vou te encontrar molhadinha para mim. E aposto que posso te fazer implorar pelo meu pau, para eu te fazer gozar tão forte que você vai ver estrelas antes de a noite acabar.

Rangi os dentes de raiva. Odiava aquele ego todo, odiava aquela risadinha arrogante, odiava *tudo*. Mesmo assim, estava tão molhada que me sentia pingar ao pensar nas imagens que ele tinha conjurado momentos antes.

— Bela tentativa, *Joshy*. Mas não vou cair na pegadinha.

Era a saída do covarde, mas eu estava a um toque da explosão, e me recusava a dar a ele a satisfação de apertar o botão.

— Nem eu esperava que caísse — provocou ele. — Tá com medo, Jules?

— Não consegue interpretar uma dica, Josh?

Nós nos encaramos com uma raiva palpável no ar frio da noite, antes de a distância entre nós desaparecer e as bocas colidirem de novo. Mais forte, com mais desespero do que na primeira vez, as línguas lutando pelo domínio enquanto as mãos percorriam cada centímetro de pele.

Josh me empurrou pela porta entreaberta e a fechou com o pé depois de entrarmos, tudo sem interromper o beijo.

Os dedos voavam pelas roupas em uma pressa desesperada para tirá-las. Meu casaco. A camisa dele. Minha saia. A calça dele. Tudo jogado no chão da sala de estar até ficarmos nus, com a pele aquecida pela vibração elétrica que pulsava nas minhas veias e no ar.

— Fica de quatro.

Fiquei arrepiada ao ouvir o comando ríspido de Josh, mas em vez de obedecer, levantei o queixo e adotei um tom desafiador.

— Me obriga.

As palavras mal tinham saído da minha boca quando ele me agarrou e girou. Com um joelho nas minhas costas, me empurrou para o chão. Tentei resistir sem muito empenho, mas não era páreo para a força de Josh.

Uma das mãos segurava meus punhos atrás das costas, e a outra deslizava entre minhas pernas e massageava o clitóris inchado.

O choque de prazer arrancou de mim uma mistura de grito e gemido.

— O que estava dizendo? — debochou Josh, depois introduziu um dedo em mim, mantendo o polegar sobre o clitóris. Eu estava tão molhada que não senti a fricção nem com o dedo inteiro dentro de mim. — Exatamente como eu imaginava. Toda molhada.

Cerrei os punhos. Já estava ofegante, tão excitada que não conseguia pensar direito, e mal tínhamos começado.

— Implora, Ruiva. — Ele flexionou o dedo e tocou o ponto mais sensível do meu corpo, provocando outro gemido, depois o removeu lentamente e introduziu de novo. A respiração dele também estava mais ofegante. — Implora para eu te foder. Para te fazer gozar no meu pau como você quer tanto.

— Vai sonhando. — Eu enterrava as unhas na palma das mãos. — Meu vibrador faz melhor que isso. *Na velocidade mais baixa.*

Josh riu.

— Você tem que dificultar. — Ele soltou meus pulsos e agarrou meu cabelo, puxando a cabeça para trás até aproximar a boca da minha orelha. — Mas eu amo uma boa briga.

A resposta morreu na minha garganta quando ele introduziu mais um dedo em mim. Dentro, fora, dentro, fora, mais e mais depressa, até os formigamentos que anunciavam um orgasmo iminente começarem a se espalhar a partir da base da coluna. Ele estendeu um braço e beliscou um mamilo, e um arrepio percorreu todo meu corpo, assim que...

Ele tirou as mãos de mim.

Não!

Sem o apoio, meu corpo caiu para a frente e eu fiquei de quatro. Deixei escapar um grito frustrado com o orgasmo abortado. Olhei para ele.

— Seu filho da mãe *de merda*.

Meu único consolo era saber que não estava sofrendo sozinha. O peito de Josh subia e descia devido à respiração acelerada, ofegante, e o pau dele apontava para frente, tão duro que parecia ser doloroso. Um raio de luz entrava pelas janelas e projetava sombras intensas no rosto dele, realçando a dureza do queixo e o brilho de luxúria nos olhos.

— Sabe o que tem que fazer se quiser gozar. — Josh sorriu e afastou minhas pernas um pouco mais. — Olha para você. Toda molhada.

Eu não precisava olhar para saber que ele estava certo. Sentia a umidade escorrendo pelas coxas, e cada sopro de ar na vagina nua provocava mais um arrepio.

Mesmo assim, eu mantinha um mínimo de racionalidade para tentar virar a mesa.

Aquele era um jogo para dois.

— Tem medo de não poder entregar o que prometeu, Chen? — disse, quase ronronando. — O que aconteceu com a história de me foder até acabar com a minha marra? Você fala muito, mas parece que na hora de agir, não entrega *nada*.

Olhei para a ereção dele de um jeito sugestivo.

Apesar da provocação, meus músculos se contraíram diante da visão.

O corpo de Josh poderia servir de modelo para a escultura de um deus grego. Ombros largos, abdome perfeitamente entalhado, braços esculpidos... e um pau comprido e grosso que parecia poder acabar comigo sem muito esforço.

Cacete. Minha boca secou.

Ele se inclinou para a frente e, sem desviar os olhos dos meus, envolveu meu pescoço lentamente com uma das mãos. Apertou para interromper a respiração por vários instantes, depois afrouxou a intensidade do contato. Inspirei aflita, meio tonta devido à privação de oxigênio.

— Um dia desses, essa sua boca ainda vai meter você em confusão — disse ele.

Não tive chance de responder, porque Josh me penetrou por trás com um movimento violento. Um grito rasgou minha garganta, resultado da expansão dolorosa provocada pelo tamanho dele e pela rispidez com que me fodia. Lágrimas inundaram meus olhos, mas o grito acabou se transformando em gemidos e gritos enquanto ele entrava e saía do meu corpo.

— O que é isso? — O hálito de Josh acariciava meu rosto. — Você sempre tem muito a dizer. Onde estão as palavras agora, hein?

— Vai para o inferno — respondi, ofegante.

Foi a única frase que consegui pronunciar antes de mais uma penetração me fazer perder a razão.

A risada sombria reverberou em mim.

— Você é meu inferno pessoal, Ruiva. — Ele puxou meu cabelo de novo. — E que Deus me ajude, porque não quero sair dele.

Antes que eu conseguisse decifrar o significado das palavras, ele me virou e me deitou de costas. Sem tirar a mão do meu pescoço, me empurrou contra o chão e apoiou minha perna no ombro. Naquela posição, Josh alcançava pontos que eu nem sabia que existiam.

Eu cravava as unhas na pele dele, em parte numa resposta instintiva, em parte como resposta à provocação. A satisfação desabrochou nos meus lábios quando arranhei as costas dele e ouvi o gemido de dor. Em resposta, Josh me fodeu com mais força, até os gemidos e os estalos furiosos causados pelo encontro de corpos nus serem os únicos sons no espaço escuro.

Eu comprimi a vagina de propósito até Josh deixar escapar um gemido baixo. Vi o suor na testa dele; a tensão dominava seu rosto e o transformava em granito.

— Pelo jeito, não sou a única que precisa gozar — provoquei.

Mais uma contração dos músculos certos e o gemido se transformou em palavrão.

— Eu ia pegar leve com você. Mas agora... — Ele apertou meu pescoço com mais força, até eu começar a ver pontos negros e sentir o calor se tornar um incêndio no meu corpo. — Vamos ter que ir pelo caminho mais difícil.

A penetração seguinte foi tão selvagem que perdi o pouco ar que ainda me restava.

Nada do que fazíamos era doce ou sensual. Não tinha a ver com conexão emocional. Não tinha a ver nem com atração física, por mais que eu estivesse molhada e ele me enlouquecesse.

Não, trepávamos como se aquilo fosse uma catarse, uma purgação de toda a escuridão e feiura que haviam se impregnado em nós ao longo dos anos. Havia certa liberdade em não dar a mínima para o que a outra pessoa pensava sobre você. Podermos ser a pior e menos domesticada versão de nós em um mundo onde todos tentavam colocar tudo em caixinhas era um sentimento que causava euforia e sofrimento.

Mas, por melhor que fosse, o orgasmo ainda estava além do meu alcance. Cada vez que eu me aproximava, Josh reduzia a velocidade, prolongando a sessão de tortura furiosa e extravagante.

— Implora, Ruiva. — Josh deslizou a mão entre nós e esfregou meu clitóris, provocando outra explosão de prazer no meu corpo. — Fala quanto você precisa gozar. — Ele roçou os dentes no meu pescoço e chupou com força. — Quanto precisa que *eu* te faça gozar.

Normalmente, eu faria uma piada sobre questões de autoestima, mas não conseguia mais raciocinar.

— Não.

A recusa soou fraca aos meus ouvidos. Estava desesperada demais por alívio. Era só uma questão de tempo antes de eu ceder, mas ainda podia lutar.

— Não?

Josh diminuiu a velocidade das penetrações, e outro grito frustrado se formou na minha garganta.

Babaca sádico *do caralho*.

— Odeio você — disse, em meio a um gemido, então girei o quadril à procura do atrito de que precisava, mas não consegui nada.

— Estou contando com isso. — Os olhos dele brilhavam. — Use as palavras, Ruiva, ou vamos ficar aqui a noite toda.

Não fala.

Ele me penetrou novamente com uma lentidão torturante.

Eu não conseguia conter os gemidos patéticos enquanto ele brincava comigo, me levando cada vez mais perto do limite até eu quase perder a razão.

Não fala, não fala, não fala...

— Por favor. — Quase sufoquei.

— Por favor o quê?

— Por favor, me deixa gozar. — As palavras desapareceram em um gemido quando Josh aumentou a velocidade dos movimentos.

— Você pode fazer melhor que isso.

O suor brilhava na pele dele, e músculos contraídos eram como cordas ao longo do pescoço. Adiar a explosão o torturava tanto quanto me torturava, mas eu não conseguia sentir muita satisfação nisso quando estava no fio da navalha da insanidade.

Um pico eletrizante de sensação me atravessou quando ele encontrou *aquele* ponto.

— Josh, por favor — sussurrei, sem me importar com mais nada. — Não posso... preciso... *por favor...*

Quando falei aquele nome, alguma coisa deve ter se rompido dentro dele, porque Josh finalmente parou de me provocar e voltou a me foder com força total.

— Você é uma delícia. Adora sentir meu pau arrebentando essa sua bucetinha, né? — grunhiu ele.

— Adoro. Isso. Ai, por favor. Eu vou... eu... ai... *porra!*

Gritei quando o prazer explodiu em mim. Todos os pensamentos e todas as lembranças foram incinerados, deixando apenas um prazer atordoante no lugar deles.

Josh não parou de me foder, e outro orgasmo seguiu o primeiro, que foi seguido por outro. Eles se sucediam, me esgotando até eu não ser mais que um corpo quase inerte no chão.

Depois do meu terceiro ou quarto orgasmo, Josh finalmente gozou, e ficamos ali deitados e ofegantes no cômodo repentinamente quieto, antes de ele finalmente sair de dentro de mim e jogar a camisinha na lata de lixo próxima. Nem havia percebido quando ele havia vestido o preservativo.

A névoa da luxúria se dissipou aos poucos. *Sempre* fazia questão de que o cara usasse a proteção, mesmo tomando anticoncepcional. Graças a Deus Josh havia colocado a camisinha, mas o fato de eu não ter nem pensado em pedir...

Merda.

Eu o observei se vestir em silêncio, e então entendi a gravidade do que tínhamos feito.

Eu tinha transado com *Josh Chen*. Irmão da minha melhor amiga e uma das pessoas que eu mais desprezava.

E não havia sido uma transa qualquer. Tinha sido um sexo furioso, de arrepiar os cabelos e derreter o cérebro. Um sexo em que eu tinha implorado por mais e gozado tão forte que ainda sentia os efeitos.

Ai, meu Deus. Meu estômago se contraiu. *O que foi que eu fiz?*

CAPÍTULO 19

Josh

Havia pelo menos uns dez tipos diferentes de sexo.
O ato de amor doce, sensual. A foda selvagem e intensa. A rapidinha casual e os interlúdios emocionados, e todas as nuances de intimidade no meio. Depois de vinte e nove anos na Terra, eu acreditava ter experimentado todo tipo de sexo possível.

Até Jules.

Eu não sabia nem como chamar o que a gente havia feito. "Sexo" soava como uma descrição muito branda e genérica. Havia sido algo mais cru, mais primal. Algo que penetrara fundo no ninho de espinhos escondido no porão da minha consciência e o tirara de lá à força, trouxera-o para fora, para o mundo ver. Cada sombra e pedaço irregular de mim, exposto.

Jules havia destravado uma versão de mim mais escura do que eu me considerava capaz, e depois que aquela versão viera à tona, eu não sabia se conseguiria guardá-la novamente.

Devia ter sido aterrorizante, mas foi libertador. A maior viagem que já havia experimentado na vida.

Maior que praticar BASE jumping. Maior que percorrer a Estrada da Morte, na Bolívia, de bicicleta. E um milhão de vezes maior que qualquer noite que eu já houvesse passado com qualquer mulher antes.

Jules e eu não trocamos uma palavra antes de eu sair da casa dela naquela noite, mas, dias depois, a necessidade de mais uma dose me consumia.

— Terra para Josh. — Ava estalou os dedos diante do meu rosto. — Você tá aí? Ou já foi para a Nova Zelândia? — perguntou ela, em tom de brincadeira.

Eu me obriguei a voltar ao presente. Era um dos raros dias de folga que tínhamos ao mesmo tempo, e havíamos marcado um almoço para pôr a conversa em dia.

— Estou. — Bebi um pouco de água, querendo que fosse algo mais forte. Era muito cedo para começar a beber? Eram cinco da tarde em algum lugar, certo? — Queria estar na Nova Zelândia. Mal posso esperar.

Faltavam sete semanas para a viagem. Eu estava animado, mas não tinha vontade de falar sobre o assunto. Estava distraído demais pensando em Jules.

Talvez estivesse certo quando a chamei de súcubo. Era a única explicação que eu encontrava para como ela havia se infiltrado em cada segundo da minha vida, estivesse eu acordado ou dormindo.

— Vai ser divertido. — Ava pegou um pedaço de pão e pôs na boca. — Só não esquece de me trazer alguma coisa de O *Senhor dos Anéis*, ou eu nunca vou te perdoar.

— Você nem gosta de O *Senhor dos Anéis*. Dormiu na metade do primeiro filme.

— É, mas você não pode ir à Nova Zelândia e voltar sem um souvenir de O *Senhor dos Anéis*. É inumano.

— Inumano. Acho que essa palavra não significa o que você pensa que significa — falei, citando um trecho de um dos meus filmes favoritos.

Sim, *A Princesa Prometida* era um dos meus filmes favoritos. Não tinha vergonha de admitir. Era um clássico.

Ava fez uma careta.

— Tanto faz. Falando nisso, onde estava na quarta-feira à noite? Não respondeu a nenhuma mensagem.

Merda. Eu havia respondido às mensagens dela na manhã seguinte, mas estava torcendo para Ava não fazer perguntas sobre meu chá de sumiço, já que havíamos comentado de ir ao cinema juntos para ver o último filme da Marvel naquela noite.

— Desculpe. Surgiu uma emergência e eu precisei resolver.

O que Ava diria se soubesse que eu tinha transado com a melhor amiga dela? Nada de bom, aposto. Ela era protetora com as amigas, e sabia que Jules e eu combinávamos tanto quanto óleo e água.

Exceto na cama, pelo jeito.

— E o prêmio de Resposta Mais Vaga vai para... — O alarme do celular de Ava disparou, e ela suspirou. — Deixa pra lá. Preciso ir embora. Vou encontrar Alex para ir a uma exposição na Renwick Gallery, mas foi bom saber das novidades. — Ela se levantou e me deu um abraço rápido. — Descansa um pouco, ok? Você parece exausto.

— O quê? Pareço nada.

Olhei para o meu reflexo na janela de vidro espelhado e relaxei. Não vi palidez, nem olheiras ou bolsas embaixo dos olhos. Minha aparência era perfeita.

— Fiz você olhar. — Ava riu da minha careta. — Você é muito vaidoso.

— Nada a ver. — O fato de me importar com minha aparência não queria dizer que eu era vaidoso. O mundo vivia de aparências, fazia sentido eu me apresentar da melhor maneira possível. — Pensei que tivesse que ir — acrescentei, sem rodeios.

Eu amava Ava, mas como todas as irmãs mais novas, ela podia ser um tremendo pé no saco.

Não era à toa que ela e Jules eram amigas.

— Tudo bem, já entendi. Mas é sério — disse ela, olhando para trás, já a caminho da saída. — Descansa um pouco. Não dá pra viver de café para sempre.

— Posso tentar! — respondi em voz alta, atraindo um olhar estranho dos vizinhos de mesa.

Ava sempre se preocupou com meus horários de sono, mas eu era médico residente. Sono regular não fazia parte da minha rotina.

Paguei a conta e fui embora pouco depois que minha irmã saiu. Foi um almoço ótimo, mas queria que pudéssemos conversar sobre outras coisas, além de trabalho e planos para o fim de semana. Antes nós éramos a base um do outro, mas agora Ava tinha Alex, e eu, uma tonelada de coisas que não podia contar a ela. Especificamente, o que havia acontecido com Jules e sobre mais uma das cartas de Michael, que chegara no dia anterior.

Três anos, e não tinha conseguido eliminá-lo da minha vida. Nunca o tinha visitado na cadeia, mas guardava as cartas que ele mandava como um representante do... sei lá, inferno. Mas minha curiosidade crescia a cada dia. Era só uma questão de tempo até eu abrir uma das cartas, e odiava minha versão do futuro por isso. Sentia que isso seria uma traição.

Michael havia tentado matar minha irmã e incriminar minha mãe, e eu ainda me apegava aos resquícios do homem que ele fora no passado. O cara que me ensinara a andar de bicicleta e me levara ao meu primeiro jogo de basquete quando eu tinha sete anos. Não um criminoso, mas meu pai.

Engoli o nó amargo na garganta ao entrar na estação de metrô, bem a tempo de pegar o próximo trem para Hazelburg. Afastei os pensamentos sobre Michael para um canto da mente e me concentrei nos planos para o resto da tarde. Entrava em parafuso cada vez que pensava no meu pai, e não perderia um precioso dia de folga sofrendo por ele.

Batuquei com os dedos na coxa, inquieto. Era tarde demais para fazer uma trilha. Talvez eu pudesse ligar para alguns amigos da faculdade, ver se podiam sair à noite.

Ou você pode ir ver a Jules de novo.

Rangi os dentes. Sério, o que estava acontecendo comigo? Havia sido *uma* trepada. Ótima, mas uma trepada, mesmo assim. Eu não devia estar tão obcecado com isso depois de uma noite juntos.

Peguei o celular e abri um guia de viagem para a Nova Zelândia, decidido a expulsar uma certa ruiva da cabeça.

Não funcionou.

Cada vez que eu via uma cachoeira, imaginava a porra da Jules embaixo dela.

Cada vez que via um restaurante, imaginava nós dois comendo juntos como uma merda de casal.

Cada vez que via uma trilha, imaginava... bom, já deu para entender.

— Que *merda*.

Eu estava enlouquecendo.

A mulher sentada ao meu lado com a filha pequena olhou para mim com ar de reprovação, depois se mudou para outro assento.

Normalmente, eu teria pedido desculpas, mas estava irritado demais para ir além de um sorrisinho apologético.

Só tinha um jeito de tirar Jules da cabeça. Não gostava dele, mas era a única solução.

Quando cheguei em Hazelburg, fui direto para a casa dela. O que eu ia fazer era uma ideia ruim? Provavelmente. Mas eu preferia uma má ideia a permitir que ela morasse na minha cabeça sem pagar aluguel por sei lá quanto tempo.

Bati à porta, que se abriu um minuto depois revelando cachos escuros e olhos verdes e surpresos.

— Oi, Josh. O que está fazendo aqui? — perguntou Stella.

Merda. Tinha me esquecido de que Jules dividia a casa com uma amiga. Como todo mundo, Stella pensava que Jules e eu nos odiávamos – *e era verdade* –, então seria estranho se eu dissesse que tinha ido ver Jules. A menos que...

— Preciso falar com Jules sobre um caso da clínica — menti. — É urgente. Ela está em casa?

Se Stella suspeitou, não disse nada. Por outro lado, na minha experiência, ela era uma das pessoas que mais davam crédito às pessoas, então provavelmente nem passou pela cabeça dela que eu não estava dizendo a verdade.

— Tá. Pode entrar. — Stella terminou de abrir a porta e apontou para o interior da casa. — Jules está lá em cima, no quarto dela.

— Obrigado.

Subi a escada pulando os degraus e parei diante do quarto de Jules.

Bati à porta e esperei ela responder.

— Entra!

Entrei e fechei a porta.

Jules estava sentada à escrivaninha, mais à vontade do que eu já havia visto na vida. Calça de moletom, camiseta larga, sem maquiagem, cabelo preso em um coque. Como qualquer homem, eu apreciava uma roupinha provocante, mas gostei daquela versão dela. Era mais autêntica. Mais humana.

Vi o choque estampado no rosto dela ao me ver, mas em seguida Jules se virou novamente para o computador e continuou digitando.

— O que você está fazendo aqui? — perguntou, em tom casual, como se eu não tivesse as marcas das unhas dela nas costas desde quando trepamos, alguns dias antes.

Engoli a irritação, me apoiei na cômoda e cruzei os braços.

Tinha trabalho para fazer, viagens para planejar e sono para recuperar. Mas fazia quatro dias, onze horas e trinta e dois minutos desde que havíamos transado, e todo esse tempo havia sido consumido por lembranças de canela, calor e a pele sedosa dela deslizando embaixo das minhas mãos.

Eu não sabia que tipo de feitiço Jules havia feito para mim, mas eu precisava me livrar disso. Se uma noite não tinha sido suficiente, eu viveria todas que fossem necessárias para me livrar daquela obsessão perturbadora que estava sentindo por ela.

— Tenho uma proposta para você — anunciei.

— Não.

Jules não desviou os olhos da tela.

— Proponho um acordo mutuamente benéfico — continuei, ignorando a rejeição direta. — Por mais que me incomode admitir, você não foi terrível na cama, e sei que *eu* não sou terrível na cama. Estamos ocupados demais para namorar ou lidar com essa coisa de paquera virtual. Portanto, proponho uma amizade colorida. Sem a parte da amizade.

Era genial, na minha opinião. A química física era palpável, e nenhum dos dois precisava se preocupar com a possibilidade de o outro se apegar. Podíamos simplesmente trepar até enjoar.

Honestamente, a Mensa deveria me oferecer filiação por um plano tão brilhante.

— Josh — Jules fechou o notebook e me encarou —, prefiro queimar nas chamas do inferno a dormir com você de novo.

Dei risada.

— Não vamos dormir, Ruiva. Já esqueceu?

Percebi o exato instante em que ela se lembrou daquela noite.

As pupilas dilataram, o peito arfou e o rosto ficou corado. Uma pessoa comum não teria percebido alterações tão pequenas, mas eu não era comum. Notava tudo nela, querendo ou não.

Senti a satisfação no meu sorriso.

— Não vamos fazer *nada*, exceto tolerar a presença um do outro por Ava — falou ela, entredentes. — Você tem sorte por eu não ter arrancado seu pinto a dentadas.

— Se tivesse feito isso, não teria gozado nele. Várias vezes — falei, com uma voz acetinada. — Teria sido uma pena. Seus gritos foram deliciosos.

Sorri quando Jules praticamente rosnou para mim.

— Você é uma pessoa lógica. Pensa no assunto — argumentei. — Nós dois temos necessidades, e essa é a solução perfeita para atender a essas necessidades sem a dor de cabeça que sempre vem com essa coisa de procurar alguém com quem transar. Menos Todds, mais orgasmos. É uma situação vantajosa para todos os envolvidos.

Jules ficou em silêncio. Estava pensando na proposta.

Agarrei a oportunidade e parti para o golpe de misericórdia.

— Mas se está com medo de se apaixonar por mim no processo, não vou criticar. — Dei de ombros. — Sou bem irresistível.

Meu sorriso se alargou quando os olhos dela cintilaram. Desafios eram o ponto fraco de Jules, e meu também.

— Nem nos seus sonhos mais insanos. — Jules se encostou na cadeira. — Você se lembra do nosso último jogo? Eu ganhei, você perdeu.

— Não tenho sonhos com você, Ruiva. Só pesadelos.

— Eu até acreditaria, se não considerasse o tamanho da sua ereção na outra noite.

Jules soltou o cabelo e o deixou cair sobre os ombros. O movimento esticou a camiseta sobre o peito, e meus olhos desceram involuntariamente para os mamilos salientes sob o tecido fino.

Quando levantei o olhar novamente, meu jeans estava mais apertado, e Jules sorria vaidosa.

— Se vamos mesmo fazer isso, precisamos estabelecer algumas regras básicas.

Pronto. Missão cumprida.

Saboreei o triunfo por um minuto, e então inclinei a cabeça.

— Concordo. Primeiro as damas.

Havia aprendido uma lição com aquela aposta no Black Fox. Sempre estabelecer regras.

— Vai ser um arranjo puramente físico — disse Jules. — Não temos direitos sobre o tempo do outro fora da relação sexual, portanto, não pergunte onde estou nem o que estou fazendo quando não estivermos juntos.

— Certo. — Eu não pretendia fazer nenhuma das duas coisas. — Isso fica entre nós. Não vamos contar a ninguém, nem aos amigos, nem às pessoas da clínica e, *principalmente*, não vamos contar para a Ava.

— É óbvio que não vou contar para ninguém. — Jules torceu o nariz. — Não quero que as pessoas saibam que estou envolvida com você.

— Nunca teria toda essa sorte.

Estabelecemos as outras regras em uma sucessão rápida.

— Sempre usar proteção.

— Nada de dormir juntos.

— Sem ciúme se o outro sair com alguém.

Por mim, tudo bem. Uma relação de amizade colorida *exclusiva*, mas sem a parte da amizade, seria algo parecido demais com um relacionamento de verdade, então eu não ficaria confortável.

— Se quiser encerrar o acordo, seja clara e direta. Nada de *ghosting* ou indiretas. É imaturo demais.

— Sem se apaixonar.

Dei risada.

— Ruiva, você vai se apaixonar por mim antes de eu pensar na possibilidade de me apaixonar por você.

A ideia era absurda.

Jules era a mulher mais difícil que eu já havia conhecido. Que Deus tivesse piedade do coitado que acabasse se apaixonando por ela.

— Até parece. — Ela riu. — Você tem uma opinião *bem* exagerada sobre o seu pau, Chen. Ele cumpre a missão, mas não é uma varinha mágica.

— Última regra. Nunca mais chame meu pau de "varinha".

Algumas gírias deveriam ser banidas da face da Terra

— Como quiser, Joshy McVarinha. — Jules sorriu com uma doçura falsa. — Negócio fechado?

— Fechado. — Ela estendeu a mão, e eu a apertei. Jules devolveu o aperto com o dobro de força. Isso me fez lembrar do nosso aperto de mão na clínica, quando estabelecemos a trégua. Por algum motivo, estávamos fazendo muitos acordos ultimamente. — Só foda, sem sentimentos.

Não duvidei nem por um segundo de que poderia cumprir minha parte no acordo. Muita gente acabava se apegando nesse tipo de situação, e é por isso que os esquemas nunca duravam.

Mas se tinha uma coisa de que eu tinha certeza era de que nunca, jamais, me apaixonaria por Jules Ambrose.

CAPÍTULO 20

Jules

A DEFINIÇÃO CLÁSSICA DE INSANIDADE ERA FAZER A MESMA COISA muitas vezes e esperar resultados diferentes.

Minha definição de insanidade era fechar um acordo sexual com Josh Chen.

A culpa era dos meus hormônios e da faculdade. Se eu não estivesse tão ocupada, não teria que recorrer a dormir com o inimigo. Literalmente.

Não havíamos transado desde o pacto, na semana anterior, mas aconteceria, em algum momento. Eu já estava ficando inquieta com a ideia. Meus vibradores davam conta do recado quando eram tudo que eu tinha, mas agora que havia opção de sexo regular e, precisava admitir, um ótimo sexo regular, meu corpo clamava pela compensação dos anos de orgasmos perdidos durante a faculdade.

Tentei ignorar a vibração constante sob a pele quando Alex, Ava, Stella e eu entramos no Hyacinth, uma boate nova e famosa na Rua Quatorze.

Não pensaria nele naquela noite, não perto de Ava. Era errado.

Além do mais, estava paranoica com a ideia de ela ter desenvolvido poderes mutantes de leitura de mentes e captasse cada vez que eu pensava no irmão dela.

Olhei para Ava, mas ela estava ocupada demais falando com Alex para perceber minha expressão culpada.

— Que lugar maluco — comentou Stella, e inclinou a cabeça para examinar o gigantesco lustre de pingentes.

Fios de cristais formavam três camadas sobrepostas e refletiam as luzes que piscavam na boate. A música pulsava no ambiente e reverberava nos meus ossos, alimentando a energia contagiante que subia pelas minhas costas.

Sentia falta da sensação de estar *viva* e solta no mundo, e não enclausurada em uma biblioteca. Ava e Stella gostavam de passar um tempo sozinhas, mas eu adorava a energia de uma multidão. Isso me dava mais ânimo do que cafeína ou adrenalina.

— Só o melhor para comemorar nossa casa nova. — Bati com o quadril no dela. — Dá pra acreditar? Pensei que Pam teria um infarto.

Depois de semanas de espera, Stella e eu finalmente havíamos nos mudado para o Mirage. Tínhamos pegado as chaves naquela manhã com Pam, que estava bem irritada, e passado o resto do dia arrumando tudo com a ajuda de amigos. Era hora de comemorar com uma merecida noite de drinks e dança na boate mais incrível da cidade.

Stella balançou a cabeça.

— Só você ficaria tão feliz com isso.

— Não consigo evitar. Ela facilita demais. — Sorri com alguma maldade. — Prometo que vamos ser as *melhores* inquilinas que já existiram.

— J, juro por Deus, se formos despejadas por sua causa...

— Não vou fazer nada. Confia em mim. Mas se ver a gente por lá faz a pressão dela subir... — Dei de ombros. — Não temos culpa.

Stella suspirou e balançou a cabeça de novo.

Ava tocou meu braço.

— Alex e eu vamos escolher uma mesa. Vocês vêm?

Só havia mesas na área do camarote VIP, mas não me surpreendia saber que Alex podia garantir nosso acesso.

O que me surpreendeu foi ele ter *ajudado* a gente a organizar o apartamento, mesmo que tenha sido por influência de Ava. Ele havia passado o dia inteiro com a mesma cara amarrada que exibia na boate.

— Mais tarde. Vou dar uma olhada na pista primeiro. — Eu gostava de uma área VIP tanto quanto qualquer pessoa, mas não queria me isolar na primeira noite que saía em meses. — Podem ir. Encontro vocês daqui a pouco. — Bati de leve no ombro de Alex. — Sorria. Não é ilegal.

A expressão de granito dele não se alterou.

Bom, eu tentei.

Enquanto Alex, Ava e Stella se dirigiam ao camarote VIP, fui para o bar. Daria uma volta na pista de dança mais tarde, veria se havia algo interessante acontecendo, e depois iria encontrá-los.

Fui eu que havia sugerido a boate naquela noite, apesar de estarmos todos cansados depois da mudança, por isso não queria criticá-los por quererem ficar mais tranquilos. Para falar a verdade, devíamos ter ficado em casa, mas era minha última noite parcialmente livre antes da formatura. Precisava fazer *qualquer* coisa antes que minha vida fosse consumida pela preparação para o exame da ordem, e nosso apartamento novo era uma desculpa tão boa quanto qualquer outra para uma comemoração.

    Pedi um uísque sour e dei uma olhada na boate enquanto esperava. Contornos dourados de jacintos enfeitavam as paredes pretas, e buquês de flores frescas podiam ser vistos sobre as mesas modulares espalhadas pelo ambiente. Um DJ de cabelo verde tocava sobre uma plataforma sobre a pista de dança, e garçonetes em uniformes pretos sensuais circulavam com bandejas de bebidas. Era tudo muito superior ao que outras boates em Washington ofereciam, e consegui entender porque o Hyacinth era tão fam...

    Meu celular vibrou com uma notificação de mensagem.

    Senti uma onda de irritação e agitação quando vi de quem era.

Josh: Hoje, meia-noite.

Havíamos combinado que a comunicação seria curta, direta e suficientemente vaga para que, se alguém a visse, pudéssemos explicá-la com uma boa desculpa. A mensagem dele atendia aos três critérios, mas mesmo assim...

    O que aconteceu com o bom e velho "Oi, tudo bem?" para começar um diálogo?

Eu: Não posso, estou ocupada.

Josh: Ocupada demais para um orgasmo?

Eu: Seu ego frágil não suporta esperar?
Se for assim, isso nunca vai dar certo...

Josh ignorou a provocação, o que era inédito.

Josh: Amanhã, 22h. Minha casa.
Josh: Aliás, esse comentário sobre o ego frágil vai custar caro...

Minha respiração falhou por um instante, e estava digitando uma resposta quando ouvi meu nome alto e claro em meio à música pulsante.

— Jules.

Fiquei paralisada, sentindo o gelo correr nas veias ao ouvir aquela voz.

Não podia ser ele. Eu estava em Washington. Como ele poderia ter me encontrado naquela exata boate, naquela exata noite?

Minha imaginação estava me enganando. Só podia ser.

Mas quando levantei a cabeça, meus olhos confirmaram o que o cérebro queria desesperadamente negar.

Cabelo castanho claro. Olhos azuis. Furinho no queixo.

Não. O pânico fechou minha garganta e me deixou muda.

— Oi, J. — Max sorriu, e a imagem era mais ameaçadora do que tranquilizante. — Há quanto tempo.

CAPÍTULO 21

Jules

— O QUE VOCÊ...

A capacidade de formar uma frase coerente sofreu uma morte indigna quando encarei meu ex-namorado.

Ele estava ali. Em Washington. A pouco mais de meio metro de mim, com uma expressão assustadoramente calma.

— Surpresa.

Ele pôs as mãos nos bolsos e se balançou sobre os calcanhares. A calça era mais desbotada do que ele gostava normalmente, e a camisa estava meio amarrotada. O rosto havia perdido o viço da juventude e assumido um formato mais duro.

Com exceção desses detalhes, era o mesmo Max.

Bonito, charmoso, manipulador como o diabo.

Algumas pessoas até podiam mudar, mas Max estava enraizado nos próprios métodos. Se estava ali, era porque queria algo de mim, e não iria embora enquanto não conseguisse.

— Jules Miller... sem palavras. Nunca pensei que viveria para ver esse dia. — A risadinha disparou uma dúzia de alarmes na minha cabeça. — Ou devo dizer Jules Ambrose? Gostei da mudança de nome, mas fiquei surpreso por você ainda não ter mudado tudo.

Meus músculos enrijeceram.

— Foi uma mudança dentro da lei.

Havia alterado meu nome depois que me mudara para Maryland, e como só tinha dezoito anos na época, nenhum financiamento, nenhum cartão de crédito e nenhuma dívida, não demorou muito para Jules Miller desaparecer e dar lugar a Jules Ambrose.

Talvez devesse ter mudado também o primeiro nome, mas adorava Jules, e não consegui me desprender completamente da antiga identidade.

— Uma das poucas coisas dentro da lei que você fez — comentou Max, brincando, mas não havia humor no tom de voz dele.

A energia da boate, tão empolgante minutos antes, adquiriu uma cadência mais sinistra, como se estivesse a uma nota dissonante de explodir em caos. Paredes de som e calor corporal me pressionavam, me prendiam em uma jaula invisível.

Max era uma das poucas pessoas que sabia sobre meu passado. Um empurrãozinho e ele poderia fazer meu mundo desmoronar como se fosse um castelo de cartas.

— Você devia estar... — De novo, tentei encontrar palavras que nunca surgiram.

— Em Ohio? — O sorriso de Max se tornou mais severo. — É. Temos muito o que conversar. — Ele olhou em volta, mas todo mundo estava ocupado demais disputando a atenção do bartender e ninguém prestava atenção em nós. Mesmo assim, ele inclinou a cabeça em direção a um canto escuro da boate. — Ali.

Eu o segui até um corredor tranquilo perto da saída dos fundos. Ficava a poucos passos de toda a movimentação, mas era tão escuro e silencioso, que poderia ser outro mundo.

Guardei o celular na bolsa, me esquecendo de Josh temporariamente, e enxuguei as mãos suadas no vestido.

Se fosse esperta, correria dali sem olhar para trás, mas Max já havia me localizado. Fugir seria só adiar o inevitável.

— Estou magoado, você não respondeu minhas mensagens — disse ele, com a mesma expressão afável. — Temos uma história, uma resposta era o mínimo que eu esperava.

— Não tenho que te dar satisfação por nada. — Mantive a voz tão firme quanto era possível, apesar do tremor nas mãos. — Como me encontrou? Como conseguiu meu número?

Ele fez um *tsc*.

— Essas não são as perguntas certas. Devia me perguntar por que não fiz contato até agora. Onde estive nos últimos sete anos — disse ele. Continuei em silêncio, e o rosto de Max se tornou mais sombrio. — Pergunta.

Fiquei enjoada.

— Onde esteve nos últimos sete anos?

— Preso, Jules. — O sorriso não alcançava os olhos frios. — Estive na prisão pelo que *você* fez. Saí há alguns meses.

— Isso não é possível. — A incredulidade fechou minha garganta. — A gente escapou.

— *Você* escapou. Fugiu para Maryland e criou uma vidinha perfeita para você com o dinheiro que roubamos. — Max mostrou os dentes, depois controlou novamente a expressão. — Você partiu sem me avisar e me deixou com as consequências da encrenca que arrumou.

Engoli uma resposta ferina. Não queria provocá-lo até entender o que ele pretendia, mas apesar de ser verdade que eu havia sumido sem deixar nem sequer um bilhete, o plano de roubar Alastair havia sido nosso. Fora ele quem se deixara dominar pela ganância e se desviara do plano original.

— *Eles vão voltar daqui a pouco.* — *Olhei para o escritório de meu padrasto, sentindo a ansiedade dar um nó no meu peito.* — *Temos que ir agora.*

Já havíamos pegado o que tínhamos ido buscar. Cinquenta mil dólares em dinheiro, que Alastair mantinha no cofre "secreto". Ele achava que ninguém sabia disso, mas eu tinha feito questão de explorar cada canto e nicho da mansão quando morava lá. Isso incluía todos os lugares onde Alastair podia ter escondido seus segredos. Eu conseguira até deduzir a combinação do cofre, 0495 – mês e ano em que ele fundara a empresa têxtil.

Abrir o cofre não tinha exigido nenhum conhecimento de ciência espacial, e cinquenta mil não eram um segredo, mas era muito dinheiro, mesmo depois de Max e eu dividirmos a quantia por dois.

Quer dizer, se conseguíssemos escapar da cadeia. Depois de sete meses de servicinhos em Columbus, ainda não havíamos sido pegos, mas ficar era pedir para ter problemas.

— *Espera aí. Eu... quase... consegui* — *grunhiu Max ao arrombar a fechadura feita sob medida para a pequena caixa de metal presa ao interior do cofre.*

Funcionava como uma segunda camada de segurança para o bem mais valioso de Alastair: um antigo colar de diamantes que ele havia comprado um leilão vários anos antes por mais de cem mil dólares.

Eu já estava arrependida de ter contado a Max sobre o colar. Devia saber que cinquenta mil não seriam suficientes para ele. Nada era suficiente. Max sempre queria mais dinheiro, mais poder. Mais, mais, mais, mesmo que se metesse em problemas por isso.

— *Esquece isso* — *sussurrei.* — *Não temos nem como penhorar essa coisa sem atrair a polícia. Precisamos...*

A luz brilhante dos faróis de um carro atravessou a janela e caiu como um holofote sobre nossas silhuetas paralisadas. Depois ouvimos a batida da porta de um carro e a voz profunda, característica de Alastair.

Ele e minha mãe iam jantar na cidade toda sexta-feira, mas não costumavam voltar para casa antes das dez da noite. Eram só nove e meia.

— *Merda!* — *O pânico bloqueou minha garganta.* — *Esquece a porra do colar, Max. Temos que sair daqui!*

— *Estou quase terminando. Essa belezinha vai nos bancar por anos.* — *Max arrancou a fechadura com um sorriso triunfante e pegou os diamantes.* — *Consegui!*

Nem me dei ao trabalho de responder. Já estava na metade do caminho para a porta, atravessando o corredor e correndo para a saída dos fundos, emplacada pela adrenalina. A bolsa de lona com o dinheiro batia contra meu quadril a cada passo.

No entanto, parei de repente ao ouvir a porta da frente abrir, e Max quase me atropelou.

— *Que restaurante horrível, Alastair.* — *Minha mãe bufou.* — *O pato estava frio e o vinho era horroroso. Precisamos escolher outro melhor na semana que vem.*

Segurei a alça da bolsa com mais força ao ouvir a voz de Adeline.

Não falava com ela havia um ano, desde que ela havia me chutado para fora de casa, logo depois do meu aniversário de dezessete anos. Apesar do jeito horrível como havíamos nos separado, o tom doce e familiar me deixou com os olhos cheios de lágrimas.

Meu padrasto murmurou algo que não consegui ouvir.

Estavam perto. Perto demais. Só uma parede separava o hall de entrada do corredor, e Max e eu tínhamos que passar pela arcada aberta que conectava os dois espaços para chegar à saída. Se minha mãe ou Alastair entrasse no corredor, em vez de ir direto para a sala de estar, estaríamos ferrados.

Minha mãe continuou reclamando do restaurante, mas a voz dela foi ficando mais distante.

Os dois haviam ido para a sala de estar.

Em vez de alívio, senti a antiga dor. Eu era a filha única dela, mas ela havia escolhido o marido a mim e nunca mais me procurado depois de me expulsar de casa por algo que ele havia feito.

Adeline nunca havia sido a mais afetiva ou empática das mães, mas a frieza das atitudes dela me feria mais do que eu pensava ser possível. Por mais que suas palavras fossem ríspidas, no final das contas deveríamos ter sido eu e ela.

Mas no final das contas havia sido ela e o dinheiro. Ou ela e o próprio ego. Não tinha importância. Tudo que importava era que eu não era e nunca fora a prioridade, não aos olhos dela.

— O que está fazendo? — Max passou por mim. — Vamos!

Saí do transe e o segui. Não era hora de mergulhar em autopiedade. Era só uma questão de tempo até Alastair perceber que todo o dinheiro e a joia valiosa haviam desaparecido e, quando isso acontecesse, queríamos estar bem longe.

Meu estômago revirou quando vi a saída. Íamos conseguir. Só mais alguns passos...

Um estrondo!

Arregalei os olhos horrorizada ao ver que Max havia tropeçado em uma mesa lateral na pressa de fugir. O vaso de porcelana em cima dela caiu no chão, quebrou e fez um barulho alto a ponto de acordar até os mortos.

Max caiu em cima dos cacos e soltou um palavrão.

— O que foi isso? — gritou Alastair do outro lado da casa. — Quem está aí?

— Merda! — Segurei a mão de Max para puxá-lo para cima e pelo corredor. — Temos que sair daqui!

Ele resistiu.

— O colar!

Olhei para trás e vi os diamantes brilhando entre os cacos de porcelana branca.

— Não dá tempo. Alastair tá vindo — sussurrei.

Os passos furiosos do meu padrasto eram cada vez mais altos. Em menos de um minuto, ele nos pegaria, e poderíamos dar adeus a nossa liberdade, a menos que ele estivesse no modo clemente.

Senti a bile na garganta quando pensei na possibilidade de ficar à mercê do desgraçado.

Max era ganancioso, mas não era idiota. Seguiu meu conselho e deixou o colar de lado.

Vi de relance o cabelo loiro e o rosto furioso de Alastair quando passamos pela porta dos fundos, mas não parei de correr até Max e eu atravessarmos a floresta que fazia fronteira com a propriedade e chegarmos à estrada secundária onde havíamos deixado o carro.

Só então notei o sangue na manga da camisa de Max.

— Eles me rastrearam usando o sangue que deixei nos cacos daquela porcaria de vaso. — Havia amargura na voz de Max. — Umas gotinhas de sangue, e perdi anos da minha vida. O juiz era amigo de Alastair, por isso me deu uma sentença pesada. É claro, quando a polícia chegou, você tinha sumido fazia tempo. Não havia nenhuma evidência do seu envolvimento, não tinham conseguido capturar seu rosto nas imagens da câmera de segurança, e Alastair não quis prolongar o caso sendo que eu já estava na cadeia. A publicidade seria ruim para ele. E você escapou.

Odiei a pontada de culpa que senti no peito. Nós dois havíamos errado, e só ele pagara o preço.

Eu entendia a raiva de Max, mas não me arrependia de ter fugido quando tivera a oportunidade.

Só havia me metido naquela vida de vigarista por culpa de Max. Precisava de dinheiro, e era impossível arrumar um emprego na cidade depois que as pessoas descobriam que minha mãe havia me expulsado de casa. Ela nunca havia contado para ninguém o motivo, então os boatos tinham ganhado força – falavam de tudo, desde que eu vendia drogas até que tinha engravidado e perdido o bebê por causa de uma suposta dependência de cocaína. Enfim, ninguém me queria por perto.

Felizmente, eu havia economizado dinheiro suficiente para me manter até conhecer Max, duas semanas depois de ter sido expulsa de casa. Fui conquistada pela beleza, pelo charme e pelo carro brilhante dele, e não demorou muito para ele me convencer a participar dos golpes que praticava em Columbus.

Mas nosso fim de semana esquiando quebrou o encanto, e só continuei com ele até ter recursos para sair definitivamente de Ohio. Ser aceita na Thayer e o dinheiro de Alastair me deram o que era necessário, e fugi na noite em que invadimos a mansão do meu padrasto.

Peguei um ônibus para Columbus no meio da noite, comprei uma passagem para o primeiro voo disponível para Washington e nunca olhei para trás.

— Você pode pensar que estou chateado. — Max passou a mão no cabelo. — Não estou. Tive muito o que refletir durante esses anos. Para me tornar uma pessoa melhor. Aprendi a deixar o passado no passado. Dito isso...

Lá vem.

Cerrei os punhos e me preparei para ouvir o que viria a seguir.

— Você tem uma dívida comigo. Eu paguei o pato por você.

— O que você quer, Max? — Não falei que, na verdade, ele havia cometido um crime e "pagado o pato" por isso. Não adiantaria nada. — Lamento que tenha sido pego. Sério. Mas não posso te devolver esses sete anos.

— Não — concordou ele, a personificação da razão. — Mas pode me fazer um favor. É justo.

Senti as agulhas do medo penetrarem em mim.

— Que tipo de favor?

— Não teria a menor graça se eu contasse agora, né? — Max sorriu. — Você vai ver. Aviso quando chegar o momento.

— Não vou transar com você.

A ideia me dava enjoo.

— Ah, não. — A gargalhada ecoou no corredor e me causou um arrepio, como unhas raspando num quadro negro. — Depois de como você deve ter sido usada nesses anos? Não, obrigado.

Senti o rosto esquentar e resisti ao impulso de enfiar o salto do meu sapato em uma das bolas dele.

— Apesar de ter sido sempre muito animada na cama, então você tem isso a seu favor — disse Max, e meu estômago virou do avesso quando ele pegou o celular. — Tenho até provas.

Ele apertou um botão, e fiquei ainda mais enjoada quando gemidos da minha versão do passado flutuaram no ar.

— Isso mesmo — falou minha versão passada na tela, ofegante e soando repulsivamente sincera, embora eu odiasse cada segundo do que fazia. — Que delícia.

— Ah, é? Gosta disso? — A voz masculina quase me fez vomitar. — Eu soube que você era uma putinha na cama assim que te vi.

O vídeo estava pixelado, mas a claridade ainda permitia que desse para ver nossos rostos e o pau dele entrando e saindo de mim. Eu mal conhecia o cara, mas Max me convencera a transar com ele *e* gravar tudo.

Tinha sido uma tremenda idiota.

— Desliga isso — mandei.

Não suportava o som dos meus gemidos falsos. Um a um, entravam no meu cérebro e me arrastavam de volta para os dias sombrios, quando eu precisava tanto de aprovação que fazia qualquer coisa por isso, inclusive transar com um homem com o dobro da minha idade apenas para poder roubá-lo.

— Mas ainda não chegamos na parte boa. — O sorriso de Max se alargou. — Adoro quando você deixa ele te foder no...

— Desliga isso! — Comecei a suar frio. — Eu faço a porra do favor.

O vídeo foi interrompido, finalmente.

— Que bom. Sabia que era inteligente. — Max guardou o telefone no bolso. Eu não era idiota a ponto de pensar que tentar roubar o aparelho serviria para alguma coisa, além de deixá-lo furioso. Ele devia ter cópias do vídeo em algum lugar. — Afinal, não quer perder seu emprego na Silver & Klein, quer? Uma firma de advocacia tão chique não reagiria bem a um vídeo de sexo de uma das funcionárias viralizando on-line.

Meu estômago borbulhava.

— Como você sabe tudo isso? Como me encontrou e conseguiu o número do meu telefone?

Max deu de ombros.

— Não foi difícil. Tem fotos suas com uma rainha espalhadas pela internet, e elas se multiplicaram com a aproximação do casamento real. Quando descobri seu nome novo, só precisei fazer uma busca no Google e encontrei tudo de que precisava. Jules Ambrose, funcionária da *Thayer Law Review*. Jules Ambrose, bolsista integral na faculdade de Direito Thayer. — O sorriso dele se tornou amargo. — Você tem uma vida boa, J. Quanto ao número do seu telefone... bom, essas coisas não são exatamente confidenciais. É só pagar um serviço on-line e pronto. Feito.

Merda. Nunca tinha pensado nas consequências de ter minha relação com Bridget tão exposta na mídia. Mas também não esperava que Max tentasse me localizar depois de tantos anos. Tive medo disso, mas não esperava que fosse acontecer.

— E o Hyacinth? Como soube que eu estaria aqui?

Respira, Jules. Respira.

Max revirou os olhos.

— Estou aqui para me divertir, J. Além disso, tenho... negócios em Washington. Nem *tudo* tem a ver com você. Esse encontro foi uma feliz coincidência, embora eu tivesse planos de mandar outra mensagem, em algum momento. Só estive... ocupado nas últimas semanas.

A irritação casual era mais sinistra que qualquer ameaça ou violência, embora ele sempre tivesse desprezado a violência física. Era uma atitude plebeia demais para ele; Max preferia jogos mentais e manipulação, como ficou claro naquela conversa.

Mas eu conseguia imaginar em que tipo de "negócios" ele estava metido. Apostaria meu apartamento novo em como era algo ilegal.

— E quando pretende pedir esse "favor"?

Se tinha que entrar nessa, que fosse o mais depressa possível.

— Quando eu quiser. Pode ser daqui a alguns dias. Algumas semanas. Alguns meses. — Max deu de ombros. — Vai ter que ficar de olho no celular. Não pode deixar passar nenhuma mensagem minha, ou, puf, um dia vai acordar com seu vídeo na internet.

Meu estômago revirou. Pensar na ameaça de Max pairando sobre minha cabeça por tempo indeterminado me dava vontade de vomitar.

— Se eu fizer o favor, você apaga o vídeo — falei.

Não custava tentar.

A expressão dele ficou mais severa.

— Eu apago o vídeo se e quando eu quiser. — E afastou uma mecha de cabelo do meu rosto, um gesto de ternura grotesca, considerando as circunstâncias. — Você não tem nenhum tipo de vantagem, nenê. Construiu essa sua vidinha luxuosa baseada em mentiras, e agora está tão indefesa quanto era aos dezessete anos. — Ele deslizou a mão pelo meu pescoço e acariciou um ombro. Um bando de aranhas invisíveis correu por minha pele. — Você vai fazer...

Uma voz familiar, profunda e severa o silenciou.

— Estou interrompendo alguma coisa?

CAPÍTULO 22

Jules

MEUS JOELHOS FRAQUEJARAM DEVIDO À INTENSIDADE DO ALÍVIO. Nunca pensei que aquela voz me alegraria, mas, naquele momento, eu seria capaz de construir um altar para aquele som e reverenciá-lo.

Olhei por cima do ombro de Max, e o oxigênio voltou aos meus pulmões quando vi o cabelo bagunçado, o corpo esguio e forte de Josh.

— Josh. — Suspirei seu nome como se fosse minha salvação.

E era, de certa forma.

O olhar de Max se tornou mais severo quando ele abaixou a mão e se virou, cumprimentando Josh com um aceno de cabeça cortês que não foi correspondido.

— Nada. Estava só dando oi para uma amiga das antigas. — Havia curiosidade nos seus olhos quando ele olhou para mim e para Josh, mas Max não fez perguntas. — Foi bom te ver, J. Lembre-se...

Ele bateu no celular com um sorriso arrogante e se afastou.

Esperei até Max desaparecer no fim do corredor e só então me apoiei na parede como se fosse cair, sentindo o coração disparado e o jantar ameaçando voltar.

Josh se aproximou e me segurou pelos braços. Estudou meu rosto, e a preocupação desenhou linhas fundas na testa dele.

— Está com cara de quem vai vomitar.

Forcei um sorriso.

— É minha reação natural sempre que te vejo.

Sem a convicção necessária para validá-lo, o insulto não surtiu efeito. Na verdade, eu queria me esconder nos braços de Josh e fingir que a última meia hora nunca havia acontecido. Ele não era meu amigo, mas era um pilar de estabilidade em um mundo que, de repente, havia virado de cabeça para baixo.

Josh não se deu ao trabalho de responder à minha tentativa patética de provocação.

— Ele machucou você? — Algo sombrio modificou seu tom de voz e aqueceu minha pele gelada.

— Não. — Fisicamente não, pelo menos. — Como ele disse, é... alguém que conheci no passado. Estávamos só pondo a conversa em dia.

Eu não podia deixar ninguém descobrir a verdade sobre Max ou meu passado. Josh já pensava o pior de mim. Não queria nem imaginar qual seria a reação dele se soubesse que eu era uma ladra.

— Que tipo de conversa? — A nota passou de sombria a perigosa.

— Cuidado, Josh — avisei, ignorando o frio na barriga, apesar de tudo que havia acontecido. — Vou acabar pensando que está com ciúme.

Um sorriso áspero distendeu a boca dele.

— Não sou ciumento.

— Sempre tem uma primeira vez para tudo. — Endireitei as costas, apreciando a preocupação de Josh mais do que deveria. — O que está fazendo aqui, afinal?

— A mesma coisa que você, pelo jeito — respondeu ele, sarcástico. — Queria conhecer a boate, mas não entrei no clima e estava indo embora quando te vi.

— Sei.

Estávamos perto da saída, fazia sentido.

Apesar de Max ter ido embora, a presença dele permanecia como cheiro de podre, da mesma forma que o ultimato.

Será que ele já sabia que favor pretendia pedir, ou inventaria alguma coisa? Disse que não seria sexo, mas podia ser algo ilegal. E se quisesse me fazer roubar de novo? E, pensando bem, por que Max pediria só *um* favor? Ele havia passado sete anos na cadeia. Era de se esperar que pedisse mais. Queria mesmo um favor ou estava usando essa história como desculpa? Se sim, para quê?

Meu cérebro latejava com mil perguntas para as quais eu não tinha respostas.

Respira. Mantenha o foco.

Lidaria com a situação de Max mais tarde, quando o choque passasse e eu conseguisse pensar com clareza. Naquele momento, não havia muito que eu pudesse fazer.

Afastei da cabeça os pensamentos sobre meu ex, por mais que tentassem voltar ao centro da minha mente.

Se houvesse uma medalha olímpica por repressão de pensamentos, eu ganharia uma a cada quatro anos.

— Você disse que estava ocupada hoje. — Josh apoiou o antebraço na parede, acima da minha cabeça. Seus olhos penetravam os meus.

— Estou. — Joguei o cabelo sobre um ombro e forcei um sorriso indecente. — Ou só não queria encontrar você. Acho que nunca vai saber.

— Está tentando me provocar, Ruiva? — Registrei o tom de aviso.

Estou.

— Só provoco pessoas com quem me importo. — Pisquei para ele, a personificação da inocência. — E você não faz parte desse grupo, *Joshy*.

Senti a antecipação ao ouvir um rosnado baixo.

— Não quero que *se importe* comigo.

Ele se apoderou da minha boca em um beijo punitivo. Meu sangue ferveu com o ataque e, quando a língua forçou a minha a se submeter, puxei o cabelo dele em retaliação até ouvir um gemido de dor.

— Opa — debochei. — Esqueci o quanto você é mole. Vou tentar ser mais gentil na próxima vez.

Josh levantou a cabeça e usou a língua para limpar uma gota de sangue do lábio inferior. Eu o havia mordido com tanta força durante o beijo que havia rompido a pele.

— Não se preocupe, Ruiva — disse ele, e o sorriso era como uma cicatriz cruel no seu rosto. — Vou te mostrar como posso ser mole.

Josh segurou meu pulso e me puxou para uma porta não identificada do outro lado do corredor. Não estava trancada. Ele me levou para dentro.

Era uma espécie de armário de suprimentos. Papéis variados e utensílios lotavam as prateleiras de metal preto, uma máquina de fumaça dominava um dos cantos, entre um tapete enrolado e um lustre quebrado, e havia um espelho pendurado na parede acima de uma mesinha, do outro lado da porta.

O estalo da fechadura da porta atrás de mim devolveu minha atenção a Josh. A presença dele preenchia todo o espaço, fazendo-o parecer ainda menor, e eu sentia o calor que irradiava do seu corpo em cada centímetro da pele.

Ou talvez o calor fosse resultado de como ele olhava para mim, como se quisesse me devorar inteira.

Senti faíscas dançando no meu corpo.

O sangue pulsava nos meus ouvidos, eletricidade corria em minhas veias. Os pensamentos sobre Max desapareciam no éter, que era o lugar deles.

Era exatamente disso que eu precisava.

— Vai ficar aí parado, ou vai fazer alguma coisa? — perguntei, no tom mais entediado que consegui forçar.

Os olhos de Josh cintilaram à luz fraca. Ele se aproximou de mim, e cada passo lento provocava mais um arrepio de ansiedade e medo descendo por minhas costas.

Ele só precisou dar uns poucos passos para me alcançar, mas, quando isso aconteceu, meu coração já estava quase saltando do peito.

Josh não desviou o olhar do meu quando levantou meu vestido e rasgou a calcinha.

Protestei quando a seda fina cedeu sem resistência.

— Era minha calcinha boa, *babaca*.

Josh aproximou a boca da minha.

— Pergunta se eu me importo. — Ele engoliu minha resposta furiosa com outro beijo selvagem, enquanto os dedos mergulhavam entre minhas pernas e descobriam que eu já estava molhada e aflita por ele.

Mas que babaca do caralho. Isso não impedia meu corpo de clamar pelo dele, mas também não significava que eu precisava facilitar as coisas.

Eu o empurrei e dei uma bofetada na cara dele. Não muito forte, mas o suficiente para o estalo ecoar pelo espaço reduzido.

Adrenalina incendiou meu sangue quando o breve instante de choque se transformou em fúria.

Brasas de medo alimentaram o fogo da excitação. As chamas cresceram ainda mais quando ele me obrigou a ajoelhar e abriu o cinto e a calça.

O carpete fino e áspero esfolava a pele, e respirei ofegante quando o pau dele apareceu fora da calça, grosso e já molhado.

— Abre a boca.

A necessidade pulsava em mim como algo vivo, mas olhei nos olhos ardentes de Josh com uma expressão desafiadora. Mantive a boca bem fechada.

A mensagem era clara.

Me obriga.

Uma lembrança silenciosa da primeira vez que a gente tinha transado, e um sinal do que eu queria naquele momento.

Os olhos de Josh se iluminaram ainda mais. A mão dele envolveu meu pescoço, e ele apertou até eu não aguentar mais. Abri a boca para tentar respirar e consegui engolir um pouco de ar antes de ele enfiar o pinto nela.

Ai, Deus.

Fui dominada pela luxúria quando quase sufoquei, sentindo a garganta invadida por aquele pau e a saliva escorrendo pelos cantos da boca, descendo pelo queixo.

Muito grande. O gemido de protesto saiu abafado. Tentei empurrar as coxas dele sem muita firmeza, embora as minhas estivessem molhadas.

Odiava o quanto eu queria aquilo. O quanto eu queria *Josh*.

O chão duro, a dor quando Josh puxou meu cabelo com as duas mãos, a sensação de estar com a garganta completamente preenchida... era demais.

Meus mamilos endureceram, e resisti à vontade de massagear o clitóris.

Já estava perto do orgasmo, e ele ainda não havia nem me tocado.

Josh puxou minha cabeça para trás até olhar diretamente nos meus olhos cheios de lágrimas.

— Vou foder essa sua boca espertinha até o único som que você conseguir fazer for o de sufocar com meu pau — avisou ele, calmo, depois limpou uma das minhas lágrimas com o polegar.

Senti um arrepio descer pelas minhas costas, provocado pelo contraste entre a ameaça letalmente suave e o toque terno.

— Na próxima vez que quiser me insultar, quero que pense nisto. — Ele recuou até deixar só a cabeça do pau na minha boca, fez uma pausa e enfiou tudo de novo com um movimento brusco. Sufoquei de novo, as lágrimas correram mais intensas, e o calor no meu ventre virou um incêndio. — Você de joelhos, engolindo cada centímetro do meu pau enquanto arrebento sua garganta apertada.

Gemi. Meus mamilos e a vagina estavam tão sensíveis que um sopro mais forte de vento seria capaz de me levar além do limite.

Tentei protestar de novo em um gemido.

Vai se foder.

Josh sorriu, e as brasas de medo ganharam força até todo meu corpo se tornar um fio desencapado de sensações.

— Isso vai ser divertido.

Esse foi o último aviso antes de ele começar a foder minha boca com tanta violência que só me restava tentar respirar pelo nariz antes de ele penetrar até o fundo outra vez.

Meus gorgolejos indefesos se misturavam com os gemidos altos e o barulho obsceno das bolas batendo no meu queixo, enquanto ele castigava minha garganta exatamente como havia prometido.

Intenso. Brutal. Implacável.

Tentei mudar de posição e aliviar a dor na mandíbula, mas ele era muito grande e furioso. Sabia que poderia ter feito Josh parar a qualquer momento, mas precisava do frenesi que entorpecia a consciência. A mistura de prazer intenso e dor moderada que transformava todos os outros pensamentos em cinzas.

Depois de um tempo, minha garganta relaxou, e ele conseguiu ir ainda mais fundo com menos resistência.

— Isso aí — disse Josh, em um gemido. — Cada centímetro, desse jeito. Eu sabia que você aguentava.

Gemi ao ouvir o elogio. Não enxergava muito bem através das lágrimas, mas a vibração entre minhas pernas era forte demais para ser ignorada.

Abaixei a mão para tocar meu clitóris.

Antes que conseguisse fazer contato, Josh tirou o pau da minha boca, me levantou e me dobrou sobre a mesa, ignorando os protestos.

— Estava se divertindo demais com o castigo, Ruiva. Não posso permitir. — Ele afastou minhas pernas com o joelho, a voz rouca de desejo. — Olha só isso. Está ensopada para mim.

— Não é para você, babaca. — A resposta ofegante não convenceu nem a mim mesma. — Odeio você.

A palavra "você" virou um grito quando a mão aberta encontrou minha bunda.

— Essa foi pela piadinha do ego frágil que você fez mais cedo. Esta... — mais um tapa — é pelo corredor. E esta — o mais forte, tão forte que meu corpo tremeu com o impacto — é por me deixar completamente maluco. — Um soluço suplicante escapou da minha boca quando Josh puxou minha cabeça para trás e a boca dele se aproximou da minha orelha. — Por que não consigo parar de pensar em você? Hein? Que porra você fez comigo?

Balancei a cabeça, incapaz de pensar em uma resposta ou encontrar sentido na dor e no prazer que ricocheteavam pelo meu corpo.

Eu estava em chamas. Pele queimando, lágrimas e saliva formando poças na mesa embaixo de mim, mas tudo queimava de um jeito tão maravilhoso que eu não queria que acabasse nunca.

O rosnado baixo de Josh reverberou pelas minhas costas, provocando um arrepio.

— Segura na mesa.

Ouvi o som baixo da embalagem de preservativo sendo rasgada. Só tive tempo para agarrar as beiradas da mesa de madeira antes de ele entrar em mim, penetrando fundo e forte a cada movimento.

Gritei, e minha mente se esvaziou de todos os pensamentos, restando apenas a sensação do pau entrando e saindo de mim, o deslizar da pele na minha.

Não havia mais Max. Nem segredos. Nem mentiras. Apenas o êxtase na forma mais pura, mais completa.

— Ainda me odeia?

Os dedos de Josh apertaram minha garganta para intensificar o pulsar entre minhas pernas.

— Sempre — respondi, ofegante.

Estava ficando meio tonta, mas quando agarrei o pulso dele, não sabia se era para afastá-lo... ou mantê-lo ali.

Josh sorriu quando olhou para mim pelo espelho sobre a mesa – os olhos brilhavam com luxúria, as faces coradas de raiva.

— Ótimo.

A mesa batia na parede a cada penetração selvagem. Meus olhos se fecharam com a sobrecarga de sensações, mas se abriram novamente quando Josh deu outro puxão no meu cabelo.

— Abre os olhos, Ruiva. — A outra mão segurou meu pescoço com mais força, e uma nova explosão de excitação turvou minha visão. A pressão, a facilidade com que os dedos envolviam meu pescoço, tudo me dava a sensação de ser terrivelmente certo, como se eu tivesse nascido para estar com os dedos dele no pescoço. — Quero que veja de quem é o pau que está entrando em você.

Minha pele esquentou ainda mais. Olhei para o reflexo, notando meus olhos vidrados e os lábios inchados. Mãos sobre a mesa, costas arqueadas, a cabeça puxada para trás pela mão firme de Josh. Eu parecia humilhantemente pervertida, como se estivesse a um milímetro de morrer de tanto foder e ainda quisesse mais.

Atrás de mim, o desejo desenhava linhas profundas no rosto de Josh, e os olhos dele queimavam os meus enquanto ele me penetrava. Mais devagar, enfiando o pau pouco a pouco até estar dentro de mim.

Ele se inclinou sobre meu corpo e mordeu de leve minha orelha.

— De quem é o pau, Ruiva?

— Seu — respondi, baixinho.

— Isso mesmo. Agora me fala... — Ele saiu de mim e me penetrou de novo com tanta força que eu teria escorregado por cima da mesa, se a mão dele não estivesse segurando meu pescoço. — Acha que isso é frágil?

Consegui resmungar, mas até isso desapareceu em uma sequência de gemidos, quando Josh acelerou os movimentos e estabeleceu um ritmo punitivo.

O primeiro orgasmo me atingiu como um raio, tão repentino e explosivo que não tive a chance de processá-lo, e então veio o segundo. Devagar, depois cada vez mais rápido, até explodir e me afogar em um prazer de entorpecer a razão.

Quando Josh terminou comigo, eu havia gozado tão forte e tantas vezes que não me restava força para nada. Caí sobre a mesa, tremendo, enquanto ele massageava minha bunda e amenizava o ardor das palmadas de antes.

— Você fica linda assim.

Sua voz suave era completamente dissonante da ferocidade com que havia me possuído, mas ele tocou minha pele como um cobertor quente. Continuou massageando com gestos mansos até o ardor amenizar e minha respiração voltar ao normal.

Depois me virou, me limpou com uma das toalhas de papel que cobriam uma prateleira e abaixou meu vestido, e então me colocou sentada sobre a mesa.

— Melhor? — perguntou em um tom casual, como se não tivesse acabado de me foder no armário de suprimentos de uma boate.

— Aham.

Estava atordoada demais para pensar em uma resposta mais coerente, embora percebesse, em parte, que Josh sabia desde o início que isso era uma distração que eu o havia induzido a me dar.

Apesar dos olhos ainda pesados de prazer, ele sorriu.

— Que bom. Agora vai se despedir dos amigos com quem veio. Tenho planos para a segunda rodada, e quero mais espaço do que temos aqui.

Segunda rodada. Certo.

Meu cérebro ainda não estava funcionando direito, mas segunda rodada parecia uma coisa boa.

Eu *devia* passar a primeira noite no meu novo apartamento, mas a ideia de passar a noite em claro no quarto, atormentada pelo pânico sobre o que fazer em relação a Max, era menos atraente que comer terra.

Pensar em Max e naquele favor ainda indeterminado fez meu estômago revirar, apagando parte do torpor.

Não. *Amanhã*. Eu lidaria com isso amanhã.

Esperei alguns minutos depois de Josh sair e finalmente reuni forças para ficar em pé sem apoio. Arrumei cabelo e maquiagem da melhor maneira possível, mas não era mágica. Não havia a menor possibilidade de voltar à boate no estado em que estava.

Mandei uma mensagem rápida para minhas amigas avisando que havia conhecido um cara e falaria com elas mais tarde. As duas estavam acostumadas a quando eu fazia esse tipo de coisa nos tempos de faculdade, por isso não questionaram.

Saí do armário e escapei pela porta dos fundos.

Senti um frio na barriga quando vi Josh me esperando, o corpo musculoso recortado contra o luar.

Não dava para acreditar que estava mentindo para todo mundo para transar com ele. Eu nem *gostava* do cara.

Mas gostar e precisar eram coisas diferentes e, no momento, eu precisava do que só ele podia me dar.

E torcia para não ficar muito dependente disso.

CAPÍTULO 23

Josh

JULES E EU MAL ENTRAMOS EM CASA E EU JÁ ESTAVA DENTRO DELA de novo.

Já havíamos feito sexo uma vez naquela noite. O que deveria ter eliminado boa parte da minha necessidade, mas eu estava viciado nela. No sabor, no cheiro dela, nos gemidinhos que ela deixava escapar cada vez que a penetrava e em como sua vagina me apertava, como se fosse feita para mim. Queria tudo aquilo, o tempo todo.

Não conseguia me lembrar da última vez em que estivera tão faminto por uma mulher. Deveria ser preocupante, se eu me importasse, mas aderi à filosofia de aproveitar as coisas boas enquanto duravam. E eu estava aproveitando demais... mas me lembrei de algo.

— Quem era o cara, Ruiva?

Diminuí a velocidade das penetrações para deslizar a mão entre nós e acariciar o clitóris dela. Um sorriso distendeu minha boca quando Jules deixou cair a cabeça para trás e abriu os lábios.

Fiquei distraído com a evidente provocação de Jules no Hyacinth. Mas já estava em casa, e senti um aperto no peito quando me lembrei de como o "amigo das antigas" tinha ajeitado o cabelo dela. Havia sido um toque íntimo, do tipo que só acontece entre pessoas que já dormiram juntas.

Pela reação de Jules quando ele foi embora, o encontro não havia sido motivo de muita alegria, mas isso não impediu a fera irracional dentro de mim de fazer cara feia.

— Que cara? — perguntou ela, ofegante.

Estava entregue. Cabelo despenteado, lábios inchados, pele coberta de suor e marcas dos meus dentes.

Era a imagem mais linda que eu já tinha visto.

Ignorei a estranha pressão no peito e abaixei a cabeça até minha boca tocar a dela.

— Seu amigo da boate.

Jules não havia dado mais detalhes, exceto que era um "amigo das antigas". E pensei que isso seria suficiente. Mas, uma hora depois, eu ainda não conseguia superar a irritação de ver os dois juntos.

Ela ficou tensa. Estava com as pernas em volta da minha cintura enquanto eu a segurava contra a parede da sala de estar, e senti a rigidez em todas as partes do seu corpo.

— É o que você disse. Um amigo. — Ela arqueou uma sobrancelha. — Vai mesmo falar de outro cara enquanto está dentro de mim?

— Vou fazer o que eu quiser enquanto estiver dentro de você. — Belisquei o mamilo dela com força para castigá-la. — Amigo próximo? Quanto?

Os olhos dela brilharam, apesar da reação instintiva ao meu toque mais forte.

— Tá com ciúme?

— Nem um pouco.

Repeti a conversa no Hyacinth e, como na boate, debochei da sugestão de eu estar com ciúme. Não sentia ciúme. Especialmente de uma mulher. As pessoas tinham ciúme *de mim*.

— O pacto tem uma semana e já está quebrando as regras — provocou Jules, ronronando. — Eu esperava mais de você.

— Não. Estou. Com. *Ciúme*. — rosnei, enfatizando cada palavra com uma penetração.

Ela arfou.

— Será que eu acredito?

Jules deixou escapar um gemido abafado de protesto quando cobri a boca dela com a mão.

— Só quero ouvir você quando estiver implorando e gozando, Ruiva.

Sorri ao ver a indignação nos olhos dela, mas o sorriso desapareceu um segundo depois quando senti uma dor aguda na palma.

Puxei a mão com um chiado indignado. Ela havia me *mordido*!

— Foi mal. — A satisfação substituiu a indignação no rosto dela. — Sua mão estava no caminho.

Não contive um rosnado. Belisquei seu mamilo de novo até ela dar um gritinho, contorcendo o rosto com uma mistura de prazer e dor.

— É *isso* que eu quero ouvir — avisei.

Passei a me mover mais depressa, entrando e saindo dela até que o ritmo constante e firme a obrigou a trocar as palavras por gemidos, aí ela gozou de novo.

Jules estava com a cabeça inclinada para trás, a boca aberta em um grito silencioso pela força do orgasmo. *Porra.* A sensação da vagina pulsando em torno do meu pau foi demais, e gozei em seguida com um gemido alto.

Meu sangue era bombeado por uma mistura de luxúria e raiva, e cravei os dentes na curva do pescoço dela quando superei o auge do orgasmo. O aroma de canela e especiarias invadiu meu olfato, intoxicando-me quase tanto quanto o som dos gritinhos deliciosos.

— Para alguém que diz me odiar tanto, você até que grita bastante por mim.

Levantei a cabeça e esfreguei o polegar sobre o hematoma que começava a se formar, satisfeito.

Meu eu primal, territorial, adorava ter deixado marcas nela. Queria esfregar aquele chupão na cara do "amigo das antigas" e declarar que Jules estava fora do alcance dele, a menos que o cara quisesse ter um encontro muito desagradável com meu punho.

O fato de não *gostar* de Jules não significava que queria que mais alguém a visse assim. Corpo lânguido, rosto sonolento de satisfação enquanto ela se espreguiçava contra mim. Sem nem sinal da armadura espinhosa que usava em público.

Esse era um lado de Jules que apenas alguns poucos escolhidos podiam ver, e ninguém mais estava convidado para o clube da sacanagem.

— É um grito de desgosto, Chen — murmurou ela. — Você deve estar acostumado.

Saí de dentro dela e ri quando Jules quase caiu no chão sem meu apoio.

Ela me encarou com os olhos em brasa.

— Nesse caso, você deve ter tesão no desgosto, porque não se cansa de mim. — Joguei a camisinha na lata de lixo e vesti a calça. — Por hoje chega, Ruiva, ou vou ter que começar a cobrar por orgasmo. Mas se quiser mais do meu pau, talvez possa me convencer, se implorar com jeitinho.

— Vai se foder.

Ela pegou o vestido no chão.

— Hum, não é o melhor que pode fazer. Talvez tenha que exercitar mais a parte do "jeitinho".

A risada se tornou uma gargalhada franca quando ela passou por mim a caminho do banheiro, de cabeça erguida e pisando duro.

Ela era fácil de tirar do sério.

Como Jules demorava a eternidade e mais um dia no chuveiro, aproveitei a oportunidade para arrumar a bagunça que havíamos feito na sala – um mancebo no chão, porta-retratos derrubados.

Estava quase terminando quando um trovão rompeu o silêncio. Assustado, fui até a janela e afastei as cortinas.

— *Cacete.*

A garoa de antes havia se transformado em uma tempestade. Mais um trovão sacudiu a estrutura da velha casa de madeira, e a chuva ricocheteava na janela com tanto força, que formava pequenos sistemas fluviais no vidro.

— O que foi isso?

Olhei para trás e vi Jules com o cabelo úmido sobre os ombros e o corpo enrolado em uma toalhinha.

Meu pau se manifestou interessado, mas ignorei o filho da mãe tarado. Ele já havia tido o suficiente para uma noite. Era hora de deixar o cérebro assumir o comando, e o cérebro me dizia que, quanto mais cedo Jules fosse embora, melhor.

Infelizmente, eu não podia deixar que ela saísse com aquela tempestade lá fora.

— O apocalipse começou enquanto a gente trepava — respondi.

Jules olhou por cima do meu ombro e revirou os olhos.

— Que drama! É só uma chuvinha.

E pegou o celular de cima da mesa, onde o havia deixado.

— O que você tá fazendo?

— Vou pedir um carro. — Jules fez uma careta. — O aumento da tarifa quando chove é ridículo... ei!

Ignorei o protesto quando arranquei o aparelho da mão dela.

— A menos que queira morrer, não vai entrar em um carro nessas condições.

— É *chuva*, Josh. Água. Vou sobreviver.

— Água que provoca derrapagens e acidentes — resmunguei. — Trabalho no pronto-socorro. Tem ideia de quantos casos eu atendo e são consequências de acidentes de carro causados por tempestades? *Muitos*.

— Que paranoia. Eu não...

Meu celular e o dela apitaram com mensagens de emergência alertando para o risco de inundações instantâneas.

— É isso. — Guardei o telefone dela no bolso. — Você fica até a chuva parar.

Não deixaria ninguém, nem mesmo minha pior inimiga, ir para casa naquelas condições. As chances eram remotas, mas se acontecesse algo com ela...

Minha garganta ficou apertada.

Eu não podia ter outra morte nas mãos.

Jules deve ter visto a convicção nos meus olhos, porque suspirou resignada.

— Pode me emprestar uma roupa para vestir enquanto espero, pelo menos? Não vou passar as próximas sabe Deus quantas horas com o vestido que usei na boate.

Meia hora mais tarde, ela vestia uma das minhas camisetas velhas e estávamos sentados no sofá, discutindo sobre que filme veríamos.

— Muito chato.

— Muito meloso.

— Sem terror. Odeio terror.

— Isso é filme infantil, Ruiva.

— E daí? Filmes infantis podem ser bons.

— É. Se você for uma criança.

Jules respondeu com um sorriso doce.

— Engraçado você dizer isso, depois de ter chorado daquele jeito vendo *O Rei Leão*. No ano passado.

Fiz uma careta. *Ava*. Quantas vezes eu teria que dizer para ela não contar tudo sobre mim para as amigas?

— Mufasa não merecia morrer, ok? — respondi, irritado. — Pelo menos não sou covarde a ponto de cobrir o rosto com as mãos cada vez que aparece o pôster de um filme de terror.

— Não sou *covarde*. Só não gosto de coisas feias, e é por isso que tento não olhar para você... nem sonha em pôr O Chamado!

— Tenta me impedir.

Depois de mais discussão inútil, finalmente decidimos fechar os olhos e rolar a tela até parar aleatoriamente.

Caiu em... *Procurando Nemo*.

Só pode ser brincadeira.

Mantive a expressão neutra, mas senti os músculos tensos logo na cena de abertura.

— Por que está tão quieto? — Jules olhou para mim por um longo instante. — Não me diz que também não gosta desse filme. É um clássico.

Uma dúzia de desculpas prontas na ponta da língua, mas a verdade passou por todas e saiu antes de eu impedir.

— É o filme de que meu pai e eu mais gostamos — respondi, sem rodeios. — Víamos todo ano no meu aniversário. Tradição.

O rosto de Jules suavizou pela primeira vez naquela noite.

— Podemos ver outra coisa.

— Não, tudo bem. É só um filme.

Na tela, Marlin, o peixe-palhaço, perseguia em vão o barco que havia capturado seu filho, Nemo.

Era irônico que um filme sobre um pai exemplar fosse justamente o que mais me fazia lembrar de Michael, considerando que ele era o oposto de um bom pai.

— *Procurando Nemo* é pura propaganda — falou Jules, do nada. — Sabia que na vida real os peixes são péssimos pais? A maioria das espécies abandona os recém-nascidos para se virarem sozinhos. Para eles, tentar proteger a prole não compensa o risco e a energia.

Deixei escapar uma gargalhada surpresa.

— Como sabe disso?

— Fiz um relatório no ensino médio — disse ela, e então acrescentou, orgulhosa: — Tirei um dez.

Contive outro sorriso.

— É claro que sim. — Minha perna encostou na dela quando mudei de posição, e uma corrente elétrica subiu por minha coxa antes que eu a afastasse. — O que seu pai faz? — perguntei, tentando disfarçar a reação intensa.

A curiosidade era sincera. Jules nunca falava sobre a família.

Ela deu de ombros.

— Nem imagino. Ele foi embora quando eu era bebê.

— Que merda. Sinto muito.

Bela maneira de abordar o assunto, Chen.

— Tudo bem. Pelo que ouvi dizer, ele era um babaca mesmo.

— União dos filhos de pais babacas — comentei, e isso me rendeu um sorrisinho.

Assistimos ao filme em um silêncio confortável. Eu não prestava muita atenção ao que acontecia na tela; estava ocupado observando as reações de Jules às minhas cenas preferidas. A risada dela quando Marlin conhece Dory, a tensão quando o tubarão tenta perseguir a dupla, a voz cantarolando com Dory o famoso mantra "continue a nadar".

Ela já devia ter visto o filme, mas reagia como se fosse a primeira vez. Era encantador de um jeito estranho.

Olhei para a tela. *Foco.*

Só percebi que a chuva tinha parado quando o filme estava terminando. Olhei para Jules, e notei que ela estava dormindo com a cabeça em uma almofada do outro lado.

Uma de nossas regras era não dormir juntos, mas ela parecia tão relaxada que não tive coragem de acordá-la.

Seria só uma noite, e o clima a havia *obrigado* a ficar. Não íamos adquirir o hábito de dormir na casa um do outro.

Só uma noite. É isso.

CAPÍTULO 24

Jules

Acordei com o cheiro de bacon e café, meu aroma preferido. Isolados eram incríveis, mas juntos? Perfeição.

Mas Stella cozinhando o bacon me surpreendeu. Ela só comia carne muito de vez em quando. E, pensando bem, também não tomava café, só chá e aquele smoothie com o tom criminoso de verde.

Estranho. Talvez estivesse começando uma nova fase de café e carne.

Abri os olhos e me espreguicei, pronta para saborear a glória do meu quarto novo e lindo no Mirage. Mas me deparei com a pintura mais horrorosa do mundo. A bagunça de marrom e verde parecia resultado de um vômito coletivo de gatos na parede.

Que merda é isso?

Eu me levantei depressa, com o coração martelando, apavorada, até fragmentos da noite passada voltarem lentamente à memória.

Hyacinth. Max. Josh. Tempestade.

Devia ter dormido no meio do filme, e Josh me levou para o quarto dele em algum momento durante a noite.

Meus batimentos cardíacos diminuíram. Graças a Deus não estava na masmorra sexual de um assassino pervertido, apesar de não ter certeza de que dormir na casa de Josh fosse muito melhor.

Olhei em volta analisando a mobília simples de madeira, o edredom azul-marinho e as paredes cinzentas. Com exceção da obra de arte atroz, parecia um quarto masculino comum, mas o cheiro cítrico e de sabonete que pairava no ar era tão delicioso que eu queria engarrafar para desfrutar dele no futuro.

Vi o relógio digital em cima da mesa de cabeceira. Eram 9h32. *Merda.* Devia ter ido embora muito tempo antes.

Pulei da cama, fui ao banheiro do outro lado do corredor, lavei o rosto e enxaguei a boca antes de ir para a cozinha. Abri a boca, pronta para me despedir rapidamente de Josh, mas perdi a fala diante do que vi.

Ele estava cozinhando. Sem camisa.

Puta merda.

Acho que desbloqueei uma nova perversão naquele momento, porque de repente não conseguia imaginar nada mais sexy do que ver um homem cozinhar com o peito nu.

Os músculos esculpidos das costas se contraíram quando ele estendeu o braço para o saleiro ao lado do fogão. O cabelo estava ainda mais bagunçado do que de costume, e a luz do Sol que entrava pelas janelas dourava a pele com um bronze profundo e luminoso. Um pedaço da calça de moletom preta espiava por cima da ilha da cozinha, que escondia a metade inferior do corpo. Essa calça estava baixa a ponto de fazer minha imaginação disparar raios X em todas as direções.

Observei em silêncio, fascinada pela elegância relaxada com que ele se movia. Eu imaginava que Josh sobrevivia de pizza e cerveja, como na época da escola, mas a julgar pelas panelas e potes brilhantes pendurados em ganchos sobre a ilha e os frascos de tempero perfeitamente identificados e alinhados sobre o balcão, ele sabia cozinhar.

Isso era estranhamente atraente.

Atordoada, tropecei em uma das banquetas da ilha, e Josh se virou ao ouvir o barulho do atrito da madeira no piso frio. Ele me olhou de cima a baixo, depois me deu as costas.

— Já acordou.

— Nunca dormi até tão tarde. — Eu me sentei em uma banqueta e tentei olhar só da linha da cintura para cima. *Não pensa em sexo. Não pensa em sexo.* — Obrigada por me deixar ficar — acrescentei, acanhada.

Dormir na mesma casa não fazia parte do acordo, e eu não sabia como lidar com a situação, especialmente depois de como nossas... hã... atividades noturnas haviam sido agressivas.

Não era como se tivéssemos feito amor com ternura e sem pressa, e eu acordasse e o encontrasse preparando o café. Era mais como... bem, trepamos até eu perder o juízo, e uma tempestade me prendeu na casa dele.

— Não ia jogar você na rua na chuva, Ruiva.

Josh pôs sobre a ilha um prato com ovos, bacon, torrada e batatas fritas crocantes. Meu estômago roncou, e olhei para o fogão por cima do ombro dele.

— Por acaso tem mais um desse prato aí? — perguntei, esperançosa. — Estou morrendo de fome.

— Não. — Ele pôs um pedaço de bacon na boca. — Fiz só para mim. Preparar café para você chegaria muito perto de um date, e você já desrespeitou as regras dormindo aqui. Tive que ficar no sofá por sua causa. Mas se eu não comer tudo, você pode acabar com o restinho.

Meu queixo caiu.

— Tá falando sério?

A incredulidade acabou com o que restava de sonolência. Era evidente que eu não tinha *direito* ao café da manhã, mas comer na minha frente sem me oferecer nada era uma tremenda grosseria.

— Parece que estou brincando?

— Parece que está a dois segundos de uma morte lenta e dolorosa — rosnei. — Tem muitas facas por aqui, e sei usá-las.

— Ótimo, então use para preparar sua comida.

Josh continuou comendo como se não tivesse nenhuma preocupação no mundo.

Meu olho tremeu. Ai, ele era tão... *aff!*

— Você é um tremendo babaca.

— Eu me lembro de ter me chamado da mesma coisa ontem à noite. — Ele bebeu o café. — Antes de eu te foder muito. Parece que tem uma queda por babacas, Ruiva.

Senti o calor subir pelo pescoço até o rosto.

— Isso foi ontem à noite. Agora é diferente. E eu não pretendia dormir aqui. — Perdi a paciência, porque odiava admitir que ele estava certo. — Só peguei no sono.

— É, isso é dormir — retrucou Josh devagar. — Com essa capacidade de argumentação, vai ganhar muitos casos na corte rapidinho. — Ele endireitou as costas e limpou a boca com um guardanapo de papel, que jogou no lixo. — Vou tomar um banho. Meu plantão começa em uma hora. — E acenou com a cabeça para o prato. — Pode comer, se quiser.

Olhei furiosa para as costas dele se afastando.

O orgulho exigia que eu fosse embora, mas a fome superou todo o resto, como sempre.

Puxei o prato para mim e percebi que estava quase cheio. Ele só havia comido alguns pedaços de bacon. *Estranho*. Josh comia igual a um cavalo. Uma vez o vi devorar um hambúrguer duplo com fritas grande, dois cachorros-quentes e um milkshake de chocolate em menos de vinte minutos.

Para um médico, ele comia muito mal.

Comi metade da porção no prato e voltei ao quarto de Josh para vestir novamente a roupa da noite anterior. O vestido era terrivelmente desconfortável, depois da maciez da camiseta dele, mas resisti ao impulso de roubar as roupas para mim. Isso era comportamento de namorada, e Deus sabia que eu não era namorada dele.

Quando estava pronta para ir embora, Josh ainda não havia saído do banho. Pensei em esperar para me despedir, mas achei que seria constrangedor, então mandei uma mensagem rápida pelo celular e saí.

Tinha acabado de entrar no Uber quando recebi uma mensagem.

Sem texto, só uma imagem. Um recorte da gravação de vídeo, na verdade. Eu estava de joelhos, enquanto...

Deletei a mensagem depressa, mas o bacon e os ovos que havia comido voltaram à garganta.

Max.

Eu o havia empurrado para o fundo da cabeça enquanto estava com Josh, mas a ansiedade da noite passada voltou em uma onda de náusea.

Eu sabia exatamente por que Max havia mandado a foto. Para mexer com minha cabeça e me lembrar da presença sombria e constante dele na minha vida. Era seu *modus operandi*. Ele gostava de brincar com as pessoas até que desmoronassem e fizessem todo o trabalho sujo por ele.

Fechei os olhos e tentei relaxar, mas o carro tinha um cheiro forte de desodorizador de ambientes, o que aumentou o enjoo.

Queria poder voltar no tempo e paralisá-lo, ficar no esquecimento confortante da casa de Josh para sempre, mas era impossível se esconder da verdade à luz clara do dia.

Só me restava torcer para que o "favor" que Max pretendia pedir fosse viável... ou a vida que havia construído para mim iria desmoronar.

CAPÍTULO 25

Josh

Se eu esperei, como um covarde, a Jules ir embora para sair do banho? É possível.

Mas prefiro ser um covarde a lidar com o constrangimento da despedida na manhã seguinte. Nosso acordo deveria eliminar esse incômodo ao estabelecer com clareza limites e expectativas, mas, é claro, a previsão do tempo tinha que estragar tudo na nossa primeira noite.

Se algum dia eu fosse para o céu, teria uma longa e difícil conversa com Deus sobre *timing*.

Quando cheguei no hospital, ainda estava irritado comigo por ter deixado Jules dormir em casa, mas o caos no pronto-socorro varreu rapidamente da minha cabeça todos os pensamentos relacionados à vida pessoal.

AVCs. Ferimentos por faca. Fraturas de braços, pernas e narizes e todas as outras possibilidades. As ocorrências inundavam o atendimento em uma onda incessante, e a semana de trabalho depois da noite no Hyacinth foi tão insana que não tive tempo para me afligir com o acordo sexual que havia feito com a melhor amiga da minha irmã.

Jules e eu conseguimos encaixar umas rapidinhas, e nenhuma acabou em cama dividida ou troca de afeto, graças a Deus. No geral, era só trabalho, o tempo todo.

Muita gente odiaria trabalhar tanto, mas eu precisava do estímulo... até ter um Daqueles Dias.

Eu tinha dias bons, dias ruins e Aqueles Dias – com letras maiúsculas – no pronto-socorro. Os dias bons eram os que me permitiam ir embora sabendo que havia feito as intervenções corretas, na hora certa, para salvar a vida de alguém. Os dias ruins variavam de pacientes tentando me agredir a ocorrências com elevado número de vítimas quando éramos só eu, meu supervisor e algumas enfermeiras no plantão.

E havia Aqueles Dias. Eram poucos e espaçados, mas quando aconteciam... Eram destruidores.

A linha reta e interminável no monitor se infiltrava no meu crânio e se misturava ao rugido nos meus ouvidos, enquanto eu olhava para os olhos fechados e a pele pálida da paciente.

Tanya, dezessete anos. Estava voltando para casa de carro quando um motorista bêbado bateu no meio do carro dela.

Fiz tudo que pude, mas não foi o suficiente.

Ela morreu.

Em um minuto estava viva, e no outro havia partido. Simples assim.

Minha respiração saía em sopros irregulares. Depois do que pareceu uma eternidade, mas fora apenas um minuto, no máximo, levantei a cabeça e vi Clara e os técnicos olhando para mim muito sérios. Havia um brilho mais intenso nos olhos de Clara, e um dos técnicos engoliu em seco.

Todos permaneceram em silêncio.

— Hora da morte: 15h16. — A voz era minha, mas soava estranha, como se pertencesse a outra pessoa.

Depois de um momento de silêncio, saí da sala. Percorri o corredor, virei a esquina e continuei até a sala designada aos parentes, onde os pais de Tanya estavam esperando.

Tum. Tum. Tum.

Tudo soava abafado, exceto o eco dos meus passos no piso de linóleo.

Tum. Tum. Tum.

Já havia perdido outros pacientes no pronto-socorro. No primeiro ano de residência, recebi um homem que havia sido alvejado por um tiro no peito, disparado por alguém em um carro de passagem. Ele morreu minutos depois de chegar ao hospital.

Não havia nada que eu pudesse ter feito; o estado era crítico. Mas isso não me impediu de sair da baia de atendimento e ir vomitar no banheiro.

Todo médico perde um paciente em algum momento, e toda morte causa um forte impacto, mas a de Tanya me acertou como um soco no estômago.

Talvez por eu ter acreditado tanto que ela sobreviveria. Ou porque ela mal tivera uma chance de viver antes de sua vida ser cruelmente arrancada.

Qualquer que fosse a razão, eu não conseguia evitar um enxame de "e se" zumbindo dentro da minha cabeça.

E se eu tivesse tomado uma atitude diferente durante o tratamento? E se a tivesse recebido antes? E se eu fosse um médico melhor?

E se, e se, e se.

Tum. Tum. Tum.

Meus passos hesitaram por um segundo do lado de fora da sala de espera, até que segurei a maçaneta da porta e a girei. Foi como ver um filme do que estava acontecendo. Eu estava ali, mas não estava.

Os pais de Tanya se levantaram bruscamente quando me viram, e notei os vincos da preocupação no rosto deles. Um minuto depois, a preocupação explodiu em pavor.

— Sinto muito... fizemos tudo que podíamos...

Continuei falando, tentando parecer solidário e profissional, em um tom que não fosse entorpecido, mas mal prestava atenção nas minhas palavras. Tudo que ouvia era o choro desesperado da mãe e os gritos revoltados do pai em negação, que se tornaram um choro enlutado e convulsivo quando ele abraçou a esposa.

Cada som cravava uma faca invisível no meu peito, até serem tantas facas que eu não conseguia respirar.

— Meu bebê. Meu bebê não — dizia a mãe de Tanya, aos soluços. — Ela está aqui. Ela ainda está aqui. Eu *sei* que está.

— Sinto muito — repetia eu.

Tum. Tum. Tum.

Não eram meus passos, mas as batidas retumbantes de um coração partido.

Conservei a máscara estoica até esgotar as palavras inúteis e deixar a família com a própria dor. Tinha um monte de outros pacientes para atender, mas precisava de um minuto, apenas um minuto para mim.

Andei mais depressa até chegar ao banheiro mais próximo. O torpor se espalhou do meu peito para os membros, mas, quando fechei a porta, o estalo abafado da fechadura desencadeou um soluço alto que cortou o ar.

Demorei vários segundos para perceber que o soluço saiu de mim.

A pressão que crescia dentro de mim finalmente explodiu, e me debrucei sobre a pia, sufocando com a ânsia vazia que deixou minha garganta doendo e um zumbido nos ouvidos.

O corpo sem vida de Tanya na maca, Ava no pronto-socorro depois de quase se afogar. Os olhos abertos e vazios da minha mãe depois de uma overdose de remédios.

As lembranças se uniam em um fluxo macabro.

Senti ânsia de novo, mas não havia comido nada desde o início do plantão oito horas antes, e não havia nada para pôr para fora.

Quando os espasmos cessaram, minha pele estava pegajosa de suor e a cabeça latejava de tensão.

Abri a torneira e lavei o rosto com água fria, depois me enxuguei com uma toalha de papel. O material áspero e escuro arranhava a pele e, quando olhei meu reflexo no espelho, vi uma marca levemente avermelhada na bochecha onde eu havia esfregado o papel.

Manchas roxas sob os olhos, palidez, linhas claras de tensão emoldurando a boca. Minha aparência estava péssima.

Deus, eu precisava de uma bebida forte. Ou, melhor ainda, férias com várias bebidas fortes.

Levantei o queixo e joguei a toalha de papel amassada na lata de lixo. Quando voltei ao piso principal, havia voltado a vestir a máscara profissional.

Não podia me dar ao luxo de me afogar em tristeza ou autopiedade. Havia um trabalho a ser feito.

— Olá. — Sorri e estendi a mão para o próximo paciente. — Sou o Sr. Chen...

O restante do plantão transcorreu sem grandes incidentes, mas eu não conseguia superar o suor frio ou os batimentos descompassados.

— Você está bem? — perguntou Clara, quando encerrei o expediente.

— Estou. — Evitei o olhar solidário dela. — Até amanhã.

Fui para o vestiário sem dar a ela uma chance de responder. Normalmente, eu tomava banho em casa, mas estava desesperado para lavar o sangue. Havia aderido à pele, grosso e obstrutivo, invisível a todos, menos a mim.

Fechei os olhos e fiquei embaixo do chuveiro até a água esfriar e um arrepio profundo atingir meus ossos. Em geral, eu mal podia esperar para ir embora do hospital depois de um plantão, mas, naquele momento, nada parecia pior que ficar sozinho.

Todos os meus amigos estavam trabalhando, e era cedo demais para ir a um bar, o que me deixava apenas uma opção.

Eu me enxuguei, me vesti e peguei o celular do bolso da calça jeans para mandar uma mensagem para Jules, mas descobri que ela havia mandado uma mensagem para mim vinte minutos antes.

Jules: Já saiu do trabalho?

Eu: Acabei de sair.
Eu: Onde você está?

Era terça-feira. O dia em que ela não trabalhava na clínica.

Jules: BiCi, no fundo.

O alívio fez meus pulmões vibrarem. Dava para ir a pé.

Eu: Não sai daí. Chego em quinze minutos.

CAPÍTULO 26

Josh

O HOSPITAL FICAVA BEM AO LADO DO CAMPUS DA THAYER, ENTÃO não demorei para chegar à biblioteca, batizada formalmente como Biblioteca George Hancock, em homenagem a um doador falecido havia muito tempo, e conhecida informalmente como BiCi. Era um tesouro secreto escondido no terceiro andar do prédio da biologia. Fulton, a biblioteca principal da universidade, ficava sempre lotada na época dos exames, mas BiCi era tranquila o ano todo.

A caminhada me deu um tempo para banir os pensamentos sobre Tanya que ainda persistiam. Sair do hospital e me ver cercado por estudantes sorridentes e falantes também ajudou. Era como se eu tivesse entrado em um cenário de um filme no qual podia fingir que era a pessoa que queria ser, em vez da pessoa que era de verdade.

Quando cheguei à BiCi, havia poucas estudantes por lá. Paredes de livros subiam dois andares em direção ao teto de pé direito duplo, interrompidas apenas por gigantescas janelas de vitrais instaladas em intervalos regulares. A luminosidade das luminárias de vidro verde sobre as mesas se misturava à luz do sol, projetando um brilho nebuloso sobre o santuário de silêncio.

O carpete verde e grosso abafava os meus passos enquanto eu me dirigia aos fundos da sala, onde Jules estava sentada.

— Estou vendo que está se esforçando — comentei, quando a alcancei.

Havia uma pilha alta de livros ao lado do sempre presente mocha, e folhas soltas de anotações e cartões para fichamento cobriam cada centímetro da superfície de carvalho.

— Alguém tem que se esforçar.

Ela levantou a cabeça, e fiquei assustado ao ver os olhos inchados, vermelhos.

— Andou chorando?

Que porra estavam fazendo na faculdade de direito? Eu tinha certeza de que o material didático não servia para fazer as pessoas chorarem, a menos que fosse de frustração, e Jules não era o tipo que perdia a cabeça por causa de estresse acadêmico.

— Não. — Ela bateu com o marcador no caderno. — É alergia.

— Mentira.

Falávamos baixo, porque estávamos em uma biblioteca, mas todo mundo estava tão compenetrado nos estudos e longe uns dos outros que não fazia muita diferença.

Jules batucou mais depressa com o marcador.

— Por que se importa? Chamei você para transar, não para ter uma conversa emocionada.

— Eu *não* me importo. — Sentei-me na cadeira ao lado dela e baixei a voz ainda mais. — Mas prefiro não foder com uma chorona, a menos que seja choro de prazer. Qualquer outro tipo de lágrima me brocha.

— Que fofo.

— Seria melhor se eu ficasse excitado com a tristeza alheia?

Entrei no nosso jogo de provocação com uma facilidade chocante, considerando o dia que havia tido no pronto-socorro, mas quando estava perto de Jules, todo o resto deixava de existir.

Para o bem ou para o mal.

— Estou sem energia para discutir com você hoje, ok? — Ela se irritou, e não ouvi o fogo de sempre na sua voz. — Ou me fode, ou vai embora.

O instante de bom humor passou. Normalmente, eu não hesitaria em aceitar a oferta de sexo, mas não havia nada de normal naquele dia.

— Quer uma novidade, Ruiva? Você não é a única que tem semanas ruins, então para de agir como se fosse especial — retruquei, com frieza.

— Nosso acordo é *mutuamente* benéfico. Não significa que você pode me chamar e achar que venho correndo atender às suas necessidades como um gigolô de merda.

— Não estou fazendo isso.

— Mas é o que parece.

Nós nos olhamos, e o ar crepitou com a frustração velada antes de Jules deixar cair os ombros e o marcador, e passar as mãos no rosto.

Minha irritação sumiu diante do gesto simples. Soltei o ar com um longo suspiro, incapaz de acompanhar a louca montanha-russa de emoções daquele dia.

— Dia ruim no trabalho? — perguntou ela.

Minha risada saiu sem humor.

— Digamos que sim.

Eu não falava sobre os momentos difíceis do meu trabalho, a menos que fosse com algum colega. Nada derrubava o clima mais fácil do que dizer: "Ei, hoje alguém morreu no meu plantão".

Mas a pressão de antes voltava a crescer no meu peito, e eu precisava aliviá-la, antes que eu implodisse.

— Perdi alguém hoje. — Encostei na cadeira e olhei para o teto, incapaz de encarar Jules enquanto admitia meu fracasso. — Dezessete anos. Estava dirigindo, e um motorista bêbado bateu no carro dela.

Era estranho dizer isso em voz alta. *Perdi alguém*. Soava genérico demais. As pessoas perdiam brinquedos e a chave de casa, e não a vida. Na verdade, a vida era arrancada delas, roubada pela mão cruel de um deus inclemente.

Mas isso não era tão fácil de relatar, acho.

Senti a mão suave sobre a minha. Fiquei tenso e continuei olhando para o teto, mas o nó no peito afrouxou um pouco.

— Sinto muito — falou Jules, baixinho. — Eu não... não consigo imaginar...

— Tudo bem. Sou médico. Isso acontece.

— Josh...

— E você? — interrompi e olhei para ela. — O que aconteceu? Não me vem com essa besteira de alergia de novo.

— Eu *tenho* alergia. — Vários instantes passaram, até que ela admitiu: — É possível que eu tenha que... que fazer alguma coisa de que não me orgulho. Prometi a mim mesma que nunca mais faria isso, mas talvez não tenha escolha. Eu só... — Jules engoliu a saliva com dificuldade, e as linhas delicadas da garganta se alteraram. — Não quero ser essa pessoa.

Era tudo muito vago, mas a inquietação dela era palpável e atravessava minha pele, chegando a lugares que não tinha direito de tocar.

— Tenho certeza de que não é tão ruim quanto você pensa. Desde que não mate ninguém nem incendeie nada — falei.

— Uau. O limite é realmente baixo, quase no inferno.

Sorri pela primeira vez no dia.

— Pelo menos lá é quente.

Jules não segurou a risada.

— Queria ter seu otimismo.

— Vai sonhando. — Olhei para a seção de referência, que ficava afastada da sala principal da biblioteca. — E aí, ainda quer transar?

Nada salvava um dia ruim como uma boa transa.

Além do mais, depois da noite que ela havia passado em casa e dos breves momentos de guarda baixa pouco antes, estávamos nos afastando muito das regras do acordo. Era hora de levar essa interação de volta ao que deveria ser: sexo. Rápido, transacional e mutuamente satisfatório.

Considerando as linhas rígidas do pescoço e dos ombros de Jules, ela precisava de alívio tanto quanto eu.

Jules respondeu recolhendo as anotações e guardando na mochila. Deixamos os livros dela em cima da mesa – eu duvidava muito de que alguém ia querer roubar um volume sobre leis corporativas –, e nos dirigimos com toda casualidade possível à seção de referência.

Segui em direção a uma das pilhas que não era vigiada pelas câmeras de segurança, e então a empurrei contra as prateleiras e colei a boca à dela. Começou tranquilo, quase clínico – um jeito de nos esquecermos dos problemas e nada mais.

Mas não conseguia parar de pensar sobre quanto ela parecia exausta ou quanto era confortável sentir a mão dela sobre a minha e, antes que eu percebesse, o beijo suavizou e se tornou algo mais... não exatamente terno. Mas compreensivo.

Era nosso primeiro beijo sem raiva, e era mais agradável do que eu esperava.

Segurei o rosto dela e deslizei a língua pela linha entre seus lábios até Jules abrir a boca. Deus, que sabor incrível, como calor, tempero e açúcar, tudo em uma coisa só.

Sempre gostei de chocolate, mas canela se tornava rapidamente meu sabor favorito.

Os braços dela enlaçaram meu pescoço, e seu suspiro suave desceu deslizando pelas minhas costas, instalando-se em algum lugar na parte baixa do meu ventre.

— Acha que podemos esquecer nossa semana de merda por um tempo? — murmurou ela.

A nota vulnerável na sua voz despertou um forte instinto de proteção em mim, mas o sufoquei.

Estávamos juntos só pelo sexo. Qualquer outra coisa estava fora de cogitação.

— Meu bem, em alguns minutos, você vai esquecer até seu nome.

Eu me ajoelhei, e não contive um sorriso ao ver a surpresa nos olhos dela. Nossas últimas poucas vezes haviam sido quase brutais e deliciosamente pervertidas, mas naquele dia eu estava a fim de um banquete diferente.

Encaixei os dedos no elástico da calcinha dela e puxei para baixo até ultrapassar a saia.

— Acho que seria bom cobrir a boca, Ruiva.

Foi o único aviso que dei antes de afastar as pernas dela e mergulhar, alternando entre lambidas suaves e outras mais longas e firmes no clitóris.

Gemi. O sabor daquele ponto era ainda melhor. A maioria das mulheres pensava que os homens queriam que elas tivessem gosto de frutinhas, lavanda ou sei lá, mas se comíamos buceta, queríamos gosto de buceta. Esse era o ponto.

Quando introduzi dois dedos nela, Jules agarrou meu cabelo com uma das mãos. Eu os movia lentamente para dentro e para fora, enquanto continuava lambendo o clitóris. Estava inchado e sensível, e quanto rocei os dentes na pele, o gritinho abafado dela desceu diretamente até meu pau.

Fiz um esforço para manter o ritmo suave por mais algum tempo até aumentar o ritmo e a intensidade, usando a língua e o dedo até sentir a umidade escorrendo pela minha mão e pelas coxas dela. Lambi cada gota, bebendo o sabor. Esqueça isso de comida e água. Eu poderia sobreviver de Jules para sempre.

Tirei os dedos de dentro dela e os substituí pela língua, ávido por mais.

Jules estremeceu. Segurou meu cabelo com mais força sufocando um grito, e um segundo depois, senti a umidade na língua.

Cacete.

Meus sentidos foram inundados pelo cheiro de Jules, e quando ela se contorceu na tentativa de escapar de mim, segurei seu quadril e a forcei a ficar onde estava.

— Josh... — Meu nome soou como um gemido, quase sufocado.

Senti o sangue ferver quando levantei a cabeça e vi que ela cobria a boca com a mão, lutando para silenciar os gemidos. Um tom de rosa lindo tingia as bochechas de Jules, e lágrimas cintilavam nos olhos pelo esforço de suprimir a intensidade do orgasmo.

Meu pinto ameaçava abrir um buraco no jeans. Eu amava ouvir os gritos doces dela, mas também havia algo de muito sensual em ver alguém se conter, sabendo que a pessoa queria explodir.

— Ainda não acabei, Ruiva. — Dei mais uma longa e lenta lambida no clitóris. — Você não vai querer interromper um homem antes de ele terminar de comer, vai?

Jules respondeu com outro gemido.

Voltei à minha refeição, lambendo, chupando e enfiando a língua nela com vontade. Quando terminei, tive que ampará-la com um braço enquanto me levantava.

Limpei a boca com o dorso da mão e saboreei o gosto que ainda restava dela. Meu sangue pulsava com a excitação.

Queria que tivéssemos tempo para mais uma rodada, mas já estávamos abusando da sorte. Ninguém havia nos visto ainda, mas o cheiro de sexo pairava no ar, e alguém que passasse por ali não teria que se esforçar muito para juntar dois mais dois.

— Sempre quis perverter a biblioteca — murmurou Jules, agarrando-se a mim como nunca teria feito, fora da intimidade sexual.

Dei risada.

— *Perverter* pode ser uma palavra muito forte, mas desconfio de que revogariam minha licença, se descobrissem o que aconteceu aqui.

Meu pau pulsava ansioso pela vez dele, mas quando Jules estendeu a mão para meu cinto, segurei seu punho e devolvi o braço à posição paralela ao corpo.

Ela franziu a testa, confusa.

— Mas...

— Eu cuido disso mais tarde. Não se preocupe.

— Josh, parece doloroso.

Era doloroso. Eu estava tão ereto que era aflitivo. Mas uma parte bizarra de mim sentia prazer com isso.

A dor me lembrava de que eu ainda estava vivo.

— Você também precisa de um alívio — disse Jules, e eu sabia que ela não se referia só a um orgasmo.

— Eu vou dar um jeito nisso — repeti. Sair dali com uma ereção do tamanho do Monumento de Washington seria constrangedor demais, mas as outras pessoas na biblioteca pareciam tão compenetradas nos estudos que eu nem sabia se perceberiam. — Não quero abusar da sorte.

— Certo.

Ela fechou os olhos, respirando mais devagar.

Um silêncio preguiçoso pairava no ar.

Aquela era uma situação completamente diferente do que acontecia quando fazíamos o tipo de sexo a que estávamos acostumados, mas às vezes a necessidade é de uma rapidinha intensa; e outras vezes, o ideal é uma lenta e lânguida.

Além do mais, eu poderia chupar Jules por dias sem me cansar.

Meus olhos se demoraram nos traços delicados e no rubor rosado do rosto dela por um segundo além do que deveriam.

Num impulso, eu disse:

— Quer ir comigo a um lugar no sábado que vem? — perguntei, e ela arregalou os olhos. Esclareci: — Não é um encontro. O hospital vai fazer o piquenique anual dos funcionários, e sei que as enfermeiras vão tentar me pegar em alguma armadilha, como acontece todo ano. Pensei em quebrar o esquema delas levando uma companhia de mentira. — Enfatizei o "de mentira".

Jules levantou as sobrancelhas.

— Isso vai contra as regras do acordo.

É, eu sabia. O que não sabia era o que tinha dado em mim para fazer aquele convite, quando podia ter levado qualquer conhecida, mas a razão escapava pela janela sempre que a situação envolvia Jules Ambrose.

Era enlouquecedor, mas como eu não podia fazer nada a respeito disso, melhor tentar tirar proveito.

— Regras existem para serem quebradas. — Dei de ombros. — Olha só, se algum dia precisar de mim para fingir um encontro, eu topo. É mais fácil do que pedir a uma pessoa aleatória — expliquei. Jules continuou hesitando, então acrescentei. — Vai ter comida de graça.

Um instante passou, até que Jules respondeu:

— Posso dar um jeito.

— Ótimo. Mais tarde mando os detalhes por mensagem.

Virei para ir embora, mas a voz dela, suave e hesitante, me fez parar.

— Josh, você vai ficar bem?

Paralisei. A preocupação inesperada deixou um nó estranho na minha garganta, mas o engoli depressa.

— Vou ficar bem. — Sorri para ela por cima do ombro. — Vejo você no sábado, Ruiva.

Depois que saí da biblioteca – onde ninguém percebeu minha ereção, graças a Deus –, fui direto para casa e me servi de uma dose de Macallan. A merda era cara, mas havia sido presente de aniversário de Alex. Eu racionara o uísque ao longo dos anos, guardando para minhas maiores comemorações e para os piores dias.

Terminei a primeira dose e servi a segunda. Não toquei na ereção. Fiquei sentado na sala, com a cabeça reclinada sobre o encosto do sofá, apreciando o silêncio.

Ver Jules havia proporcionado uma surpreendente medida de conforto, mas a leveza momentânea que encontrei na biblioteca já havia desaparecido.

Bebi de uma vez só o que restava do uísque e saboreei o ardor deslizando pela garganta.

Naquele momento, a bebida era a única coisa que me mantinha aquecido.

CAPÍTULO 27

Jules

Eu não conseguia parar de pensar em Josh, nem no que havia acontecido na biblioteca. Não só na parte em que ele me devorou – embora me lembrasse dessa experiência em particular mais vezes do que dava para contar –, mas a expressão no rosto dele quando me contou sobre a morte de uma paciente. O jeito como me beijou, um beijo suave, mas desesperado, como se precisasse de conforto, mas não conseguisse pedir. E sua atitude quando foi embora, como se carregasse o peso do mundo sobre os ombros.

Eu não devia ter esses pensamentos. Não havia espaço para eles no nosso acordo, mas isso não os impedia de ocupar espaço na minha cabeça sem pagar aluguel.

— Para com isso, Jules — ordenei enquanto caminhava para o parque, onde aconteceria o piquenique para os funcionários do hospital. — Se controla.

Uma família próxima me olhou de um jeito estranho e andou mais depressa, até passar por mim.

Ótimo. Agora eu estava falando sozinha e assustando pais e filhos.

Respirei fundo e tentei domar o nervosismo quando me aproximei da entrada do parque.

Era um piquenique, pelo amor de Deus. Só aceitei vir porque tinha comida de graça, e eu nunca recusava comida de graça. Não era um encontro de verdade.

Uma brisa levantou meu vestido.

— Merda!

Abaixei a saia depressa, já me arrependendo da escolha. Finalmente havia voltado a fazer calor o bastante para usar vestidos, mas o app de meteorologia tinha me ferrado de novo, porque *esquecera* de mencionar o vento forte. Teria que passar o dia todo segurando a saia, a menos que quisesse que todo mundo no hospital Thayer descobrisse de que cor era a minha calcinha.

— Já está se exibindo para o pessoal? Ainda nem ficou bêbada. — A voz preguiçosa de Josh invadiu meus ouvidos.

Levantei a cabeça e o vi parado perto da entrada, de braços cruzados. Não havia mais nenhum traço da tensão e da tristeza que marcavam o rosto dele na biblioteca. Um sorriso discreto desenhava covinhas nas bochechas, e um brilho bem-humorado sutil iluminava os olhos que me estudavam da cabeça aos pés.

O alívio inundou meu peito. O Josh vaidoso era um pé no saco, mas por motivos que eu preferia não examinar, essa versão era melhor que a versão cabisbaixa.

— Isso é um piquenique de família, Chen — respondi, ao me aproximar dele. — Não tem bebida alcoólica.

— Desde quando você se tornou essa puritana? — Ele puxou de leve minha trança e riu quando afastei sua mão com um tapa. — Trança, sapatilha, vestido branco. — A segunda análise minuciosa provocou uma cascata de pequenos tremores que encheram meu peito e provocaram arrepios no pescoço. Talvez um dos bons médicos ali presentes pudesse fazer um exame improvisado, porque os sinais de mau funcionamento dos meus órgãos eram evidentes. — Quem é você e o que fez com a Ruiva?

— O nome disso é guarda-roupa versátil. Você saberia, se tivesse bom gosto.

Respondi ao olhar atento com um exame semelhante, o que foi uma má ideia.

A camisa verde de manga curta delineava os ombros fortes de Josh e destacava a pele bronzeada. O jeans não era apertado, mas justo o suficiente para revelar as linhas fortes das pernas, e o cabelo, habitualmente despenteado, havia sido domesticado. Óculos modelo aviador completavam o conjunto, criando uma aura de astro dos velhos tempos de Hollywood em um dia de folga na cidade que era mais atraente do que tinha o direito de ser.

— Versatilidade não é sinônimo de bom gosto. — Josh tocou a parte inferior das minhas costas e me levou para dentro do parque. Arrepios partiram da base da coluna e irradiaram por todo o corpo, cobrindo cada centímetro de pele. — Até eu sei disso.

— Tanto faz. — Estava distraída demais pelos arrepios traiçoeiros para pensar em uma resposta melhor. — Quem é você para falar sobre bom gosto? Eu vi o quadro do seu quarto.

— O que tem o quadro?

— É horroroso.

— Não é. É *incomum*. O cara de quem o comprei disse que pertenceu a um colecionador famoso.

Revirei os olhos.

— Pertencia a um famoso colecionador e foi parar nas suas mãos? Sei. Já que tocamos no assunto, tenho uma coisa que talvez queira comprar. Chama Ponte do Brooklyn.

— Deixa de ser chata. Nem todo mundo tem o mesmo olhar perspicaz para a arte.

— Alguém traz um dicionário. Parece que "perspicaz" virou sinônimo de "péssimo".

Josh riu, imune aos meus insultos.

— É bom ver que está se sentindo melhor, Ruiva. Senti falta dessa sua língua venenosa.

Meu sorriso desapareceu, quando me lembrei do motivo para estar com aquela disposição terrível na biblioteca. Havia recebido mais um "lembrete" de Max por mensagem de texto naquela manhã. Eu poderia retrucar que era um blefe, mas não acreditava que ele estivesse blefando. Max adorava brincar com as pessoas, mas na hora H, não pensava duas vezes antes de jogar qualquer um na frente do trem.

Quando somada ao estresse da faculdade, à preparação para o exame da ordem e ao iminente casamento de Bridget, a pressão foi demais para mim. Chorei em cima dos livros da biblioteca como uma idiota, e mandei a mensagem para Josh no calor do momento, à procura de uma distração.

Quando ele chegou, eu havia me controlado, mas não me arrependi da mensagem que havia mandado. A presença de Josh foi estranhamente terapêutica, e o que ele fez na salinha...

Senti um arrepio.

— E você? — perguntei. Eu não era a única que estava péssima naquele dia. — Como se sente?

Uma sombra passou pelo rosto ele, antes de desaparecer em mais um sorriso arrogante.

— Ótimo. Por quê?

— Tristeza faz parte da vida — argumentei, sem me deixar convencer pela aparente indiferença. Não queria cutucar a ferida, mas sabia o quanto reprimir emoções podia ser destrutivo. — Mesmo que seja provocada por alguma coisa que faz parte do seu trabalho.

O sorriso de Josh perdeu um pouco do brilho, e a garganta se moveu com o esforço que ele fez para engolir; depois, ele desviou o olhar.

— Vamos comer alguma coisa. Estou morrendo de fome — sugeriu ele.

Entendi a deixa e desisti do assunto. Cada pessoa lidava com a tristeza de um jeito diferente. Eu não o forçaria a falar sobre algo que ainda não estava preparado ou que não queria discutir.

— Quem está atendendo no hospital, se a equipe toda veio para cá? — perguntei, na tentativa de mudar de assunto e abordar um tema mais leve.

Os ombros rígidos de Josh relaxaram.

— Tem uma equipe essencial no hospital, mas estão fazendo um rodízio de horários para todo mundo conseguir dar uma passada no piquenique. Esse é o único evento que temos para todos os funcionários, além da festa de fim de ano, então é importante.

— Jules! — Uma morena bonita e com um rosto familiar sorriu quando nos aproximamos da mesa. — Que bom te ver! Não sabia que Josh viria acompanhado.

— Não é o que parece — Josh e eu respondemos ao mesmo tempo.

Houve uma pausa breve, durante a qual o sorriso da morena ficou ainda mais largo.

— É claro. Foi mal. — Ela estendeu a mão, e vi o humor cintilando nos seus olhos. — Meu nome é Clara. A gente se conheceu no Bronze Gear.

Eu me lembrei dela.

— Você estava com o Josh.

Eles trabalhavam juntos? E pareciam ter um bom relacionamento, considerando como tinham se cumprimentado.

Uma horripilante onda de ciúme se espalhou dentro de mim, fazendo pressão.

Ah, não. Não, não, não. Eu não podia sentir ciúme de Josh.

Apaga. Eu não estava com ciúme de Josh. Provavelmente, tinha comido iogurte vencido no café da manhã, ou alguma coisa assim. Esse era o problema dos alimentos com sabor de limão – tinham gosto de azedo mesmo quando não deviam ter.

Clara deu uma gargalhada.

— Ah, não, não como está pensando. Sou só uma colega de trabalho. Sou enfermeira no pronto-socorro.

— Ela tem namorada. — Josh montou um cachorro-quente no prato. — A bartender do Bronze Gear. Falando nisso, cadê a Tinsley?

— Ela não é minha namorada. Estamos só ficando, e ela está trabalhando, por isso não pôde vir. — Clara olhou para mim com uma expressão curiosa. — Se não é acompanhante dele...

— Estamos *fingindo* que é um encontro — explicou Josh, antes que eu pudesse responder. — Você se lembra do piquenique do ano passado? Eu mal conseguia respirar, com todas aquelas pessoas empurrando as filhas para cima de mim. Quis evitar que a situação se repetisse.

— Deve ter sido traumatizante — comentou Clara.

Sorri do tom sarcástico. Já gostava dela. Qualquer mulher que desafiasse Josh merecia nota dez no meu caderninho.

— E foi mesmo. Pega.

Josh me entregou o prato com o cachorro-quente e repetiu o processo em outro prato.

Um cachorro-quente com catchup, mostarda e picles. Uma salada para acompanhar. Uma porção de batatas chips e um cookie com gotas de chocolate para completar.

— Precisa mesmo de dois pratos? — perguntei, mostrando o que estava na minha mão. — É demais até para você.

Josh olhou para mim como se eu fosse burra.

— Esse prato é seu. *Este* é meu — explicou ele, e acrescentou um hambúrguer e salada de repolho à combinação.

Graças a Deus ele não fez aquilo no meu. Eu odiava salada de repolho. Tinha nojo da textura.

— Ah. — Mudei de posição e tentei ignorar o calor que vibrava na minha pele. — Obrigada.

Em vez de responder, Josh me deu as costas para cumprimentar outro colega de trabalho.

Era a cara dele fazer alguma coisa quase legal e uma cretinice imediatamente depois.

Irritada, dei uma mordida no cachorro-quente e notei que Clara nos observava. Ela se virou quando notou que eu estava olhando, mas o balançar dos ombros sugeria que estava rindo.

Como a LHAC não era parte oficial do hospital Thayer, não havia mais ninguém da clínica ali, o que nos salvou de ter que dar explicações do nosso falso encontro para Barbs e companhia. Eu também não estava preocupada com a possibilidade de meus amigos descobrirem. Nenhum deles conhecia alguém que trabalhasse no hospital, além de Josh.

Durante as horas seguintes, eu o acompanhei pelo parque e cumpri o papel de acompanhante sempre que alguém tentava apresentá-lo para a irmã, filha ou neta. Ele não mentiu quando disse que todo mundo queria empurrá-lo para cima de alguém – contei uma dúzia de tentativas de aproximação, mesmo comigo ao lado, até que desisti.

— Não entendo a comoção — resmunguei, depois que uma enfermeira e a filha dela se afastaram, aparentemente desapontadas. — Você nem é tão bom partido. Meia-boca, no máximo.

— Você bem que gostou da minha boca na biblioteca.

A resposta acetinada de Josh acendeu labaredas no meu corpo.

— Foi *razoável*.

Prendi a respiração quando ele me puxou para perto e sussurrou um aviso no meu ouvido.

— Não me provoca, Ruiva, ou vou jogar você de pernas abertas em cima da mesa de piquenique e te foder com a língua até você ter que voltar para casa engatinhando porque suas pernas não vão funcionar. — Josh me soltou e sorriu para o homem que se aproximava de nós. — Oi, Micah — disse ele, como se não tivesse acabado de ameaçar me fazer gozar na frente de mil pessoas. — Tudo bem?

Depois do cumprimento inicial, Josh me apresentou a Micah, que me lançou um sorriso superficial.

— Então, Jules, o que você faz? É estudante?

O outro residente tinha mais ou menos a idade de Josh, mas exalava pretensão de um jeito totalmente oposto ao charme relaxado. Josh podia ser arrogante, mas pelo menos não se levava tão a sério. Micah parecia ter uma confiança excessiva na importância que atribuía a si mesmo.

— Isso, direito na Thayer. Termino em algumas semanas.

Micah levantou as sobrancelhas.

— Direito? *Sério?*

Fiquei tensa com o ceticismo evidente.

— Sério, sim. — Abandonei o tom cortês, trocando-o por um tão gelado que eu esperava que congelasse as bolas dele. Algumas pessoas poderiam dar um voto de confiança para Micah, mas eu reconhecia o julgamento quando o encontrava, e não tinha nenhuma obrigação de ser simpática com alguém que nem se esforçava para disfarçar a condescendência. — Surpreso?

— Um pouco. Você não parece uma estudante de direito.

Micah olhou para o meu peito, e senti as alfinetadas da humilhação.

Josh ficou tenso ao meu lado, trocando a atitude agradável por uma rigidez volátil e sombria que se espalhou pelo ambiente.

— Não sabia que existia um estereótipo *universal* para estudantes de direito. — Resisti ao impulso de cruzar os braços. Não daria essa satisfação a Micah. — Que cara eles devem ter?

Ele riu, sem nem sequer ter a decência de se mostrar constrangido com a minha reação direta.

— Você entendeu o que eu quis dizer.

— Eu não — interrompeu Josh, antes que eu pudesse responder, adotando um tom falso que podia enganar. — O que você quis dizer, Micah?

Pela primeira vez, Micah pareceu desconfortável, como se finalmente percebesse que a conversa não tomaria o rumo que ele pretendia.

— Você sabe. — Ele acenou com uma das mãos, tentando diminuir a importância do comentário. — Foi uma piada.

O sorriso de Josh não alcançou os olhos.

— Piadas precisam ser engraçadas.

— Relaxa, cara. — O desconforto de Micah se tornou irritação. — Olha só, só falei que fiquei surpreso, beleza?

— Não foi isso que você disse. O que você deixou claro foi que tirou conclusões sobre a inteligência dela com base na aparência, o que é bem injusto, não acha? — Havia uma nota incisiva e letal por trás do tom agradável de

Josh. — Por exemplo, se eu fosse fazer a mesma coisa com você, diria que é um cretino cheio de pompa com base na roupa com o logo de Harvard que usa sempre que pode, apesar de só ter sido aceito porque seu sobrenome está inscrito no novo prédio de ciências da universidade. Mas tenho certeza de que isso não é verdade. Você *se form*ou em medicina em Harvard, quase em último lugar na turma, mas se formou. Isso vale de alguma coisa.

O queixo de Micah caiu enquanto um nó de emoção se alojava na minha garganta e se recusava a sair de lá.

Não conseguia me lembrar da última vez em que alguém havia me defendido. Era um sentimento estranho – quente e denso, como mel correndo por minhas veias.

— De qualquer maneira, não gostei da grosseria com minha acompanhante. — A voz de Josh se tornou severa. — Este é um evento de colegas de trabalho, então peça desculpas, siga seu caminho e vamos deixar tudo como está. Mas se desrespeitar Jules de novo, eu mesmo te mando para o pronto-socorro.

As narinas de Micah dilataram, mas ele não foi idiota a ponto de retrucar. Não quando Josh parecia estar *torcendo* para ele justificar a possibilidade de tomar uma surra.

— Desculpe — disse Micah.

O pedido seco era tão sincero quanto as lágrimas de um crocodilo. Ele deu meia-volta e se afastou, tão ultrajado que quase tremia.

Um silêncio pesado se instaurou entre nós.

Parte da tensão deixou o corpo de Josh, mas a linha do queijo ainda era rígida. Tentei engolir o nó persistente em minha garganta e não consegui.

— Não precisava fazer isso.

— Isso o quê?

Ele abriu a garrafa de água e bebeu um gole.

— Me defender.

— Eu não te defendi. Só mostrei para um babaca que ele é um babaca. — E me olhou de soslaio. — Além do mais, só eu tenho o direito de ser cretino com você.

Respondi com uma risada tão aguada, que foi constrangedor. Estava acostumada a lutar minhas próprias batalhas, não sabia lidar com alguém ao meu lado.

Josh devia ser meu inimigo, mas se tornou um aliado. Nesse caso específico, pelo menos.

— Bom, se tem uma coisa em que você é insuperável é em ser cretino. Esfreguei a saia entre os dedos. O algodão macio me acalmava.

— Sou insuperável em tudo, Ruiva. — A voz lânguida de Josh me envolveu como um cobertor quente.

Nós nos olhamos. Uma descarga elétrica carregou o ar e provocou um arrepio que desceu pelas minhas costas.

Eu conhecia Josh havia anos, mas era a primeira vez que o via em detalhes tão evidentes, minuciosos.

A curva marcada das faces terminando no queixo forte. Os olhos intensos, escuros como chocolate derretido, emoldurados por cílios tão longos que deveriam ser ilegais em um homem. O arco das sobrancelhas e a curva firme e sensual dos lábios.

Como nunca havia notado como Josh Chen era inacreditável e devastadoramente lindo?

Eu sabia no nível racional, é claro, como sabia que a terra é redonda e o oceano é profundo. Era impossível alguém com esses traços, dispostos daquele jeito, não ser lindo.

Mas era a primeira vez que eu *sentia* essa beleza. Era como remover a película transparente que cobria uma obra de arte e, por fim, vê-la em toda a sua glória.

As mãos de Josh se fecharam junto ao corpo, e então ele relaxou.

— Daqui a pouco acontece a última chamada. — As palavras soaram roucas, como se falar fosse doloroso. — Se quer mais comida, é melhor pegar agora, antes que o piquenique acabe.

A descarga elétrica se dissipou, mas os efeitos permaneceram como uma camada de formigamento sobre minha pele.

— É claro. Mais comida. — Pigarreei. — Sempre quero mais comida.

Nós nos servimos em silêncio e fomos comer sob um dos grandes carvalhos que limitavam o parque. A maior parte da comida já havia acabado, mas conseguimos pegar os últimos hambúrgueres e um cupcake de chocolate para dividir.

— Seus colegas parecem gostar muito de você, fora Micah, o otário — comentei.

Cortei o cupcake na metade com uma faquinha de plástico e dei a parte de Josh a ele.

Ele a pegou com um sorriso.

— Não devia estar tão surpresa. Sou uma pessoa fácil de gostar, Ruiva.

— Hum.

Olhei para ele enquanto comia. A gente brigava, a gente transava, mas ainda havia muita coisa que eu não sabia sobre Josh.

Como era possível saber tão pouco sobre alguém depois de sete anos?

— Você sempre quis ser médico? — Ao notar o brilho nos olhos dele, acrescentei — E nem perde tempo com a piadinha de brincar de médico na infância. Se consigo acabar com a graça antes de você fazer a piada, é porque ela é ruim.

Uma risada profunda brotou do peito de Josh.

— É verdade. — Josh se encostou no tronco da árvore e esticou as pernas. Uma expressão pensativa passou pelo rosto dele. — Não sei bem quando decidi me tornar médico. Acho que parte disso foi resultado de expectativas. Médico, advogado, engenheiro. Carreiras estereotipadas para um garoto sino-americano. Mas havia outra parte que... — Ele hesitou. — Vai parecer clichê demais, mas eu queria ajudar pessoas, sabe? Eu me lembro de ter esperado no hospital quando Ava quase se afogou. Aquela foi a primeira vez que percebi que as pessoas à minha volta não iam viver para sempre. Fiquei apavorado. E pensei... e se eu estivesse com ela no lago naquele dia? Teria conseguido salvá-la? O afogamento teria acontecido? E minha mãe. Se eu tivesse percebido antes que havia algo de errado e pedido ajuda...

Uma dor profunda me invadiu quando notei o leve tremor na voz dele.

Toquei o joelho de Josh de leve, desejando ser melhor em confortar as pessoas.

— Você era só um garoto — falei, em um tom suave. — O que aconteceu não foi culpa sua.

— Eu sei. — Josh olhou para minha mão sobre o jeans azul. A garganta dele se moveu com o esforço para engolir. — Mas isso não me impede de sentir que foi.

A dor se tornou mais intensa.

Por quanto tempo ele viveu com essa culpa e a guardou só para si? Duvido que tenha contado para Ava, não quando a culpa tinha a ver com ela. Talvez tenha contado para Alex quando os dois eram amigos, mas eu não conseguia imaginar Alex, sempre tão fechado e gelado, oferecendo segurança e tranquilidade.

— Você é um bom irmão e um bom médico. Se não fosse, eu já teria ouvido o contrário. Pode confiar. — Injetei malícia em meu sorriso. — Estou ligada em todas as fofocas.

Isso me rendeu uma risadinha.

— Ah, eu sei. Você e Ava falavam sem parar quando descobriam um assunto interessante.

Meu coração quase saiu pela boca quando ele cobriu minha mão e entrelaçou os dedos nos meus. O afago foi mais eloquente do que as palavras jamais poderiam ser.

Três meses antes, eu nunca o teria tocado por vontade própria, e ele nunca teria recorrido a mim em busca de conforto.

Mas ali estávamos, na mais estranha interação que poderia existir dentro do nosso relacionamento. Nem amigos, nem inimigos. Só a gente.

— E você? Por que se tornou advogada?

— Ainda não sou advogada. — Permanecia imóvel, temendo que qualquer movimento pusesse fim àquela paz frágil e terapêutica — Mas, hum, *Legalmente Loira* é um dos meus filmes favoritos. — Ri quando ele levantou as sobrancelhas. — Escuta, eu ainda não acabei, ok? O filme foi o ponto de partida. Pesquisei faculdade de direito por curiosidade, e acabei caindo na toca do coelho. Quanto mais aprendia sobre a área, mais eu gostava da ideia de... — Procurei a palavra certa. — Propósito, acho. Ajudar as pessoas a resolverem seus problemas. Além disso, certos ramos da advocacia pagam bem. — Senti o rosto quente. — Sei que parece superficial, mas segurança financeira é importante para mim.

— Não é superficial. Dinheiro não é tudo, mas precisamos dele para sobreviver. Quem diz que não se importa com isso está mentindo.

— É, acho que sim.

Voltamos ao silêncio do companheirismo. A tarde dourada de primavera projetava uma névoa suave sobre o cenário, e eu me sentia como se vivesse em um sonho onde o restante do mundo não existia. Sem passado, sem futuro, nem Max nem provas ou preocupações com dinheiro.

Quem me dera.

— Aquilo que você disse antes. — Josh virou a cabeça para olhar para mim. — Bom irmão e bom doutor, é? — Ele afastou a mão da minha. Lamentei a perda do contato por um breve momento, até que ele puxou minha trança de novo e um sorriso torto encurvou sua boca. — Isso foi um elogio, Ruiva?

— O primeiro e o último, então aproveite enquanto pode.

— Ah, eu vou aproveitar. Cada pedacinho.

A sugestão aveludada na voz dele passou pelo meu cérebro e foi direto para o centro do meu corpo.

— Que bom — consegui responder.

O que estava acontecendo comigo? Talvez alguém tivesse batizado a comida com afrodisíacos, porque não devia estar tão agitada por causa de Josh.

O que tinha começado como um encontro falso se transformava rapidamente em uma crise existencial. Odiar Josh era um dos pilares centrais do meu estilo de vida, junto com meu amor por mocha caramelo, minha aversão à atividade física e meu passatempo de visitar livrarias obscuras nos dias chuvosos. Se o ódio por Josh sumisse, o que me restaria?

Meu coração acelerou. *Nem começa.*

O sorriso de Josh desapareceu, deixando apenas uma intensidade que me fez arrepiar da cabeça aos pés.

Um segundo interminável se estendeu entre nós, suspenso pela mesma energia elétrica de antes, até que um grito e uma gargalhada o cortou.

Josh e eu nos sobressaltamos e nos afastamos.

— Devíamos ir...

— Preciso ir...

Falamos ao mesmo tempo, as desculpas apressadas.

— Tenho que fazer as malas para a viagem a Eldorra — expliquei, embora nosso voo só decolasse dali a cinco dias.

Como damas de honra de Bridget, Ava, Stela e eu iríamos mais cedo para os preparativos antes do casamento, cortesia do jato particular de Alex. Josh não fazia parte do cortejo nupcial, mas viajaria com a gente porque, bem, para que um voo comercial quando se podia voar em um jato particular?

— Tudo bem. Vou ficar mais um pouco, ajudar na limpeza. — Josh passou a mão pelo cabelo. — Obrigado por ter vindo. Conseguimos afastar com sucesso todas as tentativas de aproximação.

— Obrigada pelo convite. Foi um prazer ajudar.

Houve um instante de constrangimento.

Considerando o acordo, deveríamos estar a caminho da casa dele para transar, porque essa era a pedra fundamental da nossa relação, mas depois da conversa que havíamos acabado de ter, isso seria... errado.

Josh devia ter pensado o mesmo, porque não disse mais nada, além de:

— A gente se vê, Ruiva.

— A gente se vê.

Andei mais depressa até chegar à saída do parque, com medo de olhar para trás e permitir que Josh notasse a confusão estampada no meu rosto.

Ele passaria a semana toda trabalhando, o que significava que eu não o veria até a viagem para Eldorra. Podia aproveitar esse tempo para redefinir tudo e voltar ao ponto de equilíbrio, ou seja, atraída, mas sem nem conseguir tolerá-lo.

Mas tinha a sensação de que o desequilíbrio no nosso mundo, qualquer que fosse a causa, era irrevogável. Não tinha acontecido em uma tarde, mas ao longo de todos os momentos que tinham levado até aquele ponto – a trégua na clínica, as aulas de esqui, a noite em Vermont, o pacto de só fazer sexo. Hyacinth e a biblioteca, e centenas de pequenos momentos nos quais eu pensava em Josh e não experimentava a mesma irritação visceral que costumava sentir antes, quando ele passava pela minha cabeça.

Mas se desrespeitar Jules de novo, eu mesmo te mando para o pronto-socorro.

Não é superficial

Isso foi um elogio, Ruiva?

Eu não sabia o que pensar dos meus novos e estranhos sentimentos por Josh, mas tinha uma certeza: não era possível voltar ao que éramos antes.

CAPÍTULO 28

Josh

Pensando bem, levar Jules ao piquenique tinha sido a pior ideia que já tivera. O ganho a curto prazo de escapar das casamenteiras do hospital não tinha compensado o sofrimento a longo prazo por me lembrar daquela tarde um milhão de vezes, como um disco riscado que eu não conseguia jogar fora.

Você era só um garoto. O que aconteceu não foi culpa sua.

Você é um bom irmão e um bom médico.

Cada vez que eu pensava na conversa que tínhamos tido embaixo da árvore, queria voltar no tempo e congelar o momento para podermos ficar ali para sempre.

Sol brilhando, comida, o vazio no meu peito um pouco menos vazio, preenchido pela presença de Jules.

Era inaceitável.

Querer transar com ela, tudo bem. Querer ligar para ela quando eu tinha passado por um dia ruim... não.

Não importava se ela era a única pessoa com quem eu conseguia conversar sem ter medo de julgamento. Não haveria mais "quase encontros" dali em diante, nem os de mentira. E, definitivamente, ela não dormiria mais na minha casa, nem pegaria minha camiseta emprestada.

Eu ainda não havia lavado a que emprestara para ela naquele dia depois do Hyacinth. Lavaria em algum momento, mas o tecido não estava fedido. Tinha o cheiro dela – canela e um toque de âmbar.

O mesmo aroma envolvia meus sentidos naquele momento, enquanto a penetrava fundo, com o rosto enterrado no seu pescoço, tentando aliviar a *necessidade* incessante e insaciável que eu sentia. Mas cada penetração e cada beijo só a aumentavam, e minha frustração transbordava na velocidade e na força do ato.

A cabeceira da cama batia na parede, uma resposta cadenciada aos movimentos com que eu penetrava Jules, com os músculos tensos e o corpo coberto de suor provocado pela última meia hora.

Havíamos aterrissado em Athenberg naquela tarde, e Jules e eu devíamos estar na mesma frequência, porque ela apareceu na minha suíte vinte minutos depois de termos feito o check-in e a única coisa que disse foi:

— Quer trepar?

Não mencionou o piquenique, nem a biblioteca e nem qualquer outra regra que tínhamos quebrado, graças a Deus. Nós dois estávamos ansiosos para voltar ao modo padrão, e eu aceitei satisfeito.

Se pelo menos eu conseguisse trepar até matar a fome que sentia de Jules, seria um homem feliz.

— *Josh.*

O grito dela ecoou no quarto de hotel enquanto Jules arranhava minhas costas e explodia ao meu redor.

Jules transava como brigava – feroz e violenta, sem reservas. Era viciante.

O ardor delicado das unhas dela combinava com o fogo nas minhas veias quando cobri sua boca com uma das mãos, sufocando os gritos.

— Shhh. Vai acordar todo mundo. — Era difícil segurar o orgasmo enquanto sentia a vagina dela pulsando. *Nossa.* Devia ser ilegal alguém ser tão gostosa. — Não quer que suas amigas escutem, quer?

Minha suíte ficava em frente à de Jules e Stella, e apenas a duas portas do quarto de Alex e Ava. Alex estava em uma reunião por vídeo na sala de conferências do hotel, lá embaixo, e Ava e Stella cochilavam para estarem inteiras durante a despedida de solteira de Bridget, que seria naquela noite, mas eu não queria correr riscos.

Já estávamos nos arriscando demais com as fugidinhas bem embaixo do nariz de Ava.

As batidas da cabeceira da cama talvez me delatassem, mas eu podia argumentar que o barulho vinha de outro quarto no mesmo andar.

Jules gemeu, mas quando tirei a mão de cima da boca dela, conseguiu engolir os próprios gritos, mesmo durante o segundo orgasmo.

Ela colou o rosto no meu ombro, enquanto o corpo tremia com o alívio silencioso.

— Boa menina — sussurrei. — Segura os gritos, Ruiva. Sou a única pessoa que pode ouvir o quanto você gosta de sentir meu pau nessa sua bucetinha apertada.

Mais um gemido baixo, mais alto que o anterior.

A vagina dela se contraía ainda mais forte que na primeira vez, e um orgasmo poderoso explodiu de mim com tanta intensidade e de um jeito tão inesperado, que me deixou mudo por um segundo.

Quando as ondas finalmente cessaram, fiquei deitado em cima dela, apreciando a sensação das curvas suaves encaixadas no meu corpo. Era tudo tão perfeito que me sentia tentado a ficar ali para sempre e me perder no calor de Jules.

Saboreei o momento por mais um segundo e depois me afastei, relutante. Entreguei a Jules uma garrafa de água do frigobar do hotel e sorri ao ver a expressão satisfeita dela, meio atordoada.

— Obrigada. — Ela bebeu um gole, e ouvi na voz dela a sonolência da satisfação pós-coito. — Já vou embora. É só... — Um bocejo. — Só um segundo.

Senti a decepção brotar no meu peito quando ela falou de ir embora, mas a sufoquei. *Isso é só sexo*, lembrei a mim mesmo.

— Desde que seja só um segundo... não quero que acabe pegando no sono aqui.

Eu me acomodei ao lado dela na cama. Queria muito puxá-la para perto, mas cruzei as mãos atrás da cabeça.

Jules me encarou, e a satisfação deu lugar à irritação.

— O babaca voltou, pelo jeito.

— Ele nunca foi embora.

— Claro que não.

Jules se levantou da cama e pegou a camisa.

— Estou *brincando*, Ruiva. — Eu me estiquei e a segurei pelo pulso antes que ela conseguisse fechar o primeiro botão. — Fica mais um pouco, se quiser. Ava e Stella não estão acordadas, você não vai ter com quem conversar.

Puxei-a de volta para a cama. Ela resistiu por um segundo, mas então relaxou junto ao meu corpo. Jules sabia que eu estava certo. Se saísse agora, não teria nada para fazer além de andar pelo hotel.

— O que vocês vão fazer hoje à noite? — perguntei.

— Sair para jantar e depois, boate. — Jules torceu o nariz. — Queria poder fazer uma festa de verdade para a despedida de solteira de Bridget, mas hoje é a única noite em que ela vai ter algum tempo livre, então decidimos simplificar.

— Vão levar a rainha de Eldorra a uma *boate*? Em Eldorra?

— Vamos, mas disfarçadas.

Olhei para Jules sem saber se estava brincando. Ela me encarou completamente séria.

— Disfarçadas — repeti. — Odeio ser o portador de más notícias, Ruiva, mas uma peruca e óculos escuros não vão ser suficientes para disfarçar a mulher mais famosa do país.

— Não vamos usar óculos. — Ela riu. — Ninguém usa óculos escuros à noite, só gente idiota. Contratamos um artista para transformar nossos rostos com maquiagem.

— Está de brincadeira? Como alguém conseguiria transformar um rosto com maquiagem?

— Um artista habilidoso consegue fazer *muita coisa*. Pelo visto, nunca viu nenhum vídeo de antes e depois da maquiagem no YouTube.

Esfreguei o rosto. A conversa ficava mais surreal a cada minuto.

— Não, nunca, porque não uso maquiagem.

— E daí? Também não é astronauta, mas nem por isso deixa de ver vídeos sobre lançamentos de foguetes.

— Bom, porque foguetes são legais.

— Maquiagem também é.

— Não para mim.

Ela deu de ombros.

— Você nunca teve bom gosto.

— Estou transando com você, não estou? O que isso diz sobre você?

Jules espreguiçou e bocejou.

— Que eu sou um ser humano adorável e generoso que transa com você por piedade quando ninguém mais quer...

Um grito interrompeu as palavras quando a levantei e dei uma palmada na sua bunda, depois a sentei no meu colo. Com as costas dela apoiadas no meu peito, estendi um braço para afastar suas pernas.

— Não me faça bater na sua buceta também, Ruiva. — Esfreguei o polegar sobre o clitóris ainda inchado como uma forma de aviso. — Não vou ser tão delicado.

Um arrepio fez o corpo dela estremecer, mas Jules se acomodou no meu colo e ficou quieta enquanto eu a acariciava.

Sim, isso devia ser só sexo, mas eu seria um cretino se a mandasse embora sem um tempo para relaxar depois do ato, não seria?

Subi a mão aberta pelas coxas dela, passando pelo ventre e pelos seios. Era mais confortante do que sexual, e eu adorava sentir como Jules era macia. Macia, quente e perfeitamente feita para mim, com curvas que se encaixavam nas minhas mãos como peças de um quebra-cabeça que eu não queria terminar de montar nunca.

— O que vai fazer hoje à noite, quando a gente sair?

Ela fez um barulhinho de satisfação quando apertei de leve e massageei seus seios.

— Vou beber alguma coisa. Conhecer a cidade. — Não fazia a menor ideia. — Vou pensar em alguma coisa.

— Alex também vai ficar no hotel.

Minha mão parou e eu a deixei cair ao lado do corpo.

— E o que isso tem a ver comigo? — A leveza do meu tom de voz contrastava com a súbita tensão nos ombros.

Um gemido flutuou da garganta de Jules até meus ouvidos.

— Só estou dizendo que é muito ruim ver vocês dois se evitarem. Acho que não é nada divertido alimentar esse ressentimento. Sentir raiva de alguém é exaustivo, e já faz quase três anos. Talvez... — A voz dela ficou mais mansa, distante, e me perguntei se Jules estava falando tanto sobre si mesma quanto sobre mim. — Talvez seja hora de perdoar, mesmo que não consiga se esquecer.

Apoiei as costas na cabeceira da cama e fechei os olhos.

— Talvez.

Não que eu não quisesse. Mas eu não sabia *como* fazer isso. Cada vez que tentava, o passado voltava com aquela cara feia e me arrastava de volta.

Como eu poderia superar uma coisa que se recusava a desistir de mim?

— Seria...

As batidas na porta a interromperam.

— Josh?

A voz de Ava invadiu o quarto.

Jules se sentou ereta e virou a cabeça para olhar para mim. Ficamos nos encarando de olhos arregalados.

— Posso entrar? Acho que você ficou com a minha mochila — continuou Ava. — Meu notebook está lá dentro.

Merda. Olhei para minha mochila preta. Havíamos comprado duas iguais durante uma liquidação de fim de ano, anos antes.

Soltei Jules, me levantei da cama e fui abrir o zíper da mochila. Sim, o notebook de Ava estava lá, encaixado entre um caderno e uma pasta azul. *Puta que pariu.*

No aeroporto, devia ter me confundido e pegado a mochila dela, em vez da minha.

Apontei para Jules entrar no banheiro, mas ela estava paralisada na cama, parecendo uma escultura de cera.

— Pode pegar mais tarde? — perguntei. Meu coração estava disparado. — Estou, hã, ocupado.

Eu abriria a porta e entregaria a mochila para Ava, mas ela teria uma visão da cama.

— Preciso do notebook. Preciso trabalhar antes da despedida de solteira hoje à noite.

Puta que pariu mesmo!

Dei um passo na direção da cama, mas Jules finalmente se moveu. Ela se enrolou no lençol e correu para o banheiro, tão rápida que pareceu um espectro. Esperei até a porta estar fechada e peguei a mochila. Abri um pouco a porta do quarto.

— Oi. — Empurrei a mochila na direção da minha irmã. — Pronto. Até mais tarde.

Tentei fechar a porta, mas Ava a empurrou com um olhar desconfiado.

— Por que está tão arisco?

— Não estou arisco. — Gotas de suor brotavam na minha testa. — Estou irritado porque você me interrompeu.

— O que estava fazendo?

— Eu, hã... estava malhando. — Tecnicamente, era verdade. Sexo é a melhor modalidade de cardio. — Você não ia dormir?

Ela me olhou de um jeito estranho.

— Já acordei. — Ava estudou meu cabelo bagunçado e os ombros tensos. A pele dela adquiriu uma tonalidade mais pálida. — Espera... está com uma garota aí dentro? As batidas na parede... era *você*? Foi isso que me acordou.

Senti o rosto esquentar.

— Como é que pode? Acabamos de chegar, literalmente. Faz só uma hora. — Ava cobriu a boca com a mão. — Acho que vou vomitar. Não pode transar quando consigo ouvir o que você faz. Vou ficar traumatizada para sempre.

— Para de fazer drama, e o que quer que eu diga? Sou uma lenda. — Lancei meu sorriso mais arrogante. — Agora vai embora antes que ela saia do banheiro. Nada estraga mais o clima que uma irmã metendo o nariz onde não deve.

— Ah, não quero... — Ava olhou para alguma coisa atrás de mim. — Que estranho. Jules tem um sapato exatamente igual àquele.

Merda! Sem querer, deixei a porta abrir mais um pouco enquanto conversávamos.

As roupas de Jules estavam fora do campo de visão de Ava, mas os sapatos estavam bem ali, ao pé da cama, na frente dela.

A prova de quanto Jules e eu desgostávamos um do outro era que Ava nem sequer pensou que os sapatos poderiam ser da amiga.

— Devem estar na moda. — Forcei uma risadinha e resisti ao impulso de limpar o suor da testa. — Preferia que não tivesse dito isso. A segunda coisa que estraga o clima é mencionar o nome da diaba. Enfim... — Empurrei Ava de volta ao corredor. — Foi bom te ver. Não volte. A menos que queira um lugar na primeira fila para ouvir a sinfonia.

Nós dois fingimos ânsia de vômito ao mesmo tempo.

Se o clima ainda não tinha morrido, agora estava enterrado e em decomposição, depois da sugestão de a minha irmã estar ouvindo enquanto fazíamos sexo.

— Vou lavar os olhos e os ouvidos com alvejante — comentou Ava, e estremeceu.

Esperei minha irmã entrar no quarto dela para fechar a porta e apoiei a testa no batente. O alívio esfriou o suor na minha pele, mas o coração ainda batia como se eu estivesse competindo na porra da Indy 500.

— Essa foi por pouco.

Levantei a cabeça e vi Jules espiando da porta do banheiro com os olhos arregalados.

— Essa merda quase meteu a gente em encrenca.

Empurrei os sapatos dela com um pé.

— São meus sapatos favoritos, Josh. Eles não têm culpa. — Jules voltou ao quarto e recolheu as roupas do chão. — Não devíamos ter feito isso no hotel. Se ela pega a gente...

Fiz uma careta. Jules tinha razão. Tinha sido burrice transar no hotel, enquanto nossos amigos estavam literalmente do outro lado do corredor. Podíamos ser pegos a qualquer minuto.

Normalmente, eu não seria tão inconsequente, mas...

Vi Jules se vestir e o ritmo do meu coração não diminuía, apesar de o perigo ter passado.

Por alguma razão, a lógica sempre fugia pela janela quando Jules estava envolvida na situação.

CAPÍTULO 29

Josh

JULES SAIU DEPOIS DE VERIFICAR SE O CORREDOR ESTAVA VAZIO E ME deixou com minhas preocupações.

Inquieto, tomei banho, fui à academia, tomei banho de novo e vi *Velozes e furiosos 5* enquanto as garotas se arrumavam e saíam para ir ao palácio. Só os parentes nobres podiam se hospedar lá para o casamento, então, embora elas fossem damas de honra de Bridget, estávamos todos em um hotel cinco estrelas, cortesia da Coroa.

Normalmente, eu não tinha problemas para me divertir quando estava viajando, mas a multidão de paparazzi do lado de fora do hotel me impediu de sair.

Infelizmente, o hotel, apesar de luxuoso, não oferecia atividades estimulantes. Os restaurantes com estrelas Michelin e o spa de fama mundial eram excelentes, mas eu precisava de mais agitação.

Alex também vai ficar no hotel.

As palavras de Jules ecoaram na minha cabeça. O que será que ele estava fazendo? Devorando criancinhas e destruindo vidas, provavelmente.

Quando ficou de noite, eu estava tão entediado que talvez fosse procurá-lo.

Fiquei muito tentado, mas, em vez de bater na porta do quarto dele, desci e fui ao bar. Mais cedo, estivera fechado, porém, quando me aproximei, o brilho das luzes me provocou uma onda de alívio.

Entrei, observando o pé direito duplo, os sofás de veludo azul e a parede imensa coberta de garrafas cintilantes atrás de um balcão de mogno. Dava de dez no bar mais chique de Washington, tranquilamente.

Eu me sentei em uma banqueta de couro azul e esperei o bartender terminar de ajeitar tudo. O lugar tinha acabado de abrir, e éramos os únicos presentes. O espaço era dominado por um silêncio sinistro, com exceção do jazz suave despejado por alto-falantes invisíveis.

Uma parte de mim ansiava pelo barulho de muita gente reunida, mas outra apreciava o silêncio.

Como em muitas áreas da minha vida, naquele momento, eu não sabia que merda queria.

Batuquei com os dedos no balcão e examinei as garrafas expostas, à procura de uma boa bebida para começar a noite, e foi então que uma voz interrompeu o silêncio.

— Este lugar está ocupado?

Parei de batucar. A tensão travou meus músculos.

Virei para encarar o recém-chegado, já lamentando não ter pedido serviço de quarto, em vez de enfrentar uma área pública de um estabelecimento ao qual Alex também tinha acesso.

Meu ex-melhor amigo permanecia a alguns passos de distância, ainda com a mesma camisa preta de gola rolê e a calça que usava no avião. Havia linhas de fadiga no rosto dele, e senti uma pontinha de preocupação.

De acordo com Ava, a insônia de Alex havia melhorado com o passar dos anos, mas ele ainda passava por períodos em que ficava dias sem dormir e depois apagava.

Eu me lembrava de várias ocasiões na faculdade em que ele tinha apagado no meio de uma conversa, ou quando estávamos estudando.

Mas aquilo não era mais da minha conta.

— Acho que está óbvio que não — respondi, e olhei para a banqueta vazia ao lado.

— Não foi isso que eu perguntei — retrucou Alex, com frieza.

Um músculo se contraiu na minha mandíbula. O filho da mãe nunca facilitava as coisas.

Nesse caso, está ocupado.

As palavras dançaram na ponta da minha língua, mas a voz de Jules me veio de novo à cabeça.

Sentir raiva de alguém é exaustivo, e já faz quase três anos. Talvez seja hora de perdoar, mesmo que não consiga se esquecer.

Dois anos.

Pareciam ter durado uma eternidade e, ao mesmo tempo, passado em um piscar de olhos.

Nesse período, Alex e eu tínhamos tido apenas um momento em que as coisas entre nós pareciam ter ficado quase normais: a tarde de esqui em Vermont.

Culpei a nostalgia pelo que disse a seguir.

— É todo seu.

Um lampejo de surpresa passou pelo rosto dele, antes de desaparecer na habitual máscara de indiferença.

Alex se sentou justamente quando o bartender terminou de arrumar tudo e se aproximou de nós.

— Obrigado por esperar — disse ele, com um leve sotaque inglês. — O que vão querer?

— Um Macallan puro.

Alex nem olhou o cardápio antes de pedir. Não havia dúvida de que um bar chique como aquele servia Macallan.

O bartender assentiu e olhou para mim.

— Uma Stella, por favor.

O único Macallan que eu bebia era o da garrafa que estava em casa e que naquele momento já estava vazia, depois de eu ter afogado as mágoas pela morte de Tanya.

Essa era a única exceção, porque uísque era caro demais para minha carteira esvaziada por causa do financiamento da faculdade de medicina.

— Ainda não evoluiu para bebida de verdade, é? — comentou Alex quando o bartender se afastou para pegar as bebidas.

— Ainda não desenvolveu bom gosto, é? — retruquei. — Tudo bem, cara. Ninguém vai te impedir de entrar pro clube dos bilionários se admitir que gosta de cerveja.

— Cerveja tem gosto de urina com gás. — Alex pronunciou cada palavra com a precisão gelada que era sua marca registrada, mas havia uma nota de humor latente. — E não vou discutir bom gosto com alguém que já se vestiu de rato no Halloween. — Uma pausa. — Um rato que usava uma bandana vermelha.

— Ah, pelo amor de Deus, foi *uma vez só*. — Já havia sido gladiador, Super-Homem, médico (não foi minha fantasia mais original, reconheço), Wally de *Onde está Wally?*, e mil outras personas no Halloween, mas todo mundo sempre mencionava a porra do rato. — Fiz aquilo para provar que podia atrair a mulher que eu quisesse, mesmo vestido de rato. E consegui.

As gêmeas Morgenstern. Aquela noite tinha sido boa.

A lembrança de um dos meus ménages favoritos sempre me deixava pronto para a ação, mas naquele dia não surtiu nenhum efeito. Não senti nem sinal de excitação ou desejo.

Estranho.

— Isso é o que você sempre diz.

Alex não parecia impressionado.

— Porque é verdade. Pode perguntar para as Morgenstern.

— Se te faz sentir bem...

Senti a testa enrugar.

— Você é um tremendo babaca. Não sei por que fui seu amigo — resmunguei, acenando com a cabeça para agradecer pela bebida servida pelo bartender.

Alex sorriu, mas de repente o ar entre nós pesou com fantasmas do passado – jogos de basquete, noites inteiras estudando, festas e viagens, memes que mandávamos um para o outro o dia inteiro.

Bom, eu mandava memes, e ele respondia com emojis de carinhas carrancudas ou revirando os olhos, mas Alex tinha um senso de humor de merda, então eu não esperava que ele apreciasse minha excelente curadoria de memes.

O conselho de Jules podia ter me induzido a tentar selar a paz, mas a verdade é que eu sentia falta de ter um melhor amigo. Sentia falta de ter *Alex* como meu melhor amigo. Ele era frio, rude e azedo para um cacete, mas eu sempre podia contar com ele. Em cada briga em que me metia, em cada dia ruim, ele sempre estava ali para me resgatar e me trazer de volta à razão.

Bebi um gole de cerveja para engolir o repentino aperto na garganta enquanto Alex saboreava o uísque em silêncio.

O bar estava começando a encher, e em pouco tempo o ambiente vibrava com atividade suficiente para encobrir o silêncio que urrava entre nós.

Terminei de beber a cerveja e estava me preparando para pedir outra quando Alex falou por mim:

— Mais dois Macallan. — Ele pôs o cartão black em cima do balcão e olhou para mim. — Por minha conta.

Meu primeiro impulso foi recusar, mas eu não era idiota a ponto de negar uma bebida grátis.

— Obrigado.

— Por nada.

Mais silêncio. Deus, a situação estava se tornando dolorosa.

— Como vão as coisas entre você e Ava? — perguntei, finalmente.

Ava sempre falava muito sobre o relacionamento, mas ela era a primeira garota que Alex namorava de verdade, e eu estava curioso em relação ao ponto de vista dele. Se não tivesse visto pessoalmente, não teria acreditado que ele era capaz de manter um relacionamento duradouro.

O rosto de Alex ficou mais suave.

— Estamos bem.

— *Bem*. Isso é um elogio e tanto, vindo de você. — Eu não estava brincando. A expressão positiva mais forte que já tinha ouvido Alex usar havia sido "razoável".

Filé gourmet preparado por um chefe de renome mundial? Razoável.

Voar em um jato particular? Razoável.

Formar-se como melhor aluno da turma na Thayer? Razoável.

Para alguém tão inteligente, o vocabulário dele era bem limitado.

— Eu amo sua irmã — declarou ele, simplesmente.

Parei com o copo a meio caminho da boca. É óbvio, eu sabia que ele amava minha irmã, mas nunca, nem em um milhão de anos, teria imaginado que Alex admitiria isso para alguém, além dela.

O Alex que eu conhecia tinha tolerância zero para sentimentalismos. Se fosse sentimentalismo *verbal*, a tolerância caía para números negativos.

— Que bom. — Recuperei o autocontrole. O copo tocou minha boca e o uísque chegou ao estômago, mas o choque provocado pela declaração de Alex permanecia. — Porque se machucar Ava outra vez, tiro esse pau que você tem enfiado no rabo e te apunhalo com ele.

— Se eu machucar Ava outra vez, pode fazer o que quiser, não vou resistir.

Um instante de tensão persistiu entre nós antes de eu deixar escapar uma risada breve.

— Você mudou.

Uma parte de mim apreciava o crescimento, mas a outra lamentava o tempo que havia se passado desde o fim da nossa amizade. O suficiente para, naquele momento, estarmos encarando versões distorcidas de nós mesmos – éramos as mesmas pessoas em essência, mas havíamos passado pelas mudanças impostas pelo tempo.

— Todo mundo muda. Sem mudanças, seria como se estivéssemos mortos. — Essa teria sido uma declaração inspiradora se Alex não a declamasse com a emoção de um bloco de gelo. — Falando em Ava... — Ele girou o copo vazio entre os dedos, assumindo uma expressão ainda mais séria que a habitual. — Queria conversar com você antes de as garotas voltarem.

— E o que estamos fazendo agora? Picando fígado?

— Estou me referindo a uma conversa *de verdade*.

Meu sorriso desapareceu.

Finalmente. O assunto que não queria morrer.

Alex e eu tínhamos evitado falar sobre o que havia acontecido desde o confronto entre nós, depois que ele terminou com Ava.

Como ele havia se tornado meu amigo apenas para se aproximar do meu pai.

Como havia usado Ava e partido o coração dela.

Como havia mentido para mim durante oito anos.

Como havia tentado entrar em contato depois que ele e Ava tinham reatado, mas eu o havia ignorado, e nunca havíamos tido uma conversa real e honesta sobre tudo isso.

Já não era sem tempo, mas isso não impedia que sentisse que meu estômago se contraía pelo medo só de pensar em desenterrar cadáveres do passado.

— Entendo que ainda esteja chateado comigo. O que eu fiz foi... eu traí sua confiança. Mas eu... — Alex parou, procurando as palavras certas. Alex Volkov sem palavras era algo raro, e eu teria apreciado muito mais se não estivesse distraído com o ardor no peito. — Nunca tive muitos amigos — continuou ele, por fim. — As pessoas se aproximavam de mim por eu ser rico e inteligente, porque podia ajudá-las a conseguir o que queriam. — Ele citou as próprias qualidades de um jeito distante, tão autoconfiante, que o comentário soava mais analítico do que arrogante. — Eram relacionamentos transacionais, e eu lidava bem com isso. Mas você foi meu primeiro amigo de verdade. Mesmo que minhas intenções não fossem verdadeiras no começo da nossa amizade, tudo que veio depois foi real.

O ardor ficou mais forte.

— O que você fez foi uma merda.

— Eu sei.

Passei a mão no rosto, tentando silenciar a discussão que acontecia na minha cabeça.

Chegamos a uma bifurcação na estrada. Eu podia continuar na rotatória em que havia dado voltas durante os últimos quase três anos ou podia pegar a única saída disponível para mim.

A primeira opção era confortável e familiar, mas a segunda, desconhecida e assustadora demais. Eu não queria ser traído e enganado de novo.

Mas Jules estava certa. Alimentar aquela raiva era exaustivo, e eu já estava cansado demais. Cansado física, mental e emocionalmente.

Às vezes, tinha que fazer um esforço enorme apenas para respirar.

— Faz quase três anos. — Estava na metade do caminho para a saída, mas ainda não conseguia dar o salto final. — Por que falar disso agora?

— Porque você é a pessoa mais teimosa que já conheci. Se alguém tenta te induzir a seguir em uma determinada direção, você faz de tudo para ir para o outro lado. — Um humor seco temperava as palavras dele. — Mas o que fiz foi errado, e eu... lamento. Por quase tudo.

Que porra era essa?

— Esse é o pior pedido de desculpas que eu já ouvi.

— Não pretendo ser o tipo de pessoa que se desculpa tanto a ponto de ficar bom nisso.

Lógica típica de Alex.

— Mas se eu não tivesse feito o que fiz, nunca teríamos sido amigos, e minha vida... — Outra pausa, dessa vez mais longa. — Minha vida seria metade do que é hoje — concluiu ele, em voz baixa.

O ardor no peito se espalhou e minha garganta se contraiu.

— Está se tornando sentimental, Volkov. Não deixe seus concorrentes nos negócios saberem disso, ou eles te engolem.

— *Au contraire.* Mais sentimentalismo na vida pessoal significa que é necessário extravasar mais pressão em outras áreas da vida. Tem sido muito lucrativo nos negócios.

Alex exalava satisfação.

— Tenho certeza disso. — Passei a mão no rosto outra vez, tentando imaginar para onde ir a partir dali. Não tinha imaginado aquele dia dessa forma quando acordei. — Você sabe que a gente não pode só voltar a ser melhores amigos e fingir que o passado não aconteceu, né?

A linha do queixo dele endureceu.

— Sei.

— Mas... se quiser ir a um jogo dos Nats, ou alguma coisa assim quando voltarmos a Washington, não vou me opor — acrescentei, sério.

Alex relaxou, e um sorriso fez uma rápida aparição.

— Está com saudade do camarote, né?

— Ah, sim. Estou aberto a suborno, se quiser voltar ao meu círculo de favoritos.

— Vou me lembrar disso.

Terminei o uísque, depois perguntei:

— Como soube que Ava era a mulher certa?

Nunca havia me apaixonado. Não queria estar, mas queria saber o que havia quebrado a casca do coração de pedra de Alex. Antes de Ava, eu conseguia imaginar até um robô como sendo mais capaz de sentimentos que o homem sentado ao meu lado.

— Gosto de estar com ela.

— Sem palhaçada. Seja mais específico.

Ele suspirou.

— É fácil estar com ela — disse, depois de um longo momento. — Ela me entende melhor que ninguém, mesmo que nossas visões de mundo sejam fundamentalmente diferentes. Quando não estou com Ava, queria que ela estivesse comigo. Quando *estou* com ela, quero que o momento dure para sempre. Ela me faz querer ser uma pessoa melhor, e quando penso em um mundo onde ela não existe... — Um músculo se contraiu de um lado do rosto de Alex — quero pôr fogo nele e acabar com tudo.

Eu o encarei.

— Puta merda. Quem é você e que porra fez com Alex Volkov? — Bati nas costas dele. — Seja quem for, devia escrever frases para cartões de datas especiais. Edição assassina.

Alex me olhou de cara feia.

— Se contar para alguém que eu disse isso, esfolo você vivo com uma faca enferrujada para prolongar a dor.

— Exatamente. É isso. Mortalmente romântico.

— O camarote está sumindo de vista, Chen.

— Ei, não se esqueça de que *sou eu* quem tem que *te* perdoar. Seja gentil.

Chamei o bartender para pedir outra bebida.

Apesar das piadas, meu cérebro não parava de reprisar as palavras de Alex.

Quando não estou com Ava, queria que ela estivesse comigo. Quando estou com ela, quero que o momento dure para sempre.

Nunca havia sentido nada parecido por nenhuma mulher... exceto por uma delas.

Imagens indesejadas dos dois meses anteriores desfilaram pela minha cabeça. Eu e Jules embaixo da árvore no piquenique. Eu contando a ela sobre a morte de Tanya na biblioteca. O jeito adorável como ela franzia a testa quando estava concentrada e o sorriso orgulhoso que tinha iluminado seu rosto quando finalmente a declarei preparada para a encosta de principiantes em Vermont.

O jeito como ela ria, o sabor dela, o que eu sentia quando estava com ela, como se não quisesse deixá-la ir embora nunca.

Atribuía tudo isso a uma mistura de luxúria e início de amizade, mas e se...

Não. Caralho, não.

Senti as mãos suadas. Esvaziei o copo sem nem sentir o gosto da bebida.

Eu não gostava de Jules. Metade das nossas trepadas eram de ódio. Eram incríveis, mas gostar de transar com ela não significava que eu queria nada mais sério.

E daí se ela não era terrível como tinha imaginado no início? Ainda era *ela*.

Irritante, sarcástica, um pé no saco... e leal. Passional. Tão linda, que às vezes doía olhar.

O que eu faria em um mundo onde Jules não existisse? Não colocaria *fogo em tudo*, mas...

Que merda, por que tinha ficado tão quente por aqui?

Meu telefone vibrou anunciando uma ligação. Atendi, aliviado com a distração. Preferia falar com cem operadoras de telemarketing a ouvir meus pensamentos perturbadores.

— Alô?

Não reconheci o número, mas o código era de Eldorra. Talvez fosse do palácio.

— Oi, sou eu. — Era Ava. A voz dela estava baixa, contida.

— Que foi? Não devia estar na boate?

O alívio breve com a distração desapareceu quando ela explicou a situação. *Puta que pariu.* Eu queria mais agitação, mas devia ter sido mais claro, porque não era aquilo que eu tinha em mente.

— Tudo bem. Estou indo para aí... Não. A gente fala sobre isso mais tarde.

Alex fez uma cara de preocupação enquanto ouvia meu lado da conversa.

— Que foi? — perguntou ele quando desliguei.

— Era Ava. — Eu me levantei e vesti a jaqueta, já a caminho da porta. — Ela e as garotas foram presas.

CAPÍTULO 30

Jules

Em minha defesa, tive um bom motivo para quebrar o nariz de um cara e, sem querer, começar uma briga na boate. O cretino apalpou a bunda de Ava e começou a se esfregar nela, mesmo depois de ela ter dito não e tentado empurrá-lo. Quando Stella e eu tentamos interferir, também sem sucesso, fiz o que tive que fazer. Bati no ombro dele, esperei ele olhar para trás e larguei um soco na cara do imbecil.

Os amigos dele se meteram e, bom, já dá para imaginar o que aconteceu daí em diante.

Nos Estados Unidos, o incidente teria terminado com todo mundo expulso da boate, mas as leis severas de Eldorra proíbem perturbação em lugares públicos, e por isso todos nós, inclusive o Cretino e os amigos dele, acabamos indo parar na adorável cadeia do condado.

— Pelo menos Br... nossa amiga não estava com a gente — falei, optando pelo otimismo. — Isso teria sido uma confusão das grandes.

Ava e Stella concordaram.

Bridget era um nome eldorrano comum, mas preferi ser cautelosa, caso o oficial que nos conduzia à saída juntasse dois e dois. Por outro lado, teríamos que fornecer nosso nome verdadeiro quando fôssemos fichadas. Se alguém na equipe prestasse atenção aos tabloides, nos reconheceria como as damas de honra de Bridget, por mais que o artista tenha feito um trabalho excelente com nossa maquiagem.

Ajeitei a peruca de fios escuros. Peruca, lentes de contato coloridas e a habilidade chocante do maquiador deixaram a mim e a minhas amigas irreconhecíveis. Isso permitiu que nos divertíssemos em paz na boate até Bridget ir embora mais cedo, porque na manhã seguinte daria uma entrevista para a *Vogue Eldorra*. No entanto, ela insistiu para ficarmos e aproveitarmos, já que aquela seria nossa última noite de "liberdade" antes da loucura do casamento.

Na hora, a ideia pareceu boa. Naquele momento, depois de três horas de detenção e a perspectiva de enfrentar a fúria de Josh, parecia ter sido um erro monumental.

Eu sentia o estômago ferver de ansiedade ao entrarmos na recepção.

Usamos o único telefonema a que tínhamos direito para falar com Josh e pedir para ele pagar a fiança. Bom, Ava pediu. Ela poderia ter ligado para Alex, mas teve medo de que ele surtasse, por isso preferiu telefonar para o irmão, enquanto pensava em um jeito de explicar a situação para o namorado. Josh também surtaria, mas menos que Alex.

No fim, nem precisávamos ter tido toda essa preocupação.

Alex e Josh esperavam na saída, e ambos pareciam tensos.

— Você está bem? — perguntou Alex ao atravessar a recepção com dois passos largos e segurar os braços de Ava.

Seus olhos transbordavam preocupação enquanto ele a examinava à procura de ferimentos.

Por sorte, além dos meus dedos inchados, do nariz quebrado do Cretino e alguns egos feridos, escapamos sem grandes lesões.

— Estou bem. Sério — garantiu Ava.

Alex ficou sério, mas não disse mais nada quando saímos do prédio e entramos no carro que esperava lá fora.

Um silêncio denso dominava o interior luxuoso, enquanto Ava, Stella e eu tirávamos os disfarces e removíamos a maquiagem com os lenços umedecidos que eu havia levado na bolsa. O maquiador contornara meu nariz criando um formato diferente e desenhado uma pinta assustadoramente real sobre o lábio superior. As sobrancelhas mais escuras e grossas combinavam com a peruca. Ver a máscara derreter no reflexo da janela do carro enquanto eu passava um lencinho no rosto era surreal.

Josh e Alex não disseram uma palavra sequer sobre os disfarces quando nos viram, e permaneceram em silêncio enquanto tirávamos tudo.

Fiquei assustada. Normalmente, Josh teria sido o primeiro a fazer um comentário engraçadinho, e esse silêncio não era um bom presságio.

Alex voltou a falar na metade do caminho para o hotel. A voz dele era de um tom tão gelado que meus braços arrepiaram.

— Que merda aconteceu?

Minhas amigas e eu nos olhamos. Ava havia resumido para Josh antes, mas não sabia dos detalhes, e não podíamos contar a verdade a Alex.

— Um cara me apalpou, e dei um soco nele — falei, usando liberdade criativa para dar uma modificada na realidade. — A partir daí, tudo foi meio que um turbilhão. Quem poderia imaginar que Eldorra tinha leis tão duras contra briga em boate?

Ava olhou para mim assustada. Abriu a boca, mas enruguei a testa e olhei de soslaio para Alex.

Ela fechou a boca, mas não parecia feliz. Sabia tão bem quanto eu que, se Alex descobrisse que um homem a havia apalpado, ele cometeria um homicídio, e não precisávamos desse tipo de derramamento de sangue dois dias antes do casamento de Bridget.

Uma sombra passou pelo rosto de Josh quando ele ouviu minha resposta, mas foi só isso.

— Sei. — A expressão de Alex era indecifrável, mas ele afastou o cabelo dos olhos de Ava com mais gentileza do que jamais o julguei capaz. — Como ficou o outro cara?

Sorri.

— Quebrei o nariz dele.

Um esboço de sorriso alargou a boca de Alex antes de ele a contrair de novo.

— Ótimo. Paguei um valor *considerável* para apagar os antecedentes policiais da ficha de vocês, é bom saber que valeu a pena.

Ele puxou Ava para perto e beijou a cabeça dela. Minha amiga se aninhou contra ele, que murmurou alguma coisa no ouvido dela. Ava respondeu no mesmo tom, o que amenizou a tensão nos ombros dele.

Era uma cena doméstica, casual. Nada de extraordinário. Mas provocou em mim uma melancolia tão feroz e inesperada que precisei desviar o olhar.

Eu realmente acreditava que as pessoas não precisavam de alguém para serem felizes. Se alguém queria estar em um relacionamento, que bom. Se não, que bom também. E era assim com filhos, casamento etc. Não havia barômetros universais para a felicidade. A vida podia ser igualmente gratificante com ou sem um parceiro romântico.

Mas havia momentos, como aquele, quando eu queria muito viver esse amor incondicional. Ter alguém que gostasse de mim nas horas boas, nas ruins e nos erros inevitáveis que eu cometia.

Como será que era ser amada tão profundamente por alguém que nem sequer suscitasse a possibilidade de se preocupar em afastar essa pessoa a cada pequeno movimento?

— Não, não, não! — Minha mãe arrancou o babyliss da minha mão. — Olha a porcaria que você fez. — Ela apontou os cachos que eu havia passado a última hora aperfeiçoando. — Alastair vai chegar daqui a pouco e parece que tenho um ninho de rato na cabeça. Quantas vezes tenho que te ensinar como se faz? De que adianta ter uma filha se ela não consegue fazer nem uma coisa tão simples assim direito?

Meus dentes pressionaram o lábio inferior.

— Mas fiz exatamente como você...

— Não responda! — Adeline jogou o babyliss ainda quente em cima da mesa e passou uma escova pelo cabelo com movimentos duros, bruscos, desfazendo todo o meu trabalho. — Você fez isso de propósito, né? Quer que eu fique feia. — Os olhos dela se encheram de lágrimas. — Agora tenho que consertar a porcaria que você fez.

Mordi a boca com mais força até sentir o gosto metálico de sangue. Ela não estava feia. Estava bonita, como sempre. Minha mãe não era mais a jovem dos concursos de beleza cujas fotos ela exibia pela casa, mas sua pele ainda era lisa e livre de linhas. O cabelo era castanho, e o corpo era de dar inveja em todas as mulheres da cidade.

Todo mundo dizia que eu era parecida com ela, especialmente depois que minha pele havia clareado e que finalmente estava usando um sutiã de verdade. Os meninos haviam começado a prestar atenção em mim, inclusive Billy Welch, o garoto mais fofo da minha turma do oitavo ano.

Eu achava que minha mãe ficaria feliz por eu ser parecida com ela, mas cada vez que alguém mencionava a semelhança, ela ficava de cara feia e inventava uma desculpa qualquer para se retirar.

— Vai embora. Não quero mais olhar para você. — Os olhos de Adeline me examinaram da cabeça aos pés. Sua raiva cresceu até se tornar um monstro palpável rosnando na sala. — Vai!

As lágrimas finalmente rolaram pelo meu rosto.

Saí correndo do quarto dela e fui para o meu. Bati a porta e me joguei na cama, onde tentei abafar os soluços com travesseiros. As paredes de casa eram tão finas que ela provavelmente me ouvia, e minha mãe odiava quando eu chorava. Dizia que era feio.

Os soluços ecoavam pelo quarto.

Ela estava brava com razão. Tinha um encontro com o homem mais rico da cidade, que poderia resolver todos os nossos problemas financeiros, se os dois se casassem, como ela esperava que acontecesse.

E se eu estragasse tudo isso deixando o cabelo dela feio? E se ele terminasse com ela e isso a fizesse me odiar para sempre?

Minha mãe e eu já fomos melhores amigas, mas eu não conseguia mais fazer nada direito, e ela estava sempre zangada comigo.

Depois de chorar até ficar sem lágrimas, enxuguei os olhos com o dorso da mão e respirei profundamente.

Está tudo bem. Eu vou ficar bem.

Na próxima vez, arrumaria o cabelo dela direito. Aí minha mãe ia me amar de novo. Eu tinha certeza disso.

Pisquei o ardor nos olhos provocado pela lembrança.

Meu celular vibrou contra a coxa quando paramos no hotel. Senti o estômago se contrair quando uma foto minha chegando em Athenberg apareceu na tela. Algum desgraçado devia ter me fotografado no aeroporto.

Max: Vi em um blog de fofocas. Você está bonita, J.

Max: Mas nós dois sabemos que você sempre fica bonita em fotos e vídeos.

Eu odiava essas mensagens "casuais" mais do que odiava as abertamente ameaçadoras. Eram uma lembrança constante da presença dele na minha vida. Cada vez que eu relaxava um pouco, outra mensagem chegava e me levava novamente a um estado de tensão sem limites.

Essa era a intenção dele, é claro. Max queria me torturar com a incerteza, e estava conseguindo.

Limpei as mãos suadas nas laterais das pernas, saí do carro e entrei no hotel. Alex, Josh, Ava, Stella e eu pegamos o elevador juntos e em silêncio, e meus amigos já haviam ido para seus quartos quando a voz de Josh me fez parar onde estava.

— Queria falar com você rapidinho.

Fiquei tensa, e meu estômago se contraiu de novo por uma razão totalmente diferente. A última coisa de que eu precisava era ouvir os berros de Josh.

Mas entrei no quarto dele sem protestar, e ele fechou a porta com um clique baixinho.

Estávamos correndo um risco enorme, considerando o quanto estivemos perto de Ava nos descobrir mais cedo, mas essa era a última das minhas preocupações agora.

Josh não disse uma palavra sequer, mas nem precisava. O julgamento silencioso me alfinetava, familiar e doloroso.

Dava para imaginar o que ele estava pensando.

Que a culpa era minha. Que eu era má influência. Que havia envolvido Ava em confusão mais uma vez.

Era sempre minha culpa.

— Fala logo.

Olhei para a tela plana e escura da TV pendurada na parede e vi meu cabelo despenteado e o rosto cansado. Aquela noite havia se transformado em um pesadelo. Meu único consolo era Bridget ter ido embora antes de tudo degringolar e não ter que lidar com o estresse adicional antes do casamento.

Meu queixo tremeu quando Josh se aproximou o suficiente para eu me sentir envolvida pelo calor do corpo dele.

— Você está bem? — perguntou ele, em voz baixa

Com uma das mãos, segurou minha nuca e massageou a região, descrevendo pequenos círculos com o polegar.

A pressão invadiu meu peito, provocada pelo contato.

— Estou.

— Jules, olha para mim.

Comprimi os lábios e balancei a cabeça, com medo de que encará-lo fosse abrir as comportas que represavam minhas lágrimas.

— Jules. — Josh segurou meu queixo entre o polegar e o indicador. Levantou meu rosto, me forçando a olhar nos olhos dele. Uma preocupação visível corroía sua máscara de granito. — Que foi?

— Nada. Estou cansada e quero ir dormir, então grita logo comigo como sempre faz e acaba com isso de uma vez.

Vi a surpresa invadir seus olhos.

— Do que está falando?

Esfreguei os braços, lamentando não ter vestido algo mais grosso que o minivestido verde.

— Hoje à noite. Ava foi presa por minha causa, sou má influência etc. Já conheço o sermão a esta altura. Você nunca me considerou boa o bastante.

Um músculo apareceu saliente de um lado do rosto dele.

— Eu nunca disse isso.

— Mas era o que estava pensando.

Josh me soltou e passou a mão no rosto.

— Admito que, quando Ava me ligou, fiquei furioso por vocês terem se metido em encrenca de novo, mas, mais que isso, fiquei preocupado. Não só com ela... — Ele baixou a voz —, mas com você também.

— Por quê?

— Por que o quê?

— Por que se importa?

O silêncio vibrou no espaço entre nós, tão tenso que ameaçava estourar a qualquer instante.

O pomo de Adão de Josh subiu e desceu com o esforço para engolir, mas ele não respondeu.

Meu coração se contorceu. *Sim*. Era o que eu pensava.

— Não precisa fingir que se importa só porque estamos transando.

Preocupação falsa era mil vezes pior que nenhuma preocupação, porque preocupação falsa abria caminho para falsa esperança, e falsa esperança destruía almas. Essa havia sido uma das grandes lições que tinha aprendido na infância. Todas as vezes que pensei que alguém se importava comigo, a pessoa só queria alguma coisa de mim, e quando conseguia o que queria, me jogava de lado sem pensar duas vezes. Até precisar de alguma coisa de novo, óbvio.

— Ouvi o que você disse — continuei, apesar do nó na garganta. — Para Ava. Uma linha surgiu na testa de Josh.

— Do que está falando?

— Primeiro ano de faculdade. No nosso dormitório. — Eu me sentia meio constrangida por mencionar algo que havia acontecido tanto tempo antes, mas o momento se prendeu a mim como hera, e o veneno foi me corroendo aos poucos ao longo dos anos. — Ouvi quando você disse para ela parar de ser minha amiga.

Ajeitei a alça da bolsa sobre o ombro e andei pelo corredor em direção ao meu quarto. O professor havia tido uma emergência e não conseguiria chegar ao campus, então eu tinha mais uma hora livre. Talvez pudesse dar uma olhada em uma das livrarias indie perto do campus, depois de deixar os livros didáticos.

Do lado de fora, nuvens cinzentas anunciavam chuva, e não havia nada mais aconchegante do que olhar as estantes de uma livraria durante uma tempestade. Eu já podia ouvir o ruído baixo das páginas viradas e sentir o aroma singular de livros antigos.

Parei do lado de fora do meu quarto e peguei o cartão magnético da bolsa, mas, antes que pudesse abrir a porta, uma voz profunda atravessou a madeira fina.

— Por que você não pode trocar de colega de quarto? Tenho certeza de que o departamento de moradia vai aceitar sua solicitação depois que você explicar a situação com Jules.

Parei onde estava, sentindo o coração bater tão forte, que causava desconforto.

— Porque não quero trocar de colega de quarto, Josh. — A recusa firme de Ava amenizou um pouco o frio que me envolvia. — Ela é minha amiga.

— Você só a conhece há dois meses, e ela já meteu você em confusão — argumentou Josh. — Olha o que aconteceu na torre do relógio.

Senti o rosto esquentar. Talvez entrar escondida na torre do relógio em Thayer, um espaço de acesso restrito, para beber não tenha sido a melhor ideia, mas foi divertido, e Ava queria fazer algo ultrajante. Além disso, a segurança do campus tinha nos liberado só com um sermão rápido depois que fomos pegas, e não tínhamos enfrentado nenhum grande problema, nem consequência.

— Ela não apontou uma arma para mim e me obrigou a ir até lá — disse Ava.

— Qual é o seu problema com Jules? Está atacando a garota desde que a conheceu.

— Porque só de olhar para ela dá para perceber que é um problema esperando para acontecer. Aliás, ela é um problema que já aconteceu. — Josh suspirou. — Sim, vocês são colegas de quarto, mas você mal a conhece. Pode fazer outras amizades, Ava. Ela é uma péssima influência. Não precisa de alguém como ela na sua vida.

Eu havia ouvido o suficiente.

Dei meia-volta e andei apressada para a saída, sentindo a dor desabrochar no peito, antes de ceder espaço para a raiva.

Que se foda o Josh. Tínhamos interagido umas quatro vezes, talvez, e ele já me julgava baseado em um incidente.

Não me conhecia como acreditava conhecer. Mas eu já sabia que o odiava.

Josh ficou pálido.

— Isso aconteceu há sete anos — disse ele em voz baixa. — As pessoas mudam. E opiniões também.

— A sua mudou? Porque até começarmos a fazer sexo, você me tratava como na época da faculdade.

Ele respirou fundo.

— Olha, eu não devia ter dito o que eu disse, mas eu sou... protetor em relação à Ava, especialmente depois do que aconteceu quando éramos crianças. Você sabe tão bem quanto eu que ela é ingênua, e às vezes confia nas pessoas erradas. Sei que você não é uma delas, mas naquela época eu mal te conhecia. Fiquei preocupado, exagerei.

— E nos anos seguintes? — Eu não conseguia expulsar a dor da lembrança. — Você nunca gostou de mim.

— Porque você não gostava de mim! — Josh passou a mão na cabeça. Estava perto o bastante para eu sentir a frustração transbordando dele. — A gente acabou preso em um ciclo de ofensas e ódio e eu não sabia como romper esse ciclo.

— E o que mudou? Além do sexo.

— Não é... — Ele hesitou, e o nó na minha garganta aumentou.

— Exatamente. — *Não chora. Não chora.* — Para com essa preocupação falsa, Josh. É desonesto.

As narinas dele dilataram e, pela primeira vez naquela noite, vi a raiva iluminar seus olhos.

— Para alguém que está tão furiosa com as conclusões erradas que tirei sobre você, você até que está tirando um monte de conclusões sobre mim.

— Não significa que estão erradas.

Não terminei de falar, porque Josh percorreu a distância entre nós e esmagou minha boca com a dele. Segurei os braços dele, tentando expulsar a dor do peito enquanto o meu corpo respondia ao dele.

— É isso que você quer, então? — rosnou ele, sem desgrudar os lábios dos meus. — Só sexo, sem sentimentos?

— O plano sempre foi esse. — Injetei uma leveza forçada na voz. — A menos que você não queira mais.

— Parece que você vive para me tirar do sério, Ruiva. — Os dedos dele se transformaram em aço nos meus pulsos, até que Josh os soltou. — Fica de joelhos.

Quando me ajoelhei no carpete, ele já havia aberto o cinto e a calça, e o calor se espalhou pelo meu ventre.

Isso. Com *isso* eu me sentia confortável.

Sem conversas profundas, amizade ou esperança de algum tipo de futuro. Só sexo. Tinha sido tudo que eu sempre dera e tudo que qualquer pessoa já quisera de mim.

Fechei os olhos quando Josh me penetrou e me perdi nas sensações daquele corpo se movendo sobre o meu. Ele me tocava como se eu fosse a canção mais erótica do mundo e, apesar das emoções da noite, ainda gozei com intensidade o bastante para me esquecer de tudo por um momento.

Mas, quando as ondas do orgasmo se dissiparam, a pressão no peito voltou, mais forte que nunca.

A respiração arfante de Josh era ensurdecedora no silêncio, e uma parte ridícula e horripilante de mim quis ficar ali e ouvi-lo respirar para sempre.

— Sai de cima de mim.

Estávamos os dois no chão. O corpo dele prendia o meu, e eu conseguia sentir cada inspiração e expiração nas minhas costas.

— Jules... — A voz rouca dele acabou comigo.

Aquilo tinha sido um erro. Tinha sido tudo um erro.

— Falei para *sair* de cima de mim.

Eu o empurrei e me levantei, ajeitando as roupas com mãos trêmulas.

Josh me observava, o rosto tenso de pesar e mais alguma coisa que eu não conseguia identificar, mas não disse nada quando saí.

Esperei até estar no meu quarto, embaixo do jato do chuveiro, e desabei diante de tudo que havia acontecido naquela noite.

A prisão, Max, Josh, *tudo*. Aquilo tudo me esmagou, até eu estar sentada no chão, abraçando os joelhos. Então me permiti chorar pela primeira vez em anos.

As lágrimas se misturavam à água, e fiquei ali até o chuveiro esfriar e não restar nada além do silêncio.

CAPÍTULO 31

Jules

Eu me permitia um surto de autopiedade por ano, então, depois de chorar no banho, me controlei e tirei da cabeça os pensamentos sobre Max e Josh até depois do casamento.

Por sorte, o palácio nos manteve ocupadas com ensaios, festas pré-nupciais e aulas de protocolo e, antes que eu percebesse, faltava apenas meia hora para a cerimônia.

Bridget, Ava, Stella, a cunhada de Bridget, Sabrina – que seria a madrinha dela, como ditava o protocolo – e eu nos reunimos na suíte nupcial para uma última repassada, antes de entrarmos na catedral onde aconteceria o casamento.

Sete mil convidados. Transmissão ao vivo para milhões de espectadores pelo mundo.

O nervosismo revirava meu estômago.

— Sei que já disse isso antes, mas muito obrigada por estarem aqui. — Os olhos de Bridget brilhavam de emoção ao olhar para gente. — Sei que os preparativos foram exaustivos, e que não é fácil ser observada o tempo todo, por isso quero que saibam que sou grata.

— A gente não perderia isso por nada.

Stella afagou a mão dela, e seus olhos brilharam com uma mistura de felicidade e melancolia.

As mesmas emoções contraditórias me invadiam dez minutos antes da cerimônia. Eu estava feliz de verdade por Bridget, especialmente depois de tudo que ela e Rhys haviam enfrentado para ficarem juntos, mas o casamento dela marcava o fim de uma era.

Minhas amigas e eu estávamos amadurecendo. Não éramos mais as estudantes jovenzinhas e despreocupadas que havíamos sido um dia. Fazia tempo que não éramos, mas, de alguma forma, o casamento de Bridget enfatizava a mudança mais do que a coroação havia enfatizado.

Os dias de viagens de fim de semana marcadas de última hora, sessões de spa tarde da noite no nosso dormitório e reuniões semanais com café e scones no Morning Roast tinham ficado para trás.

Agora, Ava morava com Alex e estava sempre viajando a trabalho. Bridget era uma rainha *de verdade* e prestes a se casar. E Stella vivia tão ocupada com a revista e o blog que eu quase não a via, embora dividíssemos um apartamento.

Mas quando estávamos *juntas*, era como voltar aos velhos tempos, e eu nunca deixaria de dar a isso a devida importância.

— Diz para o Rhys que é bom ele te tratar bem, ou vai ter que acertar as contas com a gente — avisou Stella.

Apesar da ameaça, sabíamos que não precisávamos nos preocupar. Rhys tratava Bridget como rainha desde antes de ela subir ao trono.

A risada serena de Bridget tinha uma nota de emoção.

— Vou falar.

Alguém bateu à porta. Freja, a secretária de comunicação do palácio, entrou e inclinou a cabeça para Bridget.

— Majestade. Está pronta?

Pela primeira vez naquele dia, o rosto de Bridget foi tomado pela apreensão, mas ela alinhou os ombros e assentiu.

Fizemos uma última verificação de cabelo e maquiagem, e então descemos e atravessamos o longo corredor que ligava a casa de hóspedes à antiga catedral.

Quando as portas se abriram, não pensei em mais nada além de não tropeçar na interminável caminhada pelo corredor da igreja.

Primeiros-ministros. Realeza. Celebridades. *Josh.*

Toda a congregação olhava para mim, mas, entre os milhares de pares de olhos, senti um em particular me olhando quando passei pelos bancos reservados para a família e os amigos mais próximos dos noivos.

Meu coração bateu mais forte.

Ocupei meu lugar no altar e olhei para a entrada, determinada a não olhar para um certo irmão de amiga no meio de toda aquela gente.

Não olha. Não olha. Não olha.

Bridget entrou conduzida pelo avô, o antigo Rei Edvard, e um silêncio fascinado recaiu sobre os presentes.

Do outro lado do altar, Rhys estava quieto demais. Os olhos dele não se desviavam dos de Bridget, e seu rosto transbordava tanto amor que senti um aperto no coração. Um meteoro poderia cair na catedral e ele não desviaria o olhar do dela.

O sorriso com que Bridget retribuía era visível sob o véu de renda. O momento se prolongou entre os dois, tão vivo e íntimo que me senti como uma invasora, apesar de milhares de convidados nos cercarem.

Pisquei para me livrar das lágrimas que se acumulavam nos meus olhos. Não estava chorando. Estava expelindo o excesso de líquidos. Só isso.

Mas quando o arcebispo começou a cerimônia, olhei para os bancos para controlar a emoção. A última coisa de que precisava era aparecer feia e chorando na televisão, ao vivo.

Vi um punhado de membros reconhecíveis da realeza europeia, uma cantora pop mundialmente famosa e o jogador de futebol que era a estrela em ascensão do momento, Asher Donovan, até olhar para Josh.

Eu falei que não ia olhar para ele.

Josh estava sentado na segunda fileira, atrás da família real, arrasador no smoking preto. Havia penteado o cabelo com um cuidado que enfatizava as linhas esculpidas de seu rosto, e os olhos escuros como carvão mergulharam nos meus com uma intensidade que me penetrou a pele.

Tum. Tum. Tum.

Meu coração sufocava a voz do arcebispo, enquanto os olhos de Josh mantinham os meus cativos.

Eu devia me virar antes que meu rosto anunciasse ao mundo o que eu não estava pronta para admitir nem para mim mesma.

E não poder fazer isso me aterrorizava mais que qualquer chantagem ou monstro do passado.

CAPÍTULO 32

Josh

SE AS CERIMÔNIAS DE CASAMENTO NORMAIS ERAM LONGAS, AS CERImônias reais eram intermináveis.

A novidade de estar cercado pelas pessoas mais ricas e famosas do mundo desaparecia bem rápido; quanto mais tempo eu passava sentado naquele banco de madeira que fazia minha bunda adormecer, menos isso importava. Estava feliz por Bridget e Rhys, mas só conseguia pensar em Jules.

O jeito como tínhamos terminado as coisas na outra noite me corroía por dentro, e se não esclarecêssemos tudo em breve, eu acabaria perdendo a cabeça.

Olhei para ela em pé no altar. Jules usava o mesmo vestido roxo e carregava o mesmo buquê das outras damas de honra, mas brilhava de um jeito que me impedia de olhar para outro lugar.

Registrei cada detalhe com os olhos, absorvendo a curva exuberante de seus lábios e as linhas delicadas dos traços. Quando ela sorriu ao ver Bridget entrar, algo emperrou no meu coração.

Algumas pessoas sorriem com a boca; Jules sorria com o rosto todo. O brilho nos olhos, o franzido adorável do nariz, a linhazinha na bochecha... vê-la sorrir era como ver o céu da noite se iluminar com as estrelas.

Senti os músculos tensos quando ela passou os olhos pelos bancos. Se virasse só mais um pouco... mais um centímetro...

Nossos olhos se encontraram. E pararam.

Faíscas ardentes desceram pelas minhas costas com tanta intensidade que quase pulei do banco. Segurei o joelho com firmeza enquanto o sorriso de Jules perdia o brilho e o rosto dela ficava vermelho, traindo a mesma reação.

A música que pairava na catedral silenciou, e fui tomado pela urgência repentina de invadir o altar e levá-la para algum lugar onde pudéssemos ficar sozinhos.

Um momento de contato visual não era suficiente. Eu precisava... porra, não sabia do que precisava. Pedir desculpas, explicar, fazê-la sorrir para mim de novo como sorria antes da outra noite.

Não falava com Jules desde a noite da despedida de solteira de Bridget. Quarenta e oito horas, e a ausência dela já me devorava vivo.

Quando não estou com Ava, queria que ela estivesse comigo. Quando estou com ela, quero que o momento dure para sempre.

Minhas mãos estavam suadas.

Eu tinha revivido aquela noite muitas vezes desde que tinha acontecido.

As lágrimas contidas nos olhos de Jules. A dor na voz dela ao me contar que havia escutado minha conversa com Ava. O jeito como simplesmente *foi embora* depois que fizemos sexo.

Tinha sido a primeira vez que realmente havíamos cumprido as regras do acordo. Até as rapidinhas do começo tinham terminado com algum tipo de conversa. Eu achava que seria melhor assim, mas tudo que queria era puxá-la de volta para o quarto e apagar a dor dela com beijos.

Eu fazia questão de cumprir minhas promessas, mas o juramento de levar nossa relação de volta a um acordo apenas sexual morreu mais depressa que um inseto pousando em uma lâmpada.

Bridget seguiu pelo corredor central e bloqueou minha visão de Jules por um segundo. Quando ela ultrapassou esse ponto, Jules já havia desviado o olhar. Os olhos dela estavam cravados no arcebispo, um olhar tão determinado que eu desconfiava de que ela o estivesse usando como um motivo para *não* olhar para mim de novo.

Cerrei os punhos sobre o banco.

Estávamos no mesmo lugar, mas eu sentia tanta falta dela que um instante sem contato visual provocava uma dor profunda; era como uma espiral no meu peito.

Que merda isso dizia sobre mim?

Quando não estou com Ava, queria que ela estivesse comigo. Quando estou com ela, quero que o momento dure para sempre.

O suor nas minhas mãos aumentou.

Não podia ser porque... não era possível que...

Os últimos dois meses passaram pela minha mente em uma sequência acelerada. Tudo entre Vermont e a outra noite se misturava em uma sequência confusa, até a constatação fria me deixar sem ar.

Puta que pariu.

Quando a cerimônia acabou e a recepção começou, eu me sentia uma pilha de nervosismo e emoções, um emaranhado finalmente se rompeu quando vi Jules rindo com Asher Donovan perto da pista de dança.

Havia tentado falar com ela várias vezes desde que tínhamos saído da catedral, mas havia sempre uma obrigação de dama de honra que ela precisava cumprir.

Agora que finalmente estava livre, estava flertando com o maldito do Asher Donovan?

Nem fodendo.

Caminhei na direção deles e quase atropelei o primeiro-ministro da Dinamarca na pressa de alcançá-los. Meu coração batia em um ritmo forte, territorial, acompanhando cada passo que dava.

Minha. Minha. Minha.

Até aquele momento, Asher havia sido um dos meus ídolos no esporte, mas eu queria arrancar os olhos dele por olhar para Jules daquele jeito. Como se pudesse ser dele, quando, claramente e de modo irrevogável, ela pertencia *a mim*.

Asher levantou as sobrancelhas quando notou minha aproximação.

— Com licença. — Forcei um sorriso rígido. — Gostaria de falar com Jules.

Deu para ver os ombros de Jules enrijecerem. Em vez de olhar para mim, ela manteve o olhar voltado para o outro homem.

Meu sangue ferveu.

Nunca havia sentido ciúme de uma mulher, e odiava a sensação. Como se eu fosse um trem atravessando as encostas de uma montanha, descontrolado e prestes a sair dos trilhos.

— É claro. — Os olhos verdes de Asher brilhavam com humor. — Jules, foi um prazer conhecer você.

— Igualmente. — Ela sorriu para Asher, e meu sangue ferveu ainda mais.

— Vamos nos ver na próxima vez que você estiver em Washington. Já tem meu número.

Se ver? Número? *Que porra é essa?*

— Vou adorar. — Asher beijou o rosto dela. O sentimento de posse explodiu quente e feio no meu peito. Queria puxá-la e acertar o sujeito bem no meio daquela cara idiota de menino bonito. — A gente se vê.

Jules esperou que ele se afastasse e só então olhou para mim.

— Sim?

— Que porra foi essa? — Tentei disfarçar o rosnado possessivo na minha voz, mas não consegui.

— O que foi o quê?

Meu queixo enrijeceu com o tom frio e impessoal dela.

— Aquilo. — Apontei na direção do astro do futebol. — Com Asher. Por que ele tem seu número, porra?

— Porque eu dei. — Jules levantou as sobrancelhas. — Por isso nos interrompeu daquele jeito grosseiro? Estávamos no meio de uma conversa e, se não tem nada de importante para me dizer, eu gostaria de continuar com ele.

Senti vontade de colocar Jules sobre os joelhos e dar uma surra nela pelo tom insolente, mas tínhamos algo mais importante para discutir além de Asher.

Podíamos lidar com ele mais tarde.

— Precisamos conversar. A sós.

Olhei para nossos amigos, mas estavam todos ocupados demais na pista de dança para prestarem atenção na conversa.

— Estou ocupada, Josh. Tenho deveres de dama de honra para cumprir.

— Já foram cumpridos.

Bridget e Rhys já haviam tido a primeira dança e cortado o bolo, e todos os convidados estavam dançando, bebendo ou conversando.

Os líderes mundiais? Eram exatamente iguais a todo mundo.

— Ah, é claro. — Jules levou uma das mãos ao peito. — Respeito sua vasta experiência como dama de honra. É evidente que sabe com exatidão que deveres são implícitos ao papel.

Cerrei as mãos. Estávamos voltando ao ciclo das discussões. Normalmente, teria recebido esse recuo como um sinal de normalidade, mas no momento aquilo só me enfurecia.

— Lá fora em cinco minutos, Ruiva, ou vou te colocar no colo e dar uns tapas na sua bunda bem aqui, na frente de todos os reis, rainhas e presidentes do mundo — grunhi.

Um rubor tingiu as faces de Jules.

— Não me diga o que fazer.

— Então não me teste.

Virei e saí do salão de baile.

Jules deve ter sentido a sinceridade da ameaça, porque me encontrou do lado de fora da festa exatamente cinco minutos depois, de cabeça erguida e obstinada.

Andamos pelo corredor até encontrarmos uma sala cuja porta estava destrancada. Entramos, fechei a porta e... silêncio.

Ficamos nos olhando, sentindo o ar pesado com velhas dores e palavras não ditas.

Você nunca me considerou boa o bastante.

Ouvi o que você disse. Para Ava.

E o que mudou? Além do sexo.

Minha irritação por vê-la com Asher dissipou-se aos poucos, dando lugar à culpa e à vergonha. Não sabia que Jules tinha ouvido o que eu havia dito, mas ainda me sentia um cretino por ter pronunciado aquelas palavras.

— Sobre o que você quer conversar? — perguntou Jules, em um tom de voz tão rígido quanto os ombros.

— Quero... — Hesitei, desejando ter algo melhor do que palavras. — Quero pedir desculpas.

Houve um tempo em que me desculpar com Jules Ambrose teria sido tão doloroso quanto cortar a língua. Mas naquele momento, as palavras saíam com relativa facilidade.

Eu entendia por que ela estava aborrecida. Estava certa. Eu tinha sido um babaca.

Devia ter me desculpado na outra noite, mas fiquei tão chocado com a revelação que não consegui pensar em uma resposta apropriada. Não só ao que aconteceu com Ava, mas às perguntas que Jules fez em seguida.

E o que mudou? Além do sexo.

Tudo.

Isso era o que eu devia ter dito, se não fosse cego demais para ver e covarde demais para me posicionar.

Nosso acordo tinha começado como uma relação puramente sexual, mas nunca havia sido apenas sobre sexo. Mesmo quando pensava que a odiava, eu fui amolecendo. Cada sorriso, cada risada, cada conversa desmanchava aos poucos a imagem que eu havia construído de Jules na minha cabeça, até restar uma pessoa que eu não conhecia, mas que eu não suportaria deixar ir.

— Você já se desculpou — disse ela.

— Não, não me desculpei. — Dei mais um passo na direção dela. — Desculpe por eu ter pedido para Ava deixar de ser sua amiga. Aquilo foi idiotice.

Jules desviou o olhar.

— Tudo bem.

— Não está. Mesmo que eu não quisesse que você tivesse ouvido, você ouviu. Eu te magoei, e peço desculpas.

Jules balançou a cabeça. Uma lágrima desceu pelo rosto dela, cintilando prateada ao luar, e algo se partiu no meu peito.

— Houve um tempo em que você nunca teria se desculpado.

— Houve um tempo em que eu era um cretino.

— Quem disse que deixou de ser?

Um sorrisinho curvou minha boca, mas desapareceu quando Jules falou de novo.

— O que estamos fazendo, Josh? Isso devia ser só sexo.

Era o que eu dizia a mim mesmo. Mas estava muito cansado de fingir que nosso acordo não havia evoluído para algo para o qual não existiam regras, e pensar que Jules acreditava que eu a estava usando só para sexo, mesmo que com o consentimento dela, fazia meu coração se torcer em um nó brutal.

Eu não tinha problema nenhum com sexo sem compromisso. Porra, era o que eu fazia desde o *começo* da minha vida sexual. Mas com Jules, sentia que era errado, como um terno feito sob medida que ainda não tinha o caimento perfeito.

— Existe uma diferença entre o que alguma coisa deveria ser e o que realmente é, Ruiva.

Existia, sim. Uma admissão disfarçada de ambiguidade.

A declaração ficou no ar, e o silêncio era tão intenso que dava para ouvir o ritmo acelerado da respiração de Jules e cada tique do relógio antigo no canto.

Tique. Tique. Tique.

Eu não sabia quando havia deixado de odiar Jules e passado a desejá-la com tanta intensidade. Só sabia que era assim, e eu não queria que voltasse a ser como antes.

— Talvez não devesse ter diferença.

Fiquei imóvel.

— O que isso quer dizer? — Minha voz calma não revelava a repentina tempestade que corria pelas minhas veias.

Jules levantou o queixo, mas detectei um leve tremor na voz dela.

— Quer dizer que a gente devia sair com outras pessoas. Nosso acordo sexual não é exclusivo. Está na hora de aproveitarmos essa cláusula.

Uma fera feia e sombria levantou a cabeça e rosnou no meu peito.

— Nem *fodendo*.

Com quem ela podia querer sair? Asher Donovan? O palhaço era um mulherengo, todo mundo sabia disso, e nem morava em Washington.

— A regra era essa — lembrou Jules.

— Regras mudam.

— Não. — Ela recuou um passo, e vi o pânico surgindo em seus olhos. — Não com a gente.

— Você nunca teve problemas com transgredir as regras antes.

Dei um passo na direção dela; Jules deu outro para trás. Uma dança simples, incessante, que terminou com as costas dela contra a parede e menos de três centímetros separando nossas bocas.

— Do que tem tanto medo, Ruiva?

Minha respiração acariciava a pele dela.

— Não tenho medo de nada.

— Mentira.

— Isso deveria ser simples.

— Não é.

Nunca houve nada de *simples* nela.

Jules era a pessoa mais complicada e fascinante que eu já tinha conhecido.

Ela fechou os olhos.

— O que você quer de mim? — perguntou ela, resignada.

Outra lágrima desceu pelo rosto dela. Eu a sequei com o polegar, sentindo um forte impulso de proteção.

Não sabia o que queria de Jules, mas sabia que *a* queria. Sabia que ela assombrava meus pensamentos e invadia meus sonhos até ser a única coisa que eu conseguia ver. E sabia que, quando estava com ela, vivia um dos poucos momentos em que realmente me sentia vivo.

— Eu quero você. — Não precisava camuflar a verdade com palavras bonitas; a verdade por si só era poderosa o bastante. — Não vamos sair com outras pessoas, Ruiva. Estou pouco me fodendo para quais eram os termos originais do acordo. Quer saber por quê?

Ela engoliu em seco, e o movimento modificou as linhas delicadas do seu pescoço.

— Por quê?

Abaixei a cabeça e passei a mão no cabelo dela, trazendo-a para ainda mais perto de mim.

— Porque você é minha — falei, com a boca tocando a dela. — Se outro homem te tocar, Jules, vai acabar descobrindo que sou capaz de tirar a vida de alguém com a mesma facilidade que posso salvar.

CAPÍTULO 33

Jules

Porque você é minha. Se outro homem te tocar, Jules, vai acabar *descobrindo que sou capaz de tirar a vida de alguém com a mesma facilidade que posso salvar.*

As palavras de Josh se repetem na minha cabeça como um lindo e aterrorizante disco riscado. Quatro dias depois, eu ainda não havia encontrado o botão de pausa.

Naquele exato momento, enquanto digitava no meu computador na LHAC, eu sentia na pele o sussurro da declaração de Josh.

A conversa tinha terminado ali. Havíamos voltado ao casamento, e eu contava com um coração disparado e sentia o sangue eletrizado nas veias. Era como se Josh tivesse tentado gravar as palavras na minha mente, e conseguiu.

Do que tem tanto medo, Ruiva?

De tudo.

Sempre havia sido a garota que tirava onda, que se limitava a lances casuais e afastava os caras quando eles se apegavam demais. Tinha medo de que, se olhassem de perto, vissem a verdadeira eu e ela não fosse o suficiente.

Não tinha sido o suficiente para minha mãe nem para Max. Às vezes, não era o suficiente nem para mim.

Mas Josh tinha visto meu pior, presumido o pior sobre mim e ainda queria ficar. Era o suficiente para induzir a mais perigosa das emoções: esperança.

Ele viu boa parte do pior de você, sussurrou uma voz provocadora na minha cabeça.

Josh não sabia sobre meu passado nem de tudo que eu havia feito por dinheiro. Nunca saberia. Não se eu pudesse evitar.

— Jules.

Pulei assustada e meu coração disparou, mas relaxei em seguida.

— Oi, Barbs.

A recepcionista se inclinou para dentro da minha salinha e bateu de leve na tela do computador.

— Hora de ir, meu bem. O escritório está fechado.

Olhei em volta, chocada ao constatar que, de fato, o escritório estava vazio. Eu nem havia visto os outros irem embora.

— É claro. — Passei a mão no rosto. Meu Deus, eu estava em outro planeta. — Só vou fechar tudo antes de ir.

— Não precisa correr por minha causa. — Ela olhava para mim com uma expressão curiosa. — Fiquei surpresa por Josh não ter vindo celebrar o caso Bower hoje. Ele está de folga.

Havíamos conseguido limpar os antecedentes criminais de Terence Bower, e naquela manhã descobrimos que ele tinha conseguido um emprego com o qual sustentaria a família, enquanto a esposa se recuperava. Era uma grande vitória para nós, mas apesar de ter trabalhado no caso desde que havia começado na LHAC, não tinha conseguido me empolgar muito.

Estava preocupada demais com minha vida para comemorar alguma coisa da vida dos outros, por mais que estivesse feliz por aquilo.

Mas senti um frio na barriga quando ouvi o nome de Josh.

— Não sei por que ele não veio. Vai ter que perguntar para ele.

Salvei o documento em que estava trabalhando e desliguei o computador.

— Hum, pensei que soubesse, já que são amigos. — Um brilho malicioso iluminou os olhos de Barbs. — Vocês dois dariam um lindo casal.

— É mesmo? — Meu rosto esquentou, mas mantive a voz neutra. — Imagino que eu contribuiria com a maior parte da beleza.

Ela deu uma gargalhada.

— Está vendo? Você é o que aquele garoto precisa. Ele vive cercado de muita gente bajuladora. Todas as mulheres suspiram por ele e não questionam nada do que ele diz ou faz. — Barbs balançou a cabeça. — Josh precisa de alguém que o mantenha na linha. Pena que não está interessada... né?

Ela se inclinou para a frente, e finalmente entendi por que o pessoal da clínica a chamava de cupido oficial.

— Boa noite, Barbs — falei, com firmeza, o que me rendeu mais uma risada.

— Boa noite, meu bem. Conversamos depois.

Barbs piscou para mim a caminho da mesa dela.

Peguei minhas coisas. Era estranho que Josh não tivesse vindo, mas talvez estivesse descansando. Estava compensando os dias de folga que havia tirado no hospital para ir a Eldorra. Eu não o tinha visto desde que havíamos voltado para Washington, e relutava em mandar mensagens.

Depois daquela última conversa durante o casamento, achava estranho que nossa primeira interação não fosse frente a frente.

Também não havia decidido como responder à solicitação implícita para mudarmos nosso acordo, então melhor assim.

Meu celular tocou, o que me arrancou do caos dos meus pensamentos.

Estava tão distraída, que atendi sem verificar quem estava ligando.

— Alô?

— Posso falar com Jules Miller, por favor? — perguntou uma voz feminina que eu não conhecia.

Fiquei gelada ao ouvir meu antigo sobrenome. Pensei em dizer que era engano, mas a curiosidade era maior que o senso de autopreservação.

— É ela.

Apertei o aparelho contra a orelha.

— Srta. Miller, sou do Whittlesburg Hospital. Estou ligando para falar sobre Adeline Miller. — A voz dela ficou mais suave. — Receio ter más notícias.

Senti meu estômago despencar em queda livre. *Não.*

Sabia o que a mulher diria antes de ouvir qualquer coisa.

— Lamento informar que a sra. Miller faleceu hoje à tarde...

Mal ouvi o que foi dito a seguir, tal era a intensidade do rugido nos meus ouvidos.

Adeline Miller.

Minha mãe.

Minha mãe estava morta.

CAPÍTULO 34

Josh

Ouvi a campainha quando estava quase conseguindo fechar a mala. O barulho inesperado me assustou, e soltei a presilha do fecho, que se desprendeu com um ruído alto.

— *Merda.*

Eu partiria para a Nova Zelândia em quatro dias. Me recusava a despachar bagagem desde que uma companhia aérea havia perdido uma mala em que eu, aos doze anos, levava minhas figurinhas autografadas de beisebol, por isso havia passado uma hora espremendo coisas para uma semana de trilhas em uma mala de mão.

Mas todo o trabalho estava perdido.

— É bom que seja importante.

Senti a irritação correr pelas veias quando saí do quarto para ir abrir a porta. Abri, pronto para pular no pescoço de quem quer que fosse, mas meu mau humor derreteu quando vi quem estava do outro lado.

— Oi. — Jules estava com os braços cruzados na altura da cintura, pálida, com um brilho suspeito nos olhos. — Desculpe por ter vindo sem avisar, mas eu... eu não sabia onde... — O sorriso trêmulo sumiu. — Não queria ficar sozinha.

A voz dela falhou na última palavra, e senti a preocupação me cortar por dentro como uma lâmina.

— Não precisa se desculpar. — Abri mais a porta e a examinei à procura de possíveis ferimentos quando ela entrou. Nenhum sangramento, nada de hematomas, apenas aquele olhar perdido. A preocupação agora era uma faca cravada fundo nas minhas entranhas. — O que aconteceu?

— Minha mãe... — Jules engoliu em seco. — Telefonaram do hospital para avisar que ela sofreu um acidente de carro. Ela... ela...

Um soluço escapou.

Jules não precisou terminar a frase para eu deduzir o que havia acontecido. Mas apesar de esperar solidariedade ou compaixão com a dor dela, nada poderia ter me preparado para a explosão no meu peito.

Um pequeno soluço de Jules, e toda dinamite escondida havia sido detonada, uma a uma, até a dor queimar meus pulmões e correr no meu sangue. Ecoava em minha cabeça e apertava meu coração com tanta força que precisei me forçar a respirar em meio a todo o sofrimento.

— Vem cá, Ruiva. — O tremor na minha voz era estranho aos meus ouvidos.

Abri os braços. Jules se aconchegou neles, depois enterrou o rosto no meu peito para abafar o choro, e tive que fazer todo o esforço possível para conter uma reação visível. Não queria intensificar a emoção enorme que já pairava no ar, mas, *porra*, ver Jules sofrendo doía. Mais do que eu pensava ser possível.

— Shhh. — Apoiei o queixo sobre a cabeça dela e acariciei suas costas em círculos suaves, querendo não ser tão imprestável. Teria feito qualquer coisa, negociado com qualquer um para aliviar aquela dor, mas apesar de todas as habilidades que havia desenvolvido ao longo dos anos, ainda não era capaz de trazer os mortos de volta. — Tudo bem. Vai ficar tudo bem.

— Desculpa — Jules soluçou. — Eu sei que isso... isso não é parte do nosso acordo, mas A... Ava está em uma sessão de fotos, e St... Stella ainda não chegou em casa, e eu...

— Para de pedir desculpas. — Apertei o abraço um pouco mais. — Não tem com o que se preocupar. Pode ficar aqui quanto tempo quiser.

— Mas e o nosso...

— Jules. — Minha mão parou por um segundo nas costas dela. — Cala a boca e deixa eu te abraçar.

A risada lacrimejante durou um segundo, até que se dissolveu em soluços novamente. Mas foda-se, eu havia conseguido deixá-la melhor por um segundo. Que fosse meio segundo, eu me contentaria. Qualquer coisa serviria.

Depois de um tempo, os soluços regrediram para fungadas, e eu a levei para o sofá.

— Já volto.

Não havia tido tempo de ir ao mercado durante a semana, por isso fiz um pedido rápido de delivery e preparei uma xícara de chá na cozinha. Minha mãe acreditava piamente que uma xícara de chá podia resolver qualquer problema, e embora eu quase nunca bebesse, sempre tinha um pouco em casa.

Chá e água quente – duas coisas essenciais em uma casa chinesa.

Senti uma pontada de dor no peito quando pensei na minha mãe. Ela havia morrido quando eu era criança, mas ninguém supera de verdade a morte dos pais.

Jules nunca havia falado sobre a família, então presumi que tivesse um relacionamento difícil com a mãe, mas mãe é mãe.

Voltei à sala de estar e entreguei a caneca a ela.

— Não tem veneno nisso, né? — A voz rouca ainda continha uma nota do deboche habitual.

O alívio desabrochou no meu peito, e sorri da lembrança de uma das nossas conversas anteriores.

— Bebe a droga do chá, Ruiva.

Um esboço de sorriso moveu sua boca. Jules bebeu um gole pequeno, e eu me sentei no sofá ao lado dela.

— Telefonaram quando eu estava na clínica — contou ela, olhando para a caneca. — O outro carro passou em um farol fechado e bateu no dela. Todo mundo morreu na hora. O hospital examinou os pertences dela e encontrou meu número... eu era a única família que restava. — Jules levantou a cabeça para olhar nos meus olhos com uma expressão torturada. — Eu era a única família que restava para ela. E não falei com ela durante sete anos. Eu tinha o número, podia ter ligado, mas... — Um movimento visível da garganta. — Sempre dizia a mim mesma que telefonaria no ano seguinte. O próximo ano seria aquele em que eu ligaria e consertaria tudo. Nunca liguei. E agora não vou poder ligar nunca mais.

A voz de Jules engrossou, e então veio uma nova torrente de lágrimas.

A dor no meu peito virou uma pedra.

— Você não tinha como saber — falei, em um tom manso. — Foi um acidente.

— Mas se não tivesse adiado... — Jules balançou a cabeça. — A pior parte é que não pensei que me sentiria... assim. — Ela apontou para si mesma. — Minha mãe e eu nos afastamos em circunstâncias bem ruins, para dizer o mínimo. Durante anos, senti muita *raiva* dela, do que ela fez. Esperava ficar aliviada quando ela morresse, mas... — Uma inspiração profunda. — Não sei. Não sei o que sinto. Tristeza. Raiva. Vergonha. Remorso. E, sim, um pouco de alívio. — Os dedos de Jules apertaram a caneca com mais força. — Isso faz de mim uma pessoa horrível?

— Parece que teve um relacionamento complicado com sua mãe, e é normal que sinta tudo isso. Até alívio.

Eu via isso o tempo todo no hospital. Alguns pacientes ficavam à beira da morte, sem realmente viver ou morrer. Quando finalmente faleciam, a família chorava a perda, mas também sentia o alívio de não presenciar mais o sofrimento do ente querido. Ninguém dizia isso, mas eu via nos olhos deles.

Luto não era uma emoção; era uma centena de emoções envolta em uma mortalha escura.

A situação de Jules não era essa, mas o princípio era o mesmo.

— Pode acreditar. Sou médico — acrescentei, com um meio sorriso. — Eu sei de tudo.

Meu peito se acendeu quando ela soltou uma risada baixinha. Duas risadas em menos de uma hora. Eu considerava uma vitória.

— Você era próximo da sua mãe? — perguntou Jules. — Antes de...

Meu sorriso desapareceu.

— Era. Ela era ótima, até o divórcio. A separação foi muito amarga, e ela ficou instável. Tinha mudanças repentinas de humor. Quando foi incriminada pela tentativa de homicídio contra Ava... bom, você sabe o que aconteceu. — Um nó de emoção se alojou na minha garganta. — Como a maioria das pessoas, pensei que ela tinha tentado afogar Ava. Os médicos e a polícia atribuíram o gesto a um colapso mental, mas mesmo assim me recusei a falar com ela por várias semanas depois que tudo aconteceu. Mal tínhamos nos reconciliado quando ela sofreu a overdose de antidepressivos.

O rosto de Jules abrandou com a solidariedade.

— É uma história parecida com a minha. O começo, pelo menos. — Ela traçou a borda da caneca com um dedo. — Minha mãe e eu éramos próximas quando eu era criança. Meu pai foi embora antes de eu nascer, e ficamos só nós duas. Ela adorava me enfeitar e me exibir pela cidade como se eu fosse uma boneca, ou um acessório exclusivo. Eu não me importava, adorava brincar de desfile, e aquilo a fazia feliz. Mas quando fiquei mais velha, comecei a receber mais atenção que ela, especialmente dos homens, e ela *odiava* isso. Nunca disse nada, mas eu via nos olhos dela cada vez que alguém me elogiava. Ela parou de me tratar como filha e começou a me tratar como concorrente.

Meu Deus.

— Ela invejava a própria filha?

Tentei não demonstrar o tom de desaprovação na voz, considerando que a mulher havia acabado de morrer, mas meu estômago fervia quando eu pensava que uma mãe tivesse sido capaz de competir com a filha.

Jules riu, mas sem humor.

— Esse é o lance da minha mãe. Ela estava acostumada a ser o centro das atenções. Rainha do baile de volta às aulas, da formatura, miss ensino médio. Tinha ganhado muitos concursos de beleza quando era nova, e nunca superou os dias de glória. Era bonita mesmo quando envelheceu, mas não suportava não ser mais *a* pessoa mais bonita de qualquer ambiente. — Jules respirou fundo. — Minha mãe se dedicou à carreira de modelo, em vez de ir para a faculdade, mas nunca teve muito sucesso. Depois da gravidez, os trabalhos não apareceram mais, e ela virou garçonete de bar. Nossa cidade era barata. Teríamos vivido razoavelmente bem, mas ela gastava demais e estourou vários cartões de crédito com roupas, maquiagem, serviços de beleza... basicamente, tudo que a ajudasse a conservar a aparência. Nossas contas foram acumulando. Havia dias em que a única comida de verdade que eu comia era a da cantina da escola, e *muitos* dias em que eu voltava para casa apavorada, com medo de que aquele fosse o dia do despejo.

Eu massageava as costas de Jules com movimentos relaxantes, apesar da tensão provocada pela descrição da infância dela.

Quem preferia gastar com maquiagem e roupas, em vez de alimentar a filha?

Mas já havia testemunhado feiura o suficiente no mundo para saber que essas pessoas existiam, e saber que Jules havia crescido com uma delas me deixava enjoado.

— Quando eu tinha treze anos, ela atraiu a atenção de Alastair, o homem mais rico da cidade, um dia quando ele estava no bar onde ela trabalhava — continuou Jules. — Os dois se casaram um ano depois. Fomos morar em uma casa grande, e eu recebia uma mesada generosa, e parecia que todos os nossos problemas tinham terminado. Mas Alastair sempre...

A pausa breve fez o medo me paralisar por dentro.

— ... me *observava* e dizia coisas que me deixavam muito incomodada, tipo como minhas pernas eram lindas ou que eu deveria usar saia mais vezes. Mas ele não me tocava, e eu não queria que as pessoas pensassem que eu estava surtando por causa de alguns elogios, por isso não disse nada. Até que, uma noite, quando eu tinha dezessete anos e minha mãe tinha saído com amigas, ele entrou no meu quarto e...

Fiquei paralisado.

— O quê? — As palavras vibraram com uma calma tão sinistra que era difícil de acreditar que haviam saído da minha boca.

— E disse tudo aquilo sobre como eu devia ser mais grata por tudo que ele fazia por mim e minha mãe, e depois disse que eu poderia *demonstrar* minha gratidão com... você sabe.

O ódio me deixou com a vista turva e cobriu o mundo com uma película vermelha. A escuridão acordou no meu peito, insidiosa na lentidão com que ia se desdobrando, como um monstro atraindo a presa para um falso senso de segurança antes de atacar.

— O que aconteceu depois? — perguntei, ainda calmo, ainda inalterado, apesar da tensão por trás das palavras.

— Eu disse não, é claro. Gritei para ele sair do meu quarto e ameacei contar tudo para minha mãe. Ele riu e disse que minha mãe nunca acreditaria em mim. Depois tentou me beijar. Tentei empurrá-lo, mas ele era muito forte. *Por sorte...* — a boca de Jules se contorceu nas duas últimas palavras. — Minha mãe chegou em casa cedo e viu tudo, antes que ele pudesse... fazer mais alguma coisa. Ele inventou uma história sobre eu ter tentado seduzi-lo e ela acreditou. Minha mãe me chamou de puta por tentar seduzir o marido dela e me expulsou de casa naquela noite.

A fúria latejava dentro de mim, expandindo-se e intensificando-se até estraçalhar qualquer moral que pudesse ter me restado.

Eu me tornei médico para salvar vidas, mas queria arrancar a pele do corpo de Alastair, cortar tira por tira e assistir enquanto a vida se esvaía dos olhos dele.

— Consegui sacar algum dinheiro para sobreviver por algumas semanas, antes de Alastair bloquear minhas contas — continuou Jules. — Eu, hum, fiz vários bicos pela cidade até entrar na faculdade. Depois da formatura do ensino médio, saí de lá e nunca mais voltei.

— Onde está Alastair agora?

Se eu achasse o cara, Deus teria que ajudá-lo, porque eu não teria nenhum escrúpulo em transformar minha fantasia assassina em realidade.

Quando se tratava de monstros que assediavam garotas ou alguém de quem eu gostava, a lei não tinha a menor importância. A lei nem sempre era sinônimo de justiça.

— Ele morreu quando eu estava no primeiro ano da faculdade. Incêndio doméstico. Na época, eu ainda acompanhava as notícias de casa, talvez por curiosidade mórbida, e essa chegou aos jornais locais. Houve comentários sobre um possível incêndio criminoso, mas a polícia não encontrou nenhuma evidência concreta e o caso foi arquivado.

A morte de Alastair deveria ter me acalmado, mas só me enfureceu ainda mais. Não queria saber se ele havia sido queimado vivo; o filho da mãe pagou barato demais.

— Minha mãe tinha saído com umas amigas, por isso não foi acusada de nada, mas Alastair deixou uma miséria para ela em testamento. Não sei para onde foi o resto da fortuna, mas, é claro, minha mãe torrou a parte dela em um ano. Depois de ter tudo, voltou à pobreza. — Um sorriso amargo tocou os lábios de Jules. — Isso também foi publicado nos jornais. Quando se é rico como Alastair era, em uma cidade tão pequena quanto Whittlesburg, tudo que acontece com a pessoa e a família dela vira notícia.

Um músculo se contraiu no meu rosto.

— E ninguém questionou o fato de os dois terem jogado na rua uma garota de dezessete anos para se virar sozinha?

— Não. O povo da cidade criou as próprias versões sobre eu ter roubado Alastair para financiar minha dependência de drogas — respondeu ela, em um tom firme. — E sobre como os dois haviam tentado me ajudar, mas não tinha adiantado, por isso tinham perdido a paciência, e assim por diante.

Meu Deus do céu.

— O pior é que eu ainda quis me reconciliar com minha mãe, principalmente depois da morte de Alastair. Era minha mãe, sabe? A única família que eu tinha. Telefonei para ela, deixei recados na caixa postal e o meu número.

Pedi para ela me ligar, porque queria conversar. Ela nunca telefonou. — Jules segurou a caneca com mais força. — Meu ego sentiu o golpe, e essa foi a última vez que tentei entrar em contato. Mas se eu não tivesse deixado o orgulho atrapalhar...

— Comunicação é uma via de mão dupla. — Parte da minha raiva desapareceu, substituída por uma dor profunda pela garotinha que só queria o amor da mãe. — Sua mãe também podia ter entrado em contato, Jules. Não seja tão dura com você mesma.

Honestamente, a mãe dela parecia não ser grande coisa, mas guardei essa parte para mim. Não se deve falar mal dos mortos.

— Eu sei. — Jules suspirou. O aborrecimento cavava pequenos sulcos na testa dela, mas pelo menos ela havia parado de chorar. — Enfim, chega de falar sobre o passado. É deprimente. — Jules bateu com o joelho no meu. — Você se sairia bem como terapeuta.

Quase dei risada.

— Eu seria péssimo, Ruiva. Pode acreditar. — Mal conseguia dar conta da minha vida, imagine aconselhar outras pessoas sobre a vida delas. — Tenho experiência com famílias disfuncionais, só isso.

Ouvi a campainha.

Relutante, eu me levantei do sofá e fui abrir a porta. Voltei com dois sacos de papel pardo enormes.

— Comida para situações difíceis — expliquei, tirando as caixas de delivery de dentro dos sacos.

Macarrão com queijo. Sopa de tomate. Cheesecake de caramelo salgado. Os favoritos dela.

— Não estou com fome.

— Come. — Empurrei uma embalagem de sopa na direção dela. — Vai precisar de energia mais tarde. E bebe mais água, ou vai desidratar.

Jules me recompensou com um sorriso pálido.

— Que baita médico.

— Vou interpretar como um elogio.

— Você interpreta tudo como elogio.

— É claro. Não consigo imaginar por que alguém ia querer me ofender. — Removi a tampa do macarrão com queijo. — Sou extremamente amável.

— Pessoas extremamente amáveis não precisam ficar anunciando por aí que são amáveis.

Jules tomou um pouquinho de sopa.

— Eu não sou todo mundo.

Espetei um pedaço de cheesecake com um garfo e entreguei a ela. Depois de um momento de hesitação, ela aceitou.

Comemos em silêncio por um tempo, até que Jules disse:

— Vou ter que ir para Ohio em breve. Para o funeral. Mas a colação de grau é no sábado e tenho que tomar as providências. Além disso, nem sei quanto custa um voo para lá. Não vai ser muito caro, né? Mas está tão em cima da hora... e tenho que pensar em onde vou me hospedar, e...

— Respira, Ruiva. — Pus as mãos sobre os ombros dela para estabilizá-la. Jules estava ofegante de novo, e os olhos refletiam o desespero de estar sobrecarregada. — Já sei o que vamos fazer. Vamos terminar de comer, depois você vai tomar um banho enquanto eu pesquiso os voos, os hotéis e as cerimônias fúnebres. Depois que resolvermos essas coisas, pensamos nos detalhes. E você não vai para Ohio antes da colação de grau. Enfrentou três anos de inferno na faculdade de direito, vai subir naquele palco e receber o diploma. Entendeu?

Jules assentiu, como se estivesse chocada demais para discutir.

— Ótimo. — Entreguei o restante do cheesecake para ela. — Pega. Esse negócio é doce demais para mim.

Terminamos de comer e ela foi tomar um banho enquanto eu cuidava da logística da viagem. Felizmente, os voos para Ohio não estavam tão caros, e Whittlesburg tinha só dois hotéis, cinco pousadas e uns motéis baratos na periferia da cidade, então não foi difícil reduzir as opções. Uma rápida pesquisa no Google também resultou em um cerimonial com boas indicações e preços razoáveis.

Quando Jules saiu do banheiro, eu tinha tudo engatilhado no notebook. Ela deu uma olhada em tudo, depois fez as reservas.

— Obrigada. — Então ela se sentou na minha cama e passou a mão no cabelo, ainda um pouco perdida, mas mais animada do que antes. — Não precisava fazer tudo isso — disse ela, apontando para o computador.

— Eu sei, mas é melhor que ver pela décima vez a mesma reprise de uma série ruim na TV.

Jules riu. Depois notou minha mala aberta e arregalou os olhos.

— Espera, a viagem para a Nova Zelândia. Esqueci que...

— É só na semana que vem. Viajo na segunda-feira.

O desconforto me invadiu. Eu estava muito empolgado para ir à Nova Zelândia, mas, por algum motivo, o entusiasmo havia diminuído.

— Vai ser divertido — comentou Jules, depois bocejou.

Estava usando uma velha camiseta minha da Thayer que cobria até a metade das coxas, e o cabelo úmido se espalhava pelos ombros em ondas vermelhas e escuras.

De todos os meus cenários e paisagens favoritos no mundo – o Monumento Washington ao nascer do sol, o vermelho das folhas em um outono da Nova Inglaterra, o trecho de oceano e floresta se estendendo diante dos meus olhos depois de uma longa trilha no Brasil –, Jules vestida com a minha camiseta tinha ocupado o primeiro lugar do pódio.

— Descansa um pouco — falei, contrariado, perturbado com o calor estranho que se espalhava dentro de mim. — É tarde, e você teve um dia longo.

— São nove horas, vovô.

Ela bocejou de novo.

— Ah, é? Mas não sou eu quem parece estar tentando pegar moscas com a boca. — Fechei o notebook e apaguei todas as luzes, exceto a do abajur. — Para a cama. Agora.

— Você é muito mandão. Juro — bocejo —, não sei como... — bocejo — as pessoas suportam...

A conversa sonolenta de Jules foi ficando mais baixa a cada palavra até os olhos dela se fecharem.

Eu a acomodei embaixo do edredom com um toque suave para não a acordar. A pele dela estava mais pálida que de costume, e um toque de vermelho ainda coloria a ponta de seu nariz e a área em torno dos olhos, mas Jules pegou no sono me insultando. Se isso não era prova de que se sentia melhor, eu não sabia o que seria.

Desliguei o abajur e me deitei ao lado dela.

A conversa que tínhamos iniciado no casamento de Bridget ainda permanecia entre nós, sem solução. Nosso acordo original seguia válido, ou havia se transformado em outra coisa? Eu não fazia ideia. Não sabia o que éramos nem o que estávamos fazendo. Não sabia o que Jules estava pensando.

Mas poderíamos cuidar daquilo outro dia.

Envolvi a cintura dela com um braço e a puxei contra o peito e, pela primeira vez desde o início do nosso acordo, dormimos juntos.

CAPÍTULO 35

Jules

Os dias seguintes à morte da minha mãe se passaram como uma névoa. Quando acordei na manhã seguinte, Josh já havia saído para trabalhar, mas encontrei o café da manhã na cozinha e um bilhete com instruções detalhadas sobre o que fazer a seguir. Para qual funerária eu deveria ligar, que perguntas deveria fazer e o que precisava pôr na mala para a viagem.

Isso me ajudou mais do que qualquer conforto verbal.

Verifiquei os itens um a um, mas era como se eu fosse um robô cumprindo tarefas. Não *sentia* nada. Era como se eu tivesse aparecido na casa de Josh, me esvaziado de todas as emoções e agora estivesse funcionando sem combustível.

Eu não sabia o que me havia feito recorrer a Josh, sendo que nosso relacionamento já era muito complicado, mas ele tinha sido a primeira pessoa que surgira na minha cabeça quando eu estava tentando pensar no que fazer.

Forte. Reconfortante. Lógico. Ele foi tudo de que precisei quando precisei.

Naquele momento, enquanto ouvia o diretor da funerária Whittlesburg recitar os detalhes de última hora, queria que Josh ainda estivesse comigo. É óbvio que não seria aceitável. Ele precisava trabalhar; não podia simplesmente largar tudo e ir comigo para Ohio. Além do mais, Josh havia viajado para a Nova Zelândia naquela manhã e só voltaria na semana seguinte.

Senti o coração doer quando pensei nisso.

— Isso é tudo de que precisamos. Vamos deixar tudo pronto para amanhã. — O diretor da funerária se levantou e estendeu a mão. — Mais uma vez, lamento profundamente pela sua perda, srta. Ambrose.

— Obrigada.

Forcei um sorriso. Usei Ambrose, em vez de Miller, porque esse era meu nome legal, mas soou estranho quando ele o pronunciou. Ambrose fazia parte da minha vida em Washington. Miller fazia parte da minha vida ali.

Duas vidas, duas pessoas diferentes.

Mas eu estava ali, Jules Ambrose em Ohio, e era ainda mais surreal do que eu imaginava.

Apertei a mão dele e saí depressa, percorrendo a passos largos a distância entre o escritório e a saída, até sentir o calor dourado do sol. Mas, ao deixar o ambiente escuro e fechado da funerária, eu não sabia para onde ir.

Apenas dois dias antes, eu havia subido no palco do Nationals Park, em Washington, apertando a mão do diácono e recebido o diploma da faculdade de direito.

Três anos de esforço e trabalho – sete, se eu contasse o curso básico – destilados em uma folha de papel.

Era glorioso e anticlimático, ao mesmo tempo.

Na verdade, eu mal me lembrava da colação de grau. Havia passado em um piscar de olhos, e eu havia recusado o convite para jantar com meus amigos porque tinha precisado fazer as malas para a viagem a Ohio. Tinha partido na manhã seguinte, ou melhor, no dia anterior, e desde então dedicado todo meu tempo aos arranjos para o funeral. Seria uma cerimônia pequena e simples, mas cada decisão me deixava exausta.

Embarcaria de volta a Washington no dia seguinte, depois da cerimônia fúnebre que aconteceria de manhã. Até lá, teria que pensar em um jeito de ocupar o resto da tarde e da noite. Não havia muito entretenimento na cidade.

Olhei para o panfleto que rolava pela calçada, para o terreno cheio de carros enferrujados do outro lado da rua e para os prédios de tijolos marrons enfileirados como viajantes cansados em um banheiro na estrada. Mais adiante, um grupo de crianças pulava amarelinha, e as risadas distantes eram os únicos sinais de vida no ar parado.

Whittlesburg, Ohio. Uma cidade minúscula perto da relativamente enorme Columbus, extraordinária apenas na própria natureza ordinária.

Estar de volta era como estar em um sonho. Eu esperava acordar a qualquer segundo, tateando no escuro para apertar o botão de soneca, enquanto o barulho do secador de cabelos de Stella passava por baixo da porta do quarto.

Em vez do alarme do despertador, um ônibus passou rugindo e cuspindo fumaça, o que me tirou do transe.

Babaca.

Finalmente voltei a me mexer. A funerária ficava na periferia da cidade, e não demorei muito para chegar ao centro social e financeiro de Whittlesburg. O lugar era formado por meia dúzia de prédios comerciais espremidos lado a lado.

Isso não é um sonho.

Eu estava realmente em Whittlesburg. Vi a lanchonete onde eu me reunia com os amigos depois dos bailes do colégio. O boliche ao qual fazíamos excursões com a escola no ensino fundamental, e o pequeno antiquário com as bonecas pavorosas na vitrine. Todo mundo tinha certeza de que a loja era assombrada, e corríamos cada vez que passávamos pela porta, como se os espíritos que moravam lá fossem nos agarrar e puxar para dentro se demorássemos demais.

Voltar a Whittlesburg era como entrar em uma cápsula do tempo. Além de uma nova e reluzente loja de uma cadeia de restaurantes e o café que ocupava o lugar onde antes ficava a lavandeira do Sal, nada havia mudado nos últimos sete anos.

Abaixei a cabeça e ignorei os olhares curiosos de um grupo de alunas do colégio reunidas na esquina. Por algum milagre, ainda não havia encontrado ninguém, mas seria só uma questão de tempo. Eu tinha medo das perguntas que surgiriam desse encontro.

O problema das cidades pequenas era que tinham memória boa... para o bem e para o mal.

Suspirei aliviada quando cheguei ao hotel. Desisti de encontrar algo para fazer na cidade. Só queria me trancar no quarto, pedir comida e assistir ao *pay-per-view* a noite toda.

Abri a bolsa para pegar meu...

— Oi, Ruiva.

Parei com a mão dentro da bolsa. A incredulidade me provocou um aperto no coração e acelerou os batimentos até ecoarem na minha cabeça como um tambor.

Tum. Tum. Tum.

Não podia ser ele. O milkshake que havia bebido no almoço devia ter afetado meu cérebro, e eu estava sofrendo alucinações provocadas pelo excesso de açúcar.

Porque não podia ser ele, *de jeito nenhum*.

Mas quando levantei a cabeça, vi seu moletom cinza favorito. A bolsa velha pendurada no ombro. A covinha característica quando os lábios se curvaram em um sorriso tão suave que apagou toda a minha resistência.

— Surpresa. — A voz de Josh me invadiu como mel morno. — Sentiu minha falta?

— Eu... você... — Abri e fechei a boca como se imitasse um peixe dourado, o que devia ser bem ridículo. — Você devia estar na Nova Zelândia.

— Mudança de planos. — Ele deu de ombros com a casualidade que as pessoas usam para falar de uma mudança no cardápio do jantar, não em voos internacionais. — Preferi vir para cá.

— Por quê?

Tum. Tum. Tum. Era normal um coração humano bater tão depressa?

— Queria visitar o museu do crochê.

Talvez eu tenha dormido na funerária e entrado na zona do crepúsculo, porque a situação era absurda demais para ser real.

— O quê?

— O museu do crochê. É famoso no mundo todo — explicou ele.

O museu do crochê de Whittlesburg era a maior atração da cidade, mas não era famoso no mundo todo, nem se você se esforçasse muito para acreditar nisso.

A Torre Eiffel, Machu Picchu, a Grande Muralha da China... e o Museu do Crochê Betty Jones? Ah, não.

— Famoso no mundo todo, é?

Algo estranho e vibrante acontecia no meu estômago. Eu não queria que parasse nunca.

— É. — A covinha de Josh ficou mais funda. — Li sobre ele em uma revista no aeroporto e fiquei tão inspirado que troquei meu voo de última hora. Prefiro crochê a velejar no Estreito Milford.

Um nó de emoção se alojou na minha garganta.

— Bom, longe de mim questionar seu amor pelo crochê. — *Não chora no saguão.* — Vai ficar neste hotel?

— Depende. — Josh pôs a mão no bolso, sem desviar o olhar do meu nem por um instante. — Quer que eu fique aqui?

Uma parte minúscula e assustada de mim queria responder que não. Seria muito fácil correr para o quarto e me trancar lá até o funeral da minha mãe, depois ir embora e fingir que a viagem nunca havia acontecido.

Mas eu estava muito cansada de fugir. Cansada de lutar contra o mundo e contra mim mesma sem parar, de fingir que estava tudo bem quando fazia um esforço enorme só para manter a cabeça fora d'água.

Não havia nada de errado em me agarrar a um salva-vidas, qualquer que fosse.

O meu se apresentava na forma de Josh Chen.

Respondi que sim com um breve movimento de cabeça, porque não me sentia capaz de falar.

O rosto dele ganhou uma nova suavidade.

— Vem cá, Ruiva.

Era tudo de que eu precisava.

Corri para Josh e escondi o rosto no seu peito, enquanto os braços dele me envolviam. Ele cheirava a sabonete e aromas cítricos, e o moletom era macio em contato com meu rosto.

Os olhares curiosos do recepcionista e dos outros hóspedes do hotel ardiam em mim. No dia seguinte seríamos a fofoca da cidade, sem dúvida, mas eu não me importava.

Pela primeira vez desde que havia pousado em Ohio, conseguia respirar.

CAPÍTULO 36

Josh

Eu não planejava ir a Ohio.

Percorri todo o trajeto até o aeroporto com a intenção de viajar para a Nova Zelândia, mas quando o embarque começou, só conseguia pensar em Jules. O que estava fazendo, como estava, se tinha chegado bem. As trilhas e atividades que havia passado meses planejando se tornaram tão interessantes quanto esperar uma pintura secar.

Então, em vez de voar para o destino que era meu segundo lugar na lista de coisas para fazer antes de morrer (depois da Antártica), segui diretamente para o balcão de passagens e comprei um lugar no próximo voo para Columbus.

Tinha trocado a Nova Zelândia por Whittlesburg. Eu estava realmente ferrado das ideias, e não conseguia nem ficar bravo com isso.

— Muito bem, pode se preparar! — falou Jules quando viramos à esquerda em uma rua tranquila de três faixas. — Você está prestes a viver uma experiência maluca.

Depois que deixei a bagagem no quarto, eu a convenci a ir comigo ao museu. Talvez devesse ter escolhido uma desculpa melhor que um museu do crochê, mas li sobre ele na viagem de ônibus desde Columbus e notei que era anunciado como a maior atração da cidade. Isso devia significar alguma coisa, certo?

Levantei as sobrancelhas.

— Você acabou de falar "Muito bem, pode se preparar"? Quantos anos você tem, oitenta?

— Para sua informação, o personagem de Stanley Tucci diz isso em *O Diabo Veste Prada*, e Stanley e o filme são incríveis.

— Sim, e quantos anos tem o incrível Stanley?

Jules olha para mim de soslaio.

— Não gostei do sarcasmo, especialmente depois da profunda visita guiada gratuita que acabei de oferecer.

Lutei contra um sorriso.

— Foi um passeio de quinze minutos, Ruiva.

— Durante o qual mostrei o melhor restaurante da cidade, o boliche, a loja que apareceu por dez segundos em um filme do Bruce Willis *e* o salão de beleza onde cortei franja quando estava no ensino médio, um corte que mantive por um período breve e horripilante. Toda essa informação não tem preço, Chen. Não se encontra isso nos guias.

— Tenho certeza absoluta de que consigo encontrar as três primeiras nos guias. — Puxei uma mecha de cabelo dela. — Não gosta de franja?

— De jeito nenhum. Franja e sombra cor-de-rosa. Meus vetos inegociáveis.

— Hum, acho que você ficaria bem de franja.

Jules ficaria bem de qualquer jeito.

Mesmo naquele momento, de sombra roxa borrada embaixo dos olhos e linhas de tensão emoldurando a boca, ela estava tão bonita que eu não conseguia parar de olhar.

A aparência dela não sofreu mudanças drásticas ao longo dos anos, mas *algo* mudou.

Eu não conseguia identificar o quê.

Antes, Jules era bonita como a grama é verde e o oceano é profundo. Era um fato da vida, mas nada que me tocasse de modo especial.

Mas depois ela havia se tornado bonita de um jeito que me fazia querer mergulhar nela, deixá-la preencher cada centímetro da minha alma até me consumir. Não tinha importância se aquilo podia me matar, porque, em um mundo onde eu era cercado pela morte, ela era a única coisa que me fazia sentir vivo.

— Confia em mim, não fico, não. E chega de falar do meu cabelo. — Jules abriu os braços para mostrar o prédio diante de nós. — Aqui está, o mundialmente famoso Museu do Crochê Betty Jones.

Ela se dirigiu à entrada, e eu a segui com o olhar.

— Impressionante.

Não conseguiria dizer de que cor era o prédio nem com uma arma apontada para minha cabeça.

Meia hora e várias vitrines chatíssimas mais tarde, finalmente superei o transe provocado por Jules e me arrependi.

— Que merda é aquela?

Apontei para um... cachorro de crochê? Um lobo? Fosse o que fosse, a cara era torta, e os olhos de contas de cristal cintilavam, ameaçadores, da prateleira como se expressassem fúria por termos invadido seu espaço pessoal.

Isso era o que eu merecia por me distrair. Se morresse nas mãos de um brinquedo amaldiçoado, ficaria bem bravo.

Jules leu a plaquinha dourada embaixo do lobo/cachorro.

— Era um dos brinquedos favoritos da filha de Betty — disse ela. — Feito à mão por uma famosa artesã local e presenteado à criança em seu quinto aniversário.

— Parece demoníaco.

— Não parece. — Ela olhava para o brinquedo, que nos encarava de volta. Eu poderia jurar que ele tinha movido a boca para exibir os dentes. — Mas, hã, vamos continuar.

— Sabe de uma coisa? Acho que chega de crochê por hoje. — Cumpri minha obrigação. Era hora de sair dali antes que os brinquedos ganhassem vida, tipo em *Uma noite no museu*. — A menos que queira ver mais colchas e brinquedos possuídos.

Jules sorriu.

— Tem certeza? Você abandonou a Nova Zelândia por este museu "famoso no mundo todo". Devia fazer valer o dinheiro que gastou.

— Ah, eu fiz. — O dinheiro *e* meus pesadelos. Apoiei a mão nas costas de Jules e a conduzi à saída. — Estou satisfeito, acredite. Prefiro ver o resto da cidade.

— Já vimos a maior parte na caminhada até aqui. Todo o resto é residencial. Jesus.

— Deve haver alguma coisa que deixamos passar. Qual é seu lugar favorito na cidade?

Saímos para a luz de fim de tarde. O pôr-do-sol se derretia no crepúsculo, e sombras longas se projetavam nas calçadas que percorríamos a caminho do centro.

— Fechou há uma hora — respondeu Jules.

— Quero ir ver assim mesmo.

Ela olhou para mim de um jeito estranho, mas deu de ombros.

— Se faz questão...

Dez minutos depois, chegamos a uma livraria que aparentava ser muito antiga. Ficava espremida entre um brechó e um restaurante de comida chinesa para viagem, e as palavras "Crabtree Livros" em tinta vermelha cobriam parte das vitrines escuras.

— É a única livraria da cidade — comentou Jules. — Eu não contava para os meus amigos, porque ler não era uma coisa descolada, mas este era o lugar que eu mais gostava de visitar, principalmente nos dias chuvosos. Vinha aqui com tanta frequência que decorei todos os livros nas prateleiras, mas gostava de olhar de novo todos os finais de semana mesmo assim. Era reconfortante. — Um sorriso inclinado surgiu nos lábios dela. — Além do mais, eu tinha certeza de que não encontraria nenhum conhecido aqui.

— Era o seu paraíso.

Vi a nostalgia na expressão dela.

— Era.

Sorri ao pensar em uma Jules novinha escondida em uma livraria, fugindo dos amigos. Alguns meses antes, quando a única Jules que eu conhecia era a hostil e baladeira, eu teria dito que isso era mentira. Mas agora conseguia imaginar.

Na verdade, com exceção da despedida de solteira de Bridget, fazia um bom tempo que eu não via Jules frequentar festas como na época da faculdade. Caramba, fazia tempo que *eu* não me divertia como nos tempos da faculdade.

As primeiras impressões são as que permanecem por mais tempo, mas, ao contrário do que prega a opinião popular, as pessoas mudam. O único problema é que mudam mais depressa que nossos preconceitos.

— Você tinha um livro favorito?

Queria saber tudo sobre Jules. De que gostava, o que odiava, que livros havia lido e que música costumava ouvir. Cada migalha de informação que pudesse suprir minha insaciável necessidade por ela.

— Não consigo escolher só um. — Ela parecia muito em dúvida. — É como pedir para alguém escolher o sabor favorito de sorvete.

— Fácil. O meu é chocolate com nozes, e o seu é caramelo salgado. — Torci o nariz para a escolha dela. — Seu sabor preferido para tudo é caramelo salgado.

— Nem *tudo* — resmungou ela. — Tudo bem, se eu tivesse que escolher um livro com base apenas em quantas vezes o reli... — Jules ficou vermelha. — Não dá risada, porque sei que é uma escolha clichê e um livro infantil, mas... *A teia de Charlotte*. A família que morou na nossa casa antes de nós deixou um exemplar, e era o único livro que eu tinha quando criança. Fiquei obcecada a ponto de impedir que minha mãe matasse aranhas, porque tinha medo de que uma delas fosse a Charlotte.

Meu sorriso se alargou.

— Que coisa mais fofa.

O rosa nas bochechas dela se intensificou.

— Eu era pequena.

— Não foi sarcasmo.

Jules sorriu, mas não disse mais nada quando nos afastamos da livraria.

Estava quase na hora do jantar, e paramos na lanchonete que ela chamou de "melhor restaurante da cidade" antes de voltarmos ao hotel.

— Este lugar tem os melhores hambúrgueres. — Ela olhava o cardápio, e dava para notar a ansiedade em seu rosto. — É uma das poucas coisas de que senti falta em Whittlesburg.

— Vou acreditar na sua palavra. — Olhei para os bancos de vinil vermelho, para o piso xadrez em preto e branco e para a velha jukebox no canto. — Parece um cenário de filme da década de 1980.

Ela riu.

— Provavelmente porque o proprietário original adorava o cinema da década de 1980. Passávamos muito tempo aqui quando eu estava no ensino médio. Este era o lugar onde as pessoas vinham para se conhecer. Uma vez...

— Jules? É você?

Jules empalideceu.

Eu me virei na direção da voz, já com os músculos tensos antecipando a briga, mas a tensão deu lugar à confusão quando vi a pessoa parada ao lado da mesa.

A mulher devia ter uns vinte e poucos anos, embora a maquiagem e o cabelo chanel e platinado a fizessem parecer mais velha. Usava um top vermelho e justo e olhava para Jules com ar de expectativa.

— É *você*! — exclamou ela. — Jules Miller! Não acredito. Não sabia que tinha voltado à cidade! Quanto tempo faz, uns sete anos?

Miller? Que porra é essa?

Olhei para Jules, que exibia um sorriso obviamente falso.

— Mais ou menos isso. Tudo bem, Rita?

— Ah, sim. Eu me casei, tenho dois filhos, trabalho no salão da minha mãe. Como todo mundo, exceto pelo salão. — Os olhos de Rita se iluminaram quando ela me examinou. — Quem é *esse*?

— Josh — falei, quando Jules permaneceu em silêncio.

Não atribuí nenhum rótulo. Não saberia qual usar.

— É um prazer, Josh — disse Rita, quase ronronando. — Não é muito comum ver gente *como você* por aqui.

Forcei um sorriso educado.

Rita parecia inofensiva, mas a tensão que emanava de Jules era tão grande que eu a sentia na boca.

— O que fez durante todo esse tempo? — Rita voltou a conversar com Jules quando não dei mais corda na conversa. — Você desapareceu. Não se despediu de ninguém nem nada.

— Faculdade.

Jules não explicou, mas a outra mulher insistiu.

— Onde?

— Em um lugar pequeno. Você nunca deve ter ouvido falar.

Franzi a testa. Thayer era pequena, mas estava entre as universidades mais renomadas do país. Eu apostaria meu diploma de medicina que a maioria das pessoas já tinha ouvido falar da instituição.

— Ah, teve sorte de ir embora quando pôde. — Rita suspirou. — Este lugar suga a alma da gente, sabe? Mas o que se pode fazer? — Ela deu de ombros. — Aliás, sinto muito pelo que aconteceu com sua mãe e Alastair. Que coisa inacreditável. Pareceu enredo de novela.

— O incêndio na casa? Isso aconteceu há anos — comentou Jules.

— Não. Bom, sim, isso também, mas não é do que estou falando. — Rita acenou com uma das mãos. — Não ficou sabendo? Alastair foi pego fazendo sexo com a filha de um dos sócios. A menina tinha dezesseis, *tecnicamente* menor de idade, de acordo com as leis do estado, mas... — Rita forçou um arrepio exagerado. — Enfim, o tal sócio surtou quando descobriu. Dizem que ele destruiu metade dos negócios de Alastair, que teve que fazer uma montanha de empréstimos só para conseguir se manter. Foi por isso que sua mãe recebeu tão pouco depois do divórcio. Era tudo que ele ainda tinha. Algumas pessoas dizem que o sócio também foi o responsável pelo incêndio na casa, mas nunca saberemos.

Jesus Cristo. A história toda parecia mesmo um enredo de novela, mas só precisei olhar para Jules para descartar a incredulidade.

Ela estava paralisada, olhando para Rita de olhos arregalados. Sua pele combinava com a cor dos guardanapos brancos encaixados em uma caixinha de metal em cima da mesa.

— Como... minha mãe sabia disso? Como isso não saiu nos jornais?

— A família de Alastair manteve a história longe dos jornais — disse Rita, obviamente satisfeita por saber algo que Jules não sabia. — Abafaram o caso, mas alguém vazou informações. Dá pra acreditar? Coitada da sua mãe. Embora ela soubesse e tenha ficado com ele mesmo assim depois disso... — Ela deixou a frase morrer e pigarreou. — Enfim, por que você voltou?

— Eu... — Jules finalmente piscou. — Minha mãe morreu há alguns dias.

Houve uma pausa pesada, constrangida.

— Ah. — Rita pigarreou de novo, e os olhos dela vagaram pela lanchonete. O rosto ficou vermelho. — Sinto muito. Ei, tenho que ir, mas foi ótimo te ver de novo e, hã, meus sentimentos.

Ela se afastou correndo e quase derrubou um garçom na pressa de sair.

Ainda bem, porra.

— Velha amiga? — perguntei.

— Do tipo que costumava copiar minhas provas de matemática. — Jules começava a recuperar a cor, embora ainda parecesse chocada. — Como deve ter percebido, ela é a maior fofoqueira da cidade.

— É. — Olhei para ela, preocupado. — Como se sente em relação à notícia sobre Alastair?

Eu me sentia parcialmente vingado pela ruína financeira do sujeito, mas Jules já estava bem sobrecarregada com a morte da mãe, não precisava lidar também com o fantasma do padrasto repulsivo.

— Chocada, mas não surpresa, se é que isso faz sentido. — Ela respirou fundo. — Estou feliz por Rita ter me contado. Sei que são só fofocas, mas, quando penso nisso, tudo faz sentido. O motivo para ele ter deixado tão pouco dinheiro para minha mãe, as circunstâncias misteriosas do incêndio... Pelo menos Alastair foi responsabilizado, de certa forma, pelas coisas que fez.

— E agora está morto.

— E agora está morto — repetiu Jules, depois deixou escapar uma risadinha. — Não precisamos mais falar sobre esse babaca.

— Concordo.

A garçonete chegou para anotar o pedido, e esperei ela se afastar para mudar de assunto.

— Que história é essa de Jules Miller?

Ela fez uma careta.

— Mudei meu sobrenome. Miller era o nome da minha mãe. Eu queria recomeçar do zero depois que saí de Ohio, por isso pedi uma alteração legal de nome.

Quase me engasguei com a água.

— Como é que eu não sabia disso? Ava nunca falou nada.

— Porque Ava não sabe. É só um nome. — Jules brincava com o guardanapo. — Não é importante.

Se não fosse importante, ela não teria feito a mudança, mas preferi não fazer esse comentário.

— De onde tirou Ambrose?

Parte da tensão desapareceu do corpo de Jules, e vislumbrei uma centelha de humor passando como uma sombra pelo rosto dela.

— É bonitinho.

Dei risada.

— Bom, tem razões piores para se escolher um nome — falei, em um tom seco. — É estranho estar aqui novamente?

Jules fez uma pausa antes de responder.

— É engraçado. Antes dessa viagem, transformei Whittlesburg em um monstro dentro da minha cabeça. Tenho muitas lembranças ruins daqui, boas também, mas a maioria é ruim. Pensei que voltar seria um pesadelo, mas com exceção da revelação sobre Alastair, tem sido bem... normal. Nem o encontro com Rita foi tão ruim.

— Os monstros da sua imaginação são sempre piores que os da realidade.

— É — concordou Jules, em voz baixa, depois olhou para mim. — E os seus monstros, Josh Chen? São piores na sua imaginação ou na realidade?

Houve um instante de silêncio carregado entre nós, enquanto eu pensava em uma resposta.

— Michael manda cartas para mim quase toda semana — contei, finalmente. A admissão tinha um gosto azedo, como algo que ficou guardado por tanto tempo que azedou antes de ver a luz do dia. — Não abro. Ficam na gaveta da minha mesa, pegando poeira. Cada vez que chega uma carta nova, digo a mim mesmo que vou jogar fora. Mas nunca jogo.

Uma faísca de piedade brilhou nos olhos dela.

Se alguém entendia a inutilidade de desejar um arco de redenção que nunca chegaria, esse alguém era Jules.

— Você mesmo disse. Os monstros da nossa imaginação costumam ser piores que os da realidade. — Ela colocou a mão sobre a minha. — Nunca vamos saber com certeza, até encará-los.

Senti um aperto no peito. O funeral da mãe dela seria realizado no dia seguinte, e Jules estava *me* confortando.

Eu não sei como acreditei todo esse tempo que Jules era insuportável, porque eu, finalmente, via: ela era extraordinária.

CAPÍTULO 37

Josh

No dia seguinte, acompanhei Jules ao funeral da mãe. Além do ministro e dos funcionários, éramos os únicos presentes, e a cerimônia aconteceu sem comoção.

— Gostaria de dizer algumas palavras antes de Adeline ser deixada em seu descanso eterno? — perguntou o ministro quando terminou o louvor.

Jules balançou a cabeça.

— Não. Não quero falar nada — sussurrou Jules.

Segurei a mão dela e a afaguei oferecendo conforto, desejando poder fazer mais para ajudar. Jules não olhou para mim, mas retribuiu o afago.

O ministro assentiu, os funcionários baixaram o caixão à sepultura e foi isso.

Nas palavras de Jules, foi anticlimático, mas não impediu que um nó se formasse no meu estômago quando olhei para o túmulo de Adeline.

Décadas de vida encerradas daquele jeito, sem ninguém além da filha e um desconhecido para se despedir dela. Uma vida de sonhos, medos, realizações e arrependimentos encerrada por um acidente bizarro.

Era deprimente pra cacete.

Eu me permiti sentir a melancolia por um momento, antes de afastá-la e tocar o cotovelo de Jules. O ministro e o pessoal da funerária já haviam ido embora, mas ela não se movera desde o fim da cerimônia.

— Temos que ir. Nosso voo decola em breve.

Só havia um voo noturno naquele dia partindo de Columbus para Washington, e viajaríamos juntos devido às circunstâncias.

— Certo. — Jules inspirou profundamente e soltou o ar devagar. — Obrigada por estar aqui comigo — disse ela, enquanto nos dirigíamos à saída.

— Não precisava.

— Não, mas eu quis. — Minha boca se alinhou em um meio sorriso. — Quem sabe em que tipo de problema se meteria, se eu deixasse você sozinha?

— As possibilidades são infinitas — concordou ela, solene. — Tem certeza de que não quer conhecer a delegacia de polícia de Whittlesburg antes de irmos embora?

— Tenho certeza de que é um passeio fascinante, mas dispenso. — Olhei para Jules tentando entender onde ela estava com a cabeça. — Como se sente?

— Surpreendentemente bem. — Jules ajeitou o cabelo atrás da orelha. — Acho que superei o choque, e agora estou só... resignada. Nunca vou poder me despedir da minha mãe, nem consertar os erros do passado. — Ela hesitou. — Sei que nosso voo decola em breve, mas podemos parar em um lugar no caminho para o aeroporto? Vai ser rápido.

— Sim, é claro.

Tínhamos pouco tempo, mas eu não negaria nada a ela depois do funeral da mãe.

Quinze minutos mais tarde, chegamos à casinha dilapidada na periferia da cidade. O exterior era pintado com uma tinta azul descascada, e a porta estava destrancada quando Jules girou a maçaneta.

— A casa que minha mãe alugava antes de morrer — explicou ela, ao perceber meu olhar curioso. — Quando avisei o proprietário sobre o falecimento, disseram que eu poderia passar e pegar todos os objetos pessoais. Eu não ia, mas...

— Eu entendo.

Era a última chance de Jules. Ela provavelmente nunca mais voltaria a Ohio.

Entramos na casa. Não havia muita mobília, apenas um sofá, uma televisão e uma mesinha. A pia estava lotada de louça suja, e havia um vaso de flores murchas no parapeito da janela da cozinha.

Era mórbido, como se a casa estivesse esperando pacientemente por um morador que nunca voltaria.

Segui Jules até o dormitório e fiquei na porta enquanto ela olhava a coleção de fotos emolduradas sobre a cômoda. Todas mostravam uma bela mulher de cabelo vermelho, obviamente a mãe dela. Em um dos retratos, a mulher usava um vestido elegante e sorria em uma festa que parecia ser chique; e em outra, era coroada Miss Adolescente Whittlesburg, de acordo com a faixa no seu peito.

Não havia fotos de mais ninguém, nem de Jules.

— Eu esperava que ela pelo menos tivesse uma foto minha — murmurou Jules, passando a mão pela foto da miss adolescente. — Todos esses anos... — E balançou a cabeça, soltando uma risada autodepreciativa. — Foi idiotice. Tive esperança, mas Adeline nunca gostou de ninguém além dela mesma.

Senti uma dor desabrochar no peito. Nenhum de nós havia tido pais exemplares, mas eu odiava ver a esperança dela morrer.

— Sinto muito, Ruiva.

— Bobagem. — Jules abaixou a mão antes de me encarar. — Podemos ir. O avião não vai esperar, e já consegui o que eu queria.

— O quê?

— Encerramento.

Encerramento.

A palavra ecoou na minha cabeça durante o trajeto para o aeroporto.

Talvez eu precisasse disso com Michael. Evitava contato com ele havia três anos, pensando que essa era a solução. Tudo que tinha conseguido havia sido permitir que pensamentos sobre ele infeccionassem como câncer. Lentos, invisíveis e sugando minha vida aos poucos até eu não ser mais que uma casca vazia de mim mesmo.

Os monstros da nossa imaginação são sempre piores que os da realidade.

A clareza súbita e repentina me atravessou como uma lâmina.

— Você está bem? — perguntou Jules depois que passamos pela segurança. Whittlesburg ficava tão perto de Columbus que levamos menos de uma hora para chegar ao aeroporto. — Parece chocado.

— É — respondi, atordoado com minha descoberta.

Era tão óbvio que eu me sentia um idiota por não ter pensado naquilo antes, mas éramos sempre mais cegos quando encarávamos a nossa vida.

Não estava ansioso para ver Michael, mas seria como arrancar um bandeide. Depois, eu poderia finalmente seguir em frente. Tinha certeza disso.

Encerramento.

A resposta estivera lá o tempo todo.

— Passamos dois dias inteiros juntos sem nos matarmos. — Jules arqueou uma sobrancelha quando pegamos sanduíches e batatas em uma das lanchonetes do aeroporto e nos sentamos em uma das mesas na praça de alimentação. Nosso voo decolaria em sessenta e cinco minutos, então tínhamos tempo de sobra. — Estamos progredindo.

— Foi um dia e meio, no máximo. — Sorri, recebendo bem a mudança de assunto para instaurar um clima mais leve, depois da manhã pesada que havíamos tido. Ainda havia tristeza nos olhos de Jules, mas ela parecia determinada a deixar o passado para trás. — E ainda temos tempo.

— Muito tranquilizador. — Ela mordeu o sanduíche, mastigou e engoliu o pedaço, depois acrescentou, hesitante: — Fiquei pensando sobre o que você disse no casamento da Bridget.

Meu coração bateu mais depressa.

— Ah, é?

— Talvez você esteja certo. — Jules não olhava para mim, mas notei que ficou vermelha. — Sobre haver uma diferença entre o que uma coisa deveria ser e o que realmente é.

Os batimentos aceleraram ainda mais. Meu peito esquentou por dentro, e o calor preencheu algumas rachaduras abertas ao longo dos anos.

— Eu sempre estou certo.

Tive que me esforçar para não sorrir.

Nunca havia desejado ter um relacionamento exclusivo. Era sempre uma situação de muitas expectativas e, honestamente, nunca havia *gostado* de ninguém a ponto de sair com a pessoa por mais de três vezes.

Desejar, talvez. Gostar? Não.

Mas com Jules... porra, eu nem sabia como aquilo havia acontecido. Eu gostava dela mesmo quando me irritava, o que acontecia na metade do tempo. Nossas discussões me esclareciam mais que conversar com qualquer outra pessoa, e quando realmente conversávamos, ela era a única pessoa que me fazia sentir compreendido. A única pessoa que me enxergava para além do médico, do playboy, do viciado em adrenalina e de todas as outras máscaras que eu usava para esconder as partes imperfeitas e complicadas.

Engoli o estranho nó na garganta enquanto Jules revirava os olhos e sorria.

— Sempre modesto.

— Isso também.

O sorriso dela ficou mais luminoso, e nos encaramos por um momento antes de sua expressão voltar à seriedade.

— E aí, o que isso significa para a gente?

Boa pergunta. Eu não tinha experiência com aquela coisa toda de relacionamento, mas...

— Significa que a gente devia ter um encontro. — Não contive um sorriso ao ver como os olhos dela se arregalaram. — Não faz essa cara de chocada. É um date, Ruiva. Não um pedido de casamento.

— *Obviamente* — disse ela, bufando, mas o nervosismo persistia nos seus olhos. — Já tive outros encontros.

O lembrete apagou meu sorriso.

É claro que Jules havia saído com outros homens antes. O que não significava que eu quisesse pensar nisso.

O sentimento de posse me acometeu com força total, e tive que recorrer à toda minha força de vontade para não exigir o nome completo, número de telefone e endereço de todos os caras que já haviam tocado nela.

— Não comigo. — Limpei um pingo de molho do canto da sua boca. Mantive o polegar sobre o lábio inferior, e uma satisfação sombria se espalhou dentro de mim quando notei que sua respiração ficou mais rápida. — Quando sair comigo, vai ter o melhor encontro que já teve na vida.

— Seu ego não conhece limites, realmente. — A voz ofegante amenizou o ardor do insulto.

Eu me inclinei para frente e troquei o polegar pela boca.

— Vamos fazer uma aposta, Ruiva. — Meus lábios tocaram os dela, não em um beijo, mas em uma promessa. — Aposto que, depois do nosso encontro, você não vai conseguir nem *pensar* em outro homem.

A última parte soou como um grunhido abafado.

Jules engoliu em seco.

— Está criando expectativas muito altas, Chen.

Meu sorriso voltou.

— Não se preocupe. Nunca crio expectativas sem ter certeza de que consigo corresponder a elas.

CAPÍTULO 38

Jules

Era estranho. Fui a Ohio esperando que fosse ser um pesadelo, mas voltei convencida de que foi uma catarse.

A viagem selecionou as partes confusas e turvas da minha vida e as colocou em evidência.

Alastair estava morto e não podia mais me machucar.

Minha mãe estava morta, e por mais que eu me afligisse com os "e se", ela nunca mais voltaria.

Max seguia sendo uma ameaça, mas estava estranhamente silencioso fazia um tempo. Até que ele fizesse o próximo movimento, não havia muito que eu pudesse fazer.

E Josh... Josh era um dos poucos pontos brilhantes. A mudança no nosso relacionamento de inimigos coloridos para ficantes era como pular em um precipício – podia acabar sendo a maior emoção da minha vida ou um desastre total.

Mas eu já alimentava arrependimentos suficientes na vida. Não queria que Josh fosse mais um deles.

Às vezes, você tinha que dar um salto ou correr o risco de ficar estagnado para sempre.

— O que você acha?

Girei devagar para que Stella examinasse minha roupa.

Josh e eu teríamos nosso primeiro encontro oficial naquele dia, mas por mais que eu pedisse, ameaçasse e subornasse, ele não revelava o que faríamos, por isso eu não sabia direito que tipo de roupa usar. A única orientação que ele havia me dado fora para me vestir bem, mas *sem exagerar*, o que não ajudava em nada.

Depois de muita aflição, escolhi um vestido leve azul e sandálias, e prendi o cabelo em um rabo de cavalo alto para enfrentar o calor de junho. Era divertido, sensual e casual o bastante para um passeio no parque, mas elegante o suficiente para ir a um bom restaurante.

Era o que eu esperava, pelo menos.

Stella me examinou da cabeça aos pés, e então levantou um polegar.

— Perfeito.

Graças a Deus. Não tinha tempo para trocar de roupa, já estava em cima da hora.

Como Josh não podia ir me buscar em casa, fui encontrá-lo em Georgetown, como ele me pediu.

Senti um frio na barriga quando o vi esperando no local combinado.

Camisa branca. Jeans escuro. Cabelo bagunçado. Tão lindo que fazia meu coração doer.

Eu meio que desejava que ainda nos odiássemos, porque aquele relacionamento não fazia bem para a minha saúde cardíaca.

— Oi, Ruiva. — Josh me olhou de cima a baixo, e os olhos dele arderam. — Bom te ver apresentável, para variar.

— Bom te ver parecendo humano, para variar. — Também o estudei com um olhar direto. — Quanto pagou pelo disfarce para cobrir os chifres e a pele de réptil?

— Nada, foi gratuito. Sou tão charmoso, que essas coisas acontecem.

— Acho que o vendedor só ficou com medo de ser sufocado pelo seu ego gigantesco se você não fosse embora logo.

A risada dele me invadiu como caramelo derretido, saboroso e doce.

— Senti saudade, cacete.

Começamos a andar lado a lado, descendo a rua em direção ao nosso destino misterioso.

— Foram três dias.

— Eu sei.

O frio em minha barriga aumentou. *Droga.* Quando não era um cretino, ele conseguia ser bem... fofo.

— Vai me dizer aonde vamos?

Eu estava curiosa demais para não perguntar. Por que Josh não havia combinado de nos encontrarmos direto no local, em vez de marcar em uma esquina aleatória?

Ele suspirou com exagero.

— *Paciência*.

— Não sei o que é isso, mas parece ser chato.

Segurei a risada quando ele me olhou de lado.

— Você é insuportável.

— Vive dizendo isso, mas sentiu saudade e está comigo agora, em um encontro. O que isso diz sobre *você*?

— Que eu sou maluco por um sofrimento gostoso.

Mordi a boca para conter um sorriso.

— Devia se tratar. Isso não parece saudável.

— Já tentei. Infelizmente, não tem cura.

Tropecei em uma pedra solta e teria caído de cara na calçada se Josh não me segurasse pelo braço.

— Cuidado — disse ele, mas havia um brilho divertido nos seus olhos. Sabia exatamente o que estava fazendo, o filho da mãe. — Não quero que você caia.

— Não vou cair. — Consegui adotar um tom altivo e ajeitei a saia, apesar do rosto vermelho.

Mais uns cinco minutos, e finalmente paramos na frente de uma lojinha com um toldo listrado e as palavras Apollo Hill Livros em dourado nas vitrines. Pilhas de livros ocupavam os espaços visíveis, o que me impedia de enxergar o interior da loja, e duas carroças azuis na calçada rangiam sob o peso de volumes vendidos com desconto.

Entendi por que Josh não havia marcado o encontro ali – a rua era estreita, apenas para pedestres e bicicletas. Um carro não passaria. E as ruas no entorno eram iguais.

— Bem-vinda à melhor livraria da cidade.

Josh apontou para o prédio e sorriu da minha cara de surpresa.

— Como eu nunca ouvi falar deste lugar? — Meu coração batia depressa com as possibilidades existentes além da porta branca de madeira. Descobrir uma nova livraria era como descobrir um novo tipo de pedra preciosa: empolgante, maravilhoso e com um toque surreal. — Moro aqui há anos.

— Foi inaugurada há poucos meses, e não está em um lugar muito movimentado. Descobri que existia por intermédio de outro residente, que tem um primo que é amigo da proprietária.

Josh abriu a porta.

Eu me apaixonei assim que entrei. Sim, à primeira vista e completamente, seduzida pelas estantes que cobriam as paredes do teto ao chão, pelas pilhas espalhadas de um jeito encantador sobre a mesa oval no meio da loja e pelo cheiro característico de livros velhos. O carpete verde-esmeralda contrastava com as discretas paredes cor de creme, e vários lustres de ferro fundido projetavam um brilho morno sobre a área.

Era a livraria dos meus sonhos se realizando diante dos meus olhos.

— O que foi que eu disse? — A voz de Josh desceu pelas minhas costas como uma carícia aveludada. — Melhor livraria da cidade.

Éramos os únicos clientes ali, além da proprietária. Era difícil acreditar que o burburinho da cidade ainda existia do outro lado da porta. Ali tudo era tão quieto que eu tinha a sensação de termos entrado em um mundo secreto criado apenas para a gente.

— Esta é a única vez que vou admitir que você tem razão. — Passei a mão sobre os livros de uma pilha de um jeito reverente. Havia lançamentos e livros usados, e eu queria explorar cada um. — Vamos ficar aqui? Porque eu topo.

— Mais ou menos. — Josh se apoiou em uma estante e pôs a mão no bolso, a personificação da indiferença charmosa. — Eu começaria pelo seu livro infantil favorito.

— Por quê?

— Confie em mim.

Ele projetou o queixo na direção da seção infantil ali perto.

O calor no olhar de Josh aqueceu minha pele enquanto eu examinava as prateleiras até encontrar o que procurava. Só havia três exemplares de *A teia de Charlotte*, e deduzi que houvesse um bilhete ou algo assim em um deles.

O fato de ele ter se lembrado desse detalhe da conversa que havíamos tido em Ohio provocou em mim uma reação eletrizante, como uma explosão de faíscas.

Foco, Jules.

Tirei um dos exemplares da estante e virei as páginas rapidamente. Nada de extraordinário.

Peguei o segundo exemplar. Nada.

Mas quando abri o terceiro, um pedaço de papel caiu no chão. Eu o peguei e sorri ao ler as palavras escritas na caligrafia regular de Josh.

seu prato favorito, mas vai ter que preparar.

E3, P4, #10.

— O que é isso, uma caçada ao tesouro na livraria?

Eu praticamente saltitava, sem conseguir conter a animação.

— Caça ao tesouro e quebra-cabeça. — As covinhas de Josh apareceram. — Preciso ter certeza de que sua inteligência atende aos meus padrões, Ruiva. Não saio com gente burra.

— Compreensível. *Alguém* precisa ter inteligência no relacionamento.

A risada de Josh se alojou em mim.

— Resolve o enigma antes de ficar toda arrogante, meu bem. Se conseguir, tem um prêmio esperando por você.

Eu me animei ainda mais. Adorava prêmios. Tinha uma caixa cheia de certificados, troféus e medalhas que havia ganhado no ensino médio e na faculdade.

— O que é?

— Você vai descobrir. Ou talvez não. — Ele deu de ombros. — Vamos ver.

Minha pele vibrava com a interação e a euforia da caçada, mas contive a vontade de estender a disputa verbal e me concentrei na tarefa.

"Sua comida favorita, mas vai ter que preparar", obviamente uma referência a um livro de receitas italianas.

Quanto a "E3, P4, #10"... meu cérebro se esforçava para decifrar esse enigma. Era uma caça ao tesouro, portanto a pista provavelmente levava a um livro de receitas específico. Todos os livros eram organizados em ordem alfabética pelo sobrenome do autor, então o que os números poderiam representar?

Dei uma olhada nas prateleiras, tentando...

Notei uma placa onde havia o número um. Ficava na lateral da estante mais próxima.

Os livros não eram numerados, mas as estantes, sim, e todas eram compostas por várias prateleiras. Estante, prateleira. E3, P4.

Seção de culinária, estante três, prateleira quatro... #10. Décimo livro na prateleira?

Não custava tentar.

Meu peito pulsava de ansiedade quando segui em linha reta para a prateleira em questão e contei os livros da esquerda para a direita. *Um, dois, três, quatro...*

O número dez era um livro de receitas italianas.

Senti a vertigem correr pelas veias. Lancei um olhar triunfante para Josh, e ele tentou, sem sucesso, conter um sorriso antes de eu folhear o livro e encontrar o segundo bilhete.

Depois que havia decifrado o código, o próximo seria mais fácil de resolver. Ele me levou à seção de viagens para um guia da Itália. Esse, por sua vez, me mandou para a seção de arte e uma biografia de Michelangelo, que me direcionou para um romance sobre um pintor que se apaixona pela vizinha e faz dela sua musa.

O bilhete no romance não tinha pistas. Era composto por uma única frase.

Jules, quer sair comigo?

Seria possível um ser humano derreter literalmente? Porque essa era a única explicação em que eu conseguia pensar para como meus joelhos enfraqueceram e tudo dentro de mim virou líquido. Eu era uma bola de nada, exceto emoção, mantida por uma pulsação trovejante e um fio de borboletas batendo as asas.

— Já estamos em um encontro, idiota.

Minhas bochechas doíam de tanto sorrir.

A expressão travessa de Josh se diluiu em algo mais afetuoso.

— Achei melhor fazer um convite formal antes de seguirmos para a próxima parada.

— Onde?

— Você vai ver. Obrigado, Luna.

Ele acenou para a proprietária sorridente, que entregou a Josh uma sacola de compras cheia de livros.

Fiquei tão envolvida na caçada que não havia percebido que ela me seguia, pegando cada livro em que havia encontrado uma pista assim que eu avançava para a próxima seção.

— Os livros são seus. Não precisa me agradecer por colaborar com a diversificação da sua leitura — disse Josh.

Fiquei chocada demais para pensar em uma boa resposta.

— Como você organizou isso?

— Como eu disse, Luna é amiga do primo de um cara que trabalha comigo. Planejei tudo com ela. Além do mais, trouxe uma tonelada de livros para permuta, então todo mundo saiu ganhando.

— Isso é...

Não chora. Seria humilhante, mas pensar que Josh havia tido todo aquele trabalho para organizar nosso encontro...

Quando nos despedimos de Luna e saímos da livraria, eu tinha um nó na garganta.

— Jules Ambrose ficou sem palavras. Eu devia ter feito isso antes — comentou Josh, brincando. — Teria me poupado de muitas dores de cabeça, no passado.

— Hilário. — Recuperei a fala. — E aí, onde está o prêmio que me prometeu?

— Vai receber mais tarde.

Estreitei os olhos.

— Está armando alguma coisa para mim, Josh Chen?

Ele sorriu.

— Talvez. — Paramos na frente do Giorgio's, um restaurante italiano aconchegante escondido em uma ruazinha secundária. As janelas eram iluminadas por velas, e as notas suaves de um jazz nos receberam quando ele abriu a porta. — Vai ter que confiar em mim.

Três meses antes, eu não teria confiado em Josh nem se estivesse me afogando e ele fosse o único salva-vidas possível. Naquele momento, não pensei duas vezes antes de acompanhá-lo até a mesa à qual a recepcionista nos levou, em um canto no fundo do salão.

— Eu não faria você cozinhar — disse Josh, fazendo referência à primeira dica da caça ao tesouro. — Não quero morrer de intoxicação alimentar.

— Rápido, pede demissão do hospital. Você devia ser comediante. — Eu examinava o cardápio. — Já que estamos aqui, suponho que correspondi aos seus padrões intelectuais e sou, oficialmente, o cérebro da relação.

— Entre outras coisas — concordou Josh, em voz baixa.

Virei a página seguinte com um movimento mais lento. Levantei a cabeça, e meu estômago se contraiu quando vi a intensidade nos olhos dele.

— Outras coisas?

Um sorriso lento distendeu a boca de Josh.

— Deixa de ser biscoiteira, Ruiva.

— Não é isso. Odeio essa coisa de pedir biscoito, pescar elogio... — *O que você está falando? Continuei tagarelando, nervosa demais para ficar quieta.* — Falando nisso, por que vocês, homens, sempre colocam fotos de pescaria no perfil de aplicativo de relacionamento? É brochante, sério.

— Eu não faço isso, e você não precisa ter esse tipo de preocupação.

— Por que não?

— Porque nenhum de nós vai sair com mais ninguém, Ruiva.

Josh fez essa declaração de um jeito tão calmo e direto que as palavras ficaram gravadas na minha pele como uma verdade.

O garçom se aproximou da mesa e me poupou da necessidade de pensar em uma resposta eloquente. Teria sido um esforço inútil, de qualquer jeito. Eu não conseguia me concentrar nem na comida, muito menos escolher entre as milhares de palavras do meu vocabulário para formar uma frase coerente.

Meu único foco era o homem do outro lado da mesa. O lábio inferior espesso, a sombra da covinha, a carícia da voz rouca e a luminosidade bronzeada da pele à luz pálida.

Não conseguia entender como havia pensado um dia que Josh era chato, porque eu seria capaz de ficar aqui sentada para sempre ouvindo ele falar.

— Você se lembra do que me disse em Eldorra? Sobre perdoar, mesmo que eu não me esquecesse? — Josh passou a mão no queixo. — Alex e eu vamos assistir a um jogo juntos na semana que vem.

Era uma surpresa agradável.

— Isso é ótimo.

— Vamos ver. Ele é tão cretino que a situação pode atrapalhar mais do que ajudar.

Dei risada.

— É verdade. Mas ele sempre foi um cretino, e vocês foram amigos durante anos.

— Verdade. É estranho, porque foi muito difícil me aproximar de verdade dele, especialmente no início. E isso porque ele estava *tentando* ser amigável.

Normalmente, eu teria desistido de alguém assim, mas... — Uma ruga surgiu na testa de Josh. — Não sei. Acho que pensei que ele precisava de um amigo. Por mais que a pessoa seja rica, ela ainda precisa de alguém com quem contar. Alguém que não esteja ali pelo dinheiro.

As palavras dele me amoleceram.

— Você é uma pessoa boa, Josh Chen.

— Só de vez em quando. — Ele riu, constrangido. — Você estava certa, sabia? Sobre o que disse depois do Black Fox sobre eu alimentar o ressentimento, porque era a única coisa a que eu ainda podia me agarrar.

O Black Fox. Aquela noite parecia ter acontecido em outra vida. Estávamos furiosos e dissemos coisas dolorosas, mas se tivesse que fazer tudo de novo, eu não mudaria nada. Aquela noite havia nos levado ao ponto em que estávamos naquele momento. E, mesmo com a morte da minha mãe e o espectro de Max pairando sobre mim, eu estava feliz por ter chegado aonde estava, porque, pela primeira vez na vida, não me sentia sozinha.

— Eu não diria que aquela é a *única* coisa que você tem para se agarrar — respondi.

O restante do restaurante desapareceu quando o silêncio se prolongou, tenso e repleto de um milhão de palavras não ditas. O lampejo de emoção nos olhos de Josh penetrou meu peito e destruiu um escudo que eu nem sabia que existia.

O resultado foi caos completo – coração exposto, pulsação enlouquecida, frio na barriga e uma sucessão de arrepios.

— Cuidado, Ruiva. — Deliciosas correntes elétricas percorreram meu corpo quando ouvi o aviso baixo de Josh. — Se continuar falando essas coisas, posso não te soltar nunca mais.

Senti o calor no rosto. Estava ficando tonta com a falta de oxigênio, mas, por mais que tentasse respirar, não era o suficiente. O ar vibrava com uma descarga elétrica que me iluminava de dentro para fora.

Eu poderia ter sofrido um colapso bem ali, na mesa de canto do Giorgio's, se o ruído dos sininhos da porta não afrouxasse o nó que me estrangulava. O tilintar foi seguido por uma voz fria e clara.

— Alex Volkov. Mesa para dois.

Josh e eu olhamos para a frente do restaurante com o mesmo pavor.

Alex e Ava estavam em pé ao lado do totem da recepcionista. Ainda não haviam nos visto. Alex olhava para Ava, que conversava com a funcionária, mas era só uma questão de tempo. O restaurante era *minúsculo*.

— Ai, meu Deus. — Desviei o olhar e cobri um lado do rosto com a mão. — O que vamos fazer?

Até onde Alex e Ava sabiam, Josh e eu nos odiávamos. Se estivéssemos em algum lugar mais casual, poderíamos fingir que havia sido um encontro acidental, mas não havia nada de acidental em se sentar à mesa para um jantar à luz de velas em um restaurante romântico numa sexta-feira à noite.

— Temos duas opções. — A voz de Josh era tão baixa, que eu quase não a ouvia. — Primeira, ficamos e enfrentamos a situação com coragem. Segunda, saímos pelo fundo como covardes antes que os dois nos vejam.

Nós nos encaramos.

— Segunda opção — decidimos em uníssono.

Felizmente, conseguimos pagar a conta antes. A dificuldade se resumia a chegar à cozinha sem que Alex e Ava nos vissem.

De costas para o salão, fomos nos esgueirando para a porta vaivém. Não queríamos chamar atenção com movimentos rápidos, mas meu coração parecia querer sair pela boca a cada segundo que passava.

Por algum milagre, chegamos à cozinha antes de os nossos amigos nos verem. Então corremos, o que atraiu olhares assustados dos funcionários.

— Ei! — gritou um dos cozinheiros. — Vocês não podem entrar aqui!

— Desculpa! — gritei por cima do ombro. — Queríamos dizer ao chef que adoramos a comida!

— O *pappardelle al ragù* estava excelente — acrescentou Josh. — Cinco estrelas.

— Vou chamar o gerente — avisou o cozinheiro. — Sergio!

Merda.

— Vem, vem, vem!

Josh segurou minha mão e me puxou para a saída. Chegamos à viela atrás do restaurante assim que um homem, que imaginei ser Sergio, gritou algo incompreensível para nós. Continuamos correndo até estarmos a vários quarteirões do restaurante, e então parei e me inclinei para recuperar o fôlego.

— Merda — disse, ofegante. Cardio nunca havia sido meu forte, e dava para perceber. — Não acredito no que acabamos de fazer.

— Pelo menos deixamos uma gorjeta generosa. — Josh respirava normalmente, o filho da mãe. — Vamos fazer uma avaliação bem positiva depois dessa. Boa comida, cozinha limpa. Nós vimos com nossos próprios olhos.

Por alguma razão, achei a sugestão absurda. Eu me curvei de novo, dessa vez de tanto rir. Um segundo depois, Josh se juntou a mim.

Talvez fosse a comida, a adrenalina de quase termos dado de cara com nossos amigos, o ar frio da noite, mas fui tomada por uma euforia que me deixou tonta.

Nunca havia me sentido tão incrível e indescritivelmente *viva*.

As gargalhadas foram perdendo força aos poucos, mas o balão de prazer continuava cheio no meu peito.

— Então me fala, Ruiva. — Um sorriso persistia em um canto da boca de Josh. — Em uma escala de um a dez, o que achou do encontro?

— Hum... — Bati com a ponta do dedo no queixo. — Sete e meio, mas vou arredondar para oito pela caça ao tesouro.

— Oito, é?

Ele deu um passo na minha direção.

Meu coração bateu um pouco mais depressa.

— Aham.

— O que tenho que fazer para ganhar um dez?

Ele olhou para minha boca.

— Bom, você me deve um prêmio. — Aquela voz ofegante era minha? — Cumpra suas promessas, Chen.

— Tem razão. — Josh segurou meu rosto com uma das mãos e deslizou o polegar pelo meu lábio. Fagulhas elétricas passearam pela minha pele. — Não é educado te fazer esperar.

Ele se inclinou e me beijou. Um beijo leve, mas que viajou do topo da minha cabeça à ponta dos pés.

— E agora? Chegamos no dez? — cochichou ele, sem afastar a boca da minha.

— Hum... — Minha cabeça girava de prazer. — Nove, talvez.

— Hum. Não é suficiente. — Josh me beijou de novo, dessa vez com mais firmeza. A língua passeou pela linha que unia meus lábios e entrou quando os afastei. Uma névoa de desejo turvava meus pensamentos enquanto ele explorava minha boca e a mão pesava, possessiva, no meu quadril. Quando ele finalmente encerrou o beijo, eu mal conseguia me lembrar do meu nome.

— E agora?

— Nove e meio — decretei, com a voz rouca, depois de uma longa pausa.

— Nove e meio. — Josh segurou meu rabo de cavalo e puxou de leve, e o movimento afetou diretamente minha região mais íntima. — Está brincando comigo, Ruiva?

— Está reclamando?

Os olhos dele brilharam com humor e mais alguma coisa que espalhou espirais quentes dentro de mim.

— Nem um pouquinho.

Dessa vez, o beijo foi mais incisivo, mais urgente.

Eu me entreguei, deixando o toque e o sabor de Josh me levarem para um lugar onde éramos as únicas pessoas que existiam.

Uma vez li em algum lugar que o oposto do amor não é o ódio, mas a indiferença. As chamas do ódio e da paixão queimam na mesma medida.

Eu não conseguia determinar o momento específico em que meus sentimentos por Josh haviam mudado. Não sabia nem quais eram meus sentimentos por ele naquele exato momento.

Tudo que sabia era que ele me incendiava, e eu não queria que esse fogo se apagasse nunca.

CAPÍTULO 39

Josh

— Cara, senti falta disso. — Estiquei as pernas e peguei uma cerveja. — Nada bate o camarote VIP.

— Óbvio que não. É por isso que o nome é camarote VIP.

Alex sentou-se ao meu lado e continuou acompanhando o jogo. O Nationals jogava contra o Dodgers, e estavam perdendo por três runs no quinto inning. Nada muito desastroso.

Eu gostava mais de basquete, mas os jogos do Nats eram mais divertidos. Alex e eu os transformamos em uma tradição quando estávamos na faculdade. Sempre que queríamos falar sobre alguma coisa que as pessoas no campus não podiam ouvir, íamos para o Nationals Field e deixávamos o jogo rolando ao fundo enquanto desabafávamos.

Bom, eu desabafava enquanto Alex suspirava e me lembrava de como as outras pessoas eram estúpidas. Era tipo terapia, mas com esporte, cerveja e um melhor amigo rabugento.

Eu não tinha percebido o quanto aquelas sessões me ajudavam até acabarem.

É claro, presumindo que o tal melhor amigo não fosse *o motivo* dos meus problemas.

— Cara, você ainda está em avaliação. Sem sarcasmo até acabar o período de experiência — falei.

— Isso não fazia parte do acordo.

— Não tínhamos um acordo.

— Exatamente.

Olhei para Alex.

— Quer que eu te perdoe ou não?

— Eu subornei você com ingressos VIP para assistir ao jogo e você aceitou. Isso significa que já me perdoou. — Ele sorriu. — O nome disso é contrato paralelo.

Mantive a cara feia por mais um minuto, mas então cedi e dei risada.

— Touché.

Bebi um gole de cerveja. Achei que seria estranho retomar uma das nossas velhas tradições, mas era como se o tempo não tivesse passado.

Meu celular vibrou , e sorri quando a vi a notificação de mensagem e a li.

Jules: Como está indo o encontro dos manos? Devo me preocupar?

Eu: Fica tranquila. Alex sabe como tratar um cara, mas você é mais bonita.

Jules: Está dizendo que eu não sei como te tratar??

Eu: Você passa metade do tempo me insultando, Ruiva.

Jules: Não tenho culpa se você é masoquista.

Jules: Desculpa se eu satisfaço seu fetiche.

Tive que segurar uma gargalhada.

Eu: Meu fetiche não é esse, benzinho.

Eu: Talvez precise de um lembrete sobre qual é o meu fetiche.

Minha mão no pescoço dela. As unhas dela arranhando minhas costas. Os gemidos e súplicas quando eu a levava à loucura antes de fodê-la até arrancar aquela marra.

Mandei a última mensagem como uma provocação, mas meu sangue ferveu quando pensei nisso.

Jules e eu não fazíamos sexo desde Ohio. Agora que estávamos juntos, eu queria fazer aquilo do jeito certo e, em um ímpeto de pura idiotice, impus uma regra de sexo só depois do terceiro encontro.

Era retrógrado demais, considerando que já havíamos transado, mas parecia certo. Ou talvez eu fosse *mesmo* masoquista. Estava maltratando minhas bolas, e Jules também não via graça na privação sexual.

A regra do terceiro encontro não seria tão ruim se tivéssemos tempos para os encontros. Infelizmente, meus horários no hospital e a agenda dela na clínica não davam a mínima para nossa vida sexual, por isso ainda não havíamos tido nem o segundo.

Eu não ficaria surpreso se meu pinto se revoltasse contra mim antes de o terceiro chegar. Simplesmente abandonasse o barco devido à negligência.

Os três pontos indicando que Jules estava digitando apareceram na tela, desapareceram, depois apareceram de novo.

Jules: É, preciso ;)

Jules: Melhor providenciar vários lembretes, para eu não me esquecer.

Engoli um gemido torturado.

Eu: Você está me matando, porra.

Eu: Vamos parar com isso, antes que eu tenha que passar o resto do jogo sentado por causa de um pau duro.

Eu: Apesar de que acho que já é tarde demais para isso.

Jules: Covarde.

Eu: Pode provocar quanto quiser, Ruiva.

Eu: Vou me lembrar de cada palavra na próxima vez que te foder.

Guardei o telefone no bolso antes que conseguisse fazer alguma bobagem, como abandonar o jogo, ir para casa e cumprir minha ameaça.

Pensando bem...

— Quem é a garota? — As palavras de Alex jogaram um balde de água fria nas minhas fantasias eróticas.

Jogo de beisebol. Camarote VIP. Reconciliação com Alex.

Beleza.

Pigarreei e me ajeitei no assento, tentando esconder os efeitos prolongados da troca de mensagens com Jules.

— Como sabe que era uma garota?

— Sua cara te traiu. — Lá embaixo, um gemido coletivo se elevou do estádio quando os Dodgers marcaram mais um run. — Quem é? — Alex me encarou, e um toque de curiosidade aqueceu seus olhos verdes. — Fiquei com nojo da sua cara de obcecado enquanto digitava.

— Não estava com cara de *obcecado*. — Terminei a cerveja e peguei mais uma. Era a quinta ou a sexta? Não tinha certeza. Minha tolerância havia aumentado, e já não era tão fácil ficar bêbado. — Além disso, você não pode falar nada. Na próxima vez que Ava mandar alguma mensagem, vou fotografar sua cara só para você ver como fica.

Em vez de morder a isca, Alex inclinou a cabeça de lado. A curiosidade se transformou em compreensão.

— Não é só sexo. Você está namorando essa garota.

Filho da mãe.

— Eu não disse isso.

— Insinuou.

— Eu não.

— Sim, você insinuou.

Suspirei, irritado.

Cara, foda-se essa história de ter um melhor amigo. São todos bisbilhoteiros superestimados.

— Tudo bem. *Talvez* eu esteja saindo com alguém. — Tentar contra-argumentar com Alex era como tentar pregar gelatina na parede, inútil e um desperdício de tempo. — Você não conhece a garota.

— Não tenha tanta certeza. Conheço muita gente.

— Mas não conhece *essa* garota.

Se eu contasse para Alex, ele contaria para Ava, e eu preferia beber um galão da água imunda do Rio Potomac a ter essa conversa com minha irmã.

Agora eu entendia como ela se sentia quando namorava Alex sem eu saber.

— Hum. — Ele se encostou na cadeira, sem desviar os olhos de mim. — Josh Chen namorando sério. Nunca pensei que viveria para ver esse dia acontecer.

— Posso falar o mesmo de você.

— As pessoas mudam, às vezes. E às vezes conhecem pessoas que as fazem querer mudar.

— E às vezes as pessoas falam como um biscoito da sorte humano.

Com exceção de alguns poucos raros tesouros, os conselhos de Alex variavam entre extremamente perturbadores – como quando ele sugeriu que eu chantageasse um professor que estourou comigo porque o corrigi no meio da aula – a irritantemente vagos.

— Falando em mudança... — Hesitei por um momento. — Michael tem mandado cartas para mim. Ainda não abri nenhuma, mas talvez eu o visite em breve. Na prisão.

Eu ainda não tinha contado nada a Ava, e não sabia se contaria algum dia. Ela finalmente havia superado o que Michael fizera; eu não queria arrastá-la de volta para aquela merda.

Porém, isso significava que Alex era a única pessoa que podia entender a importância do que eu estava dizendo.

Ele não se mexeu e os traços do seu rosto se enrijeceram até eu ter a impressão de que eram esculpidos em pedra. Michael podia não ter assassinado a família de Alex, mas havia tentado matar Ava. Aos olhos dele, o crime era o mesmo.

— Entendi. — Nenhuma inflexão. — Quando vai visitá-lo?

— Não sei. — Olhei para o campo sem realmente vê-lo. — Na minha próxima folga, talvez. Não sei nem o que vou dizer para ele.

E aí, a comida na prisão é boa?

Ei, pai, você sempre teve esse sonho de matar alguém quando crescesse ou se inspirou nos programas sobre crimes reais que a mamãe gostava de ver?

Você é um bosta, e queria te odiar tanto quanto deveria.

Passei a mão no rosto, exausto só de pensar nisso.

Precisava falar com ele, mas isso não significava que quisesse.

Alex ficou quieto por um bom tempo até me surpreender ao dizer:

— Talvez você deva abrir as cartas.

Uma gargalhada assustada escapou do meu peito.

— Está brincando? Pensei que fosse tentar me convencer a não ir ver o cara.

— Ele é um merda, e eu teria enorme prazer em ver esse sujeito sangrar se tivesse a oportunidade — respondeu Alex, com frieza. — Mas é seu pai, e, enquanto você evitar o confronto, ele sempre terá algum poder sobre você. O desgraçado não merece isso.

O conselho era assustadoramente parecido com o de Jules.

No nível intelectual, eu já sabia que precisava de um encerramento, mas ouvir Alex dizer isso em termos duros, sem nenhum sentimento, me atingiu forte.

— É. — Inclinei a cabeça para cima e olhei para o céu, desistindo de fingir que via o jogo. — É muito ruim que uma parte de mim deseje que ele tenha uma boa desculpa para ter feito o que fez? Sei que não existe desculpa, mas... porra. Sei lá.

Passei a mão no rosto de novo, desejando poder articular o tumulto que me devorava por dentro.

— Ava tinha sentimentos complicados por ele, e foi a vítima da tentativa de assassinato. — Os olhos de Alex escureceram. — Quando alguém cria você, é difícil deixar isso de lado.

— Vale para você também?

O tio de Alex havia sido o mandante do atentado contra a família dele, e acabou morrendo em um incêndio misterioso logo depois de essa revelação ter vindo à tona.

Nunca perguntei sobre o incêndio, porque tinha certeza de que não ia gostar de ouvir a resposta. Em relação a Alex, a ignorância era sempre uma bênção. Ou quase sempre.

— Não.

Balancei a cabeça, irritado com a resposta curta, mas não surpreso.

— Acha que eu *devo* ir visitar Michael?

— Acho que deve fazer o que for necessário para deixá-lo no passado. — Alex voltou a prestar atenção ao jogo. O Nats havia mudado o placar enquanto conversávamos. Estavam atrás por apenas um run. — Não deixa o cara estragar sua vida mais do que já estragou.

As palavras dele ecoaram na minha cabeça até o fim da partida.

E ainda estavam ecoando quando voltei para casa e abri a gaveta da escrivaninha. Uma pilha grossa de cartas descansava contra a madeira escura, esperando por mim.

Acho que deve fazer o que for necessário para deixá-lo no passado.

Era irônico como eu literalmente pulava de um penhasco, de uma ponte ou de um avião sem hesitar, mas quando precisava enfrentar riscos pessoais, os que realmente importavam, eu era uma criança em pé na beirada de uma piscina pela primeira vez.

Assustado. Hesitante. Ansioso.

Depois de mais um minuto de pausa, eu me sentei na cadeira, abri a primeira carta e comecei a ler.

A sala de visitas da Instituição Correcional Hazelburg parecia mais uma cantina de ensino médio que uma prisão. Uma dúzia de mesas brancas espalhadas pelo piso cinza e, com exceção de um punhado de pinturas de paisagens genéricas, as paredes não tinham decoração nenhuma. Câmeras de segurança se moviam no teto, voyeurs silenciosos das reuniões que aconteciam entre os detentos e seus familiares.

Meu joelho saltitava devido ao nervosismo, até que pus a mão sobre ele e o forcei a ficar parado.

As mesas eram tão próximas que eu conseguia ouvir outras conversas, ainda que abafadas por trechos das cartas de Michael na minha cabeça. Eu as havia lido tantas vezes nas semanas desde que as tinha aberto que as palavras haviam ficado gravadas na minha mente.

Como está indo a residência? É parecido com Grey's Anatomy? Você costumava brincar sobre escrever um diário com todas as imprecisões da série quando se tornasse residente. Se fez mesmo um diário, eu adoraria ler...

Acabei de ver Feitiço do Tempo. A vida na prisão é daquele jeito às vezes... a gente vive o mesmo dia de novo, de novo e de novo...

Feliz Natal. Vai fazer alguma coisa este ano? Sei que os médicos têm que trabalhar nas festas de fim de ano, mas espero que tenha algum tempo livre. Talvez consiga ir ver a aurora boreal na Finlândia, como sempre quis...

As cartas eram genéricas e inofensivas, mas continham piadas internas e memórias compartilhadas o bastante para me fazer passar a noite acordado.

Ao ler as cartas, dava quase para acreditar que Michael era um pai normal escrevendo para o filho, e não um desgraçado transtornado.

A porta se abriu, e um homem de macacão cor de laranja entrou na sala.

Falando no diabo...

Meu estômago se contorceu.

O cabelo dele estava um pouco mais grisalho, e as rugas, um pouco mais fundas, mas além disso, Michael Chen continuava o mesmo.

Sério. Cerebral. Solene.

Ele se sentou à minha frente e um silêncio pesado se prolongou entre nós, esticando-se como um elástico prestes a se romper.

Os guardas da prisão nos observavam com olhos de águia dos cantos da sala, um olhar pesado que era como um terceiro participante da conversa.

Finalmente, Michael falou.

— Obrigado por ter vindo.

Era a primeira vez que eu ouvia a voz dele em três anos.

Não estava preparado para a nostalgia que aquilo desencadeou.

Era a mesma voz que me acalmava quando eu estava doente, me incentivava depois de uma derrota no beisebol, que gritou comigo quando fugi para ir a uma boate usando uma identidade falsa nos tempos do colégio e fui pego.

Era minha infância – o bom, o ruim e o feio, tudo junto em um tom profundo e retumbante.

— Não vim por sua causa.

Apertei a coxa com mais força.

— Por que veio, então?

Exceto pela sombra que passou rapidamente pelo rosto dele, Michael não traiu nenhuma emoção ao ouvir a resposta fria.

— Eu... — A resposta ficou presa na garganta, e Michael sorriu como se me compreendesse.

— Se está aqui, presumo que tenha lido minhas cartas. Sabe o que aconteceu comigo ao longo dos anos, o que não é muito. — Ele riu de um jeito autodepreciativo. — Fala sobre você. E o trabalho?

Era surreal estar ali sentado, conversando com meu pai como se tivéssemos nos encontrado em um café. Mas meu cérebro havia esvaziado, e eu não conseguia pensar em outra atitude que não fosse seguir o fluxo.

— Tá tudo bem.

— Josh. — Michael riu de novo. — Vai ter que me dar mais que isso. Você sonha em ser médico desde o ensino médio.

— A residência é isso. Muitos plantões longos. Muita doença e morte. — Forcei um sorriso rígido. — Você sabe bem como é.

Michael sentiu o golpe.

— E a vida amorosa? Está saindo com alguém? — Ele não respondeu à última declaração. — Está chegando àquela idade. Hora de sossegar e constituir família.

— Não tenho nem trinta.

Para falar a verdade, eu não sabia se queria ter filhos. Se quisesse, seria em um futuro distante. Precisava viver *mais* do mundo antes de me contentar com a vida doméstica de cerquinha branca em uma casa de bairro tranquilo.

— Sim, mas antes vai ter que viver muitos anos de namoro — argumentou Michael. — A menos que já esteja namorando alguém. — Ele arqueou as sobrancelhas quando permaneci em silêncio. — *Está* namorando alguém?

— Não — menti, em parte para ser do contra, em parte porque ele não merecia saber sobre Jules.

— Ah, bem, um pai pode ter esperança.

Continuamos falando sobre amenidades, usando temas corriqueiros como o clima e a próxima temporada de futebol para desviar do assunto proibido. Além do soco na cara, nunca o havia confrontado pelo que ele fizera com Ava.

O fato pesava dentro de mim como um bloco de concreto. Ignorar tudo isso era errado, mas eu também não me sentia capaz de encerrar a conversa leve, embora um pouco forçada, entre nós.

Desculpa, Ava.

Depois de andar à deriva durante três anos, eu podia fingir que tinha um pai de novo. Por mais maluco e egoísta que fosse, queria saborear aquele sentimento por mais um tempo.

— Como é a prisão?

Quase ri da pergunta idiota, mas estava curioso de verdade. As cartas de Michael detalhavam seus dias, mas não revelavam como ele lidava com o encarceramento.

Estava triste? Envergonhado? Com raiva? Tinha um bom relacionamento com os outros detentos ou se isolava?

— A prisão é isso. — Michael parecia quase alegre. — Tedioso e desconfortável, e a comida é horrível, mas poderia ser pior. Por sorte... — Um brilho sombrio iluminou seus olhos. — Fiz alguns amigos que têm conseguido me ajudar.

É claro. Eu não conhecia os procedimentos da política dos detentos, mas Michael sempre foi um sobrevivente.

Não sabia se estava aliviado ou furioso por ele não estar sofrendo mais.

— Falando nisso... — Michael baixou a voz até ficar quase inaudível. — Eles pediram um favor em troca dessa, hã, amizade.

Uma suspeita se espalhou pelo meu peito como gelo.

— Que tipo de favor?

Deduzi que "amizade" era um código para "proteção", mas quem poderia saber? Coisas insanas acontecem no sistema prisional.

— A política da prisão é... complicada — disse Michael. — Muita barganha, muitas linhas invisíveis que não se deve atravessar. Mas uma coisa sobre a qual todo mundo concorda é que certos itens são muito valiosos. Cigarros, chocolate, macarrão instantâneo. — Uma pausa breve. — Remédios controlados.

Remédios controlados eram valiosos até no mundo real; no mercado clandestino da prisão, deviam valer ouro.

E quem tinha fácil acesso a eles? Médicos.

Senti como se um punho agarrasse minhas entranhas e as torcesse.

Houve um tempo em que teria dado a meu pai um voto de confiança, mas aquilo havia mudado. Talvez ele estivesse sentindo minha falta e quisesse consertar as coisas. Afinal de contas, havia passado dois anos escrevendo para mim.

Mas, no fim das contas, Michael Chen só cuidava dele mesmo.

— Entendo. — Fiz um esforço para manter uma expressão neutra. — Não estou surpreso.

— Você sempre foi inteligente. — Michael sorriu. — O suficiente para ser médico, é claro. Comentei isso com meus amigos, e eles perguntaram se você poderia nos ajudar.

Era muita cara de pau, me pedir para traficar comprimidos bem no meio da sala de visitas. A voz dele estava baixa o suficiente para que os guardas não ouvissem, mas talvez os funcionários fizessem parte do esquema. Em algumas prisões, os detentos comandavam o espetáculo, e o sistema, de modo geral, é corrupto pra cacete.

— Você não mudou nada, né?

Não tentei fingir que não sabia sobre o que ele estava falando.

— *Eu mudei*. Como eu disse, o que fiz com Ava foi errado, mas o único jeito de corrigir meu erro é continuar vivo. E o único jeito de continuar vivo é entrar no jogo. — A mandíbula de Michael enrijeceu. — Você não sabe como são as coisas aqui dentro. Como é difícil sobreviver. Eu *dependo* de você.

— Talvez devesse ter pensado nisso antes de tentar *matar minha irmã*.

A raiva contida não explodiu; transbordava aos poucos, lenta e constante, como um vapor tóxico envenenando o ar.

Pela primeira vez desde que ele havia chegado, a máscara de "pai arrependido" de Michael caiu. Seus olhos me penetraram como facas.

— Eu te criei. E te alimentei. Paguei para você passar um ano na América Central. — Ele cuspia cada palavra como uma bala. — Por mais que eu tenha errado, isso não muda o fato de eu ser *seu pai*.

O princípio da obediência filial havia sido incutido em mim desde que eu era criança. Talvez tenha até desempenhado um papel na grande dificuldade que eu tinha para cortar laços com Michael, porque uma parte de mim sentia que eu de fato tinha uma dívida com ele por tudo que me dera enquanto eu crescia. Tínhamos uma bela casa e fazíamos viagens de férias em família. Ele me dava as últimas novidades eletrônicas de presente todos os anos no Natal e havia pagado as mensalidades da Thayer, uma das faculdades mais caras do país.

No entanto, havia um limite para a obediência cega, e Michael havia ultrapassado esse limite mais de mil vezes.

— Sou grato por tudo que fez por mim na infância. — Fechei as mãos com força embaixo da mesa. — Mas ser pai é mais que suprir necessidades básicas. Tem a ver com confiança e amor. Ouvi sua confissão para Ava, *pai*. O que não ouvi foi uma porra de um pedido de desculpas...

— Não fale palavrões. Não é elegante.

— Ou uma boa explicação para o que você fez, e vou falar quanto palavrão eu quiser, foda-se, porque, repito, *você tentou matar minha irmã*!

Meus batimentos aumentaram até se tornarem um rugido ensurdecedor, enquanto o coração batia forte contra o peito. *Aí* estava a explosão que eu esperava. Três anos de emoções contidas jorrando de uma vez só, apagando o breve momento de interação pacífica.

Os outros detentos ficaram em silêncio. Um dos guardas se moveu na minha direção como se me alertasse, mas parou pouco antes de nos interromper.

Um olho de Michael tremeu.

— Você é meu filho. Não pode me deixar aqui apodrecendo.

Ele parecia um disco riscado.

Os genes em comum eram a única moeda de troca que ele ainda tinha, e nós dois sabíamos disso.

— Você sobreviveu dois anos. Tenho certeza de que vai sobreviver mais vinte.

Fiquei em pé e senti o peito vazio depois de ter posto para fora toda a emoção. O torpor que ocupava aquele espaço deixou minha pele fria.

Havia tido esperança de que meu pai conseguisse, de alguma forma, corrigir o incorrigível. De que me desse uma boa razão para ter feito o que fez, ou, pelo menos, demonstrasse um remorso sincero. Mas de repente ficou claro que, embora pudesse imitar o amor, ele não era capaz de *senti-lo* de verdade.

Talvez ele me amasse à sua maneira, mas isso não o impedia de me usar. Se eu não tivesse utilidade para ele – se não tivesse acesso aos remédios que queria e se não fosse seu último elo com o mundo exterior –, ele me deixaria de lado sem pensar duas vezes.

— Josh. — Michael forçou uma risada. — Não pode estar falando sério.

— Você é meu pai por laços de sangue, mas não faz parte da minha família. Nunca vai fazer. Tenho certeza de que seus "amigos" vão entender. — Senti um gosto amargo na boca. — Não venho mais para nenhuma visita, mas desejo tudo de melhor a você.

— *Josh.*

O pânico invadiu os olhos dele, seguido pela dor e pelo choque. Talvez fosse a primeira emoção real que via em Michael em muito tempo, mas era tarde demais.

Em algum momento, temos que desistir de quem uma pessoa foi ou *pôde* ser e enxergá-la como realmente é. E a pessoa que Michael Chen havia se tornado não era alguém que eu queria chamar de pai.

— Sente-se — disse ele. — Não precisamos falar sobre os remédios. Fala sobre suas viagens. Você sempre gostou de viajar. Qual vai ser o próximo destino?

Meus olhos ardiam enquanto eu me afastava.

— Josh. — A voz dele demonstrava o pânico. — *Josh!*

Não respondi, nem me despedi.

Passei pela segurança e continuei andando até sentir o calor escaldante do lado de fora da prisão.

Rompi aquele laço, mas ninguém me avisou que o rompimento seria tão cruel. A sensação arranhava meus olhos e abriu um rasgo no meu coração até que cada respiração se tornou uma batalha.

Mas, em vez de tentar amenizar essa dor, eu a acolhi. Porque, apesar de doer muito, era uma sensação que provava que eu ainda estava vivo e que só depois que ela desaparecesse eu poderia finalmente me curar.

CAPÍTULO 40

Jules

A CAMPAINHA TOCOU MENOS DE UM MINUTO DEPOIS DE EU TERMINAR a aula de revisão on-line para o exame da ordem. A prova aconteceria em menos de um mês, o que significava que eu estava vivendo e respirando a preparação, e seria assim até a prova passar. Não saía, não ia tomar café com amigos nem fazia grandes programas com Josh. *Quando* nos encontrávamos, Josh e eu éramos discretos; às vezes, o encontro se resumia a ele fazer café e pedir comida enquanto eu estudava.

Mas quando abri a porta e o vi no corredor com aquela expressão severa, todos os pensamentos sobre o exame da ordem desapareceram.

— Fui visitar Michael. — A voz vazia de Josh revelava tudo que eu precisava saber sobre como havia sido a visita.

Merda.

— Como você está?

Não pedi detalhes sobre a visita; não eram importantes. O que importava *de verdade* era como Josh estava lidando com os efeitos colaterais.

Abri a porta para ele poder entrar. Stella tinha ido trabalhar, e o apartamento seria todo meu por algumas horas.

— Como era de se esperar. — Josh sorriu para mim, mas era um sorriso triste, e os músculos dele permaneciam tensos. Ele viu meu notebook aberto e os livros didáticos. — Desculpa, não queria invadir seu tempo de estudo. Sei que está ocupada...

— Não se preocupa com isso. Eu ia mesmo fazer um intervalo.

Fazia seis horas que estava estudando sem parar, e meus olhos ardiam depois de tanto tempo cravados na tela.

A distração era bem-vinda, embora não tão feliz.

Eu me sentei no sofá ao lado de Josh.

— Quer conversar sobre isso? Normalmente, costumo cobrar pela hora de terapia, mas você é gostoso, então vou te dar uma sessão de quinze minutos como cortesia.

— Eu *sou* gostoso. — Ele assentiu. — E gosto de você. Começamos bem.

— Bom, tenho muita experiência com narcisistas delirantes. Moro em Washington, afinal.

A risada rouca de Josh aqueceu meu coração.

— Bom argumento.

Meu sorriso se sustentou por mais um momento, mas então fiquei séria.

— De verdade, como você está?

Ele apoiou a cabeça no encosto do sofá.

— Triste. Furioso. Conformado com a ideia de que meu pai e eu nunca vamos nos reconciliar. E... — ele engoliu em seco — aliviado por poder deixar tudo isso para trás, finalmente. Li as cartas que ele me mandou. Eram só manipulação emocional. Michael nunca vai mudar, e vê-lo e cortar laços foi doloroso demais. Mas consegui o que queria.

— Encerramento — deduzi.

— Isso. — Ele olhou para mim, e notei a autodepreciação nos seus olhos. — Sei que foi idiotice adiar esse confronto por tanto tempo. Deixei minha vida em suspensão por três anos, quando podia simplesmente ter feito isso logo e seguido em frente.

— Não foi idiota. — Segurei a mão dele e a acariciei. — Você não estava preparado. Não tem a ver só com o confronto. Tem a ver com o tempo de que precisava para se preparar. Entender o que queria.

— É. — Ele bateu com o joelho no meu. — Você não é uma terapeuta tão ruim quanto eu pensava.

Pus a mão no peito fingindo estar ultrajada.

— Eu te dou uma sessão gratuita e é assim que você me recompensa? Com ofensas?

— Você adora quando te ofendo.

— Novidade, gênio. *Ninguém* gosta de ser ofendido.

— Quer testar essa teoria? — perguntou Josh, mais baixo.

E o ar se transformou. A emoção densa deu lugar a uma eletricidade estática que vibrava na minha pele e corria por minhas veias. Fazia tempo demais que eu não transava, e cada olhar, cada palavra acendiam mais uma brasa de excitação.

Mas não tinha a ver só com sexo. Às vezes, o único jeito de purgar o emocional era por meio do físico. Catarse na forma mais crua.

Se era disso que Josh precisava depois da visita a Michael, eu daria a ele.

— Em que você está pensando?

Josh esteve ao meu lado quando precisei de uma distração para me esquecer de Max. Era hora de retribuir o favor... não que fosse algum sacrifício.

Havia uma sombra de tensão nos olhos dele, mas o sorriso era todo seda e malícia.

— Tira a roupa, Ruiva.

A ordem branda provocou um latejar insistente entre minhas pernas.

Fiquei em pé e continuei olhando para ele enquanto abria lentamente o primeiro botão da camisa. Um calor represado incinerou as sombras em seus olhos e me envolveu com suas chamas.

— Que tipo de homem obriga a mulher a fazer todo o trabalho? — Abri o segundo botão. — Não sabia que era tão preguiçoso, Chen. — *Terceiro botão.* — Ou é a ansiedade por seu desempenho que te faz hesitar?

Olhei para a região entre as pernas dele, mas minha boca secou quando vi o tamanho da ereção.

Havia esquecido o quão grande Josh era. O quanto ele gostava da ferocidade.

Quarto botão.

Nervosismo e antecipação me inundaram.

— É interessante como continua me insultando, como se eu não fosse cobrar cada palavra depois — respondeu Josh em um tom calmo quando tirei a camisa, que deixei cair no chão. — Ou será que você *quer* essa cobrança?

Meu rosto queimava.

Tirei a calça com dedos trêmulos.

— Eu já imaginava. — Ele sorria satisfeito. — A calcinha também. Tira tudo, depois vai para o seu quarto.

O ar-condicionado estava ligado na potência máxima, mas o calor daquele olhar sobre meu corpo nu me aquecia da cabeça aos pés.

Ele andava atrás de mim a passos próximos e silenciosos, como um predador perseguindo uma presa desavisada.

Minha antecipação aumentou quando chegamos ao quarto, mas se transformou em confusão quando Josh abriu o armário e examinou os cabides até pegar algo de um deles.

— O quê... — Perdi a voz ao ver as echarpes de seda na mão dele.

Meu estômago deu uma cambalhota. *Meu Deus.*

Ele enrolou as echarpes no punho para impedir que arrastassem no chão.

— Vai para a cama, Jules.

Normalmente, eu teria resistido mais, mas estava molhada e faminta demais para fazer qualquer coisa além de obedecer.

O colchão cedeu sob meu peso. Josh se juntou a mim em menos de dois segundos, e inspirei mais profundamente quando ele me empurrou para baixo e amarrou minhas mãos à cabeceira.

— O que está fazendo?

Eu quase não conseguia me ouvir em meio ao zumbido nos meus ouvidos. Os mamilos estavam tão duros que era quase doloroso, e eu sentia as coxas úmidas em resposta à galeria de imagens eróticas que desfilavam na minha cabeça.

— Já que acha que sou preguiçoso... — Josh desceu por meu corpo, e dei um gritinho quando ele abriu minhas pernas com um movimento brusco e amarrou meus tornozelos aos pés da cama. — Talvez eu prove que está certa.

Josh se levantou da cama para admirar o resultado do próprio trabalho. Eu estava amarrada à cama, aberta e exposta, e uma onda quente envolveu meu rosto quando me dei conta da visão clara que ele podia ter do quanto eu estava excitada – o clitóris inchado e pulsando, as coxas molhadas.

Mas quando ele se virou e abriu a gaveta da mesa de cabeceira, senti o medo correr pelas veias.

Ele não faria aquilo.

— Josh, não se atreva.

— Não me atrever a quê? — A voz dele era pura inocência, mas um brilho sombrio se acendeu nos seus olhos quando ele encontrou o que estava procurando.

Uma gota de suor brotou na minha testa quando vi o lubrificante e um dos meus brinquedos favoritos – um vibrador duplo com sugador de clitóris. Era caro pra cacete, e por bons motivos. Aquela coisa podia me levar a um orgasmo de tirar o juízo em menos de trinta segundos.

Mas também podia me manter a um passo do prazer absoluto por horas, dependendo da velocidade e da intensidade.

— Não tem graça.

Testei a força das amarras e descobri que estavam tão firmes que nem balançavam.

— Se quer que eu te desamarre, é só falar. — Josh apoiou o quadril na cômoda, adotando uma atitude tão casual que era irritante. — Eu te solto e te deixo em paz. É isso que quer?

Projetei o queixo, mas fiquei em silêncio.

— É o que eu pensava.

Ele se aproximou de mim novamente e passou a ponta do vibrador sobre o clitóris, leve o bastante para desencadear um raio de sensação que se espalhou por todo o corpo, mas não o atrito de que eu precisava tanto.

Cerrei os punhos. Não daria a ele a satisfação de responder.

A risada mansa passeou pelo meu corpo e incitou ainda mais minhas terminações nervosas

— Pode resistir o quanto quiser, mas sua buceta te entrega o tempo todo. Você está *pingando*, Ruiva. — Ele introduziu um dedo em mim e apertei minhas unhas contra a palma das mãos, me esforçando para sufocar um gemido. — Você é muito teimosa. Vamos ver se consigo diminuir isso.

Ele tirou a mão. Um segundo depois, a sensação acetinada e fria do lubrificante escorrendo em mim me fez reagir com um sobressalto.

Eu não era virgem de sexo anal, mas fazia tempo que não praticava, por isso me senti grata quando Josh usou mais gel do que o recomendado para me preparar.

— Você fica linda aí, amarrada, esperando meu pau. — A respiração dele acariciou meu pescoço antes de Josh a seguir com a língua. Ele beijava e estimulava o ponto sensível na base da minha garganta, enquanto empurrava o vibrador para dentro de mim com lentidão aflitiva. — Mas a gente vai se divertir um pouco primeiro. Já que sou muito *preguiçoso*...

— Josh... — O gemido virou um gritinho quando ele empurrou o último centímetro do brinquedo para dentro de mim, me preenchendo a ponto de causar desconforto dos dois lados. — Só me fode, porra.

— Eu poderia, mas sou preguiçoso, lembra? Melhor deixar outra coisa fazer o trabalho.

Ele ligou o vibrador, e finalmente soltei o grito estrangulado. O desconforto inicial desapareceu aos poucos, substituído por prazer intenso, ardente.

Ai, Deus.

Eu não conseguia pensar. Não conseguia respirar. Meu foco permanecia nos pontos de onde brotavam todas as sensações que se espalhavam pelo meu corpo, transportadas pelas vibrações que me percorriam. Eu me esfregava na cama, desesperada por alívio, mas Josh me amarrou de um jeito que me deixava quase imóvel.

Só me restava ficar ali deitada, escrava dos caprichos do homem que dedilhava em mim a canção mais torturante do mundo.

Depressa. Devagar. Depressa. Devagar. Ele me levava ao limite uma vez após a outra, até eu ser uma poça de necessidade pura e implacável.

— Tem razão. — Havia luxúria na voz dele, e eu teria sentido um prazer maior por constatar que aquilo tudo era tão torturante para ele quanto para mim se não estivesse à beira da insanidade. — Às vezes, vale a pena só se sentar e olhar.

Ele se sentou no canto e segurou o pau, enquanto os olhos incendiavam minha pele nua. Eu me contorcia contra as amarras.

— Por favor — pedi, soluçando. — Não consigo... Josh... preciso de você dentro de mim. *Por favor.*

Não suportava mais. Se não gozasse logo, eu ia morrer. Tinha certeza disso.

O vibrador parou, e fiquei tensa quando ele se levantou e caminhou na minha direção. O colchão cedeu sob seu peso, e ele montou no meu corpo, mas, em vez de tirar o vibrador e me penetrar, deixou o controle sobre a cama e tocou meus seios com as duas mãos.

— Acho que ainda não aprendeu a lição, Ruiva. — A voz aveludada contrastava com a rispidez com que ele beliscava meus mamilos.

Inspirei fundo quando ele aproximou meus seios e deslizou o pau entre eles. Gotas do pré-gozo dele pingaram na minha pele, facilitando o movimento.

Nunca havia deixado nenhum homem fazer aquilo antes, mas... *meu Deus.*

A dureza da ereção contra a maciez dos seios alimentava o fogo no meu corpo de tal maneira que eu achava que iria entrar em combustão a qualquer momento.

Ofeguei quando Josh aumentou o ritmo, fodendo meus seios cada vez mais depressa até a ponta de seu pau tocar meu queixo a cada investida.

— *Porra*, suas tetas são perfeitas — disse ele, gemendo, e então se moveu mais algumas vezes antes de os jatos de esperma cobrirem meu rosto e meu peito.

Mal tive chance de recuperar o fôlego antes de Josh limpar parte do esperma do meu queixo com a ponta do pau e enfiá-lo na minha boca. Engoli tudo ansiosa, atordoada de luxúria, incapaz de fazer outra coisa além do que ele queria que eu fizesse.

Josh havia acabado de entrar na minha boca até o fundo da garganta quando ligou novamente o vibrador.

Meu corpo se contraiu instintivamente. Eu me debati contra as amarras, tomada novamente pelo desespero, que voltou com força total quando o prazer pulsou em mim.

Ia morrer ali – amarrada, coberta de porra e desesperada por um orgasmo. Meu cérebro já estava em curto-circuito, e se a explosão que ia se formando dentro de mim não encontrasse logo uma saída, eu seria incinerada de dentro para fora.

— Você disse que me queria dentro do seu corpo. — Josh saiu da minha boca e limpou mais esperma do meu rosto antes de me penetrar novamente até a garganta. — Devia ter sido mais específica, meu bem.

Reagi com um protesto abafado, e então Josh me limpou, de novo e de novo, até eu ter engolido todo o esperma e ele estar ereto de novo.

— Gosta disso, né? — perguntou ele, em um rosnado. E me encarou com o rosto tenso de desejo, enquanto entrava e saía da minha garganta. — Sentir o gozo na cara e ser penetrada em todos os buracos, como uma boa putinha.

Meu gemido foi abafado pela vibração do brinquedo e o zumbido nos meus ouvidos.

Eu estava em chamas – cada terminação nervosa queimava, cada segundo era uma eternidade de tortura.

Era o céu, o inferno e tudo o que existe entre um e outro.

Josh gemeu antes de sair da minha boca de novo. Lentamente, tirou o brinquedo de dentro de mim e eu choraminguei ao sentir o vazio. Depois de ser penetrada por tanto tempo, parecia errado não ter nada dentro de mim.

As echarpes de seda foram as próximas, uma a uma, até eu estar livre, finalmente.

— Boa menina. — Josh limpou uma lágrima de frustração do meu rosto. — Engoliu cada gota de porra. Agora merece uma recompensa, não acha?

Ele enfiou o polegar na minha boca, me fazendo sentir o sabor salgado da minha necessidade.

— Por favor...

Um gemido interrompeu minhas palavras quando ele me penetrou suavemente até o fundo com um movimento só.

— *Caralho* — resmungou Josh com uma voz gutural enquanto entrava e saía de mim. — Meu pau encaixa certinho em você, Ruiva. Como se sua buceta tivesse sido feita para mim.

Apesar das palavras sacanas, o toque dele era gentil enquanto ele me beijava e estabelecia um ritmo lento e preguiçoso. Diferente das outras vezes que havíamos transado. Dessa vez, a sensação não era a de trepar; parecia ser algo mais doce, mais íntimo.

Era como fazer amor.

O círculo de faíscas elétricas na base da minha coluna se expandiu quando pensei nisso.

Fechei os olhos, respirando de um jeito entrecortado. Era demais. O beijo de Josh, o jeito como ele me distendia, a sensibilidade deixada pelas preliminares...

O orgasmo explodiu como uma onda, inesperado e inevitável. Arqueei as costas e gritei, e não tive chance de me recuperar, porque Josh acelerou o ritmo e me penetrou com força suficiente para provocar o segundo orgasmo imediatamente depois do primeiro.

— Isso. Grita para mim, Ruiva. Bota tudo para fora. — Josh encaixou a mão entre nós e esfregou o polegar no meu clitóris inchado. — Goza gostoso no meu pau, vai.

Gozei de novo e de novo até estar exausta e não conseguir mais gritar.

Só então, quando desabei na cama com o corpo dolorido devido aos múltiplos orgasmos explosivos, ele reduziu o ritmo de novo e gozou com um gemido profundo.

— Boa menina. — Josh afastou meu cabelo da testa e me beijou. — Você foi muito bem.

Era constrangedor sentir tanto orgulho por causa de um elogio.

Josh se deitou ao meu lado, envolveu meus ombros com um braço e me puxou para perto. Arrepios de prazer percorreram minha pele quando ele deslizou o dorso da mão pelo meu braço, desenhando um padrão preguiçoso.

— Sabe, você é o primeiro cara com quem eu fico no meu quarto.

A satisfação sonolenta tirou de mim a revelação quando me aninhei junto dele. Nunca havia tido momentos carinhosos depois do sexo. Achava que odiaria, mas era evidente que estivera perdendo algo muito bom por todo esse tempo.

A mão de Josh parou por um instante, mas então ele voltou a afagar meu braço.

— Primeiro *e último*, Ruiva.

Dei risada do grunhido baixo.

— Possessivo demais, hein?

— Pode apostar. — Ele moveu a mão para tocar meu rosto. O toque firme, territorial, provocou outro arrepio que desceu pelas minhas costas. — Não gosto de dividir.

— Dividir é uma virtude, Josh.

— Foda-se. Eu não divido nada. Muito menos você.

Parei de respirar por um instante. Um calor luminoso tomou conta do meu peito e me acendeu de dentro para fora.

Não sabia como responder, por isso beijei o ombro dele e saboreei o momento.

Devia sair da cama. Stella chegaria em casa em breve, e minhas roupas ainda estavam espalhadas na sala, mas não tinha forças para me afastar dele.

Só mais um minutinho. Depois eu me levanto.

Encostei o rosto no peito de Josh, absorvendo seu calor e seu cheiro. Entre Michael e Max, minha vida e a dele eram tempestades de caos, mas pelo menos encontrávamos paz em momentos como aquele.

— Obrigado — disse ele, em voz baixa, rompendo o silêncio. — Por estar aqui. Eu precisava disso.

— Quando quiser. — Levantei a cabeça, e senti um aperto no peito ao ver a vulnerabilidade nos olhos ele. — Mas se inventar mais um truque nas preliminares, corto seu pau fora.

O sorriso dele era estonteante.

— Eu acreditaria, se não tivesse gozado tão forte e tantas vezes, Ruiva.

Levantei o nariz, sentindo o rosto queimar.

— Eu fingi.

— Hum. — Ele aproximou o nariz do meu pescoço. — Eu sei quando uma coisa é real e quando é falsa. Seus orgasmos foram reais. — E deslizou a ponta do nariz pela linha do meu queixo antes de capturar minha boca em um beijo suave. — E isso também é.

A dor no peito se espalhou e alcançou a área atrás dos olhos e do nariz.

Eu achava que não conseguiria falar, por isso desviei o rosto até controlar as emoções.

Não tinha o hábito de confiar em muita gente. Podia contar nos dedos de uma das mãos em quantas pessoas *realmente* confiava, e nunca pensei que Josh seria uma delas. Mas a vida tinha um jeito de cegar a gente e, pela primeira vez, eu não me importava.

Josh e eu ficamos abraçados, em um silêncio confortável, por cerca de meia hora, e então ele se afastou relutante.

— Vou tomar uma ducha. Stella chega daqui a pouco, né?

— É.

Suspirei. Eu amava Stella, mas naquele momento, queria morar sozinha.

Josh me deu mais um beijo, o último antes de sair da cama e ir para o banheiro. Um minuto depois, ouvi o ruído baixo do chuveiro além da porta.

O cheiro dele persistia, mesmo na sua ausência, e desejei poder engarrafá-lo para carregar comigo o dia todo.

Se minha versão do passado pudesse me ver naquele momento, me esbofetearia por ser tão sentimental. Mas *era bom* confiar em alguém a ponto de poder contar com essa pessoa e sentir que essa pessoa confiava *em você* quando tinha um dia ruim.

Encarei o teto e não consegui evitar um sorrisinho bobo.

Eu poderia ter ficado ali deitada a tarde toda, ou pelo menos até Josh sair do chuveiro, se uma ligação não tivesse interrompido minha reflexão melosa.

— Oi, Jules.

Era incrível como duas palavras podiam mudar o clima tão depressa.

Uma agulha furou o balão de euforia no meu peito, e minhas mãos começaram a suar frio quando ouvi a voz de Max.

— O que você quer?

O chuveiro ainda estava ligado, mas dei uma olhada rápida pela fresta da porta entreaberta mesmo assim, temendo que Josh aparecesse do nada.

— É engraçado que ainda pergunte — disse Max. — *Acabei* de decidir que favor vou pedir. Não é maravilhoso? Você estava tão... ansiosa para saber o que seria.

O medo era um peso morto no meu estômago.

— Fala logo, Max. Não tenho tempo para o seu jogo — rosnei.

Ele suspirou.

— Cadê a paciência, J? Mas tudo bem, já que quer tanto saber, eu falo. Preciso que você retire uma coisa por mim. Tenho uns... amigos em Ohio que estão *muito* interessados nesse objeto.

Retirar alguma coisa, para Max, era o mesmo que roubar.

O peso aumentou.

— E que *coisa* é essa?

— Eu mando uma foto e o endereço por mensagem. — Podia praticamente ver o sorriso arrogante de Max. — Demorei um tempo para rastrear a encomenda. Aliás, não precisa me agradecer por eu ter feito o trabalho pesado. Agora você só precisa fazer aquilo que faz melhor. Mentir e roubar.

Max desligou antes que eu pudesse responder.

O babaca *desgraçado*. Se algum dia tivesse a chance, eu cortaria o pinto dele e o obrigaria a comê-lo.

Infelizmente, não poderia fazer nada disso enquanto ele tivesse aquele vídeo, então fiquei olhando para o celular, à espera da mensagem.

Quando chegou, tive que piscar duas vezes para ter certeza de que estava enxergando direito.

Não podia ser. Mas por mais que eu olhasse, a imagem ainda era a mesma.

Meu sangue gelou.

Era uma foto de uma pintura. Marrom e verde sobre a tela de um jeito que lembrava vômito, e pequenos pontos amarelos conferiam um detalhe absurdo nas extremidades.

Era uma obra de arte horrenda, mas isso não me incomodava tanto quanto lembrar onde eu a havia visto antes.

O objeto que Max queria que eu roubasse era o quadro que ficava na sala da casa de Josh.

CAPÍTULO 41

Jules

— Você está bem, querida? — Barbs me olhava preocupada. — Está muito quieta o dia todo, isso é incomum.

— Estou, só estressada com o exame da ordem.

Forcei um sorriso e enchi novamente a caneca com café. Não devia estar bebendo cafeína tão tarde, mas não conseguiria dormir de jeito nenhum. A ordem de Max para roubar o quadro de Josh me mantivera acordada a noite toda desde que eu havia recebido a mensagem dele três dias antes.

— Tenho certeza de que vai se sair bem. — Barbs abriu a geladeira e me entregou uma bandeja de torta de maçã Saran-Wrapped. — Come. Torta sempre melhora tudo.

Dessa vez, meu sorriso foi mais autêntico.

— Obrigada, Barbs.

— Por nada, meu bem.

Barbs piscou e saiu levando a caneca com seu adorado chá Earl Grey.

Bebi um gole de café e fiz uma careta ao sentir o gosto amargo. Eu amava muitas coisas na clínica, mas o café não era uma delas.

Enquanto tomava, olhei para o celular apagado e esperei a tela se acender com outra mensagem de Max. Não aconteceu.

Ele havia sido claro. Eu tinha uma semana para roubar a tela de Josh, ou seria o fim da linha para mim.

Já haviam se passado três dias, o que significava que me restavam quatro.

O gole seguinte entrou pelo canal errado. Tive um ataque de tosse e tremi tanto que parte do líquido respingou da xícara e queimou minha mão.

— Porra!

Deixei a caneca com o café em cima da bancada e pus a mão embaixo da torneira de água fria, tossindo até quase cuspir os pulmões.

— Tudo bem?

Pulei ao ouvir a voz de Josh atrás de mim. Quando me virei, bati a mão na caneca e derrubei o café na frente do meu vestido.

— Porra! — repeti, dessa vez com mais ênfase.

Estendi a mão para as toalhas de papel, mas Josh foi mais rápido. Ele pegou um punhado do suporte e secou o café que escorria pela minha perna, enquanto eu tentava salvar a roupa toda molhada.

Era inútil. A mancha já se aprofundava nas fibras, tingindo boa parte da saia azul com um tom feio de marrom. Por fim desisti e joguei a toalha de papel no lixo, soltando um suspiro frustrado.

— Acho que isso responde à minha pergunta. — Josh me olhou preocupado e com uma nota sutil de humor. — Dia difícil?

— Como adivinhou?

— O poder de dedução é um dos meus talentos mais impressionantes — comentou ele, brincando. — Antes do café, você já estava distraída. Ficou assim o dia todo.

— Estressada com o exame da ordem — resmunguei a desculpa padrão.

Para ser honesta, eu estava *mesmo* estressada com a prova. Ela só não era minha principal fonte de estresse.

A culpa contraiu meu estômago.

Havia passado os últimos três dias procurando um jeito de me livrar do dilema com Max, mas não consegui pensar em nenhuma solução viável que não envolvesse revelar a verdade sobre meu passado.

Talvez minhas amigas não me julgassem, mas eu estava aterrorizada com a reação de Josh. Ele havia passado anos pensando que eu era uma péssima pessoa, ou, no mínimo, uma péssima influência. A última coisa que eu queria era provar que as impressões iniciais dele estavam certas quando finalmente estávamos progredindo em nosso relacionamento.

— Bom, se precisar de alguém para ajudar com os estudos, conheço um cara bonito e inteligente demais. — Josh fez uma pausa. — Estou falando de mim, só para constar.

Apesar da tensão, deixei escapar uma risadinha.

— É claro que está. Agradeço pela oferta, mas você vai me distrair mais do que ajudar.

— É compreensível. Minha aparência já distraiu muitas estudantes. É um dos pontos negativos de ter tudo isto, acho.

Ele apontou para o próprio rosto, indiscutivelmente espetacular.

— É *singularmente* horroroso. — Bati no ombro dele. — Não se preocupe. Tenho certeza de que elas não estavam julgando. Hoje em dia, as pessoas têm a cabeça muito mais aberta.

A risada dele se acomodou sobre minha pele como um cobertor de veludo.

— Meu Deus, quero muito te comer agora.

Eu não era nenhuma puritana, de jeito nenhum, mas senti o calor subir pelo pescoço ao ouvir a declaração direta que ele fez no meio da cozinha da clínica.

— *Josh.*

— Sim? — Ele levantou uma sobrancelha. — Vai ter que tirar esse vestido logo, de qualquer maneira. De que outro jeito você...

— Estou interrompendo alguma coisa? — A voz de Ellie cortou a conversa. Não tínhamos nem notado a chegada dela.

Recuei um passo imediatamente e fiz uma careta ao sentir o balcão duro da cozinha pressionar minha lombar.

— Estava ajudando Jules com o acidente com o café.

Ele apontou para o meu vestido sem se abalar. Seus traços compunham uma máscara de cortesia profissional, mas o brilho diabólico nos olhos permanecia.

— Ah, que horrível. — Ellie torceu o nariz. — Espero que não seja um vestido novo.

— Não é. Tem um encontro? — Mudei de assunto rapidamente.

Faltavam dez minutos para o fim do expediente, e Ellie já havia trocado o blazer e calça profissionais por um vestido e sapato de salto.

O rosto dela ficou corado.

— Eu, hã, vou ao cinema com Marshall.

Contive um sorriso. Ellie finalmente havia superado a paixonite por Josh e prestado atenção em Marshall. Eu não sabia se o beijo que tinha dado nele tinha alguma coisa a ver com isso, mas sempre achamos as pessoas mais desejáveis quando outra pessoa as considera desejáveis. Enfim, era bom ver que ela havia superado.

Por razões inteiramente altruístas, óbvio.

— Falando nisso, tenho que ir. Só vim pegar meu carregador. Deixei aqui na hora do almoço. Boa noite!

Ellie puxou o carregador da tomada ao lado do micro-ondas e saiu apressada.

— Devíamos ir também, mas um de cada vez, para as pessoas não desconfiarem de nada. — Os olhos de Josh tinham um brilho divertido. — Encontro você na nossa esquina em vinte minutos.

— Nós não temos uma esquina.

— Agora temos. — A covinha de Josh fez uma aparição gloriosa. — Na Vinte e Três com a Mayberry. Daqui a vinte minutos, Ruiva. Esteja lá.

Ele saiu antes que eu pudesse argumentar.

Balancei a cabeça, mas fechei as gavetas da escrivaninha com uma lentidão deliberada até o escritório ficar vazio e Barbs e eu sermos as únicas que ainda estavam ali.

— Vamos logo, meu bem. O tempo passa. — Ela apontou para a porta com um gesto impaciente. — E você é jovem demais para passar um minuto além do necessário trancada em um escritório.

— Você sempre diz o que eu quero ouvir.

— É para isso que estou aqui. — Ela acenou. — Boa noite.

— Boa noite.

Só demorei cinco minutos para andar até a Vinte e Três com a Mayberry. Josh esperava por mim na esquina, como prometido. Estava encostado no poste de iluminação com as mãos nos bolsos, mas bateu com um dedo no relógio quando me viu.

— Dezenove minutos. Quase atrasada, Ruiva.

— Que bom que não estou — falei, distraída demais para pensar em uma resposta espirituosa.

Só conseguia pensar em como abordar o quadro sem despertar suspeitas. Talvez eu pudesse convencê-lo a se livrar dele? Ainda seria um truque, porque eu sabia que era valioso, e ele não, mas era melhor que roubar.

— Então, outro dia estava fazendo compras on-line e vi uma obra de arte muito bonita — comentei casualmente. — Melhor que aquela monstruosidade que você tem no seu quarto.

— Monstruosidade? — Josh levou a mão ao peito. — Ruiva, estou ofendido. Aquele quadro é o máximo do bom gosto. Aposto que renderia um bom dinheiro se eu o leiloasse.

Se ele soubesse o quanto estava certo...

— Você comprou aquele treco em uma liquidação de espólio por um preço bem baixo. — Forcei um tom debochado e leve na voz. — Portanto, vai me desculpar se eu não acreditar nisso.

— Nem todo mundo conhece o valor daquilo que joga fora. — Josh envolveu minha cintura com um braço. — Um dia, você vai aprender a amar aquele quadro tanto quanto eu.

Meus batimentos foram encobertos pelo eco dos nossos passos.

— Você não ama aquela coisa de verdade, né?

Ele olhou para mim de um jeito estranho.

— Não a ponto de entrar em um prédio em chamas para salvá-lo, mas tenho um carinho especial. Ele me faz lembrar do acampamento de arte.

Isso me surpreendeu.

— Você foi a um acampamento de arte?

— Sim, durante um verão, quando tinha oito anos. — Josh fez uma careta. — Percebi que a arte não era meu ponto forte, então mudei para o basquete.

— Uau. — De repente, tudo fazia sentido. — Agora entendo por que você ama arte horrível. Faz você se lembrar de si mesmo!

Dei risada quando Josh bateu na minha bunda.

— Não acredito que admitiu que não é o melhor em alguma coisa — comentei quando chegamos à casa dele. — Preciso marcar esse evento na minha agenda. É realmente um momento histórico.

— Engraçadinha. — Ele destrancou a porta da frente e esperou que eu entrasse, depois me seguiu. — Não espalha, porque não deixo qualquer um ver meus pontos fracos. A falta de talento artístico é um assunto delicado para mim.

— É mesmo? — Sorri. — Eu me sinto especial.

— Você é. Apesar de ser irritante para cacete e um pé no saco...

— Ei!

— Você é uma das poucas pessoas em quem confio. — O rosto dele ficou mais suave quando Josh passou os braços em torno da minha cintura e me puxou para perto. — Nunca pensei que diria isso, considerando nossa história. Mas, mesmo quando a gente não se suportava, sempre pude contar com você e com sua honestidade. Depois do que aconteceu com Michael e Alex... — Ele engoliu em seco. — Isso significa mais do que você pode imaginar.

A leveza de antes se tornou algo pesado, pungente.

Meu Deus.

— Eu... — A culpa me atormentava. *Fala para ele.* — Josh, eu... *Estou sendo chantageada pelo meu ex. Tem um vídeo em que apareço com um cara, e eu deixo que ele faça obscenidades comigo para o meu ex poder roubá-lo. Sou uma ladra e uma mentirosa, e você sempre esteve certo sobre mim.*

As palavras dançavam na ponta da minha língua, mas se recusavam a sair. Eu não estava escondendo um pequeno segredo. Era uma criminosa, e existia um vídeo em que eu aparecia fazendo sexo com um estranho.

Não culparia Josh se ele se afastasse de mim depois de saber disso.

Senti um aperto no peito.

— Você me conhece — falei, finalmente. — Sou tão honesta que isso às vezes é um defeito.

Forcei o que esperava ser uma boa imitação de um sorriso.

— Ênfase no defeito — provocou Josh. — Tudo bem. Nem todo mundo consegue ser perfeito como eu.

Ele roçou a boca na minha, depois segurou minha nuca e aprofundou o beijo.

Eu o beijei de volta, tentando gravar cada detalhe na mente.

O sabor quente de uísque nos lábios. A firmeza do toque. O cheiro limpo e inebriante e como os músculos dele se encaixavam contra o meu corpo.

Apreciei o beijo como se fosse o nosso último, porque, dependendo de como fossem os próximos dias, poderia ser.

CAPÍTULO 42

Jules

Quatro dias depois, arrombei a casa de Josh.

Ok, "arrombei" pode ser exagero, já que eu sabia onde a chave reserva ficava guardada, mas ele não sabia que eu passaria por lá enquanto estivesse no trabalho. Além do mais, eu precisava fazer *parecer* um arrombamento.

Depois de uma semana de aflição e noites de insônia me revirando na cama, finalmente tinha um plano. Não era dos melhores, já que dependia da sorte e da ajuda de alguém que eu mal conhecia, mas enfrentaria um problema de cada vez.

Primeiro, eu tinha que roubar o quadro e me livrar de Max antes do prazo estabelecido. Depois pensaria em como eliminar a vantagem que ele ainda tinha sobre mim, ou seja, o vídeo.

Meu coração martelava enquanto eu vasculhava o vaso de plantas na varanda de Josh. Ele daria plantão noturno e só voltaria para casa na manhã seguinte, mas isso não me impedia de congelar cada vez que um graveto quebrava ou um carro passava na rua.

Depois de vários minutos tateando no escuro porque não queria alertar os vizinhos com a lanterna do celular, vi o brilho prateado da chave reserva. Devolvi a terra ao lugar, destranquei a porta e entrei na casa silenciosa.

Ela era mais ameaçadora na ausência do calor de Josh. Cada sombra servia de esconderijo para monstros, cada estalo era um tiro que dilacerava meus nervos já em frangalhos.

O suor colava a touca de lã à minha testa quando atravessei a sala a caminho do quarto dele. Felizmente, o quarto de Josh não era o Louvre, e o quadro não era a *Monalisa*. Eu só precisava tirá-lo do prego e enfiar na minha enorme bolsa de portfólio.

Nenhum alarme, nada de seguranças passando pela porta de arma na mão.

Era tão fácil que quase sentia náusea.

Quando alguém confia em você, não é preciso se esforçar muito para ultrapassar as defesas da pessoa.

A culpa era um espiral no meu peito. Vasculhei o quarto de Josh à procura de outros objetos para roubar. Seria muito suspeito se só o quadro desaparecesse.

Não tive coragem de pegar o notebook, mas peguei um relógio, o pequeno valor em dinheiro que ele guardava para emergências no fundo da gaveta de meias e o iPad. Guardaria tudo em segurança até devolver os objetos, depois que meu plano desse certo. Era o que eu esperava.

Eu estava bagunçando o quarto e abrindo as gavetas quando meu celular vibrou com a notificação de uma nova mensagem.

Bati o quadril na ponta da cômoda com o susto.

— Merda.

Devia ter deixado o telefone no silencioso. Foi um erro de amador, um descaso, e eu me censurei em pensamento enquanto abria a mensagem.

Stella: Canguru ou coala?

Era o nosso código para saber se estava tudo bem. Só a gente sabia a resposta absurda, um jeito para que ninguém pudesse se passar por uma de nós por mensagem de texto em caso de sequestro ou algo assim.

Digitei uma resposta rápida.

Eu: Explosão estelar cor-de-rosa.

Stella e eu sempre avisávamos uma à outra quando chegaríamos mais tarde. Ninguém ia esperar vinte e quatro horas enquanto a amiga estava desaparecida para dar o alarme; se alguém se metesse com uma de nós, a outra saberia imediatamente.

Eu só não esperava que Stella chegasse em casa tão cedo.

Ela me disse que tinha um evento de trabalho, e essas ocasiões não acabavam antes da meia-noite.

Stella: :) Encontro bom?

Stella: Um dia desses você vai me contar quem é o Gato Misterioso.

Ela sabia que eu estava saindo com alguém; só não sabia quem.
Olhei para as mensagens de texto por um segundo e guardei o celular no bolso. Não tinha tempo para começar uma conversa sobre Josh. Se não pusesse o plano em ação, não teria nada para contar, porque seria nosso fim.
Uma náusea familiar contraiu meu estômago.
— Para com isso. O plano vai dar certo — murmurei.
O plano vai dar certo. O plano vai dar certo.
Cantei o mantra sem fazer barulhos enquanto terminava de criar o cenário do assalto falso, mas não tão falso. Deixei a porta da frente destrancada, devolvi a chave falsa ao vaso e torci para não aparecer nenhum assaltante de verdade antes de Josh voltar do trabalho.
Como ele morava perto da Thayer, o bairro era silencioso durante o verão. Não havia festas barulhentas, nem a conversa de estudantes indo e voltando dos bares do campus, ninguém para me parar enquanto eu percorria a rua com minha pasta.
Minha parte lógica sabia que não era assim tão suspeito que uma mulher estivesse andando na rua com uma pasta de portfólio. A parte paranoica estava convencida de que aquilo era um sinal luminoso anunciando ao mundo que pessoa terrível eu era.
Mentirosa! Ladra! Não confiem nela!, gritava aquela parte.
Ótimo. Agora eu ouvia vozes de objetos inanimados.
Segurei a pasta com mais força e acelerei o passo até chegar à estação de metrô, onde peguei o celular de novo para atualizar Max.

Eu: Peguei.

Eu: Vou levar agora.

Não queria ficar com o quadro por mais tempo que o necessário.

Max: São quase onze da noite. Cadê seu bom senso?

Max: A menos que queira me dar mais alguma coisa, é claro...

A sugestão me deu ânsia. Eu já sentia nojo por ter feito sexo com ele no passado. Preferia atear fogo a mim mesma a deixar que Max me tocasse outra vez.

Eu: Me fala o endereço, Max.

Eu: Ou vou jogar o quadro no Potomac.

Não ia, é claro, mas não perdia uma chance de atormentá-lo.

Max: Você não é mais engraçada, J.

Apesar da reclamação, ele mandou um endereço. Uma busca rápida no Google exibiu um hotel perto do NoMa.

Ele me considerava uma ameaça tão pouco alarmante que não se importava em esconder onde estava hospedado. Eu não sabia se me sentia aliviada ou ofendida.

Quando cheguei ao hotel, a recepcionista nem olhou para mim, e atravessei o saguão para pegar o elevador e subir ao nono andar.

Não me surpreendi com a falta de segurança. O lugar não era exatamente o Ritz-Carlton. Tiras amareladas do papel de parede se soltavam do gesso, o carpete era tão fino que dava para sentir a madeira abaixo e o corredor cheirava à fumaça velha de cigarro.

Meus passos se tornaram hesitantes ao me aproximar do quarto de Max. Encontrá-lo no meio da noite em um hotel barato não era a melhor ideia do mundo. Ele sempre havia desdenhado da violência física e a considerado uma forma "inferior" de manipulação, mas isso havia sido sete anos antes. Uma pessoa pode mudar muito em sete anos, especialmente se passou a maior parte desse tempo na prisão.

Quando eu já estava me preparando para ir embora e para mandar uma mensagem explicando por que não poderia ir esta noite, a porta se abriu.

— Jules. — Max sorriu, e sua aparência era assustadoramente normal, com a camiseta branca e a calça jeans. — Sabia que era você. — Ele bateu com os dedos na parede. — Paredes finas. Ouvi seus passos a um quilômetro daqui.

— Parabéns. — Empurrei a pasta de portfólio para ele. Havia guardado o restante das coisas de Josh em outra bolsa, que eu levava guardada dentro da jaqueta. — Pega a merda do quadro.

— Aqui no corredor? — Ele estalou a língua. — Melhor não. E se alguém vê a gente?

— Tenho certeza de que é possível vender e comprar drogas no saguão, e ninguém nem piscaria.

— Há benefícios em ficar em um hotel como este. — Mesmo assim, Max recuou para dentro do quarto, fora do alcance da visão de alguém que passasse pelo corredor, antes de pegar o quadro. Depois o examinou com uma careta. — Isso é horrível, realmente.

— Devolve, então.

Não custava tentar.

Max riu.

— É bom ver que você ainda tem senso de humor. Mas não. — Ele guardou a tela na pasta. — Esta belezinha vale muito dinheiro.

— Muito bem. Agora está com o quadro. Imagino que vá embora logo.

Prendi a respiração enquanto ele me encarava. Torcia para que ele mordesse a isca e me dissesse quando pretendia partir. Precisava saber quanto tempo tinha para pôr em prática a segunda parte do plano.

— Não se preocupe. Vou sumir no fim de semana. Mas isso não quer dizer que não vá entrar em contato no futuro se sentir saudade. A gente viveu ótimos momentos juntos.

Engoli uma resposta hostil. Quanto mais tempo eu demorasse, maior seria a probabilidade de deixar alguma coisa escapar. Além do mais, não queria dar a Max a satisfação de perceber que me atingia.

Dei meia-volta e comecei a andar até o elevador sem responder. Voltei ao metrô sem nenhum problema, e o alívio esfriou minhas veias quando o trem partiu pelo túnel em direção a Logan Circle.

Fase 1, completa.

Era muito tarde para começar a fase dois, por isso fui para o quarto assim que cheguei em casa. Felizmente, Stella já estava dormindo, e não tive que responder a nenhuma pergunta sobre onde estivera.

Tirei a roupa e entrei no banho, deixando a água quente do chuveiro lavar a camada pegajosa de culpa.

Passava da meia-noite. Max estava com o quadro, e Josh estaria em casa em menos de sete horas.

Não dava para voltar atrás.

O ar denso e úmido entupia meu nariz cada vez que eu respirava e imaginava a reação de Josh ao "arrombamento".

Não. Está tudo bem. Vou devolver tudo, inclusive o quadro.

Talvez. Eu torcia para isso.

Minha mente trabalhava depressa, revisando os roteiros do dia seguinte, tanto para Josh, quando ele me contasse sobre o assalto, quanto para a pessoa de cuja ajuda eu precisava.

Meu plano era simples, mas dependia de realidade e esperança em doses iguais.

Mas ia dar certo. Tinha que dar certo.

Não havia outra opção.

CAPÍTULO 43

Josh

Tinha alguma coisa errada.

Minha casa continuava como eu a havia deixado na noite anterior – cortinas fechadas e as plantas na varanda perfeitamente alinhadas contra a parede –, mas senti um arrepio na nuca mesmo assim.

Olhei em volta com todos os sentidos em alerta. Não vi ninguém espiando entre os arbustos ou apontando um rifle para mim pela janela de um vizinho, então entrei na varanda com cautela.

Em vez de usar a chave, girei a maçaneta e não me surpreendi muito quando a porta se abriu sem resistência.

Isso confirmava o que, instintivamente, eu já sabia: alguém havia entrado na minha casa.

Empurrei a porta até abri-la por completo. Meu coração disparou, mais de raiva que de medo. Não acreditava que o assaltante ainda estivesse ali. A maioria dos ladrões roubava durante o dia, quando as pessoas estavam no trabalho. Se tinham vindo à noite, deviam ter me observado por um tempo. Sabiam que eu cumpria plantões noturnos de vez em quando.

Senti um arrepio em resposta à violação. A ideia de alguém me vigiando e planejando o momento certo de entrar na minha casa me deixava nauseado, mas não era hora de lidar com isso.

Primeiro, eu precisava descobrir o que haviam roubado.

A lógica assumiu o comando, e eu telefonei para a polícia, depois fiz uma vistoria rápida para determinar que objetos de valor haviam desaparecido. A TV estava lá, assim como o PlayStation e a bola de basquete autografada pelo Michael Jordan, presente de Ava no meu aniversário de vinte e três anos. A casa parecia intocada.

Quase me convenci de que estava paranoico e havia me esquecido de trancar a porta... até entrar no quarto.

— *Desgraçado.*

Roupas caindo das gavetas reviradas, frascos quebrados sobre a cômoda e um espaço vazio na parede onde antes ficava meu quadro. O assaltante havia destruído meu quarto.

Hazelburg era uma das cidades mais seguras do país, por isso nunca havia me preocupado com a instalação de um sistema de segurança. Que força cósmica eu havia enfurecido para que aquela merda acontecesse?

A raiva voltou em uma onda destruidora quando fiz outro inventário das minhas coisas. Surpreendentemente, o notebook ainda estava ali, mas o quadro, o dinheiro para emergências, o iPad e um relógio haviam sumido. Nada muito valioso, mas mesmo assim...

O fato de alguém ter entrado no quarto e revirado as coisas sem meu consentimento fazia minha pulsação acelerar.

Eu precisava de uma bebida forte e uma longa sessão com um saco de pancada para aliviar a fúria, mas antes precisava esperar a polícia chegar.

Quando chegaram, um deles fez uma varredura no quarto em busca de evidências enquanto outro tomava meu depoimento. Quando listei os objetos que faltavam, uma ruga surgiu na testa do policial.

— Está dizendo que o ladrão levou quatro objetos que juntos valem algumas centenas de dólares e deixou seu notebook? — As palavras dele estavam carregadas de ceticismo.

Eu não o culpava. Também não entendia.

— Talvez tenham se assustado com algum barulho e fugido antes de pegar o resto.

Era a única explicação em que eu conseguia pensar.

— Hum. — O policial parecia ainda mais intrigado. — Muito bem. Vamos fazer o possível para encontrar o culpado e recuperar suas coisas, mas não quero alimentar falsas esperanças. Só treze por cento dos casos de assalto a residências são solucionados.

Era o que eu imaginava, mas fiquei com a impressão de que ele estava desistindo do caso antes de tentar.

— Entendo. — Forcei um sorriso tenso. — Agradeço por qualquer ajuda que possa dar, oficial.

A polícia foi embora logo depois sem nenhuma pista, levando junto minha esperança de recuperar os objetos. Em uma semana, meu caso estaria no final da lista de prioridades do departamento, juntando poeira.

O dia só piorava.

Fui à cozinha e abri uma garrafa de vodca. Liguei para Jules. Não havia nada que ela pudesse fazer, mas eu precisava conversar com alguém, e ela foi a primeira pessoa que me veio à cabeça.

— Oi, e aí?

Meus músculos relaxaram um pouco quando ouvi a voz dela.

— Alguém entrou na porra da minha casa. — Despejei a vodca em um copo e bebi tudo de uma vez. O ardor gelado diminuiu um pouco o fogo da raiva. — Roubaram um monte de merdas. A polícia acabou de sair daqui e disse que vai investigar, mas o desgraçado que fez isso já deve estar em outro estado a esta altura.

A inspiração audível de Jules ecoou do outro lado da linha.

— Ai, meu Deus.

— É. — Deixei o copo vazio em cima da pia e coloquei o telefone no viva-voz enquanto voltava para o quarto. Agora que a polícia havia examinado a cena, eu precisava arrumar a bagunça que o assaltante tinha deixado. — Sorte a sua, levaram o quadro que você odiava tanto. — Tentei deixar o clima mais leve. — Você contratou alguém para entrar na minha casa, Ruiva? Se queria tanto se livrar da tela, era só me falar, eu teria jogado fora rapidinho.

— Engraçadinho. — A risada dela soou forçada, ou era a privação de sono me confundindo. — Quer que eu vá até aí?

— Não. — Eu queria vê-la, mas Jules já tinha muito o que fazer sem lidar com meus problemas. — Vai estudar. Eu passo aí mais tarde, se você precisar descansar um pouco.

Só teria que voltar ao hospital para o próximo plantão no fim da tarde.

— Combinado. — A voz dela tinha uma nota estranha. — Josh, eu... sinto muito por isso ter acontecido com você.

— Tudo bem. Quer dizer, é uma merda, mas pensando no panorama maior das coisas, poderia ter sido pior. Estou vivo, pelo menos.

— É — concordou Jules, em voz baixa. — Minha aula do curso preparatório vai começar logo, mas a gente se fala mais tarde?

— Sim. Te... — Parei ao me dar conta da palavra que quase saiu da minha boca. — Te ligo depois — terminei, desajeitado.

Desliguei em pânico.

Que. Porra. Foi. Essa?

Talvez fosse o álcool, mas quase tinha dito as duas palavras que evitei dizer durante toda a minha vida. Palavras que nunca imaginei que diria a Jules. Mas, naquele momento, pareciam tão naturais que quase escaparam sem eu perceber.

Não eram resultado de uma clareza repentina e ofuscante, como nos filmes. Não tinha havido contato visual significativo no fim de uma conversa profunda, nem um beijo especial encerrando um encontro mágico.

Era apenas o apogeu de um milhão de pequenos momentos – o jeito como Jules tinha tentado me distrair com a declaração sobre peixes serem pura propaganda durante *Procurando Nemo*, sua solidariedade silenciosa quando tinha contado sobre a morte da minha paciente e o jeito como ela se encaixava em mim como se fosse a última peça do quebra-cabeças da minha vida.

De algum jeito, Jules havia passado da última pessoa que eu queria estar perto para a primeira pessoa a quem eu recorria quando precisava de conforto, ou só alguém com quem conversar.

Queria poder dizer que não sabia como isso havia acontecido, mas a verdade era que eu havia avançado em uma marcha lenta e constante até aquele momento desde o nosso primeiro beijo. Merda, talvez até antes disso, desde Vermont e a trégua na clínica.

Só estava cego demais para perceber que o destino do meu GPS havia mudado.

Dez minutos antes, o assalto consumia minha mente; mas, ao pensar em tudo isso, o roubo era só um pontinho vermelho no meu radar.

Eu tinha um problema muito maior para resolver.

Vai ser um arranjo puramente físico.

Sem se apaixonar.

Ruiva, você vai se apaixonar por mim antes de eu pensar na possibilidade de me apaixonar por você.

As batidas do meu coração se intensificaram.

— Ai, *cacete*.

CAPÍTULO 44

Jules

O CAFÉ DA MANHÃ SE AGITOU NO MEU ESTÔMAGO, E TIVE QUE FAZER um esforço consciente para não deixar a comida voltar ao encerrar a ligação com Josh.

Eu me sentia mais falsa que uma tela da *Monalisa* no saguão de um hotel barato.

Você contratou alguém para entrar na minha casa, Ruiva? Se queria tanto se livrar da tela, era só me falar, eu teria jogado fora.

Enxuguei a mão suada na coxa.

Stella já havia saído para ir trabalhar, portanto éramos só eu e minha consciência aos berros.

Você é uma mentirosa e uma pessoa horrível. Josh sempre esteve certo sobre você, dizia a voz insidiosa dentro da minha cabeça. *Você é a pior coisa que já aconteceu a ele.*

— Cala a boca.

É por isso que todo mundo sempre te abandona. Por isso ninguém te ama. Você não merece....

— Cala a boca.

Andei de um lado para o outro na sala de estar, tentando sufocar as inseguranças que ameaçavam me dominar.

Eu *não era* uma pessoa má. Às vezes, tomava decisões ruins, mas isso não me tornava uma pessoa má, certo?

O suor colava o tecido da minha blusa à pele.

— Está tudo bem. Eu tenho um plano. Vou devolver tudo para ele, e vou me livrar de Max. — Dizer as palavras em voz alta aliviava um pouco da náusea.

Não podia me dar ao luxo de afundar em autopiedade, não se quisesse pôr em prática o restante do plano, por isso me permiti mais cinco minutos de autodesprezo e depois endireitei os ombros, saí do apartamento e peguei o elevador para o andar de cima.

Era hora da fase dois.

Enquanto tivesse o vídeo, Max teria poder sobre mim. Eu não era ingênua a ponto de acreditar que ele iria embora, por mais que eu o "recompensasse". O único jeito de me livrar daquele desgraçado de uma vez por todas era dando um fim no vídeo. Eu não sabia se era possível destruir todas as cópias de um arquivo digital definitivamente, mas estava desesperada o bastante para tentar.

A única razão para não ter tentado antes era não ter nenhuma pista sobre como fazer isso, e não queria correr o risco de falhar e deixá-lo furioso.

Mas, uma noite, quando estava acordada olhando para o teto do meu novo apartamento chique, percebi que existia *uma* pessoa cuja competência com um computador talvez fosse suficiente para pôr meu plano em ação: Christian Harper, ou melhor, meu senhorio, o antigo chefe de Rhys.

Eu me lembrei de Bridget dizer que ele havia rastreado a pessoa que havia vazado as fotos dela e Rhys para a imprensa no ano anterior. Não era a mesma coisa que deletar um vídeo que podia ter centenas de cópias flutuando no cyberespaço, mas valia a pena tentar.

As portas do elevador se abriram.

Segui pelo corredor em direção à porta do apartamento de Christian, que mais parecia uma fortaleza, e toquei a campainha, torcendo muito para ele estar em casa. Só o havia visto duas vezes desde que Stella e eu tínhamos assinado o contrato – uma vez no casamento de Bridget, ao qual ele compareceu por conta da sua conexão com Rhys, e outra vez no saguão, de passagem.

No dia anterior, havia passado no escritório de Pam e a infernizado até ela confirmar que Christian estava na cidade. Ela fez um comentário ferino sobre como "O sr. Harper não se interessa pelo *seu tipo*", mas eu não me importava se ela estivesse pensando que eu queria seduzir Christian. Ela era irrelevante.

Toquei a campainha de novo. Max iria embora no fim de semana. Se Christian não estivesse em casa, seria meu fim.

Eu tinha um plano, mas isso não queria dizer que era um bom plano. Tudo dependia muito da sorte, e só me restava torcer para os deuses terem pena de mim e me ajudarem.

Até peguei emprestado um dos cristais de manifestação de Stella, para o caso de isso me ajudar em alguma coisa.

Olhei para a porta fechada. *Vai, vai...*

Quando eu já me preparava para aceitar a derrota, a porta se abriu e revelou cintilantes olhos cor de âmbar e faces esculpidas.

Eram só oito da manhã, mas Christian já vestia um terno de caimento impecável. Com o cabelo perfeitamente penteado e o rosto barbeado, ele parecia estar trabalhando havia horas e ter fechado vários contratos multimilionários nesse período.

— Srta. Ambrose. — A voz suave de tom profundo encheu o ar. — A que devo o prazer?

Ele olhou por cima do meu ombro, como se esperasse ver alguém atrás de mim.

Não viu, e uma sombra de decepção passou pelo seu rosto, desaparecendo tão depressa quanto surgiu.

— Bom dia. Gostaria de pedir um favor.

Fui direto ao ponto. Cada segundo contava, e Christian Harper não parecia ser o tipo de homem que gostava de rodeios, de qualquer maneira.

— Um favor.

O humor iluminou os olhos dele como a luz do fogo atravessando um copo de uísque.

— Sim. — Levantei o queixo, tentando controlar o nervosismo. Percebia a ironia de pedir um favor, sendo que havia sido justamente um favor que me colocara na situação em que estava, mas o universo sempre foi um grande piadista. — Você ajudou Bridget e Rhys com um... problema no ano passado, e eu ficaria muito grata se pudesse me ajudar também. É um problema, hã, digital, e você é, supostamente, o melhor dos melhores nessa área.

Um elogio sempre ajuda, certo?

— Eu estava retribuindo um favor a Rhys, na verdade. — Christian parecia imune a elogios. — A questão aqui, é claro, é por que eu deveria ajudá-la.

O sorriso dele, embora educado, só enfatizava a pergunta cortante.

Hesitei.

— Porque... você é uma boa pessoa?

Ele *havia* reduzido meu aluguel mensal a uma fração do valor normal sem impor condições. Não que a gente tivesse notado, pelo menos.

Talvez eu devesse ter pensado mais nesse plano.

O sorriso de Christian se apagou.

— Seu maior erro, srta. Ambrose, seria presumir que sou uma boa pessoa — disse ele, em um tom calmo.

Senti um arrepio de desconforto percorrer minhas costas. Mesmo assim, segui em frente. Não tinha escolha.

— Não precisa ser uma boa pessoa pra me ajudar. Eu fico te devendo uma.

Era uma promessa inconsequente, considerando que eu não sabia praticamente nada sobre o cara. Podia acabar tão presa a ele quanto estava a Max. Mas Christian era amigo de Rhys, e Rhys era um cara decente, então isso tinha que contar para alguma coisa. Certo?

— Rhys era meu principal funcionário, foi da Navy SEAL e é o futuro príncipe consorte de Eldorra — apontou Christian. — O que você tem para me oferecer?

— Aconselhamento jurídico profissional?

— Tenho uma equipe de advogados em todas as especialidades.

— Um bolo customizado da Crumble & Bake para expressar minha gratidão?

— Não como doces.

Isso era muito errado. Que tipo de monstro não comia doces?

Mordi o lábio inferior, tentando pensar em outra alternativa.

— Minha gratidão eterna? Vou te elogiar para todos os meus amigos.

Christian inclinou a cabeça de lado e me estudou.

Você só pode estar brincando. Era uma *piada*.

— Um favor seu em troca de um favor meu. A ser definido em data futura escolhida por mim — propôs ele.

O desconforto foi imediato. Isso era terrivelmente parecido com o que Max havia me pedido, exceto pelo fator sinistro.

— Que tipo de favor?

Juto por Deus, se Christian me pedisse para dormir com ele...

— Nada sexual ou ilegal. — A afirmação não diminuiu minha ansiedade. Eu tinha uma história de merda com sexo. — Essa é minha oferta. É pegar ou largar.

Concordar com um favor não determinado era uma ideia idiota, mas eu não podia me dar ao luxo de um planejamento a longo prazo diante de uma emergência de curto prazo. Além do mais, Christian era o CEO de uma organização respeitada, não um criminoso de baixo nível como Max.

Espero não me arrepender disso.

— Feito.

Os olhos de Christian brilharam com satisfação.

Eu não conseguia me livrar da sensação sinistra de ter acabado de selar um pacto com o demônio. Mas, qualquer que fosse o favor que ele me pedisse no futuro, valeria a pena, se servisse para dispersar a nuvem negra da fita de sexo de uma vez por todas.

Certo?

— Excelente. — Christian terminou de abrir a porta. — Minha próxima reunião começa às oito e meia. Você tem onze minutos.

Entrei na cobertura e expliquei minha situação – o vídeo, a chantagem de Max e minha vontade de apagar a gravação definitivamente. Não contei que costumava roubar; Christian não precisava saber, e eu não tinha tempo para entrar em detalhes, de qualquer maneira.

— Entendo.

Christian parecia quase entediado com meu dilema.

Fiquei meio aborrecida por ele não reconhecer a gravidade da situação, mas meio esperançosa também, pensando que a resposta calma podia significar que Christian tinha uma solução.

Ele não falou de novo até entrarmos na sua biblioteca particular. Livros coloridos enchiam duas paredes de ponta a ponta e do teto ao chão, e janelas criavam nichos enormes nas paredes restantes, inundando a sala com a luz da manhã.

Havia um homem no centro do aposento vestido com um terno que parecia ser tão caro quanto o de Christian. Notei as linhas de contrariedade no rosto dele, e ouvi a voz firme falando um italiano rápido ao telefone, mas ele desligou bruscamente quando nos viu.

— Dante, espero que esteja tudo certo — disse Christian, como se o outro homem não tivesse falado no telefone como se estivesse pronto para assassinar alguém em plena luz do dia.

Dante respondeu com um sorriso tenso.

— Sim, é claro — respondeu ele, e olhou para mim sem disfarçar a curiosidade.

Aparentava ser um pouco mais velho que Christian, talvez trinta e cinco, quarenta anos, mas isso só contribuía para o apelo físico. Ele não tinha uma beleza clássica, como a de Christian, mas exalava uma masculinidade rústica que faria a maioria das mulheres suspirar. O cabelo escuro e espesso e o corpo musculoso contribuíam para o resultado.

— Não sabia que tinha companhia — comentei com Christian.

Achava que era cedo demais para uma reunião de negócios, mas o que eu sabia sobre o assunto? Não era CEO de nada.

— Já estava de saída. — Dante estendeu a mão. Abotoaduras de prata gravadas com pequeninos V brilharam nos punhos de sua camisa. — Dante Russo.

— Jules Ambrose.

Ele me cumprimentou com um aceno de cabeça e lançou um olhar indecifrável para Christian.

— Terminamos nossa conversa mais tarde. Meu avô acabou de falecer.

Ele deu a notícia como se anunciasse uma ida ao supermercado.

Arregalei os olhos com o choque, mas Christian nem piscou. Óbvio.

Depois que Dante saiu, Christian se dirigiu ao computador sobre a mesa e digitou algo. Um minuto depois, a impressora cuspiu uma folha de papel, que ele me entregou com uma caneta.

As abotoaduras dele brilharam, e vi nelas o mesmo V gravado nas que Dante usava.

— Assine isto e eu cuido da fita.

Li o texto.

— Você tem um contrato para *favores*? — Era um documento padrão relacionando os termos do nosso acordo, mas, se eu me negasse a cumpri-lo, seria multada em… li de novo o valor. — Dois *milhões* de dólares? Só pode ser brincadeira.

— Não brinco em serviço, e qualquer coisa que envolva meu tempo e minha capacidade é serviço. — Christian acenou com a cabeça na direção do papel. — Como certamente sabe, srta. Ambrose, contratos protegem as duas partes. Se eu não conseguir cumprir minha parte, o contrato é anulado. Se eu me negar a cumpri-lo, também sou multado em dois milhões de dólares. É justo.

Sim, exceto por um detalhe: dois milhões de dólares eram uma gota em um balde para ele, mas, para mim, uma impossibilidade.

— Os termos são esses. Ainda não assinamos nada, você pode simplesmente ir embora. — Ele deu de ombros. — A escolha é sua.

Um favor escolhido por Christian, ou uma multa de dois milhões de dólares...
Minha cabeça latejava com a indecisão.

Quais eram as chances de ele me pedir para fazer alguma coisa horrível *de verdade*? Favores sexuais e ilegais já haviam sido excluídos do acordo.

Havia uma chance de cinquenta por cento de eu me arrepender daquilo, mas o desejo de me livrar de Max era maior que tudo.

Assinei na linha pontilhada e devolvi o contrato. Christian o assinou também, e foi isso.

Tínhamos um acordo oficial.

— É difícil apagar alguma coisa para sempre depois que esse material cai no mundo digital, mas não é impossível — disse Christian.

Não para mim. Ouvi claramente a insinuação implícita ali.

Minha ansiedade diminuiu. Eu não o conhecia direito, mas sabia que Christian Harper era muito bom no que fazia. Não havia construído a empresa de segurança contratada pela maior parte da elite mundial sendo relapso.

— No entanto, vou pedir sua ajuda com uma parte do plano. Poderia acionar meus homens para isso, mas acho que assim é mais fácil. — Christian sorriu. — Vou explicar o que você precisa fazer...

CAPÍTULO 45

Jules

Voltei ao hotel de Max na tarde seguinte.
As instruções de Christian eram simples, embora não muito fáceis, e era bobagem adiar o inevitável.
Ou o plano daria certo, ou não.
Bati à porta do quarto dele, consciente do homem escondido em uma alcova no fim do corredor. Christian havia mandado um dos seus subordinados me acompanhar. Kage esperaria até eu entrar no quarto e, depois, acompanharia os acontecimentos por uma câmera minúscula disfarçada de pingente no meu colar. Pelo jeito, ele carregava algum tipo de equipamento que poderia desabilitar o leitor de cartão-chave na porta, caso a situação com Max ficasse feia.
— Jules. — Max sorriu para mim com simpatia, mas notei a desconfiança nos olhos dele. — Não esperava ver você aqui de novo. Voltou para resgatar seus... benefícios?
Ele olhou para o meu peito.
Senti um arrepio sob o olhar lascivo, mas me forcei a preservar a cortesia para poder entrar no quarto.
— Não, mas tenho uma coisa importante para falar sobre o quadro. — Olhei para os dois lados do corredor, como se tivesse receio de ser ouvida. — Vamos conversar sobre isso aí dentro.
Max estreitou os olhos. Por um segundo, tive medo de ele se negar a me receber, mas depois de vários segundos de aflição, ele abriu a porta um pouco mais para me deixar entrar.
Dei uma olhada no quarto, à procura do computador. Se ele o tivesse guardado...
Aliviada, vi o notebook aberto em cima da mesa. *Graças a Deus*. Se não o tivesse visto, Kage teria que distraí-lo para que eu pudesse procurar o computador, mas isso tornava meu trabalho muito mais fácil.

— O que tem para me dizer? — A voz de Max se tornou impaciente quando permaneci em silêncio.

Olhei para ele enquanto me aproximava aos poucos da mesa.

— Acho que a tela é uma falsificação.

Pus as mãos nos bolsos da blusa de moletom, adotando uma atitude casual.

Meus dedos envolveram o equipamento que Christian me deu, e tossi para encobrir o apito baixo quando apertei o botão de ligar.

O equipamento era uma ferramenta sem fio de hackeamento que o próprio Christian havia desenvolvido. Ele me explicou como funcionava, mas os termos técnicos entraram por um ouvido e saíram pelo outro. Eu só sabia que aquilo precisava estar a um metro e meio do aparelho a ser hackeado, e não podia ser ligado antes ou entraria em uma rede diferente. Ou algo assim.

Eu confiava em Christian, ele sabia o que estava fazendo, por isso segui as instruções dele ao pé da letra, apesar de não entender nem a metade.

— A que você roubou da casa do seu namorado? Não é. — Max sorriu ao perceber minha reação surpresa. — Pensou que eu não soubesse que você está trepando com o bonequinho médico? Tive que vigiar a casa dele depois de rastrear o quadro. Vi você entrando e saindo da casa em várias horas do dia. Não precisei ser nenhum gênio para deduzir o que vocês dois estavam fazendo. — O sorriso dele se tornou maldoso. — Uma vez puta, sempre puta.

O ultraje pintou meu rosto de vermelho.

— Isso é o melhor que pode fazer? Ofender com palavrões é um truque antigo, Max. Encontre insultos novos, ou não use mais nenhum, especialmente porque vim aqui para te *ajudar*.

Vai, Christian.

Ele disse que levaria dois minutos para o equipamento se conectar ao computador, e mais cinco ou dez para encontrar o vídeo, dependendo de quantos arquivos Max tivesse. Foi sorte ele ter me mandado prints de tela para me atormentar nas últimas semanas – Christian poderia usar as imagens como base para a busca. Caso contrário, o software levaria mais tempo para ler cada vídeo, por não saber identificar o que estava procurando.

Combinamos que Christian me mandaria uma mensagem depois de localizar e destruir todas as cópias do vídeo. Personalizei o som de notificação para o número dele e, assim, saberia que estava tudo resolvido sem ter de olhar o celular.

— Me ajudar? — Max me encarava, e vi que sua desconfiança aumentava. — Por que faria isso?

— Porque não quero que você volte mais tarde e me culpe por isso. Quero que isto — acenei entre nós — acabe o mais depressa possível. — Dei uma olhada para o relógio. *Merda*. Haviam se passado menos de cinco minutos. Eu precisava prolongar a conversa. — Como tem certeza de que a tela não é uma falsificação?

— Meus amigos atestaram — respondeu ele, em um tom frio. — Além do mais, todo mundo pensa que é porcaria. Ninguém falsifica porcaria, Jules.

Ele se aproximou, os passos pesados sobre o carpete azul e fino como papel.

Fiz um esforço para não arredar o pé. Kage estava no corredor, mas ficar trancada em um quarto de hotel com Max fazia meu coração disparar de pânico.

— O que tem de tão especial nesse quadro, afinal? É horroroso.

Eu devia ter vestido outra coisa em vez de um moletom. O tecido grudava na pele, me sufocava. O calor subia do tronco ao rosto, e eu me sentia queimar viva dentro de um incinerador pessoal.

— Valor e beleza nem sempre se equiparam. — Max me olhou da cabeça aos pés, deixando claro o que estava implícito em suas palavras. — A tela faz parte de uma coleção limitada que pertencia a um famoso colecionador europeu. Vale muito dinheiro em alguns círculos, mas foi vendida em uma liquidação de espólio por engano e passou de proprietário em proprietário até eu descobrir que estava na casa do seu namorado. Foi preciso rastrear muita documentação e gastar muito dinheiro com suborno para chegar nesse ponto, mas conseguimos. — Os olhos dele brilharam com malícia bem-humorada. — Imagine meu prazer quando descobri sua conexão com o atual proprietário. Foi como se o destino te jogasse no meu colo.

Pois é. O destino gostava de ferrar com minha vida mesmo, era um hobby.

— Contou para ele sobre o quadro? — perguntou Max. — Ou fez um boquete tão caprichado que ele entregou a tela sem reclamar?

— Pelo menos ele sabe usar o pau, diferente de alguns outros que conheço. — Minha voz pingava mel e veneno. — Esse tipo de boquete não é nenhum sacrifício.

As palavras de Max ainda cutucavam velhas inseguranças, mas eu me recusava a deixar que ele me constrangesse por gostar de sexo.

Os homens dormiam com várias parceiras e eram respeitados por serem bons no jogo do flerte; mas, as mulheres que faziam o mesmo eram reduzidas ao rótulo de puta. Era uma hipocrisia antiga, e eu estava cansada daquilo.

Tive a satisfação de ver o rosto dele ficar vermelho. Uma verdade universal sobre os homens: nada feria o ego deles ou os enfurecia mais do que alguém questionando sua masculinidade.

— Cuidado, Jules.

Identifiquei a ira gelada por trás das palavras de Max, mas a máscara dele estava caindo. Notei um olho tremer e uma veia pulsar na testa dele. Por baixo de toda aquela falsa "gentileza" havia um merdinha frágil que estava a um insulto de um surto de raiva.

Engoli o nervosismo. *Está tudo bem. Kage está lá fora.*

— Um clique. É tudo que falta para todo mundo saber que tipo de piranha você é. O que será que seu namorado vai dizer se vir outro cara fodendo seu rabo e gozando na sua cara toda? Como a Silver & Klein vai reagir quando souber o que sua possível contratada gosta de fazer nas horas vagas? — Ele inclinou a cabeça, adotando uma expressão maldosa. — Talvez eu suba o vídeo para um site pornô. Posso ganhar dinheiro com isso. Hoje em dia, ex-presidiários têm muita dificuldade para arrumar emprego. Tenho que recorrer ao que for necessário para pôr comida na mesa.

O equipamento de metal quase furava a palma da minha mão. Sentia falta de oxigênio ao me lembrar da possibilidade de o vídeo ser divulgado para o mundo todo ver. Quando eu pensava em desconhecidos se masturbando com um dos piores momentos da minha vida.

Eu não devia ter provocado Max tão cedo. E se Christian não conseguisse apagar o vídeo? E se...

A melodia suave da notificação personalizada de Christian tocou no meu telefone.

A melodia que escolhemos para que eu soubesse que o serviço estava concluído.

Meu coração disparou. Agora que o momento havia chegado, eu não conseguia destravar a língua. Será que eu confiava mesmo em Christian para ter certeza de que o trabalho estava feito? Seria muito fácil perder um arquivo. Nada sumia de verdade no cyberespaço. E se Max tivesse uma cópia *física*?

As paredes me sufocavam, me enjaulavam com o papel de estampa floral amarelado e o cheiro de umidade.

Não consigo respirar, não consigo respirar, nãoconsigorespirar...

Outra explosão de notas musicais, essa mais impaciente, interrompeu o silêncio. Christian provavelmente monitorava a situação pela câmera e não entendia por que eu ainda não havia dado o próximo passo.

Respirei fundo.

Havia ido até ali. Não dava mais para voltar atrás.

— Na verdade, talvez deva dar uma olhada no seu celular — falei. — Ver se ainda tem o vídeo. As coisas desaparecem o tempo todo no ciberespaço.

Senti gotas de suor brotarem na testa quando Max me encarou. Eu podia praticamente ver como ele montava o quebra-cabeça – minha chegada inesperada, o jeito como tinha prolongado a conversa, porque de repente me dispunha a reagir.

Quando tudo se encaixou, ele pegou o telefone e seus olhos se moveram pela tela com uma velocidade frenética, indo e voltando.

Voltei a respirar quando ele grunhiu.

Havia sumido. Do celular, pelo menos.

Max não disse nada quando passou por mim a caminho do notebook. Cada tecla pressionada era como um tiro no silêncio.

Fui me aproximando devagar da porta, sem desviar os olhos dele. A reação de Max me diria tudo, se Christian havia realmente destruído toda e qualquer cópia do vídeo ou se havia mais alguma guardada por aí.

Quando Max finalmente levantou a cabeça, o rosto dele era uma máscara furiosa, e senti as pernas bambas de alívio.

Depois de anos com aquela gravação pairando sobre minha cabeça, finalmente era o fim.

Eu estava livre.

— O que você fez? — sibilou ele.

— Peguei de volta o que me pertencia. O controle sobre meu corpo. — A pressão dentro de mim diminuiu tão de repente e por completo, que eu teria caído, se não tivesse pavor de que qualquer movimento pudesse destruir aquele sonho frágil. A pressão havia feito parte de mim por tanto tempo, que não percebi que estivera lá até deixar de estar. — Quero o quadro de volta. Ele não é seu, *nem* dos seus amigos.

Max se moveu tão depressa, que não tive tempo de reagir. Ele agarrou meu pulso com uma força esmagadora. Gritei de dor.

— Sua vadia de merda... — Ele só conseguiu dizer isso, porque mãos tatuadas o arrancaram de perto de mim e jogaram de lado como se fosse uma boneca de pano.

Kage.

De algum jeito, ele havia entrado no quarto sem que nenhum de nós percebesse.

— Não toque nela — rosnou Kage.

Max registrou o tamanho do outro homem e, chocado, gaguejou:

— Quem é você, porra?

Kage cruzou os braços. Não respondeu.

— O quadro, Max. — Meu pulso ainda doía, mas ignorei. — Onde está?

Ele contraiu a mandíbula de raiva, mas não era burro o bastante para testar o potencial de violência de Kage.

— No closet. Na pasta de portfólio.

Olhei para Kage, que assentiu. Ele ficou de olho em Max, enquanto eu tirava a pasta do armário e a abria. A tela estava lá, sã e salva, e horrorosa como sempre.

Graças a Deus.

— Isso não acaba aqui — avisou Max, quando me dirigi à porta. Conseguia controlar a fúria, mas os olhos brilhavam com um misto de raiva e pânico. Deduzi que os "amigos" dele não ficariam contentes quando soubessem que Max havia perdido a tela. — Acha que resolveu todos os seus problemas só porque se livrou da gravação e recuperou o quadro? Você ainda é uma mentirosa e uma puta. Seu namorado vai acabar descobrindo e vai te chutar como todo mundo sempre chuta. Como eu pretendia fazer, antes de você fugir no meio da noite como uma covarde.

Parei na porta. Max estava usando todas as armas que pensava ter. Algumas me atingiam de raspão; outras arrancavam casquinhas de machucados antigos até voltarem a sangrar.

Senti as mãos suadas ao pensar que Josh poderia descobrir o que havia acontecido.

— Talvez eu acelere o processo. Posso dar uma dica para o bom doutor sobre quem invadiu a casa dele. Tenho certeza de que ele vai gostar de saber a verdade.

O veneno das palavras de Max se infiltrou nas minhas veias.

O rugido de Kage ecoou no quarto. Ele deu um passo na direção do outro homem, mas toquei seu braço e o fiz parar.

Essa briga não era dele.

— Na verdade, Max, isso acaba *aqui*. — A alça da pasta deslizava nas minhas mãos suadas. — Você não tem a gravação. Não tem provas de nada do que aconteceu em Ohio. Se tivesse, já teria usado. E pode *tentar* contar para o Josh, mas vai ser a sua palavra contra a minha, e ele não vai acreditar em você. Não sobrou nada.

Max ficou pálido. Cerrou os punhos, o peito subindo e descendo devido à respiração rasa e ofegante.

Sem a armadura da chantagem ele ficava pequeno. Fraco, como o Mágico de Oz depois que a cortina era puxada.

Uma estranha e inesperada semente de compaixão brotou em mim. Apesar de todas as coisas terríveis que havia feito, Max me salvara quando minha mãe me expulsara de casa. Sim, ele havia me arrastado para uma vida da qual eu não me orgulhava, mas sem Max, eu poderia ter acabado na rua, sem casa.

Ainda cortaria as bolas dele se tivesse uma chance, mas Max estava certo. Eu tinha uma dívida de gratidão. Não pagaria com dinheiro nem com meu corpo, mas com o reconhecimento da nossa história compartilhada, o que me permitiria ir embora de vez com a consciência limpa.

— Lamento que tenha passado todos esses anos na prisão — disse a ele. — Sete anos é muito tempo, e entendo sua revolta. Mas agora está livre, tem uma chance de recomeçar. Não fique preso a sua vida antiga, você não precisa permanecer nela mais do que já esteve. — Engoli em seco. — É fácil ficar estagnado em velhos hábitos e mágoas, mas você nunca vai ser feliz indo atrás de coisas que não existem mais. É hora de superar o passado. Eu superei.

Saí e deixei Max vermelho e sozinho no seu quarto de hotel.

Minha mente estava agitada com mil pensamentos quando Kage e eu nos dirigimos ao elevador e descemos.

É hora de superar o passado. Eu superei.

Mas não era verdade, eu não havia superado de verdade.

Tinha planejado devolver os objetos roubados à casa de Josh e deixá-lo imaginar um motivo para um assaltante agir daquele jeito. Mas, se fizesse isso, minhas mentiras me atormentariam *para sempre*. Mesmo que Josh nunca descobrisse o que havia acontecido, eu saberia. Cada vez que ele me beijasse, cada vez que sorrisse para mim, eu saberia que escondia algo dele, e isso me devoraria viva, e depois acabaria nos devorando.

Como é possível construir um relacionamento sobre uma base de mentiras?

A resposta: não é.

A porta do elevador abriu. Atravessei o saguão quase sem notar o carpete laranja horrível e os sofás gastos.

Superar o passado não significava enterrá-lo sob uma nova base e torcer para ninguém jamais o encontrar; significava expor o que era feio e assumir responsabilidades.

Não se pode curar algo que não se reconhece.

Quando Kage e eu saímos do hotel, meus pensamentos eram claros.

Eu sabia o que tinha que fazer.

Precisava contar a verdade a Josh.

CAPÍTULO 46

Josh

— Você está de excelente humor. — Clara arqueou uma sobrancelha quando encerrei meu plantão. — O motivo começa com J e termina com ules?

— Não posso confirmar nem negar — respondi, praticamente assobiando. Com exceção do assalto na semana anterior, eu havia tido uma semana muito boa. Havia deixado Michael no passado. Alex e eu estávamos a caminho de voltarmos a ser amigos de verdade, e o trabalho tinha sido relativamente tranquilo. Para o pronto-socorro, isso significava que não havíamos tido mortes nem acidentes com grande número de vítimas, apesar de um caso grave envolvendo um idiota com um maçarico.

Além disso, Jules faria o exame da ordem na próxima semana, o que significava que poderíamos voltar a sair em breve.

Eu já havia planejado o primeiro programa pós-exame: um fim de semana em Nova York para assistir a um espetáculo de curta temporada, *Legalmente loira: O musical*, comer muita comida boa e fazer um sexo ainda melhor.

Tive que trocar o plantão de novo para ter o fim de semana livre, e a viagem era cara demais para o salário de um residente, mas Jules merecia. Fazer o exame da ordem era um evento importante.

— Tudo bem, não conta, então. Mas eu posso deduzir. — Clara revirou os olhos. — Um dia desses, vai ter que assumir esse relacionamento, ou as outras enfermeiras não vão parar de tentar arrumar encontros para você.

— Eu confirmo, depois que você anunciar que seu relacionamento com Tinsley é sério. — Sorri quando ela fez uma careta. Clara estava namorando Tinsley havia meses, e ainda se recusava a torná-lo oficial. E as pessoas diziam que *eu* tinha problemas com compromisso. — Foi o que pensei.

— Tchau, Dr. Chen — disse ela, com firmeza.

Dei risada e acenei antes de sair.

Havia combinado de ir beber com Alex naquela noite, mas só nos encontraríamos dali a quatro horas. Tinha tempo para tomar um banho e tirar um cochilo, talvez pesquisar mais sobre Nova York. Havia lido em algum lugar sobre uma doceria que servia um sorvete de caramelo salgado incrível.

Quando cheguei em casa, digitei o código de segurança e abri a porta. Uma das primeiras coisas que fiz depois da invasão foi instalar um sistema de segurança. Alex recomendou o modelo, então presumi que fosse bom.

Bom, foi a décima recomendação dele. As nove primeiras eram caras demais, mas pelo menos fiquei entre as dez melhores.

Eu já estava meio dormindo quando terminei o banho, mas o som da campainha me despertou.

Vesti uma calça de moletom e fui ver quem era. Foi uma surpresa agradável encontrar Jules do outro lado da porta.

— Oi, Ruiva — cumprimentei com um sorriso vaidoso. — Não consegue ficar longe de mim, né? Não te culpo. — Apontei para mim. — Olha isto aqui.

Ainda estava sem camisa e não queria me gabar, longe disso, mas meu abdome era uma obra de arte.

— Se soubesse que estava acompanhado, eu teria esperado — respondeu ela, em um tom seco. Estava com uma pasta grande de portfólio, o que era estranho, considerando que ela não desenhava. Talvez tivesse ido fazer compras. — Não quero interromper a festinha amorosa semanal com seu ego.

— *Diária* — corrigi. — Autoamor é essencial para manter a autoestima. Mas você é gostosa, então pode interromper. — Eu a puxei para dentro e fechei a porta com o pé, então a beijei. — Veio fazer um intervalo nos estudos?

— Hum, mais ou menos.

Jules colocou uma mecha do cabelo atrás da orelha, e notei um nervosismo incomum.

— Bom, não exagera no intervalo. Por mais feliz que eu esteja por te ver, quero que arrebente nesse exame. — Não via a hora de aquilo tudo acabar. — Tenho uma surpresa para você depois da prova.

— Mal posso esperar.

Estranhei a resposta contida. Normalmente, ela me atormentaria até eu não aguentar e revelar a surpresa.

— Tudo bem?

— Tudo. Não. Quero dizer, tenho uma coisa para te contar. — Ela inspirou profundamente e então olhou nos meus olhos. — É sobre o quadro roubado.

— Ok... — Estreitei os olhos. — Não vai me fazer comprar aquele quadro que vimos on-line outro dia, vai? O dos cachorros jogando pôquer? Porque é legal, mas deve ter outras mil pessoas com um daquele.

— Não. — A risada soou forçada. — Na verdade, é uma história engraçada. Eu estou com o quadro. O que roubaram de você.

Fiquei confuso.

— Encontrou uma cópia?

— Não. — Jules mexeu na pasta. — O verdadeiro. O que foi roubado do seu quarto.

Meu sorriso desapareceu, e o pressentimento se manifestou como uma camada de gelo sobre minha pele. *Como* ela estava com o quadro se a polícia não havia conseguido encontrar nenhuma pista?

— Do que está falando?

Em vez de responder, Jules abriu lentamente o zíper da pasta e pegou a tela.

Olhei para o quadro, sem reação.

Lá estava a pintura, em toda sua glória marrom e verde. Nunca havia notado o quanto era condescendente. A tela parecia sorrir para mim, uma provocação que era como uma voz cantarolando na minha cabeça.

Sei uma coisa que você não sabe. E você não vai gostar de saber...

— Não é só isso. — A voz de Jules tremia tanto, que ela parecia uma versão distorcida de quem era.

O pressentimento cristalizou-se em uma certeza gelada, quando ela abriu a bolsa e tirou dela mais três objetos.

Meu relógio. Meu iPad. O dinheiro para emergências.

Não.

Jules deixou tudo em cima da mesinha, e o tremor das mãos dela combinava com o da voz.

Não, não, não.

— Fala que você rastreou o ladrão e recuperou essas coisas. — Mal conseguia ouvir minha voz em meio ao zumbido nos ouvidos. — Fala que o assaltante teve uma crise de consciência e deixou tudo isso na varanda quando eu estava no banho, e você encontrou os objetos. Droga, Jules, fala *alguma coisa!*

Qualquer coisa que não confirmasse a suspeita que apertava minha garganta e me impedia de respirar.

— Eu roubei os objetos. — A confissão de Jules me atingiu como uma bala no peito. A dor rasgou a carne, e eu me retraí. — Sinto muito. Não queria fazer isso. Ele estava me chantageando, e eu não sabia o que fazer, além de ceder e...

A explicação confusa foi ficando distante à medida que o zumbido aumentava. As palavras dela se uniam em uma corrente turva que pintava o mundo em tons horrendos de cinza e um vermelho furioso.

Jules era a artista, e eu estava preso em um pesadelo surrealista que ela criava.

— Quem? — Reagi à última informação que me lembrei de ter ouvido.

Meu cérebro estava parando, e tive que fazer um esforço enorme para pronunciar a palavra.

Jules cruzou os braços.

— Max.

Max. O cara que tinha conhecido no Hyacinth.

Uma fúria líquida e sombria invadiu minhas veias e modificou minha voz quando ouvi o nome do desgraçado de ar arrogante.

— Comece do início.

Ouvi, entorpecido, enquanto Jules explicava tudo de novo, com mais clareza dessa vez - os bicos que fazia em Ohio, o relacionamento com Max, a gravação do vídeo de sexo, a chantagem, como ela havia invadido minha casa e como, finalmente, havia se livrado da gravação e recuperado o quadro.

Quando ela terminou, o silêncio que seguiu o relato foi estridente a ponto de me ensurdecer.

— Me perdoa. — Jules engoliu em seco. — Eu devia ter contado antes, mas não queria estragar tudo quando estávamos começando a nos entender. Não sabia como você ia reagir, e pensei...

— Pensou?

— Que se eu contasse sobre meu passado, só confirmaria todas as coisas horríveis que costumava pensar sobre mim. — A voz dela ficava mais fraca a cada palavra, como se ela percebesse o quanto eram idiotas.

A fúria pulsava mais forte. Escapava das minhas veias e se espalhava pelo meu peito, esvaziando-o até não sobrar nada.

Metade era dirigida a Max, pelo que ele havia feito a Jules.

A outra metade...

Respira.

— Entendi. — Por mais que tentasse, não conseguia invocar nem um grama de calor. Meu sangue estava congelado em uma poça dura, sólida, e eu tinha medo de que qualquer movimento pudesse quebrá-lo. Fragmentá-lo em mil lâminas que me retalhariam de dentro para fora. — E por que está me contando isso agora?

— Não queria mais mentir para você. *Nunca* quis mentir para você, mas... — Jules respirou fundo e alinhou os ombros. — Queria que pudéssemos recomeçar do zero. Sem segredos nem mentiras.

— Entendo. — O frio no meu peito se intensificou. — Eu te perdoo.

Ela hesitou, confusa com o contraste entre as palavras e meu tom gelado.

— Perdoa?

— Perdoo. — Sorri. O movimento era estranho, como se eu contorcesse a boca para forçá-la a adotar uma posição de que não era mais capaz. — Vem cá, Ruiva.

O apelido tinha um gosto amargo na boca.

Depois de um momento de hesitação, ela se aproximou de mim.

Mesmo com a pele pálida e as olheiras profundas, Jules era a coisa mais linda e mais traiçoeira que eu já havia visto.

Segurei sua nuca e massageei a pele suavemente com o polegar, antes de puxá-la e beijar sua boca com intensidade o suficiente para provocar um gemido de dor.

— Doeu?

Jules assentiu, e senti os músculos tensos sob meu toque.

— Que bom. — Suavizei o beijo, acariciando os lábios dela com a língua. — Não devia ter mentido, Ruiva — sussurrei. — Você sabe que odeio mentira.

Detectei um leve tremor nos seus ombros.

— Eu sei.

— Mas você... — Deslizei a boca pela linha do queixo e desci pelo pescoço. — Você é muito bonita. E muito doce, por baixo dessa armadura espinhosa que usa. Sabe coisas sobre mim que ninguém nunca vai saber. — Mordi a curva entre o pescoço e o ombro. — Como vou ficar zangado com você?

Jules gemeu de novo quando minha mão deslizou para baixo da saia e tocou de leve a vagina. Pela primeira vez, ela não estava molhada para mim.

Mas isso podia mudar.

Escorreguei a mão para dentro da calcinha e a acariciei até sentir a umidade, até o corpo dela derreter contra o meu.

Meus movimentos eram frios. Mecânicos. Eu os havia executado milhões de vezes e observei, apático, a boca dela se abrir para deixar escapar um gemido.

Meu pau forçava o tecido da calça, duro e furioso. Mais que qualquer coisa, era uma reação física, mas era a única parte em mim que ainda estava viva.

Jules estava à beira do orgasmo quando afastei a mão do seu corpo.

— De joelhos.

Ela se assustou com meu tom ríspido, mas, depois de um segundo de hesitação, ajoelhou-se devagar, sem discutir.

— Você quer isso? — Segurei o queixo dela e a forcei a olhar para mim. — Fala se não quiser, Ruiva. É sua última chance.

A garganta de Jules se moveu com o esforço para engolir.

— Eu quero.

Soltei seu queixo, empurrei a cabeça dela para trás com uma das mãos, enquanto puxava o pinto para fora da calça com a outra.

— Se quiser que eu pare, é só bater na minha coxa.

Foi o único aviso que dei antes de meter até o fundo da garganta dela. Jules sufocou com a invasão brutal e seus olhos ficaram cheios de lágrimas, mas as mãos continuaram abaixadas.

Segurei o cabelo com as duas mãos e fodi sua boca, indo cada vez mais fundo, até o som obsceno das minhas bolas batendo no queixo dela se misturarem ao som de sufocamento que saíam de sua garganta.

Minha mandíbula se cerrou quando olhei para ela. A imagem de Jules ajoelhada na minha frente, lágrimas e rímel escorrendo pela face enquanto ela engolia meu pau, provocava em mim uma onda de fúria irracional.

Fechei os olhos e inclinei a cabeça para trás. Isso foi um erro, porque trouxe imediatamente lembranças indesejadas.

Vermont. A clínica. Hyacinth. O piquenique. Ohio.

Cada peça do quebra-cabeça que construía nosso relacionamento, que fazia dele o que era naquele momento.

Não tinha a ver com o tamanho das mentiras de Jules. Eu não dava a mínima para uma porcaria de quadro e um punhado de objetos. Tinha a ver com confiança.

Tudo que sempre quis foi honestidade, e o que recebi foi mentira.

A tensão me rasgava por dentro.

Abri os olhos e tirei o pau da boca de Jules. Estava suando, com o coração batendo em um ritmo doloroso.

Ela estava destruída. Cabelo bagunçado, boca inchada, rosto manchado de lágrimas. Jules me encarou, e aqueles grandes olhos cor de avelã diziam palavras que eu não queria ouvir.

— Fica de quatro.

Não conseguia olhar para ela, mas quando a fodi por trás, imagens dela invadiram minha cabeça.

O brilho do cabelo ao sol. O fogo que iluminava seus olhos quando ela me ofendia. A maciez da mão na minha e o jeito como o canto direito da boca se elevava um pouco mais que o esquerdo quando ela sorria.

A pressão me sufocava.

Jules estava perto do orgasmo. Podia ouvir em como ela respirava e sentir nas contrações que me apertavam.

Era engraçado como, às vezes, eu sintonizava cada movimento dela, e outras vezes eu nem sequer a conhecia.

Inclinei-me até aproximar a boca da sua orelha.

— Lembra quando eu disse que te perdoava? — Estendi um braço e pressionei seu clitóris. — Eu menti.

O orgasmo chegou junto com minhas palavras. Ela soluçou e gemeu ao mesmo tempo, enquanto eu também gozava.

O alívio vazio não amenizou a pressão em meu peito.

Saí de dentro dela e me levantei. Jules caiu para frente no chão, com o vestido na altura da cintura e os ombros tremendo a cada soluço sufocado.

— Como é a sensação de ser enganada, Jules? — As palavras furiosas soavam como se tivessem saído de outra pessoa. Alguém mais cruel do que já tinha pensado que poderia ser. — É bom, né?

O gelo nas minhas veias havia derretido. Eu me afogava por dentro, e uma parte de mim queria ceder, afundar e nunca mais voltar.

Michael. Alex. Jules.

As três pessoas em quem mais tinha confiado haviam me apunhalado pelas costas. As traições de Michael e Alex tinham doído, mas a de Jules... ela *sabia* quanto eu sofria com o que havia acontecido com os outros.

Racionalmente, eu entendia a explicação dela para não ter me contado tudo antes. Emocionalmente, eu não conseguia impedir a dor de envenenar cada lembrança de nós dois.

Cuidado, Ruiva. Se continuar falando essas coisas, posso não te soltar nunca mais.

Você é uma das poucas pessoas em quem confio. Mesmo quando a gente não se suportava, sempre pude contar com você e com sua honestidade.

Senti o rosto esquentar.

Eu era um idiota do cacete.

Jules se levantou e me encarou. Manchas vermelhas cobriam seu rosto e o pescoço. Ela não estava mais chorando, mas sua respiração era alta e rasa no silêncio.

— Parece bem apropriado para nós, terminar tudo com uma trepada de despedida. — Um sorriso cruel deformou minha boca. A pressão implacável subia à garganta, e tive que fazer o dobro do esforço para pronunciar as palavras. — Pelo menos ganhou um orgasmo com isso, não pode dizer que nunca te dei nada. Mas vou sentir falta dessa sua buceta apertada. Ninguém aceita meu pau melhor que você. Essa é sua melhor qualidade.

Uma dor funda se estampou no rosto dela e rasgou meu peito como um ferro quente.

Nesse momento, a única pessoa que eu odiava mais que ela era eu mesmo.

— Eu errei e pedi desculpas. — A voz trêmula de Jules continha apenas um leve resquício do fogo habitual. — Mas você foi cruel.

— É mesmo? Lamento. Como pode ver, ser um cara legal não me ajudou muito no passado.

Meus olhos ardiam.

Olhar para ela doía. Ouvir a voz dela doía. *Tudo doía.*

— Podia ter me contado, Jules. Pensava mesmo tão pouco de mim, a ponto de acreditar que julgaria você por coisas que foi obrigada a fazer? Que eu não ficaria do seu lado e não acabaria com o desgraçado por você? Entendo que não tenha me contado nada no Hyacinth, mas depois de Ohio... — Rangi os dentes. — Isso é o que mais dói. Achei que você era digna da minha confiança, mas você não teve a mesma consideração comigo.

O queixo de Jules tremia. Ela cobriu a boca com a mão fechada, e seus olhos brilharam mais intensamente.

— Se tivesse pedido, eu teria dado o quadro para você. — Minha voz também tremeu. — Teria dado qualquer coisa de que precisasse.

Um soluço alto venceu a barreira do punho dela, seguido por outro e mais um, até a respiração ofegante sugar cada molécula de ar.

Observei, parado, quando ela começou a hiperventilar, mas meus músculos ardiam devido à força para me manter imóvel.

Odiava aquela parte de mim que ainda queria confortá-la. Era a parte sem nenhuma autopreservação, a parte que precisava tanto dela que entregaria de bom grado a faca que ela cravaria no meu peito, só para que Jules fosse a última coisa que eu visse antes de morrer.

Ela estava certa. Eu *era* um masoquista.

— Sai.

Jules se retraiu ao ouvir a ordem murmurada.

— Josh, por favor. Juro que eu não...

— Vai embora.

— Eu am...

— Não se atreva a dizer isso. — Minha pulsação disparou com outra descarga de adrenalina. *Respira. Só respira, caralho.* — Falei para você ir embora, Jules! *Vai embora daqui, porra!*

Ela finalmente se moveu, e os soluços enfraqueceram à medida que se afastava, indo em direção à porta. Jules saiu, fechou a porta e depois... silêncio.

A tensão que me mantinha de pé desapareceu.

Eu me curvei para a frente e apoiei as mãos nos joelhos, sentindo o corpo ser sacudido por espasmos sucessivos. A pressão dentro de mim estrangulava cada órgão vital, mas, por mais que ela crescesse e crescesse, se recusava a explodir. Só permanecia ali, me sufocando de dentro para fora.

Jules havia ido embora, mas eu ainda a *sentia*. Ela estava em todos os lugares – em cada centímetro da sala, em cada fragmento dos meus pensamentos, em cada batida do meu coração.

A urgência visceral de destruir tudo que restava de mim me empurrou para o quarto. Vasculhei a gaveta da escrivaninha à procura dos ingressos para o musical e os rasguei em pedacinhos, sentindo uma satisfação perversa ao ver o confete de papel destroçado cair na lata de lixo.

Depois foi a vez da camiseta que havia emprestado na primeira noite em que Jules havia dormido aqui, o recibo do Giorgio's, que eu guardava como uma recordação idiota do nosso primeiro encontro, e o travesseiro com o cheiro dela. Cada coisinha que continha mesmo a mais sutil lembrança de nós, tudo foi destruído e jogado no lixo.

Quando terminei, meu quarto parecia comigo: vazio.

Sem conseguir suportar aquela visão, fui para a cozinha e peguei a primeira garrafa de uísque que vi.

Eu me preocuparia com quanto vinha bebendo ultimamente, se desse alguma importância a qualquer coisa que não fosse afogar a presença persistente de Jules. Não era como se eu apagasse bêbado toda noite.

Nem me dei o trabalho de servir o uísque em um copo; bebi do gargalo.

Não sei o quanto bebi, nem queria saber.

Só bebi sem parar, até afundar na escuridão do esquecimento e finalmente arrancar da cabeça todos os pensamentos sobre Jules.

CAPÍTULO 47

Jules

Lembra quando eu disse que te perdoava? Eu menti.

Cambaleei até a estação do metrô ouvindo o eco das palavras de Josh na minha cabeça como um deboche interminável.

Lembra quando eu disse que te perdoava? Eu menti.
Quando eu disse que te perdoava? Eu menti.
Te perdoava? Eu menti.
Eu menti.
Eu menti.

Lágrimas turvavam minha visão, e eu não sabia se estava indo na direção certa, mas não me importava. Só precisava me afastar.

Das palavras cruéis de Josh, do olhar frio dele, do toque vingativo.

Da certeza de que eu havia estragado tudo e a culpa era só minha, de mais ninguém.

As pessoas diziam que amar e perder era melhor que nunca ter amado.

Mas nunca diziam nada sobre como era ter a pessoa que você amava e perdeu olhando para você como se te odiasse. Josh nunca havia olhado para mim daquele jeito, nem quando eu *pensava* que ele me odiava.

Limpei as lágrimas com o dorso da mão, mas era como tentar varrer a água de volta para o oceano. Totalmente inútil.

Eu sabia que havia uma chance de Josh reagir mal à verdade. Só não esperava que ele fosse reagir *tão* mal.

O pior era que ele estava certo. Não confiei nele, não pensei que ficaria ao meu lado quando soubesse a verdade. Fiquei tão cega com minhas inseguranças, tão apavorada com a possibilidade de destruir uma das coisas mais bonitas da minha vida, que transformei a destruição em uma profecia.

Josh não havia se importado com a gravação, nem com a porcaria do quadro. Só com o fato de eu ter mentido para ele.

Eu tinha sido uma idiota.

Se tivesse pedido, eu teria dado o quadro para você. Teria dado qualquer coisa de que você precisasse.

Novas agulhas de dor penetraram meu peito. A cabeça pegava fogo, como se alguém a tivesse arrastado sobre carvões em brasa, e eu não conseguia levar ar suficiente aos pulmões. Talvez porque cada inspiração era dolorosa.

Cada inspiração, cada batimento do coração, cada piscada. Funções corporais normais que, naquele momento, apenas *doíam*.

Até meu corpo me odiava.

Limpei o rosto de novo quando vi a estação de metrô. Havia conseguido, de algum jeito.

Seis paradas até a estação perto do meu apartamento, depois uma caminhada de cinco minutos até o prédio.

Seis paradas. Cinco minutos.

Eu sobreviveria.

— Se controla — solucei. — Antes que alguém chame a polícia.

Já estava atraindo olhares de alarme e preocupação de quem passava por mim. Falar sozinha não ia melhorar a situação.

Felizmente, o trem chegou assim que pisei na plataforma, e não tive que esperar. Escolhi o vagão mais vazio e me encolhi em um canto, olhando para o túnel vazio do lado de fora. O reflexo transtornado olhava para mim da janela – cabelo despenteado, manchas pretas de rímel pelo rosto e pele coberta de manchas vermelhas, como se eu tivesse um quadro grave de urticária.

Pensava mesmo tão pouco de mim, a ponto de acreditar que julgaria você por coisas que foi obrigada a fazer? Que eu não ficaria do seu lado e não acabaria com o desgraçado por você?

Fechei os olhos, desejando com todas as forças poder voltar no tempo e mudar todas as decisões que havia tomado em relação a Max.

Eu era advogada. Devia ser lógica, racional, estratégica. Mas com Max e Josh, fui tudo, menos isso.

Como havia destruído minha própria vida daquele jeito?

Abri os olhos, pois não queria passar muito tempo com meus pensamentos. Eles só me torturariam.

Acompanhei as estações em que o metrô parava com uma consciência distante.

Tenleytown. Van Ness. Cleveland Park. Woodley Park-Zoo/Adams Morgan.

Quando cheguei à minha estação e fiz a breve caminhada do metrô até o Mirage, os soluços haviam cedido o lugar a um torpor gelado.

Andei pelo apartamento escuro e silencioso, com passos estranhamente barulhentos no assoalho de madeira. Stella não estava em casa, por isso não tive que dar explicações sobre meu estado lamentável.

Só queria dormir, mas consegui tomar uma ducha antes de ir para a cama. Meus movimentos eram rígidos e mecânicos, como se eu não estivesse realmente no controle do meu próprio corpo.

Queria não estar.

Apesar da exaustão que deixava meus olhos pesados, eu não conseguia dormir, então fiquei olhando para o teto e ouvindo o silêncio.

Talvez fosse minha imaginação, mas ainda havia no ar um restinho da colônia de Josh, da última vez que ele havia dormido no meu quarto. Se fechasse os olhos, podia quase fingir que ele estava ali, com o rosto no meu pescoço e o corpo forte aninhando o meu.

— *Sabe, você é o primeiro cara com quem eu fico no meu quarto.*

— *Primeiro e último, Ruiva.*

— *Possessivo demais, hein?*

— *Pode apostar. Não gosto de dividir.*

— *Dividir é uma virtude, Josh.*

— *Foda-se. Eu não divido nada. Muito menos você.*

Algo quente e úmido deslizou pelo meu rosto. O sabor salgado alcançou meus lábios, e percebi que estava chorando outra vez.

Diferentes dos soluços anteriores, aquelas lágrimas não faziam barulho. Eram gritos silenciosos presos no meu peito que penetravam nos ossos e me sufocavam.

Não me dei ao trabalho de secá-las. Só fiquei deitada, olhando para a escuridão e deixando que me devorasse viva.

CAPÍTULO 48

Jules

A ÚNICA COISA BOA NO ROMPIMENTO COM JOSH FOI QUE PASSEI A TER mais tempo e motivação para estudar para o exame da ordem. Já estava motivada antes, mas não havia incentivo maior que a necessidade de se distrair de um coração partido.

Tirei a semana seguinte de folga na clínica e usei esses dias para uma maratona final de preparação.

Acordar às sete da manhã.

Tomar café e um banho.

Assistir às videoaulas e fazer anotações até o meio-dia.

Almoçar e fazer um intervalo curto.

Completar as tarefas e praticar a redação.

Jantar e fazer mais um intervalo.

Responder as perguntas do Simulado de Exame da Ordem.

Dormir.

Realizava a mesma sequência todos os dias, com medo de me desviar e cair em um buraco escuro do qual não fosse conseguir sair.

Rotina era útil. Rotina me impedia de tomar decisões ou pensar em outra coisa que não fosse o próximo item da minha lista de obrigações.

É claro, isso duraria apenas até eu fazer o exame da ordem. Depois...

Olhei para a folha de papel à minha frente.

Um casal decidiu abrir uma loja de bicicletas com o irmão da esposa. Ambos entraram com um pedido de abertura de empresa de responsabilidade limitada [...] alugaram um espaço comercial [...] assinaram o contrato para comprar 150 pneus de bicicletas [...].

Pisquei e balancei a cabeça, e então reli com cuidado o enunciado. Senti o prenúncio de uma enxaqueca, mas estava quase na linha de chegada.

Depois de seis horas de testes, aquela era a última pergunta do primeiro dia. Eu ainda teria a prova de múltipla escolha no dia seguinte, mas me preocuparia com isso mais tarde.

O ruído do lápis no papel enchia meus ouvidos enquanto eu fazia as anotações e digitava as respostas finais no computador.

Que tipo de sociedade de responsabilidade limitada foi criada: uma administrada pelos membros, ou uma administrada por um administrador? Explique.
A sociedade de responsabilidade limitada estava sujeita ao contrato dos pneus? Explique.

E assim por diante.

Terminei literalmente um minuto antes de o tempo acabar. Entreguei a prova eletrônica e saí do site do exame, esperando sentir uma descarga de alívio ou empolgação. Depois de tantos anos de escola e meses estudando, havia concluído metade do exame que determinaria o futuro da minha carreira.

Mas não senti nada.

Só... o vazio.

— Acho que fui bem — falou uma mulher ao meu lado ao telefone. Era outra advogada esperançosa, contando com o resultado da prova. Ela riu do que alguém disse do outro lado da linha e respondeu: — Para... sim, é claro. A gente janta hoje. Amo você.

Senti um nó na garganta.

Em um universo alternativo, eu estaria falando com Josh pelo celular, fazendo planos para comemorar. Algo tranquilo, já que ainda haveria outra prova no dia seguinte, mas o conhecia bem o suficiente para saber que ele faria desse pequeno encontro uma produção completa.

Jantar no meu restaurante favorito, uma massagem em casa, sexo para me ajudar a "aliviar o estresse"...

— Você usaria qualquer desculpa para transar, né? — provoquei, depois tirei a jaqueta e a joguei no sofá.

Josh me agarrou pela cintura e me girou.

— Quem disse que preciso de desculpa? — A covinha apareceu no rosto dele. — Você quer foder comigo o tempo todo, Ruiva. Admite. Mas já que tocou no assunto... — Parei de respirar por um segundo quando ele passou a mão na minha coxa. — Concluir metade do exame da ordem é importante. Merece uma comemoração.

— Ah, é?

Tentei manter uma expressão séria, mas era difícil quando ele deslizava o polegar na minha pele daquele jeito.

Meu corpo ardia.

— Aham. — Os olhos de Josh brilhavam, maliciosos. — É como dizem. Só prova e nenhuma recompensa transforma a Jules em uma garota muito chata.

— Ninguém diz isso.

— Eu digo, e sou uma das únicas duas pessoas que importam. — Ele beijou meus lábios. — Agora, sobre sua recompensa...

A campainha do elevador estilhaçou a fantasia em um milhão de caquinhos.

Eu não estava na sala da casa de Josh depois de uma noite romântica; estava no corredor frio de um prédio qualquer no centro da cidade, com dor de estômago e o peito apertado como se o tivesse perdido.

De novo.

Uma parte boba e ingênua em mim esperava que Josh fosse aparecer do nada e me surpreender como se fôssemos protagonistas de uma comédia romântica clichê, mas é claro que isso não aconteceu.

Minha respiração ficou um pouco mais rápida. O frio do ar-condicionado chegava aos meus ossos, e o eco dos passos no chão de mármore assumia uma nota ameaçadora.

Eu precisava sair dali.

Infelizmente, o elevador aberto estava subindo, em vez de descer, e o outro elevador parecia estar preso no sexto andar.

Em vez de esperar, abri a porta para a escada. Estava no terceiro andar, seria fácil descer até o térreo.

Parece bem apropriado para nós, terminar tudo com uma trepada de despedida. Mas vou sentir falta dessa sua buceta apertada. Ninguém aceita meu pau melhor que você. Essa é sua melhor qualidade.

Uma nova onda de dor me inundou quando me lembrei da última coisa que ele havia dito. Josh sempre soube como me atingir, por bem ou por mal. Mesmo assim, eu sentia tanta falta dele que doía até para respirar.

Vem cá, Ruiva.

Você devia estar na Nova Zelândia.

Preferi estar aqui.

Eu não o via desde o término. Josh não havia mais aparecido na clínica, e ignorava todas as minhas ligações e mensagens. Mas se...

— Preciso do quadro de volta, Jules.

Levantei a cabeça a tempo de ver um lampejo de olhos azuis e cabelos castanhos antes de Max me empurrar contra a parede.

Soltei um grito quando minha cabeça bateu no concreto. O impacto me deixou com a visão turva, mas ainda conseguia ver as linhas duras da expressão de Max.

— Não está mais comigo. Joguei fora — respondi.

Não queria que ele fosse atrás de Josh. Christian havia prometido que ficaria de olho em Josh, caso os "amigos" de Max tentassem roubar a tela de novo, mas essa não era uma solução sustentável.

Não quis jogar o quadro fora antes de devolvê-lo a Josh. Ele merecia saber. Mas falei sobre o perigo quando expliquei a situação na outra noite, e esperava que ele fosse inteligente o bastante para se livrar da obra de arte antes que os amigos de Max aparecessem na casa dele.

— Não mente, Jules. Eu sempre sabia quando você estava mentindo.

Senti o hálito de uísque. Não havia nem sinal da máscara de cavalheiro que ele gostava de exibir. O pânico dominava os olhos vermelhos, e os lábios retraídos estavam contorcidos em um rosnado feio. Uma camada fina de suor cobria o rosto e cintilava sob a lâmpada fluorescente da escada.

Ele era quase uma fera. Insano.

Meu coração disparou, e um gosto intenso e pungente invadiu minha boca. Era o gosto do medo.

— Eles vão me matar se eu não achar o quadro. — Uma gota de suor escorreu da testa dele. — *Preciso* da tela de volta. Você vai me ajudar.

— Já falei, joguei a tela fora.

Meu coração batia tão depressa, que eu estava prestes a desmaiar.

Ouvi passos do outro lado da porta – tão próximos, mas tão longe.

Por que ninguém usa a porcaria da escada?

Um grito de frustração ficou preso na minha garganta. De todos os dias que eu poderia ter pegado a escada e *nunca* peguei, escolhi aquele dia.

Devia ter mentido e concordado com o plano de Max até conseguir pedir ajuda, mas meu suprimento de oxigênio estava diminuindo, e não conseguia pensar direito.

Além do mais, e se ele machucasse Josh? E se...?

— Sua puta burra, *estúpida*. — Max pressionou o antebraço contra minha garganta até eu ficar sem ar. Tentei afastá-lo, mas ele era muito forte. — A culpa disso é toda sua. Estragou minha vida. Só pedi *um* favor, Jules. Um favor em troca de sete anos, e você não conseguiu fazer nem isso.

A respiração de Max, ofegante, envolvia meu rosto em uma nuvem de álcool.

Bêbado e desesperado. A combinação mais perigosa.

— Talvez eu deva cobrar essa dívida de outro jeito — disse ele, e sua voz era tão cruel que arrepiou os cabelos na minha nuca. Max enfiou a mão entre minhas pernas. — Vamos ver se essa buceta ainda é apertada o suficiente para me fazer gozar.

Pontos escuros começaram a dançar no meu campo de visão. Meus membros ficavam mais pesados, a dificuldade para respirar crescia, e eu fiz a única coisa que poderia fazer – acertei uma joelhada nas bolas dele com toda força que me restava.

O uivo de dor ecoou pela escadaria. Ele me soltou e se curvou para a frente.

Esperei um segundo, até consegui respirar de novo e corri para a saída, mas só dei dois passos antes de a mão encontrar minhas costas. Não tive chance nem de gritar, porque rolei escada abaixo. Minha cabeça bateu em uma superfície fria e dura e vi apenas de relance a porta da escada se abrindo antes de tudo escurecer.

CAPÍTULO 49

Josh

— Esqueceu de perguntar sobre alergias — disparei. — Como vou pensar no tratamento adequado, se não tenho todas as informações relevantes sobre o paciente? Isto aqui é um pronto-socorro, Lucy. Não dá para correr nenhum risco.

Lucy pareceu se retrair ao ouvir meu tom ríspido.

Normalmente, eu mantinha um excelente relacionamento de trabalho com as enfermeiras, mas estava irritado demais com o cheiro de antisséptico, o ruído do teclado do computador no posto da enfermagem, o guincho dos sapatos contra o piso de linóleo... com tudo, basicamente.

Ignorei o olhar persistente de Clara a alguns metros. Se as pessoas eram incompetentes, a culpa não era minha.

— Desculpa — pediu Lucy, com o rosto pálido. — Não vou mais esquecer.

— Ótimo.

Dei meia-volta e saí, sem sequer me despedir.

— Não fica chateada — ouvi Clara dizer quando saí. — Foi o primeiro erro que você cometeu desde que começou a trabalhar aqui. Tem feito um excelente trabalho. — Ela me alcançou um minuto depois, e sua irritação era tão intensa quanto a que me dominava. — Doutor, posso falar com você? *A sós*.

— Estou ocupado.

— Sei que pode dispor de uns minutos. — Clara me puxou para o corredor lateral mais próximo. Médicos e enfermeiras passavam apressados, envolvidos demais com o próprio trabalho para prestar atenção em nós. — Que merda está acontecendo com você?

Os olhos dela penetravam os meus, transmitindo tanto impaciência quanto preocupação.

— Não está acontecendo nada. Estou fazendo o meu trabalho. Ou estaria, se não tivesse *alguém* me impedindo.

Eu a encarei.

— Fazer seu *trabalho* inclui afastar todo mundo da equipe do pronto-socorro? Se for isso, vai ser eleito o Funcionário do Mês — retrucou Clara, com frieza. — Não sei o que está acontecendo, mas faz uma semana que está se comportando como um imbecil. Tenho um conselho de enfermeira e amiga: para com essa merda, ou vai estragar tudo que construiu nos últimos três anos. Ninguém gosta de um médico babaca. — Ela cutucou meu peito com o indicador. — Próximo paciente. Quarto número quatro. Não temos tempo para suas oscilações de humor no momento, então sugiro que deixe de lado a porra do problema que está te incomodando e pare de dificultar a vida de todo mundo aqui. Quer fazer seu trabalho? Então faça *seu trabalho*.

Ela se afastou e desapareceu no corredor seguinte.

Fiquei paralisado, perplexo por vários segundos, até que soltei o ar com um sopro prolongado.

Clara estava certa. Eu estava me comportando como um cretino de primeira. O que havia acontecido na semana anterior acabara comigo, e eu estava descontando em todo mundo que convivia comigo.

Cerrei a mandíbula ao me lembrar do término com Jules, mas não tinha tempo para lidar com aquilo.

Precisava trabalhar, e já havia perdido um tempo valioso.

Verifiquei as informações do paciente no sistema on-line do hospital e entrei no quarto. Mulher, vinte e cinco anos, nome...

Fiquei gelado quando as palavras rolaram na tela.

Jules Ambrose.

Só pode ser brincadeira.

Devia ser outra Jules Ambrose. O universo não teria esse senso de humor desgraçado.

Mas quando abri a porta do quarto número quatro com a mão trêmula, ela estava lá, e parecia ter saído do meu pesadelo mais lindo.

Jules olhou para mim com uma expressão chocada. Vi o corte profundo de um lado da testa e aquilo me atingiu como um soco no estômago.

Jules. Machucada.

O tempo parou, reduzido a um interminável e doloroso instante. Estava tudo tão silencioso que eu conseguia contar cada batimento do meu pulso.

Um. Dois. Três.

Era de se pensar que uma semana seria suficiente para a lâmina da dor que me dilacerava estar menos afiada, mas não. Aquilo me cortava por dentro, me fazia sangrar outra vez, mas não era nada comparado à preocupação que me dominava de repente.

Como Jules havia se cortado daquele jeito? E se o ferimento infeccionasse? E se ela...

Jules se mexeu, e o rangido baixo do couro interrompeu meu transe.

Naquele quarto, não éramos ex um do outro.

Ela era paciente; eu era médico. Não era hora de mergulhar na nossa história pessoal, nem surtar por causa de um corte... por mais que o sangue que ela perdia me deixasse com o coração apertado.

— Sou o dr. Chen — falei, com voz tensa, profissional, grato por perceber que não deixava transparecer o tumulto dentro de mim.

Trataria Jules como qualquer outro paciente, alguém que eu não conhecia. Quanto maior a distância que colocasse entre nós, melhor.

— Oi, dr. Chen. Meu nome é Jules.

Um sorriso hesitante dançou nos lábios dela e me roubou o ar.

Foco.

Graças a Deus meu supervisor não estava presente. Eu estava no terceiro ano de residência, normalmente começava o encontro com o paciente antes de falar com ele, e o médico o examinava depois de receber de mim as informações pertinentes.

Se meu supervisor estivesse ali, não aprovaria minha distração. Ele sempre percebia quando eu não estava inteiramente presente.

Clara já havia feito o exame preliminar de algumas funções vitais – vias aéreas, respiração e circulação –, então passei diretamente para as perguntas, torcendo para que elas me devolvessem a concentração.

— O que aconteceu?

Olhava para a prancheta como se fosse a coisa mais fascinante que já havia visto. Quanto menos olhasse para Jules, menor seria a probabilidade de me desmanchar como uma guarda-chuva barato sob uma tempestade. Ainda estava furioso. Um machucado não mudaria nada.

Ela está bem. É só um corte.

— Caí da escada.

Minha mão parou por uma fração de segundo, mas então continuei fazendo as anotações. O coração batia tão forte que o barulho quase encobriu o que eu disse em seguida.

— Quantos degraus?

— Uns dez, talvez? Não sei.

Cacete. O suor cobriu minha pele quando pensei em Jules caída ao pé de uma escada. Quase a toquei como teria feito se ainda estivéssemos juntos, mas afastei os sentimentos e examinei os membros dela à procura de lesões.

Não encontrei mais nada, além do corte na testa e alguns hematomas, mas isso não significava que ela estava liberada.

Comecei a suar ainda mais quando pensei nos piores cenários relacionados a ferimentos internos.

Para. Ela é sua paciente. Só isso.

— Você bateu a cabeça? — Era uma pergunta óbvia, considerando o corte, mas eu precisava perguntar.

Jules assentiu.

— Desmaiou?

— Sim.

Engoli o nó na garganta e prossegui com as perguntas que faltavam.

Está tomando algum tipo de anticoagulante? Não.

Alguma chance de gravidez? Não.

— Sente alguma dor em algum lugar específico?

A pergunta pairou entre nós, repleta de significados ocultos.

Apesar de tudo que havia acontecido entre nós, pensar em Jules sofrendo quase me impedia de respirar.

— Cabeça, ombro e lombar.

— E o pescoço? — Examinei a cervical e respirei aliviado quando ela não se encolheu. — Dói?

Jules balançou a cabeça.

— Não. Só nos lugares que mencionei. Fisicamente, pelo menos — acrescentou ela, em voz baixa.

A dor em meu peito aumentou.

Estávamos tão próximos que eu podia ouvir a respiração dela.

Havia me esquecido do quanto eu amava aquele som – o som de Jules simplesmente existindo, me lembrando de que, por mais que o mundo fosse um lugar horrível, havia sempre uma parte boa nele.

Ou, pelo menos, costumava existir antes.

Levantei o queixo e terminei o exame o mais depressa possível.

— Certo. Vou pedir uma tomografia, só por precaução. — Minhas palavras severas ecoaram na sala iluminada por lâmpadas fluorescentes, apagando qualquer resquício de suavidade. — Como caiu da escada?

Um silêncio prolongado precedeu a resposta.

— Alguém me empurrou.

Eu a encarei, certo de que não havia entendido direito.

— Alguém empurrou você.

Jules assentiu.

— Eu estava descendo a escada depois do exame da ordem. Estava distraída, não prestei muita atenção no que estava acontecendo ao redor. A pessoa... me pegou de surpresa, e quando tentei me afastar, ela me empurrou. Bati a cabeça e desmaiei. Quando acordei, estava no banco de trás de um táxi com uma mulher, alguém que reconheci da sala de prova. Ela me contou que tinha acabado de passar pela porta da escada quando me ouviu cair, mas não viu mais ninguém. Essa mulher me deixou no hospital e, bom, é isso, estou aqui.

Jules contou tudo com um tom indiferente, mas o leve tremor na voz revelava que o incidente a havia assustado mais do que queria demonstrar.

Uma raiva lenta, tóxica se infiltrou na minha corrente sanguínea.

Eu não desconhecia a raiva, mas nunca havia sentido nada parecido.

Como se eu quisesse caçar a pessoa responsável e rasgá-la com minhas próprias mãos.

— Quem foi? — Minha voz calma encobria a violência que fervia dentro de mim. — Quem fez isso com você?

Ela disse que a pessoa a surpreendeu. Considerando seu tom, deduzi que era alguém conhecido.

Antecipei a resposta antes de ouvi-la.

— Max.

Vi a apreensão nos olhos dela, como se Jules temesse minha reação, e por bons motivos.

Max. O cara que tinha o vídeo de sexo dela. O cara que a havia chantageado para obrigá-la a roubar de mim. Que havia colocado as mãos nela e destruído a única coisa bonita na minha vida... *nós*.

A raiva se aprofundou, tingindo meu mundo de vermelho-sangue.

— Sei. — Não traí a emoção que ocupava meu peito. — Vou tomar as providências para a sua tomografia. Já volto.

Saí do quarto e peguei o celular. Levei menos de dois segundos para mandar uma mensagem para Alex.

Eu: Preciso de ajuda para localizar uma pessoa.

CAPÍTULO 50

Josh

A MELHOR COISA EM TER UM AMIGO DE MORAL QUESTIONÁVEL ERA ele não questionar quando você fazia coisas moralmente questionáveis.

Alex não perguntou por que eu queria rastrear Max; apenas atendeu ao pedido. Demorou menos de uma hora, porque, de acordo com ele, Max deixava uma trilha de pegadas digitais tão óbvias que qualquer um teria conseguido seguir seu rastro.

Quando o encontramos bebendo em um boteco de quinta, Max já estava bem alterado, e precisamos prometer apenas mais bebida, drogas e mulheres, para ele aceitar nos acompanhar.

Deixei Alex conduzir a conversa e segui em outro carro, caso Max me reconhecesse, mas ele estava tão bêbado que nem notou nada de errado até entrarmos em uma casa isolada na periferia da cidade.

E aí já era tarde demais.

— Ele deve ter pisado muito forte no seu calo. — Alex examinou a silhueta encurvada de Max como um cientista examinaria um espécime particularmente interessante sob a lente de um microscópio. — Esse não é seu estilo.

Cerrei os punhos.

Max estava amarrado a uma cadeira no meio de um porão, com a boca fechada por uma fita adesiva prateada e se contorcendo numa luta inútil contra as cordas. O torpor alcoólico havia se dissipado, e vi a realidade crua da situação refletida nos olhos dele.

Ótimo.

Queria que ele sentisse cada segundo daquilo.

— Meu estilo habitual não anda funcionando.

A fúria que consegui conter durante o plantão estava de volta, e superava todas as reservas que eu poderia ter tido.

Eu era um médico, não um lutador. Havia jurado nunca fazer mal a ninguém. Mas o Josh que havia feito aquele juramento era diferente do que estava ali naquele momento. Até as lembranças dele eram turvas, sepultadas sob o peso dos acontecimentos da semana anterior.

Eu me aproximei de Max e arranquei a fita de cima da boca dele. Não me preocupava com a possibilidade de sermos ouvidos. A casa era o esconderijo secreto de Alex na cidade, o lugar para onde ele ia quando precisava ficar sozinho, mas não tinha tempo para uma viagem mais longa, e era à prova de som e segura o bastante para fazer o Pentágono chorar de inveja.

— Você me conhece.

Não era uma pergunta.

A resposta de Max era evidente na contração da boca e no ressentimento apavorado que ardia como chama nos olhos dele.

— Jules me contou o que você fez. Ohio, o quadro, a chantagem, tudo. — Abaixei-me até colocar o rosto no nível do dele. — Devia ter saído da cidade quando teve chance. Ficar aqui foi uma escolha burra. E empurrar Jules escada abaixo foi ainda mais burro.

Vi pelo canto do olho como Alex arqueou uma sobrancelha. Foi a única reação dele à nova informação e à menção ao nome de Jules.

— Ela mereceu. — Max não negou a acusação, como eu esperava. Devia saber que não o ajudaria em nada. — As pessoas que querem o quadro estão furiosas porque o perdi. Querem sangue. — Uma gota de suor escorreu pela testa dele. — Jules me fodeu e achou que poderia seguir em frente sem nenhuma consequência. Depois de tudo que fiz por ela quando era mais nova. Ela não tinha emprego, não tinha casa, e eu a acolhi. Acha que quero ficar nesta merda de cidade? Não posso voltar para Ohio, não sem o quadro. Ela *mereceu*!

A voz dele subia de tom a cada palavra, até a saliva formar uma espuma nos cantos da boca. O hálito azedo de uísque pairava no ar entre nós e fez meu estômago revirar de nojo.

— Isso parece um problema pessoal. Quem vai para a cama com a pessoa errada acaba arcando com as consequências. A única coisa que me importa... — segurei os ombros dele e enterrei os dedos nos pontos de pressão até obrigá-lo a gritar de dor — é que você a machucou. Esse foi um erro grave, Max.

— É surpreendente que ainda a defenda, depois do que ela fez. — Max arfou. Havia maldade e ressentimento nos olhos dele. — Ela mais prejudicou do que ajudou, quando devolveu seu quadro. Meus amigos vão atrás de você, e não são tão legais quanto eu.

Eu não era nenhum idiota. Já havia tomado providências a respeito dessa possibilidade, mas Max não precisava saber.

— Eu não ia matar a garota. Só queria dar um susto. Engrossar um pouco, deixá-la com medo para ela me ajudar de novo. — Os olhos de Max vagavam pela sala, à procura de uma ajuda que não chegaria. — Não é justo que ela continue escapando sem pagar pelo que fez. Fui preso por uma coisa que *nós dois* fizemos juntos, só que ela foi para uma escola chique e fez amigos ricos. *Não é justo.* Ela tem uma dívida comigo!

Max era como uma criança petulante tendo uma crise de birra.

— Ela só se meteu nessa vida por sua culpa. — Apertei o ombro dele com mais força. — Não banca o mártir inocente.

— Continua protegendo a garota, mesmo depois de ela ter mentido para você e roubado o que era seu. — Max retraiu os lábios, pensando mais em dar um golpe baixo do que em autopreservação. — O que é? A buceta? Eu me lembro de que era bem boa, especialmente na primeira vez, quando ela sangrou no meu pau todo. Não tem nada como pegar uma virgem. Mas agora ela deve estar rodad...

A frase terminou em um grito sufocado quando meu punho acertou a cara dele.

A fúria escurecia meu campo de visão. O mundo se estreitou até eu enxergar apenas a necessidade de causar a maior dor possível ao homem à minha frente.

Mas queria que fosse uma briga justa. Assim poderia bater sem culpa.

Estendi a mão aberta. Alex depositou uma faca nela, e cortei as cordas que amarravam Max.

Ele pulou da cadeira, mas não deu nem dois passos antes de eu agarrar seu colarinho e acertar outro soco no nariz.

O barulho satisfatório de ossos quebrados ecoou no porão, seguido por um uivo de dor.

Max segurou o nariz fraturado com uma das mãos e tentou me acertar com a outra. Desviei do golpe desajeitado sem esforço, e ouvi outro estalo quando o soco seguinte acertou o queixo dele.

Meu sangue vibrava com a euforia de sentir que a tempestade dentro de mim podia, finalmente, encontrar uma saída. Cada soco, cada jato de sangue espirrado no meu rosto diminuía um pouco a pressão no meu peito.

O ar carregava a estática da violência, e logo os estalos de ossos deram lugar ao som de carne ensanguentada.

Sangue e suor embaçavam minha visão, mas eu continuava batendo, incentivado pela imagem mental dos ferimentos de Jules e pela provocação de Max.

Não queria fazer isso. Ele estava me chantageando.

Quando tentei me afastar, ela me empurrou...

É a buceta? Eu me lembro de que era bem boa, especialmente na primeira vez, quando ela sangrou no meu pau todo.

Mais uma onda de fúria me inundou, e bati em Max com tanta força que ele caiu. Suas mãos se arrastavam no chão enquanto ele tentava rastejar para longe, mas não havia para onde fugir.

— Por favor — pediu Max, com um gorgolejo molhado. — Para. Por favor...

Eu mal o escutava.

Não era só Jules. Era Max, Alex e cada paciente que tinha perdido no pronto-socorro. Cada dor, decepção e frustração guardados nos últimos anos. Descarreguei tudo isso em Max até as súplicas silenciarem e o corpo dele ficar inerte.

Meu coração trovejava com a adrenalina. Eu devia ter feito aquilo antes. *Aquilo* era a válvula de escape de que eu precisava.

Levei o braço para trás para mais um soco, mas mãos firmes envolveram meu bíceps e me puxaram para trás.

— Josh. — A voz de Alex foi um balde de água fria nas chamas que me consumiam. — Chega.

— Me solta — respondi. Tentei me livrar da mão dele, desesperado por mais uma dose. Por mais alívio. — Ainda não acabei.

— Acabou, sim. Se continuar, vai matar o cara. — Alex me virou sem soltar meu braço e me encarar. — Se é isso que quer, tudo bem. Mas sei que não é.

— Você não sabe.

Minha respiração ofegante ecoava no espaço vazio.

O porão não tinha mobília, exceto a cadeira, uma mesa, uma pia industrial e uma geladeira. Eu não queria pensar no tipo de atividade que Alex costumava desenvolver ali. Provavelmente, algo parecido com o que eu havia acabado de fazer.

— Sei que não é o tipo de pessoa que quer ter nas mãos a morte de alguém — continuou ele, calmo. — Você não é assassino, Josh. E olhe para ele. Você já deu seu recado.

Olhei para o corpo desacordado. O rosto de Max estava transfigurado, coberto de sangue. O líquido grosso e escuro se acumulava em volta do corpo, e se não fosse pelo movimento leve do peito, eu teria pensado que já estava morto.

Eu fiz isso. Eu.

Alex não havia encostado um dedo nele.

Quanto mais eu olhava para Max, mais minha pulsação desacelerava. O gotejar fraco na pia me lembrou o de sangue, e de repente me dei conta do líquido acobreado cobrindo meu rosto e minhas roupas.

Quase o havia matado de tanta pancada.

Senti a bile subir até a garganta.

Eu me livrei das mãos de Alex e cambaleei até a pia, e a ânsia contraiu meu estômago até eu sentir a garganta em carne viva e os olhos ardendo.

Eu não comia nada desde o plantão, por isso não havia o que pôr para fora, mas a náusea continuava virando meu estômago do avesso.

Que porra eu tinha feito?

Sequestro. Agressão e espancamento. Provavelmente, mais uma dúzia de outros crimes que colocariam fim à minha carreira se alguém descobrisse.

Eu tinha começado isso querendo que Max pagasse pelo que havia feito a Jules e terminado usando o sujeito como saco de pancadas humano.

Merda.

Abri a torneira e joguei água no rosto, na tentativa de lavar o sangue, mas as manchas persistiam mesmo depois de a água, antes rosada, correr limpa na cuba de aço.

Quando finalmente levantei a cabeça, sentindo a pele entorpecida pela água fria, vi Alex ao meu lado. Ele apoiou o quadril na bancada e olhou para mim com uma expressão ilegível.

— Melhor?

— Sim. Não. Não sei. — Passei a mão no rosto úmido e olhei para Max, ainda inconsciente. Meu estômago revirou de novo. — O que vamos fazer com ele?

— Não se preocupe. Ele não vai procurar a polícia. — Alex se aproximou do corpo caído e o empurrou de leve com desdém. — Geraria mais problemas do que valeria a pena.

Verdade. Max havia saído da cadeia poucos meses antes, e já havia cometido uma agressão com agravante e estava envolvido em uma conspiração para roubo de objetos pessoais. Se a polícia olhasse seu histórico, ele estaria ferrado.

— E se ele for atrás da gente depois? — perguntei.

— Fala sério. Ele é um ladrãozinho comum tentando jogar em uma divisão superior. — Alex não parecia impressionado. — E se o que ele disse for verdade, o cara já tem problemas suficientes com que se preocupar sem tentar se vingar da gente. Quem está atrás daquela pintura horrorosa vai dar trabalho para ele.

— Não é horrorosa — grunhi. — É *incomum*, e vale muito dinheiro.

Depois da confissão de Jules, eu havia pesquisado a obra no mercado. O quadro estava manchado por lembranças ruins e, como disse Max, as pessoas atrás dela iriam atrás de mim se eu ficasse com ela. Tinha sorte por já não terem ido. Acho que não confiavam em Max para concluir o trabalho que Jules havia começado.

O único jeito de me livrar dos "amigos" misteriosos de Max sem criar problemas para o próximo proprietário era vender a tela para alguém de quem ninguém ousaria roubar.

No dia anterior, finalmente havia encontrado um comprador adequado, e assinaríamos o contrato em dois dias, depois que ele voltasse de uma viagem de negócios.

Presumi que quem estava rastreando a peça saberia que eu a tinha vendido, mas, só por precaução, o comprador prometeu anunciar a venda.

— Chega de falar desse quadro. Max não vai procurar a polícia, mas também não podemos deixá-lo aqui.

Se deixássemos, ele morreria devido à perda de sangue, provavelmente, e Alex estava certo. Eu não era assassino. Não conseguiria conviver comigo se alguém morresse pelas minhas mãos.

A vontade de vomitar voltou.

— Ele precisa de atendimento médico.

O suspiro de Alex era muito irritado.

— Você e Ava. Sendo guiados pela consciência. É compreensível que sejam irmãos — resmungou ele. — Tudo bem, vou mandar alguém cuidar dele.

— Cuidar dele tipo...

Mais um suspiro, esse ainda mais profundo.

— Tipo atendimento médico, Josh. Não vou matar o cara. Nem o conheço.

— Certo.

Quando se tratava de Alex, era sempre melhor deixar tudo bem claro.

Segui a sugestão dele e fui tomar uma ducha no banheiro do andar de cima, depois vesti uma roupa que Alex guardava na casa enquanto ele cuidava da situação.

Quando voltei, Max já havia sido levado e Alex estava sentado na sala, dando uma olhada no celular.

— Mas que porra? Você tem elfos domésticos, ou alguma coisa assim?

Eu me sentei ao lado dele no sofá.

Estava me sentindo melhor depois do banho. Não *bem*, mas melhor, mesmo sabendo que as imagens do corpo ensanguentado de Max me atormentariam por um bom tempo.

Engoli o nó de culpa na minha garganta.

— Não. Tenho uma equipe muito competente e bem-remunerada. — Alex não desviava os olhos do celular. — Além do mais, você passou uma hora no chuveiro. Até uma avó idosa já teria cuidado de Max nesse tempo.

— Mentira. Não demorei mais que dez minutos.

— Não é o que diz o relógio.

Olhei para o relógio antigo no canto. Ele estava certo. Fazia *mais* de uma hora que havia ido tomar banho.

Adicionei mentalmente perda de consciência do tempo à longa lista de sintomas com que tinha que me preocupar.

Fechei os olhos e pressionei a testa com um punho fechado.

— Que porra está acontecendo comigo?

Eu me sentia como um passageiro que não sabia que seu trem havia descarrilado, até olhar pela janela e ver o chão se aproximando.

Eu um minuto eu vivia uma vida de sonhos – era popular e realizado, com uma família excelente e ótimos amigos. No minuto seguinte, tudo havia explodido em chamas e sido consumido até restar apenas cinzas.

— Se tem a ver com Max, não precisa ficar assim. Ele é um merda e sabia que isso ia acontecer. Mas vai sobreviver. — Alex olhou para mim. — Não respondeu à minha pergunta. Está melhor?

Odiava admitir, mas...

— Estou.

A nuvem escura que viera me seguindo nos últimos três anos ainda estava presente, mas era mais leve. Mais administrável.

— Ótimo. Agora, me explica: Jules.

— Jesus Cristo. — Abri os olhos e encarei Alex. A tensão voltou, desceu pelas minhas costas e transformou meus músculos em pedra. — Não tem nada para explicar, mas, se está curioso, ela tem um metro e sessenta e sete, cabelos vermelhos, olhos cor de avelã...

— Você quase matou um homem de pancada porque ele a machucou — apontou Alex. — Não ofenda minha inteligência fingindo que ela não significa nada para você.

Apertei a ponte do nariz, lamentando, não pela primeira vez, a decisão que havia tomado aos dezoito anos de ser amigo do homem sentado ao meu lado. Mas, depois de manter meu relacionamento – meu *antigo* relacionamento – com Jules em segredo por tanto tempo, seria bom conversar sobre isso com alguém... mesmo que esse alguém tivesse a amplitude emocional de uma colher de chá.

— Promete que não vai contar para Ava?

Eu ainda não estava pronto para essa conversa.

— Prometo não tocar no assunto, mas se ela me perguntar diretamente, não vou mentir para ela. — Alex deu de ombros. — Desculpa.

Nunca tinha ouvido alguém pedir desculpa de forma tão isenta em toda a minha vida. Mas as chances de Ava perguntar sobre mim e Jules eram pequenas; ela ainda pensava que nos odiávamos.

Depois de um longo momento de reflexão, expliquei toda a saga a Alex, começando pela trégua que Jules e eu tínhamos adotado na clínica e terminando com a visita dela ao pronto-socorro.

Quando terminei, a pressão havia voltado ao meu peito, e Alex olhava para mim com um brilho incomum de incredulidade nos olhos.

— Que foi?

— Noventa e nove por cento das pessoas deste mundo são idiotas — respondeu ele. — Lamento informar que você é uma delas.

Fiz uma careta.

— Estou convencido de que você não quer mesmo voltar a ser meu amigo. Onde estava a bajulação? Os elogios? Ele tinha desistido da empresa que havia criado e voado para Londres por causa de Ava, e eu não merecia nem um "Pô, que merda, cara"? Para mim sempre sobrava o pior.

— Eu mando flores mais tarde, se estiver muito aborrecido com isso — respondeu Alex, em um tom seco. — Mas antes, escuta o que você mesmo está dizendo. Não está apaixonado pela Jules, sabe Deus por que motivo, e ficou furioso porque ela mentiu e depois contou a verdade?

Meus ombros ficaram tensos.

— Não estou apaixonado por ela.

— Quase matou alguém por causa dela.

— E daí? Você quase mata pessoas todos os dias. Não é nada especial.

— Não tenta mudar de assunto. Você é péssimo nisso. — Alex tirou uma linha solta da calça. — Falou que eu não quero voltar a ser seu amigo? Então vou te dar algo que você diz que quer muito. A verdade.

— Qual?

— Você é um teimoso do caralho que se recusa a enxergar o que está na sua frente.

A tensão se transformou em enxaqueca.

— Mudei de ideia. Não quero a verdade.

Alex continuou como se eu não tivesse dito nada.

— Jules mentiu para você, mas também disse a verdade *espontaneamente*. Se ela tivesse ficado de boca fechada, é possível que você nunca tivesse descoberto o que ela fez. O único motivo para alguém fazer uma confissão como essa, sem pressão, é querer um novo começo, e a única razão para alguém querer um novo começo para uma relação que já vai bem é essa pessoa ter percebido alguma coisa.

Vai embora.

Eu am...

Não se atreva a dizer isso. Falei para você ir embora, Jules! Vai embora daqui, porra!

Meu coração pulsava tão forte que cada batimento machucava as costelas.

— Não preciso dizer o que ela percebeu — continuou Alex. — Você é esperto para perceber. Mas de acordo com você mesmo, ela não contou antes porque teve medo da sua reação. Não acreditou que ficaria ao lado dela. Agora me diz. *Como* reagiu, quando ela finalmente contou tudo?

O oxigênio na sala ficou mais rarefeito.

Esquece a dor. Cada inspiração era um martírio.

— Não sou muito fã da Jules, mas você é meu amigo. Quero que seja feliz. — O rosto de Alex suavizou um pouco, mas isso não diminuiu a severidade das palavras. — Não vai ser feliz se enterrou a cabeça tão fundo na areia que acha que pode simplesmente se afastar e esquecê-la. Escuta alguém que tentou fazer a mesma coisa com a pessoa que ama. Você vai sofrer muito, a menos que resolva essa situação.

Nunca havia ouvido Alex juntar tantas palavras em frases encadeadas em tão pouco tempo. E estaria ainda mais chocado se não estivesse ocupado tentando repeti-las mentalmente.

Ela não contou antes porque teve medo da sua reação. Agora me diz. Como reagiu?

Inclinei a cabeça para trás e fechei os olhos de novo.

— Ai, *porra.*

O que foi que eu fiz?

CAPÍTULO 51

Jules

Minha estada no hospital se resumiu a uma confusão de exa-mes e consultas. Sofri um corte na cabeça, tinha vários hematomas, um ombro deslocado e uma concussão moderada, mas, apesar de tudo isso, tive muita sorte. Poderia ter sido muito pior.

Mesmo com a concussão, preferi concluir o exame da ordem no dia seguinte. Só queria acabar logo com isso. Além do mais, era uma prova de múltipla escolha; na pior das hipóteses, eu poderia chutar qualquer coisa e torcer pelo melhor.

Entreguei a prova e retribuí o sorriso do aplicador com um sorriso cansado. Era isso. Agora não dependia mais de mim.

Eu só saberia se havia sido aprovada ou não em outubro, então poderia comemorar dormindo pelas próximas, ãh, setenta e duas horas.

A exaustão pesava nos meus braços e pernas quando saí da sala de prova, mas depois de terminar o teste, não conseguia parar de rever mentalmente minha estadia no hospital no dia anterior.

É óbvio que eu sabia que Josh trabalhava no pronto-socorro, mas não esperava vê-lo por nenhum motivo.

Meu coração se contorceu com a lembrança do exame frio e clínico. Não pensava que ele correria para mim e me perdoaria só porque estava machucada, mas esperava, sim, um pouco mais de... afeto? Empatia? Mas Josh havia me tratado como se eu fosse só mais uma paciente que ele não conhecia pessoalmente.

Educado e competente, mas emocionalmente distante.

Não pensa nisso. Agora não.

Mergulhar tão profundamente nos pensamentos havia sido o que me colocara em problemas no dia anterior; se eu não estivesse tão distraída, Max não teria conseguido me surpreender daquele jeito.

Senti o suor frio cobrir minha pele. Não esperava que ele fosse estúpido a ponto de voltar um dia depois, mas pessoas desesperadas faziam coisas desesperadas. Imaginava que os "amigos" dele não estivessem felizes com ele por ter perdido a tela, e Max queria vingança pelo que acontecera no quarto de hotel.

Eu havia subestimado a capacidade dele de usar a violência física.

Por outro lado, se havia um tema recorrente na minha vida, era que as pessoas nunca eram quem eu pensava que fossem.

Andei mais depressa para conseguir entrar no elevador antes de as portas se fecharem. Estava lotado, com um leve aroma de atum e odores corporais, mas ainda era melhor que a escada. Não desceria aquela escada de novo nem que me dessem muito dinheiro.

Ajeitei a alça da bolsa no ombro e me consolei com o spray de pimenta e o Taser ali dentro. Havia emprestado os dois itens de Stella, que os mantinha sempre à mão, desde que vivera um episódio breve, mas aterrorizante, com um stalker no ano anterior.

Por ser uma influencer muito conhecida, ela lidava com sua cota de malucos, mas aquele cara havia ultrapassado os limites. Mandara cartas nojentas detalhando o que queria fazer com ela e fotos que tirava dela pela cidade, o que a deixara tão apavorada que ela fora à polícia. Não tinha adiantado nada, mas, felizmente, o stalker parou de fazer contato depois de algumas semanas e nunca mais deu notícias.

Eu era a única pessoa que sabia sobre aquilo porque morávamos juntas. Se Stella não estivesse preocupada com a possibilidade de o cara aparecer em casa, não teria contado nem para mim. Era um mau hábito dela: guardar todos os problemas para si.

As portas do elevador se abriram.

Graças a Deus.

Eu gostava de atum. Mas não gostava *nem um pouco* do cheiro de peixe misturado com odores corporais e meia dúzia de perfumes diferentes.

Atravessei o saguão, ansiosa para estar em casa e tomar um litro de sorvete. Havia devorado tanto Ben & Jerry's na semana anterior que estava surpresa por não ter perdido todas as minhas roupas.

Estava quase chegando à porta de saída, quando duas palavras me fizeram parar.

— Oi, Ruiva.

Meu coração disparou quando ouvi aquele apelido, aquela voz, aqui...

Não. Não pode ser.

Minha imaginação estava me enganando de novo. Josh não podia estar aqui, depois de como havia me tratado no dia anterior.

Senti um nó de emoção na garganta.

Várias pessoas passavam por mim e me olhavam de um jeito estranho. Eu estava estacada no piso de mármore e queria me mover. Queria muito. Mas meu corpo se recusava a obedecer, e tudo que eu podia fazer era encarar a porta de saída, ansiosa para alcançá-la e, ao mesmo tempo, satisfeita se pudesse ficar para sempre na minha bolha delirante.

E se fosse ele? E se Josh estivesse aqui? E se...?

Uma sombra se moveu pelo assoalho banhado de sol e um corpo passou na frente do meu, me impedindo de enxergar a saída.

Levantei a cabeça devagar, deslizando o olhar pelo peito vestido com camiseta, os ombros largos e a mandíbula tensa, até encontrar os olhos de Josh.

Meu coração gania como um animal ferido implorando pelo conforto da única pessoa capaz de proporcioná-lo.

— Pensei que não tivesse me ouvido. — Ele pôs as mãos nos bolsos. As sobrancelhas se uniam sobre olhos preocupados, mas um sorriso hesitante brincava na boca. — Como foi a prova?

— Eu... bem.

Não conseguia entender o que estava acontecendo. Era surreal.

Josh podia ser outra pessoa, não a do dia anterior, e eu não estava falando apenas sobre a mudança radical na atitude. O médico severo havia desaparecido e dado lugar à pessoa mais taciturna e cansada do mundo. A barba por fazer cobria as bochechas e o queixo, a pele estava um pouco mais pálida, e o cabelo parecia ter sido penteado com os dedos mil vezes. O arrependimento que vi nos olhos dele me congelou por dentro.

Só havia uma coisa de que Josh poderia ter se arrependido, e...

Não vai por aí.

Mordi a parte interna da boca até sentir um gosto metálico. Eu me recusava a alimentar esperanças só para que ele as esmagasse de novo.

— Podemos ir a algum lugar para conversar? — Josh deu um passo para o lado para deixar outra pessoa passar. — Tenho... — Uma pausa, e vi a garganta se mexer com o esforço que fez para engolir. — Tem uma coisa que preciso dizer.

— Pode dizer aqui.

Limpei discretamente a palma das mãos na lateral das coxas. A camisa grudava na pele, apesar do ar gelado do ar-condicionado, e meu corpo alternava entre quente e frio a cada segundo.

— Tudo bem. — Em vez de discutir, Josh acenou com o queixo para um corredor lateral. — Vamos sair do caminho pelo menos, antes que alguém nos atropele. Advogados são agressivos, aspirantes a advogados são mais ainda.

Vi a sombra da covinha ameaçando aparecer.

Derreti quando a vi. Entre as três coisas de que mais sentia falta, a covinha era a número dois, depois do beijo e antes das ofensas brincalhonas.

Mas, apesar da confusão de emoções dentro de mim, por fora eu me mantinha gelada. Não conseguiria sorrir nem se minha vida dependesse disso.

A covinha de Josh desapareceu, e ele engoliu em seco de novo.

De algum jeito, consegui fazer minhas pernas funcionarem. Fomos até o corredor em silêncio, e Josh foi girando maçanetas até abrir uma porta. Um escritório vazio. Sem móveis, apenas um quadro branco e um carpete azul. Era tudo tão silencioso que eu conseguia ouvir meus batimentos.

Entrei e esfreguei a manga da blusa de seda com o polegar e o indicador, buscando consolo no gesto distraído e familiar.

— O que está fazendo aqui? Não tem que trabalhar?

— Troquei de plantão para poder tirar o dia de folga. — Josh trancou a porta e olhou para mim. O calor vibrou sob minha pele, provocado por aquele olhar lento e penetrante. — Queria ter certeza de que você estava bem.

Delírio, exaustão ou ambos arrancaram do meu peito uma gargalhada enferrujada. Era estranha, como o motor de um carro tossindo antes de pegar, depois de uma semana estacionado.

— Estou bem, mas você não tirou o dia de folga só para aparecer no meu exame da ordem e perguntar se estou bem. — Uma dor familiar se espalhou pelo meu peito. — Foi você quem me atendeu ontem. Sabe como eu estou.

— Sobre isso. — Não havia mais nenhum sinal de sorriso no rosto de Josh. — Desculpe se pareci... despreocupado.

Dei de ombros com toda casualidade de que era capaz.

— Você é médico. Foi profissional e fez seu trabalho. Isso é tudo que se pode esperar de você.

— Não sou só seu médico, Jules.

Eu estava sufocando.

— Também é irmão da minha melhor amiga.

— Mais que isso.

Ele deu um passinho na minha direção, e recuei por instinto.

Levantei o queixo e me proibi de chorar. Já havia derramado lágrimas demais por ele.

— Não mais.

Ninguém aceita meu pau melhor que você. Essa é sua melhor qualidade.

Não importava quantas vezes eu repetia essas palavras mentalmente, elas sempre cortavam fundo.

O lance de ter alguém que havia visto seu melhor e seu pior é que essa pessoa sabia exatamente que sentimentos provocar, que palavras causariam mais dor.

Josh contraiu a mandíbula, mas, em vez de discutir, mudou de assunto tão de repente que quase me causou uma lesão no pescoço.

— Encontrei com o Max ontem.

— Você *o quê*?

O encontro ficava mais surreal a cada minuto.

— Encontrei Max — repetiu ele. — Ele não vai mais incomodar você. Alex e eu tomamos providências para isso.

— O quê... como... — Nada fazia sentido. — Você contou para o *Alex*? O que vocês fizeram? Não mataram o Max, né?

Estava brincando, mas não de todo. Não ficaria arrasada se Max morresse, mas também não queria que Josh se prejudicasse por mim. Alex não sentiria o impacto, mas Josh? Ele não era assassino, e se fizesse algo em um rompante de raiva, passaria o resto da vida assombrado por isso.

Pensar em Josh sofrendo desse jeito era pior que qualquer chantagem ou palavras ferinas.

— Não. Mas senti vontade. — Um sorriso rígido passou pelo rosto de Josh. — Alex me fez desistir. Não vou incomodar você com os detalhes, mas garanto que o recado foi dado em alto e bom tom. Max não vai mais te procurar.

— Por que fez isso? — A esperança ameaçou levantar a cabeça, mas eu a empurrei de volta para o fundo. Esperança sempre me levava à decepção. — Não se importou quando me viu no hospital ontem.

Os olhos de Josh passaram de chocolate a obsidiana profunda, enervante.

— Não me importei?

Outro passo na minha direção, outro passo meu para trás.

Dançávamos no ritmo frenético das batidas do meu coração, e só paramos quando minhas costas encontraram a parede fria e Josh me cercou com seu calor. Quando voltamos a falar, o timbre grave e perigoso da voz dele me fez arrepiar.

— Entrei naquele quarto e quase perdi a cabeça quando vi que você estava machucada, nem pensei no meu trabalho. Quis matar Max por ter posto a mão em você. E isso não é uma hipérbole, Jules. Se você visse como ele ficou depois que acabei com ele... — A respiração dele acariciava minha pele. — Sobreviveu por sorte. Mas se ele respirar na sua direção de novo, arranco as tripas do desgraçado e o enforco com elas. Então, sim, Ruiva, eu me importo. E me importo tanto, que isso me apavora.

Eu estava caindo em outra espiral, da qual não conseguiria escapar, em que as palavras dele eram a única almofada para me amortecer, e o ar cantava com doçura enquanto eu despencava para uma possível morte.

A promessa de violência deveria ter me amedrontado, mas vibrava nas minhas veias como uma corrente elétrica.

— Você me odeia.

Eu estava ofegante e sentia tudo doer, queria muito que o que Josh havia dito fosse verdade, mas estava completamente apavorada com a possibilidade de não ser.

— Eu nunca te odiei.

— Mentiroso.

A risada mansa preencheu cada molécula do ar entre nós.

— Tudo bem, um dia. Odiei um pouquinho. — O sorriso desapareceu, os olhos ficaram sérios. — Não sei o que você fez comigo, Ruiva. Mas de algum jeito, passei de querer te matar a... querer matar por sua causa.

Meu estômago despencou em queda livre. Mil bolhas douradas me invadiram, até eu me sentir como um balão carregado pelo vento.

Não sabia o que havia mudado desde a semana anterior, quando Josh... *Lembra quando eu disse que te perdoava? Eu menti.*

O balão estourou com a rapidez de uma lâmina assassina. Josh não era cruel. Não manipulava os sentimentos das pessoas para se divertir. Mas, na semana anterior, poderia ter superado Alex no departamento crueldade.

E se esse fosse mais um jogo perverso? Ele dizia *tudo* que eu queria ouvir, mas eu não confiava nessa mudança radical. Uma semana não era suficiente para alguém superar a fúria que ele havia demonstrado.

— Por mim, ou por minha "buceta apertada"? — perguntei. Meu queixo tremia. — Essa é minha melhor qualidade, né?

Vi a dor estampada no rosto dele.

— Jules...

— O que você está fazendo não é justo. — Quebrei o juramento de não chorar, e uma lágrima quente desceu pelo meu rosto. — Eu errei, mas não pode continuar me torturando. Temos que seguir em frente.

Um grunhido rouco brotou do seu peito.

Josh enxugou minha lágrima com o polegar com um toque infinitamente gentil, mas a intensidade ardia nos seus olhos.

— Ninguém vai seguir porra nenhuma. Não existe isso de seguir em frente. Nem para mim. Nem para a gente.

— Você me botou para fora da sua casa na semana passada. — A dor voltou a pressionar meus pulmões. — Você me fodeu, depois me jogou fora, como todo mundo.

Ele estava furioso, e com todo o direito. Mas a lembrança do que Josh havia dito... de como havia olhado para mim...

Ele transformou minha maior insegurança em uma arma e a usou contra mim.

Josh empalideceu, e a dor do seu rosto se tornou algo tão visceral que teria quebrado minha resistência, se eu não estivesse tão magoada.

Por mais que eu quisesse Josh de volta, não podia me colocar em uma situação em que seria usada ou manipulada de novo.

— Faz uma semana. O que mudou? — Outra lágrima descia pelo meu rosto. — Sente falta do sexo? É isso?

— Não! Não é... — Josh passou a mão no cabelo. — Admito que reagi muito mal quando você me contou a verdade. *Pior* que mal. Fiquei cego, e estava com a cabeça tão ferrada por tudo que aconteceu nos últimos anos que explodi do jeito mais cruel em que consegui pensar. — O pomo de Adão subiu e desceu quando ele engoliu. — Todo mundo em quem confiei mentiu para mim. Mas com você... eu disse coisas que nunca tinha dito para ninguém. Coisas que me machucam admitir até para mim mesmo. Sua traição doeu mais que todas as outras juntas, mas esse foi meu erro. Pensar que havia sido traição quando você também foi a única pessoa que me contou a verdade espontaneamente. Não esperou ser pega, mesmo que, provavelmente, pudesse guardar esse segredo para sempre, e eu nunca fosse descobrir nada. E eu... — A voz dele falhou. — Eu fui um idiota. E sinto muito. Eu te a...

— Para. — Eu não conseguia respirar. — Me deixa ir. Por favor.

Eu precisava pensar. Processar. Era muita coisa acontecendo, e eu não podia... não podia...

Inspirei mais uma vez, mas absorvi pouco ar. Não serviu para me livrar da vertigem.

— Não posso. — A dor deixava minha voz rouca. — Faço qualquer coisa que você quiser, menos isso.

Josh abaixou a cabeça, e o coração dele era como um tambor contra o meu.

Eu me virei antes de a boca dele encontrar a minha, com medo de ceder um centímetro e Josh me tomar inteira, quebrar as poucas partes que me restavam intactas.

Ele parou, respirando com dificuldade em meio ao arrependimento.

— Não existe te deixar ir, Ruiva. Seria mais fácil se você me pedisse para arrancar meu coração com as mãos. — Ele limpou outra lágrima do meu rosto. — Sim, você errou, mas eu fui cruel, disse coisas que nunca deveria ter dito.

Josh encostou o rosto no meu pescoço. A umidade tocou minha pele, e percebi que não era a única que chorava.

— Desculpa — pediu ele, com voz rouca. — Por reagir daquele jeito. Por ter descontado em você quando tentou fazer a coisa certa. Por não ter te escolhido como merece, mesmo sendo a única coisa que eu já quis na vida.

Um soluço escapou da minha garganta.

— Desculpa, desculpa, desculpa... — Ele repetia o mantra enquanto espalhava beijos pelo meu pescoço e pela minha mandíbula. — Eu sinto muito, de verdade.

Josh aproximou a boca da minha e parou, esperando permissão. Esperando perdão.

Olhei para o chão, sentindo os olhos arderem devido ao esforço para sufocar a esperança.

— Por favor. — A súplica aflita dilacerou minha resistência. — Diz o que você quer, Ruiva. Eu faço qualquer coisa.

— Eu... — Entre o incidente com Max no dia anterior, o exame da ordem e a bagunça que Josh fazia na minha cabeça cada vez que se aproximava, eu não conseguia pensar direito. Uma dor oca surgiu atrás das minhas têmporas e minha visão ficou turva. — Preciso de espaço. Só preciso... preciso...

Cada inspiração me trazia menos oxigênio.

Eu *queria* acreditar em Josh, e sem dúvida não era inocente em toda aquela nossa confusão. Não tinha sido eu quem queria que ele me perdoasse por ter mentido?

Mas, quando o momento chegou, algo intangível me impedia de aceitar por completo aquilo.

E se Josh estivesse mentindo outra vez?

E se eu errasse de novo, e ele fosse embora para sempre?

E se um dia ele acordasse e decidisse que havia cometido um engano?

Lembra quando eu disse que te perdoava? Eu menti.

De que adianta ter uma filha se ela não consegue fazer nem uma coisa tão simples assim direito?

Uma vez puta, sempre puta.

Ninguém aceita meu pau melhor que você. Essa é sua melhor qualidade.

O emaranhado de vozes na minha cabeça transformou a dor oca em uma dor lancinante. As paredes se fecharam até o toque fantasma do gesso branco sobre minha pele me deixar enjoada.

Eu não era claustrofóbica, mas às vezes meus pensamentos me prendiam em uma jaula tão pequena que eu sufocava cada vez que respirava.

— Não posso fazer isso agora. — Pisquei, tentando enxergar com mais nitidez. — Me dá... me dá um tempo. Só preciso pensar.

As últimas quarenta e oito horas tinham mergulhado minha vida no caos, e eu precisava me organizar antes de poder seguir em frente.

Josh soltou o ar com um sopro trêmulo.

— Jules...

— Por favor. — Minha voz saiu entrecortada.

Ele fechou os olhos por um momento, e então beijou minha testa.

— Tudo bem. — O sussurro rouco rasgou meu coração. — Você tem todo o tempo de que precisar. Eu espero.

Por alguma razão, a resposta dele provocou uma nova onda de dor no meu peito.

— Por quê?

Ninguém nunca havia esperado por mim. Eu não conseguia imaginar por que esperariam.

— Porque para mim, você é isso. Hoje, amanhã, um ano, décadas... isso nunca vai mudar. — Os lábios de Josh tocaram minha pele, e ele se afastou, emocionado. — Sou humano, Ruiva. Cometi erros no passado, e vou errar de novo no futuro. Mas um engano que nunca vou cometer é desistir de você, não enquanto houver qualquer chance para nós. Porque a possibilidade de ter você é melhor do que a realidade de ter qualquer outra pessoa.

Senti o gosto salgado das lágrimas.

— Então é isso. — Josh enxugou meu rosto. — Eu espero. Pelo tempo que for necessário.

CAPÍTULO 52

Jules

Tirei a sexta e a segunda-feira de folga na clínica e voltei ao escritório na terça de manhã, mais confusa que nunca. Havia passado os dias anteriores aflita com a situação com Josh, mas ainda não sabia o que fazer em relação a nós. Quanto mais pensava, mais minha cabeça doía, e foi bom retomar o ritmo automático de trabalho. Pelo menos assim eu me distraía da completa confusão em que estava minha vida pessoal.

Por sorte, houve um influxo de novos casos nos dias em que estive fora, o que me manteve muito ocupada durante a manhã até eu ouvir a sineta da porta da frente.

Era hora do almoço, então só podia ser alguém da equipe... ou um voluntário.

Meu coração pulou na garganta quando ergui a cabeça e vi Josh entrar, ainda de jaleco e com os sapatos de borracha do hospital.

Algumas pessoas haviam ido comer fora e outras estavam na cozinha, então éramos só nós dois na sala.

— Oi. — Consegui fazer a palavra atravessar o deserto seco da garganta.

— Oi. — Josh parou ao lado da minha mesa e olhou para o curativo na minha testa. O esforço que fez para engolir foi visível. — E o corte?

— Melhor. Vou sobreviver. — Forcei um sorriso. — Não devia estar descansando?

Mais de perto, dava para ver as sombras escuras embaixo dos olhos dele e as linhas de exaustão em torno da boca.

— Devia. Mas queria te ver.

Senti um frio na barriga.

— Ah.

Ah? Meu Deus, eu parecia uma idiota, havia perdido toda a capacidade de pensar como um ser humano.

Os lábios de Josh se curvaram com uma leve sombra de amargura. Ele estava cumprindo a promessa de me dar espaço para pensar, mas o ar entre nós vibrava com tantas palavras não ditas que eu me afogava nelas.

Fiquei frustrada. Qual era o meu *problema*? Por que não conseguia superar tudo aquilo e voltar com ele, como queria? Não estava chateada com as palavras ferinas que ele havia usado. Entendia por que Josh havia reagido daquele jeito, mas algo me bloqueava.

Josh abriu a boca como se quisesse dizer algo, mas a fechou em seguida e foi para a própria mesa. Trabalhamos em um silêncio tenso até meu celular tocar e interromper minha tentativa patética de estudar o caso mais recente da clínica.

Fiquei surpresa quando olhei para a tela e vi quem estava ligando. Tínhamos trocado telefones no casamento de Bridget, mas não esperava ter notícias dele de novo.

— Oi, Asher — falei ao atender.

Josh parou de digitar.

— Oi, Jules. — A voz suave de Asher Donovan flutuava pela linha. — Desculpe por ligar do nada, mas vou passar por aí amanhã, é uma viagem de última hora, e queria saber se está livre para sair e beber alguma coisa. Adoraria botar a conversa em dia.

— Eu...

Asher era lindo, charmoso e um atleta mundialmente famoso. Eu deveria estar eufórica com o convite, principalmente depois de ter me divertido tanto na nossa conversa sobre alguns nobres bêbados no casamento de Bridget.

Mas, naquele momento, eu não estava pensando em sair para beber com o homem que a revista *People* chamava de O Solteiro Mais Cobiçado do Esporte; estava fazendo um esforço enorme para não olhar para o homem sentado a menos de três metros de distância.

O calor do olhar de Josh queimava minha pele e me distraía tanto que eu não conseguia nem me envaidecer por estar falando ao telefone com *Asher Donovan*.

O universo estava realmente despejando tudo em cima de mim ao mesmo tempo, o bom e o ruim.

— Não é um encontro — acrescentou Asher. — Só dois amigos fazendo alguma coisa. E... tudo bem, você é a única pessoa que conheço na cidade. Mas eu sairia com você de qualquer jeito.

— É bom saber. — Dei risada. — Mas amanhã... — Para ser sincera, eu só queria dormir como havia feito em todas as noites da semana anterior, mas sair talvez me fizesse bem. Poderia me fazer sentir mais humana e menos uma concha triste cumprindo as etapas da vida. — Tudo bem, vamos. Bronze Gear às seis? É um bar no centro da cidade.

O calor que consumia meu lado esquerdo se tornou um inferno. Apesar do ar-condicionado frio e da blusa de seda fina, o suor escorria entre meus seios, e tive que fazer um esforço enorme para não olhar para Josh.

— Perfeito. Vou estar disfarçado. Boné de beisebol, camisa azul — respondeu Asher.

— Isso funciona mesmo?

Eu duvidava de que um boné fosse o bastante para que não o reconhecessem. O rosto dele não era fácil de esquecer.

— Você vai se surpreender. As pessoas veem o que querem ver, e ninguém espera me ver em um bar em Washington numa quarta-feira à noite. Até lá, Jules.

— Até.

Quando desliguei, o silêncio era tão opressor que jurei ouvir o sangue correndo nas minhas veias.

— Asher Donovan? — A pergunta casual não combinava com o tom tenso de Josh.

— É, ele vai estar na cidade e quer sair para beber alguma coisa.

Mais silêncio.

Por que estava tão quente? Levantei o cabelo e, finalmente, olhei para a esquerda. Josh contraía tanto a mandíbula que eu estava surpresa por não ter havido nenhuma fratura.

Meu coração parou por um segundo.

— Não é um encontro — acrescentei, em voz baixa.

Não sabia por que sentia a necessidade de dar explicações. Josh e eu não estávamos mais juntos, e minha interação com Asher era platônica. Mesmo assim, eu me senti culpada ao ver a expressão severa dele.

— Talvez você pense que não é um encontro. — Um sorriso sombrio tocou os lábios de Josh, e então ele voltou a trabalhar no computador. — Mas pode acreditar, Jules. Nenhum homem seria idiota de deixar você escapar se tivesse uma chance com você, mesmo que muito pequena.

— Pensei em passar por Washington, colher uns cogumelos venenosos e usá-los para preparar uma bebida especial pré-jogo. O que acha? — disse Asher.

— Acho ótimo.

Mexi a bebida com o canudinho.

Como combinamos, Asher e eu nos encontramos na noite seguinte no Bronze Gear para beber alguma coisa. Normalmente, eu teria adorado ouvir todas as novidades sobre a rixa dele com outro grande astro do futebol, mas estava distraída demais para prestar atenção na conversa.

O que será que Josh estava fazendo? Dormindo, provavelmente. Ele havia aparecido na clínica naquele dia novamente depois de um longo plantão, apesar de Barbs insistir para ele ir para casa. Josh parecia prestes a desabar em cima da mesa.

Não devia estar descansando?

Devia. Mas queria te ver.

A risada de Asher interrompeu meus pensamentos.

— Estou parcialmente ofendido por você me ignorar de um jeito tão descarado. — O tom dele era mais seco que o gim que ele bebia. — Mas também estou curioso.

Senti o rosto esquentar. Eu era uma péssima companhia naquele momento.

E poderia apostar que Asher não era ignorado com frequência, e não só por ser o ganhador da Bola de Ouro. Se não fosse um jogador de futebol talentoso, poderia muito bem ser um supermodelo renomado.

Rosto esculpido, olhos verdes, cabelo escuro... e eu não sentia nada, exceto frustração devido à situação com Josh.

Às vezes ficava furiosa comigo por mais motivos do que conseguia apontar.

— Seu ego vai aguentar — respondi, em um tom leve, tentando me livrar da melancolia. — E estou surpresa, o boné realmente funciona.

Asher usava o boné tão baixo, que cobria metade do rosto, e a camiseta branca e simples com calça jeans eram muito diferentes das roupas elegantes que ele costumava usar. A sombra da barba cobria o rosto, em geral, limpo. Mesmo assim, era surpreendente como tanta gente passava por nós sem olhar duas vezes.

Ele estava certo. As pessoas viam o que queriam ver.

— O que veio fazer em Washington, afinal? — perguntei, mudando de assunto. — Disse que foi uma viagem de última hora?

— Não posso contar, ou meu agente me mata. — Asher terminou a bebida. — Mas tenho várias reuniões nos Estados Unidos, e uma delas é em Washington.

Fiquei surpresa pelo fato de a viagem não estar em todos os jornais. Por outro lado, não seguia o noticiário esportivo, então talvez estivesse, só eu que não sabia.

— É estranho ser tão famoso?

Não conseguia me imaginar vivendo assim, com cada movimento meu dissecado.

— Era, mas me acostumei. — Ele sorriu. — Posso contar um segredo? — Quando assenti, ele revelou: — Nunca quis ser famoso.

Fiz uma cara de choque.

— Ah, fala sério.

Algumas celebridades fugiam dos holofotes, mas Asher parecia florescer sob as luzes. Estava sempre namorando a supermodelo do momento, dirigindo o carro mais rápido e comparecendo à festa mais descolada.

— É verdade. — Ele se encostou na cadeira. — É libertador ser um zé-ninguém. Não tem expectativas, pressão, nada, só eu e meu amor pelo jogo. Eu me contive por muito tempo, porque tinha medo da fama. Eu, um zé-ninguém de Berkshire, jogando nos maiores times e contra os melhores jogadores do mundo? Eu não merecia isso. Mas amo futebol, e aquele tipo de atitude afetava meu jogo. Não percebia, até que meu antigo treinador apontou esse detalhe. E agora... — Asher deu de ombros. — Como eu disse, me acostumei à fama. Mas o mais importante é que posso jogar com todo meu potencial. Só precisava sair daquele estado mental.

Eu não merecia.

As palavras ecoaram na minha cabeça e ofeguei quando percebi a verdade gelada. *Ai, meu Deus.* Talvez por isso eu...

— Chega de falar sobre mim — finalizou Asher. — Vamos falar sobre aquele cara que está olhando para mim há quinze minutos como se quisesse arrancar minha cabeça.

Ele acenou com o queixo na direção de alguém atrás de mim.

Será que alguém havia finalmente reconhecido Asher?

Olhei para trás e fiquei chocada ao ver Josh sentado a algumas mesas de nós. Eu estava de costas para a porta, por isso não o havia visto chegar.

Em vez de desviar o olhar, Josh me encarou com os olhos escuros e a tensão estampada no rosto. De repente, o ar vibrava com uma eletricidade que inflamava meu interior.

— É o cara do casamento, né? — Asher chamou minha atenção de volta. Havia humor nos olhos dele. — Namorado?

— Não, na verdade.

Não mais.

O humor ficou mais evidente.

— História complicada, então.

— Digamos que sim.

Complicada, difícil, e uma das poucas bonitas que eu já havia vivido.

Apesar de não estar mais olhando para Josh, as fagulhas dos dois segundos de contato visual permaneciam.

Eu não merecia.

Só precisava sair daquele estado mental.

Qualquer interesse que eu tivesse em continuar bebendo com Asher se dissipou, virou pó.

— Desculpa, mas...

— Vai. — Ele acenou para me dispensar. — Eu tinha a sensação de que nossa noite seria interrompida. E acho que o disfarce foi descoberto, então é melhor você fugir enquanto pode.

Segui a direção do olhar de Asher e vi dois homens se aproximando, olhando para Asher com o entusiasmo de fãs enlouquecidos.

Credo.

— Boa sorte.

Asher riu.

— Obrigado pela torcida, e por me fazer companhia por algumas horas. Se algum dia for a Manchester, me avise.

— Combinado.

Saí dali assim que os homens pararam ao lado da mesa.

— Você é Asher Donovan? — perguntou um deles. — Sou seu fã! O gol que você marcou contra o Barcelona no ano passado...

Balancei a cabeça e torci para Asher não acabar cercado quando *todo mundo* descobrisse quem ele era. Mas, como ele mesmo disse, estava acostumado. Devia saber se cuidar.

Eu, por outro lado, tinha um assunto mais importante para resolver.

Em vez de me aproximar de Josh, saí do bar e parei na calçada, do lado de fora. O Bronze Gear estava ficando mais cheio, e eu não queria conversar lá dentro.

Como eu esperava, Josh apareceu menos de um minuto depois.

— Você não é muito sutil — comentei.

Apesar do calor do verão, eu estava arrepiada.

— Não estou aqui para ser sutil, Ruiva.

Josh parou na minha frente.

O calor do ar se infiltrou nas minhas veias.

— Está aqui para quê, então? — Tentei parecer descontraída, apesar do frio na barriga. — Está me seguindo, Josh Chen?

— Está tentando me esquecer, Jules Ambrose?

O tom sombrio me fez engolir em seco.

— Porque, se estiver... — Ele se aproximou um pouco mais. — Não vai funcionar.

Os arrepios ficaram frenéticos.

— Você se acha demais.

Um sorriso rígido se abriu em seu rosto.

— Prometi que você teria todo o tempo de que precisasse, e vou cumprir a promessa. Mas não vou ficar parado enquanto você sai com outros caras, Ruiva.

— Eu falei que não era um encontro romântico.

— E eu falei que não sou muito de dividir. Muito menos você. Não ligo se ele é um multimilionário e tem a cara estampada na capa de todas as revistas do mundo. Podia ser o rei da Inglaterra, nunca vai te dar o que eu estou disposto a te dar.

Mais arrepios.

— O quê?

— Tudo. — Josh se aproximou até sua boca estar a centímetros da minha. Continuei onde estava, mas a eletricidade de antes voltou com força total.

Havia mais gente na calçada. Ninguém estava próximo o bastante para ouvir a conversa, mas não tinha importância. Quando Josh estava perto de mim, o resto do mundo não existia. — Meu coração. Minha alma. Minha *dignidade*. O que quer que eu faça, Jules? — A voz dele assumiu um tom entrecortado e dolorido. — Quer que eu implore? É só pedir e eu me ajoelho.

Senti as lágrimas invadirem meus olhos. Balancei a cabeça e senti um aperto no peito.

Do que tem tanto medo?

A pergunta de Josh no casamento de Bridget ecoou na minha cabeça. Naquela ocasião eu não tinha uma resposta, mas naquele momento, sim.

Eu tinha medo de mim.

Quando comecei a me apaixonar por Josh, uma parte minha sabia que não daríamos certo enquanto eu guardasse segredos. Mas não havia mais nada no caminho, e eu estava apavorada – com medo de sofrer, de não ser suficiente, e de realmente ser amada quando não merecia isso.

Eu não era mais a menininha de Ohio, mas algumas coisas da infância eram tão enraizadas que se tornavam parte de nós sem que percebêssemos. Depois de um tempo sem ser querida por ninguém, eu não sabia lidar com uma pessoa que não estava disposta a ir embora.

Talvez fosse hora de aprender.

— Promete que somos de verdade — murmurei.

Eu podia estender a situação, arrancar de Josh todas as garantias de que não partiria meu coração de novo. Mas estava *cansada* de resistir e me sabotar. Depois de anos nadando contra a corrente, era hora de mergulhar pela primeira vez em algo que eu queria, qualquer que fosse o preço.

No fim das contas, nenhum grande gesto se comparava àquele de fazer uma promessa... e cumpri-la.

Josh segurou meu rosto.

— Prometo. — Um sorrisinho curvou os lábios dele, e os olhos buscaram os meus com esperança cautelosa. — Desculpa, mas você vai ter que me aturar para sempre.

As palavras penetraram meu coração e preencheram cada centímetro em mim com seu calor.

Para de resistir, Jules.

Depois de um último instante de hesitação, meus lábios se entreabriram em um convite hesitante.

O alívio tomou o rosto de Josh antes de ele aceitá-lo e colar a boca à minha em um beijo quase desesperado que me fez arrepiar. Derreti ao saborear de novo o gosto e a sensação dele.

O nó no meu peito desatou, e cada terminação nervosa cintilou.

Alguns beijos a gente sente nos ossos. Aquele eu sentia na alma.

— Doze dias, oito horas e nove minutos. Passei cada segundo pensando em você. — Os lábios de Josh tocavam os meus enquanto ele falava. — Antes eu pensava que sabia o que queria. Ser médico, ir atrás da próxima aventura. Ser a pessoa mais popular, a mais querida da sala. Acreditava que essas coisas me fariam feliz, e fizeram. Temporariamente. Mas você... — Ele apoiou a testa na minha. — Você é a única coisa capaz de me fazer feliz para sempre.

Sufoquei com a mistura de risada e soluço.

— Cuidado, Chen. Se continuar falando essas coisas, posso não te soltar nunca mais — falei, repetindo as palavras dele no nosso primeiro encontro.

A covinha apareceu em toda a sua glória.

— Estou contando com isso. — Josh segurou minha nuca e beijou minha boca outra vez. — Caso não tenha ficado claro, eu amo você, Jules Ambrose, mesmo quando me deixa furioso. *Especialmente* quando me deixa furioso.

— Porque é masoquista. — Não consegui conter o sorriso. — Mas tudo bem. Eu amo você mesmo assim.

Era a primeira vez que eu dizia isso a um homem, mas não foi estranho. Era como se as palavras houvessem estado sempre ali, só à espera da hora certa e da pessoa certa para se revelarem.

Josh ficou imóvel.

— Fala isso de novo.

— Eu amo você — murmurei, o corpo pulsando, o coração tão cheio prestes a explodir a qualquer segundo.

Um sorriso iluminou o rosto dele.

— É isso mesmo. Eu sou amável pra caralho, menos quando estou bancando o babaca... como naquela semana depois que você me contou sobre a pintura. — Ele olhou para o grupo de adolescentes que nos observava, e percebi que estávamos começando a chamar atenção. — Vamos continuar essa conversa em um lugar com mais privacidade.

Meu apartamento ficava a dois quarteirões dali. Stella não estava em casa, e mal tínhamos entrado no quarto quando Josh me beijou de novo e se ajoelhou na minha frente.

— Doze dias, doze orgasmos. — Ele levantou minha saia, e senti o hálito quente nas coxas. — É justo, não acha?

Um fogo lento se acendeu no meu ventre.

— O qu...

A pergunta teve uma morte indigna quando ele afastou a calcinha para um lado e lambeu meu clitóris.

Meu Deus.

Agarrei o cabelo de Josh enquanto ele lambia e chupava até me levar ao orgasmo. Não consegui me desvencilhar daquele pico de sensações porque ele começou de novo, e logo eu era pouco mais que uma criatura ofegante e entregue. Não fosse pelas mãos fortes segurando meu quadril e me mantendo em pé, eu já teria caído.

Mas, apesar dos orgasmos que me sacudiam e do cheiro de sexo no ar, o que estávamos fazendo não era sexo.

Era amor.

CAPÍTULO 53

Josh

— NÃO FOI NISSO QUE EU PENSEI QUANDO VOCÊ DISSE PARA CONTINUARmos na sua casa. — O resmungo suave de Jules foi abafado pelo travesseiro.

Segurei a risada enquanto fazia uma compressa no ombro dela com gelo envolto em uma toalha.

— Eu não disse *o que* íamos continuar.

Depois de eu realmente pedir desculpas no apartamento dela, fomos para minha casa antes de Stella chegar. Assim que entramos, Jules se deitou na minha cama para eu poder cuidar das lesões dela.

Estaria inteira em algumas semanas, mas pensar nela com dor, mesmo que temporária, me deixava com o coração partido.

— Deixou implícito. Eu me senti enganada. Vítima de fraude. De propaganda enganosa. — Ela levantou a cabeça para me encarar. — Cadê o sexo de reconciliação, Chen?

Dei risada.

— Os orgasmos de mais cedo não foram suficientes?

Deslizei os dedos do pescoço até o rosto dela, e afastei uma mecha de cabelo do olho. Durante toda a viagem de metrô até minha casa, não consegui parar de olhar para ela, com medo de que desaparecesse se eu desviasse o olhar.

Havia existido uma chance de Jules não me perdoar pelo que eu havia feito com ela, e eu não a teria condenado se tivesse decidido por isso.

Mas graças a Deus, ela me perdoou.

Você me fodeu, depois me jogou fora, como todo mundo.

Senti uma dor no peito ao me lembrar das palavras dela.

Cacete, eu fui um cretino.

— Sexo oral não é a mesma coisa. — Jules deixou escapar um suspiro quando beijei seu pescoço e acariciei de leve sua região úmida.

— Quer me sentir dentro de você, Ruiva?

Ela estremeceu.

— *Quero.*

Meu pau, que já estava duro, endureceu ainda mais quando ouvi a esperança ofegante na voz dela, mas me segurei.

— Você está com um ombro deslocado, Jules, sem falar nos hematomas espalhados. Transar pode piorar as lesões.

Mais um suspiro, esse menos satisfeito.

— É nisso que dá namorar um médico, né?

— Hum. — Sorri da irritação. — Mas também tem benefícios em namorar um médico. Por exemplo... — Enfiei um dedo nela e mantive o polegar no clitóris. — Sou *ótimo* com anatomia.

O resmungo de Jules se transformou em uma sequência de gemidos, e ela arqueou o corpo à procura da minha mão. Fui desenhando uma trilha de beijos desde o peito até o ventre nu, e o gemido se tornou um grito quando abri as pernas dela e a penetrei com a língua. Enfiando, chupando, lambendo. Adorando o corpo dela como se estivesse em penitência, e Jules fosse minha salvação.

— Josh... eu vou... — O gritinho de Jules entrou como uma flecha no meu coração. — Dentro de mim. *Por favor.* Quero gozar com você dentro de mim.

Fiz uma pausa e gemi. Meu coração batia tão forte que era como se cada centímetro do meu corpo e o meu pau estivessem prestes a explodir.

— Você está me matando, Ruiva.

A gente não deveria. Ela estava machucada. Eram ferimentos moderados, mas mesmo assim... A decisão mais sensata seria esperar até que estivesse totalmente recuperada.

Mas eu não conseguia negar nada que ela pedia daquele jeito.

Contrariando o bom senso, levantei a cabeça e o corpo até estarmos frente a frente de novo.

— Hoje vou ser um pouco mais delicado, ok?

Afastei outra mecha de cabelos do olho dela.

Jules assentiu com tanto entusiasmo que eu quase ri de novo, mas o humor desapareceu quando pus a camisinha e a penetrei pouco a pouco, até entrar totalmente.

O gemido dela se misturou com o meu.

Jules era uma delícia. Apertada, molhada e feita para mim, como se fosse a peça que havia faltado no quebra-cabeça durante toda a minha vida.

Eu estava coberto de suor pelo esforço que fazia para adiar o orgasmo, e grunhi quando Jules contraiu os músculos ao meu redor.

— Não consigo segurar. — Ela falava com a voz ofegante. — Você é muito grande.

Sempre que ficávamos sem transar por alguns dias, ela precisava se adaptar novamente ao meu tamanho.

— E você aguenta cada centímetro de um jeito lindo. — Tirei o membro e a penetrei de novo devagar. Jules se contorceu um pouquinho, mas os músculos relaxaram aos poucos, e senti o orgulho inflando meu peito. — É isso. Assim. Você está indo muito bem.

O rosto dela corou de prazer.

— Josh...

— Sua buceta foi feita para mim, Ruiva. Cada parte de você, tudo feito para mim.

Minha respiração acelerou, acompanhando os movimentos. O ritmo sensual era oitenta por cento do nosso sexo habitual, furioso e bruto, mas, de certa forma, era ainda mais gostoso.

Eu conseguia saborear cada escorregada do pau dentro dela e cada gemido de Jules, enquanto apagava da cabeça dela cada lembrança ruim da última vez que tínhamos estado juntos.

— Não segura — gemi, quando vi que ela mordia a boca. Pela tensão dos músculos, percebi que estava perto do orgasmo. — Quero ouvir você gritar.

Abaixei a mão para esfregar o clitóris dela, fazendo a pressão necessária para levá-la além do limite enquanto me mexia mais depressa. Um grito de prazer se libertou da garganta de Jules. Ela arqueou as costas, e gemi ao sentir a vagina se contraindo e me puxando mais para dentro.

Meu peito se expandiu quando a vi daquele jeito – completamente entregue e tão linda que eu não seria capaz de desviar o olhar nem que minha vida dependesse disso.

— Isso. — Acariciei o rosto dela e me inclinei para beijá-la. — Boa menina — sussurrei. — Adoro ouvir você gritar para mim.

Os gemidos de Jules ecoavam no meu pau, e não demorou muito para eu explodir com um gemido alto.

Saí de cima dela, porque não queria piorar a situação do ombro contundido, e ficamos ali em um silêncio satisfeito, recuperando o fôlego.

O sexo era ótimo, mas aquela parte? Quando saboreávamos a satisfação e a companhia um do outro? Essa parte era ainda melhor.

Virei de lado e enlacei a cintura de Jules com um braço, puxando-a para mais perto. Nunca havia me importado com carícias antes dela, mas adorava sentir seu corpo colado ao meu. Era... perfeito.

— E o ombro?

— Continua preso ao corpo. — Jules riu da minha cara feia. — Está *tudo bem*. Viu? A gente transou, e eu não morri.

— Não tem graça. — Não queria nem brincar com a possibilidade de ela morrer. — Vou dar mais uma olhada no seu ombro mais tarde, só por precaução.

— Sim, dr. Chen. Esse tipo de exame minucioso está disponível para todos, ou eu sou especial?

— Só ofereço esse tipo de exame para os pacientes mais teimosos e irritantes, os maiores pé no saco. Aqueles em quem não consigo parar de pensar. Para minha sorte — Toquei a curva da bunda dela com a mão aberta —, só tenho uma com essa descrição.

A respiração de Jules falhou.

— Que sorte a minha.

— Que sorte a sua — concordei, e um sorriso vaidoso distendeu meus lábios.

— Babaca arrogante. — Ela riu, mas ficou séria em seguida. — Você ainda está com o quadro? Os parceiros de Max vão vir atrás dele, e eu não...

— Já cuidei disso.

— Como?

— Você vai ver.

Ela torceu o nariz.

— Que mistério!

— É surpresa, Ruiva. Você vai ver — repeti.

Jules bufou e desistiu do assunto, mas notei que continuava intrigada. Nada a deixava mais interessada que uma surpresa.

Agora eu só precisava pensar em um jeito de revelar a surpresa... *depois* de pensar em como recuperaria os ingressos para o musical, aqueles que destruíra na semana anterior. Podia juntar as duas coisas.

Deslizei os dedos pelas costas dela em carícias preguiçosas, contente só de poder ouvir sua respiração, enquanto ela bocejava e ajeitava o rosto no meu peito. Depois que a adrenalina do sexo se dissipou, a exaustão desenhou linhas no rosto dela e pintou sombras escuras embaixo dos olhos.

— Vamos ter que contar para a Ava. Em algum momento. Um dia — murmurou ela.

— Nem me lembra. — Fiz uma careta ao imaginar a reação de Ava. — Quanto tempo acha que devemos esperar? Um ano? Uma década?

— Uma década, talvez um século. Um século é bom. Ela vai ficar tão...

Jules não concluiu a frase.

Olhei para ela. Havia caído no sono, assim sem mais nem menos.

Devia estar esgotada depois do que havia acontecido com Max, do exame da ordem e da nossa reconciliação.

Dei um beijo na cabeça dela e a puxei para mais perto.

Pensaríamos em Ava mais tarde.

Naquele momento, eu queria apreciar os momentos que eram só nossos.

CAPÍTULO 54

Josh

Fiz um carinho rápido e reconfortante nas costas de Jules ao deixarmos o elevador e seguirmos para um apartamento que parecia ter saído das páginas da *Architectural Digest*.

Paredes pintadas de cinza claro, piso de mármore, acabamentos dourados. O lugar gritava "covil de solteiro", mas diferente de como era dois anos antes, pois havia toques femininos que suavizavam um pouco o ambiente: um buquê de lírios brancos aqui, uma aquarela ali.

— Vai dar tudo certo — sussurrei para Jules.

Nós dois havíamos cometido erros, mas finalmente poderíamos deixar o passado para trás juntos... depois de resolvermos nossa última confusão.

— Para você é fácil — cochichou ela de volta. — Tem parentesco de sangue. Eu não.

— Ela ama mais você do que a mim.

— Hum. Verdade.

Parei de rir quando Ava nos recebeu na entrada do elevador privado para o apartamento que ela dividia com Alex. Tirei rapidamente a mão das costas de Jules.

Uma semana depois da reconciliação, finalmente tínhamos reunido coragem para contar a verdade a Ava, mas tudo tinha morrido diante do sorriso da minha irmã, primeiro cheio de expectativas, e depois desconfiado, quando ela viu Jules ao meu lado.

Eu havia telefonado avisando que iria visitá-la, mas não mencionei que Jules estaria comigo. Não queria que Ava tirasse conclusões precipitadas antes de contarmos tudo.

Por outro lado, esse poderia ter sido um movimento mais inteligente. Deixar que ela superasse o choque antes do encontro.

Porra, Chen.

Bom, era tarde demais. Teríamos que dançar conforme a música.

Forcei meu sorriso mais encantador.

— Oi, mana. Você está absolutamente *linda* hoje. Aqui. — Entreguei uma caixa com um bolo red velvet da Crumble & Bake, o favorito dela. — Presente para você.

Ava não pegou o bolo. Olhava de mim para Jules, que continuava parada ao meu lado com um sorriso exagerado.

— O que estão fazendo aqui juntos? — A desconfiança dela aumentou visivelmente. — Não vão me obrigar a mediar outra briga, né? Porque vocês dois já são adultos.

Jules e eu nos olhamos rapidamente.

Talvez devêssemos ter pensado em um plano melhor, em vez de levar bolo.

Alex apareceu atrás de Ava e arqueou uma sobrancelha ao ver a caixa da Crumble & Bake.

Sério? É esse o plano de vocês? Ele não precisou falar, porque ouvi as palavras em alto e bom som.

Olhei diretamente para ele. *Cala a boca.*

Ele respondeu com um sorrisinho.

Babaca.

Alex parecia ter esquecido que um dia *ele* escondeu de mim que estava namorando minha irmã.

— Vamos conversar enquanto comemos bolo — sugeriu Jules, animada demais. — Nada como um red velvet para começar bem a noite.

Ava cruzou os braços.

— Preciso estar sentada para ouvir o que vocês têm para me dizer, né?

— Talvez. Provavelmente. — Pigarreei. — Com toda certeza.

Fomos os quatro para a sala de estar, onde nos sentamos – Ava e Alex no sofá, Jules e eu na frente deles. Estava quase no pôr do sol, e os raios de luz que entravam pelas janelas dividiam a sala ao meio, de um lado sombras e, do outro, luz dourada.

A caixa de bolo estava em cima da mesa entre nós, fechada.

— Então, o motivo para estarmos aqui hoje é porque, hum, viemos juntos — disse Jules.

Alex suspirou e passou a mão no rosto.

— E o motivo para termos vindo juntos é que... — *Vai, cara. É um bandeide. Arranca logo essa merda e encara as consequências depois.* — Estamos namorando.

Ava olhou para nós sem mudar de expressão.

— Romanticamente — esclareceu Jules.

— Namorado e namorada — acrescentei.

Mais silêncio.

Ava não havia se mexido desde que tínhamos começado a falar, o que não era bom.

Uma gota de suor escorreu pelas minhas costas.

Não era normal. Eu não devia ter medo da minha irmã *mais nova*. Mas a Ava falante era normal; a Ava silenciosa era aterrorizante.

Então ela fez a última coisa que eu esperava. Gargalhou. Cobriu o rosto enquanto ria sem parar, e Jules e eu trocamos outro olhar preocupado.

Cacete, será que tínhamos enlouquecido minha irmã?

— Boa — Ava arfava entre uma gargalhada e outra. — Você quase me enganou.

Ela tentou se recompor, mas voltou a gargalhar um segundo depois.

— Hã...

Havia imaginado aquela conversa se desenrolando de vários jeitos, mas Ava perdendo o juízo não era um deles.

Jules bateu com o joelho no meu.

— Ela acha que estamos brincando — murmurou.

— Eu *sei.* — Pigarreei. — Ava...

— Para ser sincera, estou impressionada que vocês tenham deixado as diferenças de lado para pensar nesse plano.

Ava finalmente estava se recuperando do ataque de riso, embora ainda sorrisse.

— Ava...

— É retaliação por Vermont? Porque já faz meses, e eu não sabia que só teria uma cama disponível.

— Ava, não é brincadeira!

Minha declaração ecoou na sala, seguida pelo silêncio denso, perplexo.

O sorriso da minha irmã desapareceu.

— Não é... — Ela olhou de um para o outro, notando a tensão e como nossas coxas estavam se tocando. O horror dominou sua expressão. — Vocês estão namorando *de verdade*? Como isso é possível? Vocês se odeiam!

— Entãããããooo... — arrastei a palavra. — Não mais.

Jules interferiu.

— Estamos trabalhando juntos na clínica...

— Começou como um lance sem compromisso...

— Não foi nada planejado...

Nós dois nos atropelávamos na tentativa de dar uma explicação apressada, até que Ava levantou uma das mãos para interromper.

— Há quanto tempo estão juntos?

— Hã, há uma semana, desta vez.

— Como assim, "desta vez"?

Que merda. A gente devia *mesmo* ter criado um roteiro para isso.

Como era tarde demais, Jules e eu contamos tudo a Ava, começando pelo acordo puramente sexual e terminando na reconciliação na semana anterior. Deixamos de fora os detalhes feios sobre Max e atribuímos o rompimento a um mal-entendido, mas, com exceção dessa informação, foi um resumo bem abrangente.

Quando terminamos de contar, Ava estava pálida. Minha irmã olhou para mim de cara feia.

— Está me dizendo que anda dormindo com minha melhor amiga há *meses*? — Ela apontou para Jules. — E você anda dormindo com *meu irmão* há meses? Não acredito que não me contaram antes!

Jules deu de ombros, solidária.

— Não tive uma boa oportunidade para contar que estava pegando seu irmão.

A palidez no rosto de Ava aumentou.

— Você fez a mesma coisa com ele! — Apontei para Alex, que assistia à cena com um ar entediado. Nem tentava me ajudar. *Traidor*. — Vocês namoraram durante meses, antes de eu descobrir. Não seja hipócrita.

— Foi diferente — resmungou Ava. — A gente não se odiava furiosamente, e depois começou a se pegar do nada.

— Sei que é chocante, considerando minhas... antigas diferenças com Josh. — Jules mordeu a boca. — Mas estávamos trabalhando juntos na clínica, nos víamos com frequência, e aconteceu. Não planejamos esconder de você por tanto tempo. Só não tínhamos certeza de que ia virar uma coisa séria, e não queríamos contar antes de entendermos o que estava rolando entre a gente. Criaria muito constrangimento.

— Sei. — Ava fechou os olhos e respirou fundo. — Alex, vai buscar uma faca.

Foi minha vez de ficar pálido.

— Ei, ei, ei! — Levantei uma das mãos e abracei Jules com a outra. — Sou seu único irmão. Você me ama. Lembra quando eu te dei o finzinho do meu amendoim com chocolate no cinema? Bons tempos.

Ava me ignorou até Alex voltar com a faca.

Olhei para ele com ar de reprovação. Então era assim que eu iria morrer. Traído pelo meu melhor amigo *de novo* e esfaqueado pela minha irmã. Júlio César foi fichinha com aquela morte de merda.

Meu coração disparou quando Ava pegou a faca, se inclinou para frente... e abriu a caixa do bolo. Cortou uma fatia e pôs um pedaço na boca.

Silêncio.

— A gente devia dizer alguma coisa? — sussurrou Jules para mim.

— Ela ainda está com a faca na mão — murmurei de volta. — Melhor esperar.

Ficamos olhando enquanto Ava terminava de comer com uma expressão ilegível. Mas, quando ela voltou a falar, sua voz havia perdido a severidade.

— É sério?

O alívio desmanchou o nó de ansiedade no meu peito. Reconheci aquela voz. Ela estava voltando à razão.

Não estava preocupado com a possibilidade de ela cortar relações com a gente definitivamente porque havíamos guardado um segredo, mas também não queria passar semanas afastado da minha irmã.

— Não quero mais matar Jules cada vez que a vejo, então é bem sério — brinquei, mas então voltei a ficar sério. — Olha só, sei que isso deve ser estranho pra cacete para você, mas garanto, não estaríamos aqui se *não* fosse sério. Você lembra o que perguntei, quando descobri seu relacionamento com Alex? O que você disse? — Olhei para Alex e vi que o tédio tinha cedido espaço ao interesse. — É isso que eu sinto por Jules.

— Ava. — Olhei para ela chocado, tentando entender um mundo que havia virado de cabeça para baixo. Minha irmã e meu melhor amigo. Meu melhor amigo e minha irmã. Juntos. — Você... o ama?

Houve uma pausa breve.

Quando Ava finalmente respondeu, a voz dela era suave, mas firme.

— Sim, eu amo.

Ava olhou para mim por mais um segundo, depois se levantou e inclinou a cabeça na direção da cozinha.

— Vamos conversar. Só nós dois.

Quando fiquei em pé, Jules me olhou nervosa. Respondi com um sorriso que esperava ser tranquilizador, depois segui minha irmã para a cozinha.

— Está falando sério? — perguntou Ava, assim que ficamos sozinhos. — Sobre o que sente por ela?

— Estou. Eu a amo, Ava. Ainda brigamos e discutimos de vez em quando, mas no fim das contas... é ela.

Eu preferia mil brigas com Jules a mil dias tranquilos com outra pessoa.

Porque não queria tranquilidade. Queria ela.

— Entendi. — Ava suspirou. Os ombros dela relaxaram, e uma sombra de culpa passou pelo seu rosto. — Não queria dificultar para você, principalmente depois de ter sido tão compreensivo quando contei tudo sobre Alex. Mas eu *sei* como você é com as mulheres, e sei como Jules é com os homens. Vocês dois odeiam compromisso. Só não quero que sofram. Eu amo vocês dois, e se um partir o coração do outro, não vou conseguir escolher um lado. Dito isso... — Ela encostou a ponta de uma faca cega no meu peito —, se a machucar, eu mato você.

— Por que acha que eu vou ser o responsável pelo sofrimento? Posso muito bem ser o sofrido.

Essa palavra existia? Se não existia, passou a existir.

— Mato você — repetiu Ava, enfatizando a ameaça com mais algumas cutucadas com a faca.

— Tudo bem — sorri. — Isso significa que está bem com o nosso namoro?

— Acho que sim — ela riu. — Meu irmão caiu aos pés da minha melhor amiga. Bom trabalho, Jules.

Fiquei sério de novo.

— Eu não caí *aos pés* dela. Não no sentido figurado, pelo menos.

Dessa vez, foi o sorriso de Ava que desapareceu.

— Opa, primeira regra. Não fale e não faça insinuações sobre sua vida sexual. *Nunca*.

Ela fingiu vomitar.

Dei risada e a puxei para um abraço. Desarrumei o cabelo dela como fazia quando éramos crianças, e Ava protestou.

— Combinado, mas a regra vale para você também.

— Certo. — Ava afastou minha mão e arrumou o cabelo com mais um protesto, mas a expressão irritada logo se tornou mais suave. — Sério, estou feliz por você estar feliz. Sei que as coisas têm sido difíceis depois de... tudo. Vou estar sempre aqui para te apoiar, mas é bom saber que agora tem alguém como Jules ao seu lado. Ela pode ser um pouco... *dramática*, às vezes — nós dois rimos, porque era verdade —, mas tem um dos maiores corações que já vi.

Senti um nó de emoção na garganta.

— Eu sei. — Abracei Ava com mais força e dei um beijo na cabeça dela. — Obrigado, mana.

Às vezes irritávamos um ao outro como ninguém, mas era muita sorte ter Ava como irmã. Antes de eu conhecer Alex, ela era minha tábua de salvação para todos os problemas, e vice-versa. Não trocávamos confidências com tanta frequência depois de adultos com vidas próprias, mas nunca haveria um dia em que não apoiaríamos e defenderíamos um ao outro.

CAPÍTULO 55

Josh

Depois que voltamos à sala de estar, Ava chamou Jules para uma conversa como a que tivemos, pelo menos foi o que achei, tirando a parte das coisas de irmão. Porém, em vez de ficarem no apartamento, as duas foram a um bar próximo, onde Ava queria tentar se esquecer de que um dia havia ouvido a expressão "pegando seu irmão".

Pessoalmente, eu achava que tinham saído para planejar com tranquilidade como se uniriam contra mim no futuro – eu sabia como elas funcionavam –, mas fiquei tão aliviado por Ava aceitar meu relacionamento com Jules que não me incomodei.

Depois que as duas saíram, me juntei a Alex perto da janela panorâmica, onde ele permanecia pensativo.

— Fiquei surpreso por você não ter ido junto. — Parei ao lado dele e olhei para a cidade lá embaixo. O anoitecer pintava o céu com uma paleta de cor-de-rosa suave a roxo, e as luzes dos prédios refletiam no mar, tornando a paisagem um carpete de pequenas pedras preciosas. — Você nunca desgruda de Ava.

Alex era paranoico com a segurança de Ava desde que o tio dele a sequestrara; até contratou um guarda-costas, que manteve até ela proibir a sombra constante. Os dois haviam tido uma briga horrível por isso, mas Alex cedeu e tirou o guarda-costas do esquema de proteção.

— Estamos tentando melhorar isso. — Havia uma nota de contrariedade na voz dele. — Ava diz que eu sou paranoico.

— Você *é*. E digo isso como irmão, alguém muito interessado no bem-estar de Ava.

Alex resmungou irritado, mas não insistiu no assunto.

— Eu fiquei por outra razão. Preciso... quero te falar uma coisa.

Estranhei a hesitação incomum.

— Tudo bem. Desde que não seja mais uma confissão sobre uma mentira de oito anos, porque juro por Deus...

— Quem é o paranoico agora?

Alex colocou a mão no queixo e franziu a testa.

Quanto mais ele hesitava, mais eu ficava curioso. Alex raramente tinha dificuldades com as palavras. Com exceção de Ava, ele não se importava com ninguém a ponto de se preocupar com como suas declarações seriam recebidas.

— Nunca tive família de verdade — começou ele. — Você sabe, meus pais e minha irmã foram assassinados quando eu era criança, e meu tio era um psicopata.

Apenas Alex era capaz de mencionar fatos tão brutais com honestidade inabalável.

— Também não tive muitos amigos, e tudo bem. Não gostava da maioria das pessoas que conhecia. Tinha meus negócios e os projetos paralelos, e isso era o suficiente. — Ele engoliu com dificuldade. — Até conhecer você e Ava. Vocês dois eram bem irritantes no começo, com aquela insistência em aderir às cortesias sociais e a determinação de ver o melhor nas pessoas, por mais que esse seja um esforço idiota.

Ri baixinho, mas senti um aperto estranho no peito.

— Mas... — Alex hesitou de novo. — Vocês também viram o melhor em mim. Você é a única pessoa que nunca me enxergou apenas como uma conta bancária, um símbolo de status ou uma conexão de negócios. Podemos ter visões de vida diferentes e abordagens distintas referente a várias situações, mas você e Ava... — A voz dele se tornou suave. — Vocês são o que tenho de mais próximo de uma família.

Ah, merda. Se eu lacrimejasse por causa de algo que Alex dissesse, ele nunca me deixaria esquecer esse momento.

Mas eu sabia quanto devia ter sido difícil para ele admitir aquilo. Alex era tão sentimental quanto um porco-espinho era abraçável, mas, apesar de todos os defeitos, era um bom amigo do único jeito que sabia ser – leal, sempre presente e disposto a pôr fogo no mundo pelas pessoas que amava.

— Cacete, cara, devia ter me avisado que ia ficar todo emocionadinho. Eu teria trazido mais lenços de papel.

As palavras saíram mais embargadas do que eu gostaria.

Ele ameaçou um sorriso.

— Não é sentimentalismo, são fatos. Falando nisso... — Alex pôs a mão no bolso e pegou uma caixinha de veludo. — Quero formalizar o relacionamento.

Será que meus ouvidos estavam me enganando ou eu havia detectado mesmo uma nota de nervosismo?

Olhei para Alex sem me alterar. Em parte, sabia o que estava sugerindo, mas meu cérebro lento não conseguia acompanhar a conversa.

— Formalizar qual relacionamento?

— O familiar.

Ele abriu a caixa, e o que vi quase me ofuscou.

Cacete.

O anel aninhado na almofadinha de veludo dava um pau no Wollman Rink em termos de tamanho. Eu não sabia muito sobre diamantes, mas sabia que aquele devia custar um valor de cinco dígitos, *pelo menos*.

Brilhava como uma estrela caída à luz moribunda do entardecer. Diamantes menores salpicavam a aliança de platina e projetavam prismas coloridos na sala, e as letras prateadas gravadas dos dois lados da almofada anunciavam: *Harry Winston*.

— Queria te contar antes de fazer o pedido. — Alex fechou a caixa, evitando que minhas retinas sofressem uma queimadura grave. — Você sabe o que sinto por Ava, então não vou ficar me repetindo. Também desprezo a tradição ultrapassada de pedir permissão para casar. Apesar de tudo isso, sei o quanto ela valoriza sua opinião. Eu também, e embora não *precise* da sua permissão... — Ele engoliu em seco. — Gostaria muito de tê-la.

Silêncio.

Alex. Pedindo Ava em casamento. Ele seria meu cunhado.

Meus pensamentos soltos, mas mesmo assim conectados, se amontoavam. *Puta merda.* Eu sabia que Alex e minha irmã seriam pra sempre desde o dia em que tinha descoberto que ele havia desistido da empresa por ela. Alex recuperou a companhia depois que Ava o perdoou, mas se ele havia considerado tomar uma atitude tão drástica, era porque estava ferrado.

Mas nunca imaginei que o pedido aconteceria tão cedo, nem que ele pediria minha permissão.

Alex nunca pedia permissão a ninguém.

— Não quis fazer o pedido antes de você e eu... resolvermos algumas das nossas questões. — Alex me encarava com atenção, tenso. — Não queria pôr nenhum de vocês nessa situação.

Finalmente, consegui empurrar as palavras através do nó de emoções no meu peito.

— Minha irmã está amolecendo você, cara. Você até pareceu humano agora.

— É que eu sou bom em imitar.

Houve um momento de silêncio surpreso, e então eu caí na risada.

— Que merda, Volkov, não me mata de susto antes do casamento. Ava vai ficar furiosa.

Alex sorriu.

— Isso é uma bênção implícita?

— Vai com calma. — Fiquei sério. — Você tem razão. Temos visões de mundo muito diferentes, e enfrentamos algumas situações, ãh, bem difíceis ao longo dos anos. Ainda acho que você é um babaca em oitenta por cento do tempo. Mas... acompanhou minha irmã até em casa todos os dias durante um ano, tipo um Romeu obcecado. Sempre pôs a segurança e o bem-estar dela acima dos seus, o que, no seu caso, significa muito. — Engoli em seco. — Ava é minha única irmã. Minha *única* família de verdade. Sempre cuidei dela quando éramos crianças, e não a confiaria a ninguém. Mas confio minha irmã a você.

Se eu tinha uma certeza, era de que Alex daria a vida por ela. Podia ser um babaca com todo mundo, mas eu sabia que sempre cuidaria de Ava.

Dei um tapa nas costas dele quando senti o peito ainda mais apertado.

— Então, sim, você tem minha permissão. Só não mata Ava com esse anel, porque essa merda brilha pra cacete.

Uma luminosidade suspeita invadiu os olhos de Alex, e então ele piscou e a luz sumiu. Ele deixou escapar uma risada aliviada.

— Ela vai sobreviver. É mais durona que você.

— É verdade. — Apesar do otimismo solar e do que alguns chamavam de ingenuidade, Ava sempre havia sido uma sobrevivente. Balancei a cabeça, incrédulo. — Não acredito que vou ficar amarrado a você para sempre como cunhado.

Eu não duvidava de que Ava diria sim, mas ter Alex Volkov como cunhado... que Deus me ajudasse.

— Sorte a sua. — Alex ainda tinha um sorriso nos lábios, mas os olhos dele tinham ficado sérios. — Falando nisso, tenho uma proposta para você também.

— Alex. — Levei a mão ao peito. — Ava não vai gostar se você me pedir em casamento também. Bigamia é ilegal em Washington.

— Muito engraçado. — Ele se dirigiu ao bar e serviu uísque em dois copos, depois entregou um deles para mim. — Se Ava disser sim...

— Ela vai dizer sim.

Vi um nervosismo incomum passar pelos olhos de Alex, mas que logo desapareceu sob o gelo verde.

— *Quando* ela disser sim, vou precisar de um padrinho. — Ele esfregou o polegar no copo, e os ombros tensos destoaram do tom casual. — Como você é meu melhor amigo e uma das poucas pessoas que suporto perto de mim por mais de cinco minutos, estou fazendo um pedido oficial.

Ai, cacete. A emoção voltou a dominar meu peito, formando um nó que subiu para a garganta.

Antes da nossa briga, Alex havia estado comigo em cada jogo, em cada crise e em cada emergência que tive. Era a única pessoa de fora da família em quem eu confiava, e eu era o único a quem ele dizia mais de dez palavras por vez.

Éramos melhores amigos, mas ele nunca havia me chamado assim, não na minha presença, pelo menos. Era a primeira vez.

— Depende. — Minha voz saiu rouca, então pigarreei. O cretino *não* iria me fazer chorar. *Hoje não, Satã.* — Um: tenho total autonomia para planejar sua despedida de solteiro como achar adequado? Dois: tenho camarote garantido em todos os jogos de todas as modalidades que eu quiser ver? Três: posso dar uma volta no seu Aston?

Alex soltou um suspiro tão pesado que pensei que ele iria colapsar.

— Dentro do razoável, sim e não.

Uma e meia de três. Nada mal. Eu não esperava que ele concordasse com a coisa do Aston, mesmo. Nunca deixava ninguém dirigir o carro precioso dele.

— Eu aceito. — Levantei o copo. — Você já tem um padrinho.

— Estou eufórico.

— Mal posso esperar pela viagem a Vegas — falei, ignorando a resposta seca.

— Na verdade, porra, vamos subir o nível. Você é um bilionário com "b", como sempre fez questão de lembrar. Vamos para Macau. Não, Mônaco. Não, Ibi...

— Está se precipitando. Eu ainda nem fiz o pedido.

— *Mas vai fazer*, e é melhor se preparar. — Meu sorriso desapareceu quando vi a mandíbula tensa de Alex. — Ela vai dizer sim — repeti, em um um tom mais contido. — Não se preocupe.

Mais um vislumbre de nervosismo nos olhos dele.

— Não estou preocupado. — Alex deslizou o polegar pela beirada do copo de uísque, até a tensão nos seus ombros diminuir. — Mas esquece Ibiza. Não suporto festa em ilha.

— Combinado. — Mônaco devia ser mais divertido mesmo. — Um brinde a um pedido de casamento épico e a uma despedida de solteiro ainda mais épica. — Levantei o copo de novo. Alex bateu com o dele no meu, e esperei até nós dois bebermos tudo, para acrescentar: — Eu seria seu padrinho mesmo sem os camarotes, sabia?

O gelo nos olhos dele derreteu, revelando uma sombra de suavidade.

— Eu sei.

Um instante pungente se passou, e então nós tossimos ao mesmo tempo e demos uma risada constrangida. Alex corria o risco de virar pedra se lidássemos com a emoção do momento por mais tempo, e eu não queria minha irmã casada com uma estátua.

— Agora que resolvemos isso... — Passei um braço em torno dos ombros dele e o levei para o sofá. — Vamos falar sobre essa festa de despedida de solteiro que você nunca vai esquecer. Estou pensando em tigres, tatuagens...

— Não.

Ignorei o balde de água fria.

— O que acha de mergulhar em uma jaula no meio de tubarões? Podemos passar o fim de semana na África do Sul...

Alex passou a mão no rosto de um jeito irritado enquanto eu recitava ideias e tentava não rir.

Eu tirando Alex do sério, enquanto ele fingia estar irritado?

Era como nos velhos tempos, mas melhor, porque dessa vez não havia mentiras nem segredos entre nós.

Toda grande amizade tinha capítulos.

Aquele era o começo de mais um para nós.

CAPÍTULO 56

Jules

— Cheguei! Cheguei! — Stella entrou correndo, com o cabelo esvoaçante formando uma nuvem escura em torno dela. — O que foi que eu perdi?

Olhei irritada para a morena à minha frente.

— *Ava*.

— Não foi culpa minha. — Os olhos dela estavam risonhos. — Stel perguntou o que estávamos fazendo, eu contei e... bom, talvez tenha falado tudo.

Fazia duas horas que estávamos bebendo em um bar perto do apartamento, e nesse tempo ela havia me interrogado sobre meus sentimentos por Josh, nosso relacionamento e que planos tínhamos para o futuro. A maior parte do interrogatório era brincadeira, acho, mas isso não me impedia de suar como se eu tivesse acabado de correr a Maratona de Nova York.

— Nada, só um interrogatório digno da cia.

Terminei de beber minha vodca com cranberry e Stella se acomodou na cadeira ao meu lado.

Devia ter ido direto do trabalho, mas em vez de um terninho sem graça, usava um lindo vestido de linho branco e colar de turquesa que realçava a pele bronzeada. As vantagens de trabalhar em uma revista de moda, eu supunha.

— Duvido muito. — Stella afastou uma mecha de cabelo do rosto. — Não acredito que não me contou. Esse tempo todo, você estava namorando *o Josh*? Ele é o Gato Misterioso?

Senti o rosto esquentar.

— Não dá para me culpar, né? Olha como você está reagindo. Pessoalmente, não acho que seja *tão* grande coisa assim. — E daí se Josh e eu havíamos nos odiado durante quase todo o tempo em que Stella nos conhecia? As pessoas mudavam. — Não estou namorando o papa.

— Se estivesse, seria mais fácil de acreditar — respondeu Stella.

— Engraçadinha. Vocês todas são hilárias.

Apesar dos protestos, minhas bochechas doíam de tanto sorrir.

Deixando de lado toda a provocação bem-humorada, minhas amigas pareciam sinceramente felizes por mim – bem, depois que Ava se recuperou do choque inicial –, e, agora que Josh e eu não estávamos mais nos escondendo, um grande peso tinha sido removido dos meus ombros.

Havia uma certa excitação em fazer coisas escondido, mas eu odiava mentir para minhas amigas.

— Pelo menos ainda não contou para Bridget.

Chutei de leve o pé de Ava embaixo da mesa. Não precisava ser abordada por todas as minhas amigas ao mesmo tempo.

Ela ficou vermelha.

— Então, sobre isso...

Nesse instante, meu celular acendeu anunciando uma chamada de FaceTime de uma certa rainha europeia.

— *Ava.*

— Não dava pra eu guardar a novidade para mim. Nunca sou a primeira a ter uma notícia bombástica. — Ava levantou as duas mãos. — Além do mais, Bridget estava no grupo.

Suspirei, mas, como era tarde demais para guardar a notícia de volta na caixa, atendi a ligação.

O rosto de Bridget preencheu a tela.

— Você está namorando *Josh Chen?* — perguntou ela, sem enrolar. — O quê? Como? Por quê?

— Oi, majestade. Boa noite para você também. Como vai?

— Não me vem como "Como vai?". — Bridget tirou a faixa de tecido verde pela cabeça. Devia estar se preparando para dormir, porque não usava maquiagem e vi a gola do pijama de seda na base da tela. — Conta tudo. Quero todos os detalhes. Sempre sinto falta das coisas boas aqui na Europa.

— Não tem deveres reais a cumprir, ou alguma coisa assim?

— É meia-noite, Jules, e meus deveres reais consistem em conter ministros que insistem em se comportar como alunos do fundamental. Por favor, deixa eu me divertir um pouco. — Uma voz masculina resmungou alguma coisa fora da tela. Bridget virou a cabeça para sussurrar uma resposta, depois olhou para mim de novo. — O Rhys mandou um oi.

Ela virou o celular para eu poder ver Rhys, que acenou para mim, ao lado dela na cama. Os olhos cinzentos traíam o quanto ele estava se divertindo.

Suspirei mais uma vez, mas contei a história de novo, começando pela trégua na clínica. Quando terminei, Bridget e Stella olhavam para mim boquiabertas.

— Uau. Isso é... — Bridget balançou a cabeça. Apoiei o celular em um copo para todas poderem vê-la. — É estranho, você e Josh juntos faz zero sentido, mas todo o sentido do mundo.

— Isso significa que pararam de brigar? — perguntou Stella, com uma expressão esperançosa.

— Não. Agora brigamos mais — respondi, animada. — Isso rende um maravilhoso s... — *Sexo com raiva*. Parei de repente ao ver o alarme nos olhos de Ava. — Você sabe.

Stella fez uma careta.

— Não sei e não quero saber. Nunca mais vou conseguir olhar para o Josh do mesmo jeito.

— Vai, sim, um dia. — Stella não namorava muito, mas não era por falta de interesse dos homens, novos pretendentes apareciam todos os dias. Mas romance não estava entre as prioridades dela. — Chega de falar de mim. E você?

— Eu o quê? — perguntou Stella, desconfiada.

— Você é a última mulher sozinha entre nós. Quem vai ser o homem que vai tirar seus pés do chão? — perguntei, brincando.

— Quando o encontrar, me avisa — respondeu ela, em um tom seco. — Até lá, vou me dedicar a tentar sobreviver a Anya.

Anya era a chefe dela e editora da revista *DC Style*.

Enquanto Stella contava sobre a última sessão de fotos, que envolvia uma supermodelo de ressaca, uma píton viva e um galão de óleo para bebês, uma foto familiar chamou minha atenção para a televisão pendurada na parede do bar.

O choque me deixou sem ar. Cabelo castanho, olhos azuis, rosto sério.

Max.

A televisão estava sem som, mas as legendas informavam o que havia acontecido.

— ... corpo encontrado em um quarto de hotel em Baltimore. A vítima, Max Renner, foi esfaqueada várias vezes e morreu no local. Renner saiu da prisão recentemente depois de cumprir pena por roubo, e acredita-se que estivesse envolvido com uma quadrilha de Ohio. A polícia suspeita de que membros da quadrilha tenham sido responsáveis por sua morte, e o FBI...

Max estava morto.

Tantos anos, tanto sofrimento, e *ele estava morto*.

Acho que os parceiros finalmente o tinham pegado.

Além de um certo alívio, eu não sentia nada. Não me sentia nem vingada pelo que ele havia feito comigo na escada.

Eu realmente o tinha deixado no passado.

Voltei a dar atenção às minhas amigas e, quando me virei, vi Stella olhando para a tela do celular com o rosto muito pálido enquanto Ava e Bridget falavam sobre a iminente viagem diplomática de Bridget à Argentina.

Fiquei preocupada.

— Tudo bem?

Stella raramente ficava tão abalada.

— Está. — Ela guardou o telefone na bolsa e sorriu, mas era um sorriso forçado. — Um problema no trabalho, mas eu cuido disso mais tarde.

— Devia procurar um emprego onde seja mais bem-tratada — sugeri. — Você é talentosa. Pode até se dedicar integralmente ao blog.

Stella ganhava muito dinheiro com patrocínio de marcas.

— Talvez um dia.

Entendi a dica na resposta breve e, apesar de estar preocupada, não insisti no assunto. Stella sempre guardava todos os sentimentos e pensamentos só para ela. Não era saudável, a longo prazo, mas não era o momento de falar sobre o assunto.

Entramos na conversa de Bridget e Ava, e acabamos falando sobre a promoção de Ava no trabalho. Passava da meia-noite em Eldorra, mas Bridget continuava acordada, conversando com a gente.

Meu peito se encheu de afeto.

Era como nos velhos tempos, quando pedíamos pizza e conversávamos até de madrugada no dormitório da universidade.

Não tínhamos mais dezoito anos, mas ainda era *a gente*. Mesmo que uma de nós agora vivesse em outro continente e não nos víssemos tanto quanto nos tempos da faculdade, nossa amizade era sólida como uma rocha.

Era um conforto saber que, por mais que algumas coisas tivessem mudado, outras continuariam sempre iguais.

CAPÍTULO 57

Jules

— Qual é a surpresa? — Eu praticamente saltitava, sem conseguir conter a curiosidade quando entramos no elevador de um luxuoso prédio de apartamentos no Upper East Side. — Fala, *por favor*. Estou morrendo.

Mais cedo, Josh havia me surpreendido com uma viagem a Nova York para ver a última montagem do musical *Legalmente loira*, e dissera que tinha mais uma surpresa para mim antes de irmos embora no dia seguinte. Tentei arrancar o segredo dele durante todo o trajeto de táxi até ali, mas ele não cedeu.

— Ruiva, espera só mais uns minutos, literalmente. — Ele apertou o botão da cobertura, e minha curiosidade aumentou mais um pouco. — Nunca ouviu falar em "paciência"?

— Paciência? — Fingi pensar. — Não, nunca ouvi falar.

Dei risada quando ele me deu um tapa na bunda.

Eu flutuava em uma nuvem de euforia desde que Josh e eu havíamos voltado. E me pegava cantando nas horas mais estranhas, tipo quando estava colocando os pratos na lava-louça ou esperando o metrô, sentindo o rosto doer de tanto sorrir. Nem o estresse de esperar o resultado do exame da ordem diminuía a leveza que sentia.

Estar apaixonada me transformava em uma grande cafona sentimental, e eu nem me importava. Havia coisas piores.

Quando chegamos à cobertura, uma mulher com um vestido branco deslumbrante verificou nossos nomes em uma lista e autorizou nossa entrada com um sorriso.

— Bem-vindos à exposição, sr. Chen, srta. Ambrose. A galeria fica à sua direita.

— Exposição?

Eu olhava para a mobília moderna e as paredes de vidro com vista para o Central Park. O lugar parecia uma residência particular, não um museu.

— Colecionador particular. Ele organizou uma festa para exibir as obras que adquiriu recentemente — explicou Josh, e me conduziu por um longo corredor de mármore iluminado por uma claraboia de vidro abobadado.

Havia dezenas de pinturas em molduras prateadas nas paredes, e convidados bem-vestidos circulavam com taças de champanhe na mão.

Apertei a mão de Josh novamente quando ele olhou por um instante para uma taça do líquido borbulhante.

— E como conseguiu convites para esta exposição? — perguntei, desconfiada.

Quem Josh poderia conhecer em Nova York?

O sorriso vaidoso que ele abriu disparou centenas de alarmes em mim.

— Você vai ver.

Ele me puxou pelo corredor até chegarmos a uma tela específica.

Meu queixo caiu.

— Está *brincando*. Como isso é possível?

Era o quadro *atroz* do quarto de Josh, o que havia me causado tanto sofrimento no mês anterior. Mas agora, em vez de um quarto em Hazelburg, a pintura estava em um apartamento de muitos milhões de dólares, entre um Monet e um de Kooning.

— Vendi. Não queria que essa gente que estava interessada nele fosse atrás de mim de novo, então providenciei uma grande publicidade para arranjar um comprador. Se quiserem ir atrás do novo proprietário... — Josh deu de ombros. — O problema é deles.

— Nossa.

Eu tinha que admitir, havia sido uma ideia *genial*, mesmo que eu não conseguisse entender por que alguém tão rico pagaria para ter em casa uma pintura tão feia.

Max estava morto, mas fiquei curiosa para saber quem seria intimidador a ponto de deter os criminosos com quem ele estivera envolvido.

— Quem é o novo proprietário? — perguntei.

— Eu.

Eu me virei ao ouvir a voz rica e meio familiar, e ergui as sobrancelhas ao ver a quem ela pertencia. Só o havia encontrado uma vez, mas reconheceria o cabelo escuro e brilhante e a bela pele morena em qualquer lugar.

Dante Russo sorriu.

— É bom ver vocês dois de novo. Espero que estejam gostando da festa.

Então eu não era a única a me lembrar do nosso encontro na biblioteca de Christian.

— Estamos, obrigada. Sua galeria é linda — comentei, simpática.

Decidi que iria pesquisar Dante no Google mais tarde. Havia ouvido o nome dele em algum lugar antes, mas não conseguia me lembrar de onde.

Ele inclinou a cabeça ao ouvir o elogio.

— Apreciar a beleza faz parte dos negócios da minha família. — Ao notar a confusão no meu rosto, explicou: — Itens de luxo. Moda, joias, vinhos e destilados, beleza e cosméticos. Tudo isso faz parte do império dos Russo. — Havia na voz dele uma nota autodepreciativa.

É claro.

De repente, a peça se encaixou. Pouco tempo atrás, eu havia lido em uma revista um perfil sobre o Grupo Russo, o maior conglomerado de produtos de luxo do mundo.

Dante era o CEO. De acordo com o perfil, também havia rumores de que ele administrava uma das mais implacáveis equipes de segurança do mundo corporativo. Havia uma lenda urbana sobre seu chefe de segurança ter flagrado alguém tentando entrar na casa dele uma vez, quando Russo estava fora em uma viagem de negócios. O ladrão azarado acabou em coma durante um mês, com as duas rótulas quebradas, o rosto deformado e todas as costelas destroçadas.

O ladrão se negou a fornecer nomes, e não havia evidências que ligasse Dante ao caso, mas a reputação dele o precedia.

Não era à toa que Josh estava tão certo de que os parceiros de Max não o incomodariam.

Conversamos por mais alguns minutos antes de eu hesitar e dizer:

— Soube sobre seu avô, sinto muito.

Enzo Russo fundara o Grupo Russo havia sessenta e cinco anos. Era uma lenda dos negócios limpos e honestos, e seu funeral tinha dominado as manchetes de jornais algumas semanas antes.

Dante não parecia abalado com a morte do avô, mas achei que seria delicado oferecer condolências, considerando o funeral recente. Além do mais, eu estava presente quando ele havia recebido a notícia na biblioteca de Christian.

Um véu de ferro cobriu seus traços esculpidos.

— Obrigado. — Ele olhou por cima do meu ombro. — Peço desculpas por interromper nossa breve conversa, mas minha noiva chegou, finalmente. — Ele não parecia empolgado. Havia alguém na vida daquele homem de quem ele *gostasse*? — Por favor, divirtam-se e aproveitem o resto da festa.

Dante acenou para nós com a cabeça e se afastou, uma silhueta musculosa se destacando entre os convidados. No fim do corredor, uma bela mulher asiática o aguardava com uma expressão que misturava nervosismo e desafio. A noiva, deduzi.

— Eu pagaria para ver alguém roubar qualquer coisa dele. Bom trabalho — comentei.

Josh sorriu.

— Eu tento. De onde o conhece?

Ele parecia mais curioso que preocupado.

— Da casa de Christian, ele estava lá no dia em que fui pedir ajuda para me livrar de Max.

Notei um garçom se aproximando de nós com uma bandeja de taças de champanhe e balancei a cabeça depressa.

— Sei. É só impressão ou todos os ricos se conhecem? — perguntou ele.

— Não me surpreenderia. Eles vivem em um mundo pequeno. — Olhei novamente para a pintura. Diferente das outras, faltava uma placa gravada com o nome da obra, do artista e sua origem. — Essa maravilha tão preciosa não tem título?

— Parece que sim. Dante já a conhecia, quando a comprou. — Josh segurou minha mão, e seguimos para a tela seguinte. — O nome dela é *Magda*.

CAPÍTULO 58

Josh

Havia um ponto positivo em toda a confusão com o quadro: eu o vendi para Dante por uma tonelada de dinheiro. Não era o suficiente para me aposentar, mas pagava os empréstimos da faculdade de medicina, garantia encontros maravilhosos com Jules e dava um belo pé-de-meia para o futuro.

Eu tinha certeza de que Dante havia subvalorizado a obra durante a negociação, mas dane-se. Estava feliz por ter me livrado daquela coisa.

Abri a porta da clínica, caminhando a passos mais leves do que nos meses anteriores. Havia acabado de sair de um plantão de nove horas, mas Jules só passaria mais algumas semanas na LHAC, e eu queria passar todo o tempo possível com ela antes que ela assumisse seu cargo na Silver & Klein.

A primeira coisa que notei ao entrar foi o grupo reunido em torno da mesa de Jules, admirando algo.

— Isso é um local de trabalho, ou um salão de festas? — perguntei, em tom de brincadeira, ao me aproximar. — O que está acontecendo?

— É hora do almoço, Josh. — Ellie jogou o cabelo por cima do ombro. — Merecemos um descanso. Certo, Marsh?

Marshall olhou para ela com uma expressão de encantamento.

— Certíssimo.

Coitado. Estava tão apaixonado que pularia de uma ponte se ela pedisse.

Por outro lado, eu sentia o mesmo por Jules, portanto, não podia falar de ninguém.

— Oi, Ruiva.

Toquei o ombro dela e resisti ao impulso de beijá-la.

Todo mundo na clínica já sabia que estávamos namorando, mas ainda mantínhamos a relação no nível profissional quando estávamos com os colegas.

Sem demonstrações de afeto, embora eu não resistisse a um beijo aqui, outro ali, quando ficávamos sozinhos.

— Oi.

Ela sorriu para mim, e devia ser ilegal o jeito que aquela coisinha tão pequena fazia meu peito inchar.

— Oi.

Sorri de volta.

O ar entre nós vibrava carregado de eletricidade, e desejei, não pela primeira vez, que estivéssemos sozinhos, em vez de cercados por colegas de trabalho.

Todo mundo suspirou, alguns com ar sonhador, outros fingindo irritação.

— Eu sabia que vocês formariam um casal lindo — comentou Barbs, radiante. — Ninguém acreditou em mim.

Quando demos a notícia do nosso relacionamento, duas semanas antes, ela havia ficado tão eufórica que assara uma torta de mirtilo gigantesca e trouxera no dia seguinte. Dissera que era para celebrar a primeira história de amor na LHAC, embora não fosse ela a responsável pela nossa união.

Mas havia sido Barbs quem me pressionara para ir ver Jules na cozinha, no primeiro dia de trabalho dela aqui, então talvez ela merecesse algum crédito. Se eu tivesse descoberto em outro dia, de outro jeito, que Jules estava trabalhando na clínica, talvez nunca tivesse proposto uma trégua e nunca tivéssemos chegado aonde estávamos.

Além do mais, Barbs havia sido menos insuportável que Clara, que sorriu para mim com cara de "eu avisei" quando descobriu.

— Em relação a esse ponto, eu carrego todo o peso na relação — brinquei, o que me rendeu uma cotovelada de Jules.

O sorriso de Barbs ficou ainda maior.

— Engraçado, ela disse a mesma coisa.

— Não me surpreende. — Passei a mão no cabelo de Jules. — Coitadinha, às vezes ela delira.

— Vai se olhar no espelho, Chen. — Jules bufou. — Isto é, se ainda não quebrou, depois de ver sua cara todos os dias.

Ri com todo mundo.

— Touché, Ruiva. Touché. — Eu me inclinei sobre o ombro dela e olhei para o celular. — O que estão olhando, afinal?

— Jules está mostrando as fotos do pedido de casamento da amiga. — Os cachos grisalhos de Barbs balançavam com a empolgação. — Olha só esse anel! A coitada podia ter caído, carregando todo esse peso.

Balancei a cabeça, enquanto Jules exibia as fotos do pedido de Alex a Ava que estavam no celular.

Alex havia feito o pedido oficial no fim de semana. O filho da mãe não conseguia planejar nada modesto, então levou Ava para Londres para uma "exposição especial de fotografias" e fez o pedido na galeria onde os dois haviam se reconciliado.

Marcaram o casamento para o verão seguinte, mas os preparativos já estavam a todo vapor, com Jules, Stella e Bridget como damas de honra. Ava não conseguia escolher quem queria que fosse a madrinha, por isso decidiu que não haveria nenhuma.

— Esta aqui deveria ser revelada e emoldurada.

Barbs bateu com o dedo na tela quando Jules chegou à última foto.

Na foto, Alex estava ajoelhado, e Ava cobria a boca com uma das mãos. Os olhos dela estavam cheios de lágrimas. Toda a galeria havia sido esvaziada e redecorada para a ocasião, com fios de luzes pequeninas fazendo as vezes de varal para as Polaroids que Ava tirara dos dois juntos, havia uma mesa com velas e flores no meio da sala e pétalas de rosas azuis espalhadas no chão. O brilho do anel na caixa aberta era ofuscante até na forma bidimensional.

Aquela também era a única foto de Alex visivelmente nervoso, muito nervoso.

Esfreguei as mãos. Cara, mal podia esperar para jogar isso na cara dele quando o visse. Alex nervoso, imortalizado por toda a eternidade.

O universo me amava.

Todos admiraram e elogiaram a foto mais um pouco, e finalmente voltaram às mesas, enquanto Jules e eu entrávamos na cozinha para "pegar mais café".

Assim que fechamos a porta, eu a segurei pela nunca e puxei para um cumprimento mais adequado. Ela estava com gosto de caramelo e café, e saboreei a doçura por um minuto antes de recuar.

— Oi.

Rocei os lábios nos dela ao pronunciar a palavra.

— Oi. — O sorriso de Jules entrava em meu peito como um raio de sol.

— É assim que cumprimenta todos os seus colegas, dr. Chen? Porque é muito impróprio.

— Só os irritantes, os que eu acho que são um pé no saco. — Mordi a boca dela de leve como punição pelo atrevimento. — Um beijo é o único jeito de calar a boca dessas pessoas.

— Não deixe as enfermeiras saberem, ou vai ter que enfrentar um motim. Elas vão te atormentar o tempo todo.

— Ainda bem que não estou interessado em enfermeira nenhuma. Além do mais... — Acariciei a base da nuca dela com o polegar, descrevendo pequenos círculos. — Ninguém me atormenta como você.

Jules derreteu sob meu toque.

— Você é um sedutor.

— Essa é uma das minhas excelentes qualidades. Então, como vão os preparativos para o casamento? Ava já virou a noiva surtada?

— Josh, ela ficou noiva há quatro dias. E ainda está na Europa.

Alex tinha prolongado a viagem para os dois visitarem a França e a Espanha, depois de Londres.

— Ei, eu nunca fui noiva. Não sei como o cronograma funciona.

Jules suspirou, bem-humorada.

— Vai demorar um pouco até entrarmos no ritmo, mas... — Vi a hesitação passar pelo rosto dela. — Falando em noivas, estamos chegando naquele momento da vida. Bridget se casou. Ava ficou noiva.

— É.

— Você... quer se casar logo?

Meu dedo parou.

— Você quer?

Observei a reação dela.

Estávamos namorando havia poucos meses, mas aquele era um momento tão bom quanto qualquer outro para discutirmos nossas expectativas para o futuro.

Nós nos encaramos por um segundo, e então respondemos ao mesmo tempo:

— Não, ainda não me sinto pronta, financeiramente...

— Tenho que terminar a residência e fazer a prova de especialização...

— Tem muita coisa que quero fazer antes...

— Muitos lugares para conhecer...

As palavras se sucediam apressadas.

Jules cobriu o rosto com as mãos e riu.

— Ai, graças a Deus. Não que eu não queira me casar e ter filhos um dia, mas agora...

— Não é a hora certa — concluí. — Concordo inteiramente.

Eu já sabia que era com Jules que queria passar o resto da vida, mas casamento implicava responsabilidades financeiras que nenhum dos nós tinha condições de assumir no momento.

Além do mais, quando nos casássemos, queria que ela tivesse o vestido dos sonhos. Nossa lua de mel seria épica. Essas coisas não eram possíveis, quando eu estava enfrentando todas as restrições da residência, e Jules vivendo seus primeiros anos como advogada.

— Tem muita coisa no mundo para ver antes — falei, acariciando a mão dela. — E quero ver tudo com você.

Um rubor de prazer subiu pelo pescoço dela e tingiu o rosto.

— Isso é uma promessa, Chen? Porque eu vou cobrar.

Sorri, me perguntando como conseguira pensar que Jules era qualquer outra coisa além de meu par perfeito.

— É mais que uma promessa, Ruiva. É uma garantia.

EPÍLOGO

Jules

UM MÊS DEPOIS

— Abre.

— Não.

— Jules. — Josh pôs as mãos nos meus ombros. — Seja lá o que apareça naquela tela, você vai ficar bem. Eu vou estar aqui. A ansiedade vai fazer você sofrer mais que os resultados.

— É fácil falar. — Olhei nervosa para o notebook, onde a página de log-in para o resultado do exame da ordem continuava aberta. — Não é você que está com o futuro todo associado a uma pontuação.

Havia esperado muito tempo, e agora que os resultados estavam a um clique de distância, queria jogar o computador do outro lado da sala e fingir que não existiam. A ignorância é uma bênção e tanto.

Meu estômago ferveu quando me lembrei de tudo que conspirava contra mim. Havia feito o exame da ordem logo depois do rompimento com Josh, e, no segundo dia de prova, compareci machucada porque meu ex psicótico havia me empurrado de uma escada.

As circunstâncias não haviam sido favoráveis a uma boa pontuação.

— Não é seu futuro. — A voz calma de Josh relaxou alguns nós nos meus músculos. — Se você não passar, vai fazer a prova de novo até ser aprovada. Um dia vai ser uma advogada incrível, Ruiva. Não duvide de si mesma. Além do mais... — Ele beijou minha testa. — É melhor arrancar logo o bandeide a deixar a incerteza infeccionar.

— É. Tem razão.

Respirei fundo.

Estava tudo bem. Eu ia ficar bem. Não ser aprovada no exame da ordem não seria o fim do mundo.

Bom, seria o fim do meu mundo, mas não o fim do *mundo*.

Eu me aproximei do notebook e digitei nome de usuário e senha com dedos trêmulos. O café da manhã nadava no meu estômago, e me arrependi de ter me entupido dos waffles de mirtilo que Josh tinha preparado.

Quando o quadro de pontuação carregou, fechei os olhos e senti o coração bater como um tambor de aço no meu peito.

Acaba logo com isso. Você vai ficar bem.

Atrás de mim, Josh apoiou as mãos nos meus ombros de novo, uma presença firme e confortante.

Finalmente, abri os olhos e busquei imediatamente a pontuação total ao pé da página.

295.

Levei um segundo para processar o número. Quando consegui, dei um grito.

— Passei! — Pulei e bati o joelho embaixo da mesa, mas não senti a dor. Dei meia-volta e enlacei o pescoço de Josh, sorrindo tanto que as bochechas doíam. — Eu passei, eu passei, eu *passei*!

Ele riu e me girou no ar.

— Não falei? Parabéns, Ruiva. — Havia orgulho na voz dele. — Agora vai poder me sustentar com seu salário de advogada importante enquanto eu arrasto a residência.

Começaria a trabalhar na Silver & Klein na semana seguinte. Estava triste por deixar a clínica, mas esperava poder trabalhar com a LHAC de algum jeito. Lisa tinha comentado que estava interessada em fazer uma parceria com alguma firma de advocacia corporativa para expandir os serviços da clínica, e depois de me estabelecer na Silver & Klein, eu planejava propor uma parceria entre minha nova empresa e a antiga.

Enquanto isso, Josh começaria o quarto e último ano de residência e, depois, faria os exames da especialização e se tornaria médico plenamente licenciado.

Estávamos a caminho de conquistar a carreira com que sonhávamos, mas, para ser sincera, eu me sentia mais feliz por ter Josh ao meu lado durante tudo isso. A presença dele tornava cada conquista mais doce e cada fracasso menos amargo.

— Eu sabia que você era um interesseiro. — Mesmo depois de pagar os empréstimos da faculdade de medicina, ele ainda tinha dinheiro suficiente da venda da pintura para garantir conforto financeiro por décadas, mas isso não me impedia de provocá-lo. — Só quer o meu dinheiro. Estou chocada. Arrasada. Escandalizada...

Josh me interrompeu com um beijo.

— Não se preocupe. — Ele baixou a voz, enquanto deslizava a mão grande e quente pela minha coxa. — Posso retribuir de maneiras não monetárias.

Meu coração acelerou, e eu engoli um gemido quando ele tocou a área entre minhas pernas. Já estava ensopada, e vi a satisfação nos olhos de Josh. Ele era sempre aquele cretino vaidoso em relação ao sexo.

Eu odiava o quanto amava isso.

— Não acredito — murmurei. — Preciso de uma demonstração.

— É difícil negociar com você. — Ele afastou minha calcinha para o lado e esfregou o clitóris com o polegar. — Que tipo de demonstração gostaria de ter? Quer que eu foda essa buceta até você se esquecer do próprio nome? Quer que eu te chupe até você gozar na minha cara? Ou talvez... — Ele introduziu um dedo em mim e flexionou, até tocar um ponto que fez minhas pernas tremerem — quer que eu preencha cada buraco seu como a putinha que você é?

A imagem mental que ele criava me arrancou um gemido. Meus brinquedos não ficavam fora da nossa vida sexual, e na última vez ele os havia usado em mim enquanto fodia minha boca...

Um arrepio de prazer percorreu meu corpo.

— E aí, Ruiva, o que vai ser? — Josh introduziu mais um dedo em mim. — Fala.

— Eu... — tentei formar uma resposta coerente, mas estava distraída demais com os dedos entrando e saindo de mim lentamente.

Um feixe elétrico se formava entre minhas pernas.

— Precisa melhorar sua habilidade verbal — ele fingiu decepção. — Mas como estou me sentindo generoso e precisamos comemorar sua aprovação na ordem, vou dar uma amostra grátis dos três...

Josh estava certo sobre eu precisar melhorar minha habilidade verbal, porque, quando ele terminou as "demonstrações" três horas mais tarde, meu corpo estava inerte, e era difícil até de me lembrar do meu nome.

— Humm. — Fiz um ruído de satisfação quando a sonolência me envolveu como um cobertor quente e deixou minhas pálpebras pesadas. Tínhamos ido da sala para a cama dele, e eu só queria afundar nos travesseiros e nunca mais sair dali. — Boa amostra.

A risadinha de Josh foi como uma carícia em minha pele quando ele beijou meu ombro.

— O que acha de uma demonstração completa, então?

Ele acariciou a curva de uma nádega e senti novamente o frio na barriga.

— Para — disse, gemendo, meio horrorizada, meio excitada. — Se eu tiver mais um orgasmo, eu morro.

As chances de andar normalmente no dia seguinte já se aproximavam de zero.

— Tudo bem, tudo bem, vou te dar uma folga. — Josh riu de novo, depois rolou para o lado e pegou o celular. — Na verdade, trouxe um presente para você, antecipando sua aprovação na ordem. — A covinha ficou mais profunda. — Bom, o presente é para *gente*.

Despertei, porque a curiosidade superou a sonolência.

— É um brinquedo? Lingerie? O Kama Sutra?

— Não, Ruiva. — Ele bateu no meu nariz, e seus olhos brilharam com a promessa de diversão. — Para de pensar em sacanagem.

Fiz uma careta quando ele abriu a tela do celular.

— Olha quem fala. Você *vive* para a sacanagem.

Josh deu um tapinha no meu traseiro, depois me entregou o celular.

— Cuidado, ou a folga vai ser mais breve do que está pensando.

Ignorei o arrepio de empolgação provocado pelo comentário e olhei para o documento na tela. Era... uma passagem de avião?

Quando as palavrinhas miúdas finalmente entraram no foco, quase parei de respirar.

— Nova Zelândia? Nós vamos para a *Nova Zelândia*?

— No começo do ano que vem, vou ter uns dias de férias de novo. Mas comprei as passagens com datas flexíveis, caso você não consiga uma folga no novo emprego. — O sorriso de Josh quase me ofuscou. — Animada?

— Está brincando? É a *Nova Zelândia*! — Minha cabeça foi inundada por imagens de montanhas com picos nevados e águas azuis e cristalinas. Fora dos Estados Unidos, só havia estado em Eldorra, no Canadá, no México e em algumas ilhas caribenhas. Nova Zelândia era um dos principais destinos da minha lista. — E se eu não tivesse sido aprovada? — perguntei, olhando para a passagem eletrônica outra vez para ter certeza de que era real.

Sim, era. Meu nome, as datas e o destino. Tudo real.

Ele deu de ombros.

— Aí teria sido um prêmio de consolação.

A emoção bloqueou minha garganta e se espalhou para o peito.

— Josh Chen, você às vezes é... — Deixei de lado o celular e o beijei. Esqueça o caramelo salgado. Nada tinha o gosto tão bom quanto o dele... menta e sexo. — Suportável.

— Suportável? — Ele levantou uma sobrancelha. — Isso não é bom. Eu devia ser insuportável, e você... — Josh passou os dedos pelo meu cabelo, segurou e puxou de leve. — Você devia me odiar.

Cravei as unhas em sua coxa até ouvir a inspiração mais forte.

— Eu odeio.

Um sorriso lento iluminou seu rosto.

— Mostra.

Cravei as unhas mais fundo na pele dele antes de deslizá-las pelo peito e me sentar em cima dele. Puxei seu cabelo com um pouco de força e me encolhi quando ele deu outro tapa na minha bunda, dessa vez tão forte que o ardor reverberou no corpo todo.

A umidade escorreu pelas minhas coxas, e eu gemi, livre de todos os resquícios de sonolência.

Para que andar normalmente? Que coisa mais superestimada.

Josh

Quatro meses depois

— Se eu morrer, vou arrastar você para o inferno e te atormentar por toda a eternidade.

Jules passou um braço em torno da minha cintura, mais pálida que o normal, e andamos para a beirada da plataforma a passos lentos.

Atrás de nós, o operador do bungee jump verificava nosso equipamento pela última vez.

— Se você morrer, eu morro, Ruiva. — Ri e beijei o rosto dela. — E se eu for para o inferno com você, vai ser o paraíso.

A tensão nos olhos dela diminuiu.

— Que coisa mais cafona, Josh.

— É, e daí? Eu posso ser cafona, sou gostoso o suficiente para compensar. — Olhei para o rio lá embaixo. — E talvez você deva ser legal comigo. Não vai querer que nossas últimas palavras sejam ofensas, vai?

Era nosso último dia na Nova Zelândia, e estávamos na Ponte Kawarau em Queenstown para um salto duplo de bungee jump. Jules havia topado todas as outras atividades sem reclamar – skydiving, paraglide, balançar sobre um cânion com o Shotover Canyon Swing. Mas em nenhum momento havia ficado tão nervosa.

Ela ficou ainda mais pálida.

— *Não fala isso.*

— É brincadeira, é brincadeira. — Abracei a cintura dela com mais força. — Vai dar tudo certo. Confia em mim.

— É bom que dê, ou juro que vou deixar Cérbero arrancar seus genitais a dentadas.

Dei risada. Adorava quando ela ficava violenta.

— Estão prontos? — perguntou o operador, segurando o equipamento preso nas nossas costas.

Olhei para Jules, que respirou fundo e assentiu.

— Tudo certo — respondi.

Meu coração disparou, ansioso pela queda.

O operador nos empurrou e...

Saltamos. Caímos em alta velocidade, com o vento assobiando nos ouvidos e as águas azuis do Rio Kawarau se aproximando rapidamente.

O grito de Jules se misturou à minha risada eufórica.

Cacete, que falta eu senti disso. A adrenalina. A euforia. A sensação de estar tão vivo que o mundo inteiro se acendia à sua volta.

Mas não era só o bungee jump. Era estar vivendo isso com Jules. Nada nem ninguém podia me fazer sentir tão vivo quanto ela.

Beijei sua boca e a distraí da tensão da corda chegando ao limite. Para muita gente, o momento do retorno era a parte mais aterrorizante do bungee jump, e ela já estava bastante nervosa.

Os músculos de Jules ficaram tensos, mas relaxaram novamente quando aprofundei o beijo e enlacei a cintura dela ainda com mais firmeza, em um abraço protetor. Ela não gritou de novo quando descemos.

O orgulho invadiu meu peito. *Esta é minha garota.*

Uma jangada esperava por nós no fim da última queda livre. Dois membros da equipe nos soltaram do equipamento, e caímos de costas no colchão de amortecimento.

— Puta que pariu — comentou Jules, ainda ofegante depois de recuperar o fôlego.

Virei a cabeça e olhei para ela.

— Eu falei que seria incrível.

— Não sei se "incrível" é a palavra certa. Vi minha vida passar como um filme diante dos meus olhos. — Ela também se virou, e ficamos frente a frente. Seu rosto estava rosado devido ao vento, e o cabelo se abria como um leque de seda vermelha em torno do rosto. Jules era tão linda que meu peito doeu. — Mas valeu a pena só por aquele beijo.

— O Homem-Aranha e Mary Jane perdem para nós.

— Com toda certeza.

Rimos e mergulhamos em um silêncio confortável, enquanto a jangada nos levava para a margem.

Depois de uma semana repleta de atividades, finalmente podíamos dividir um momento de paz.

Uma parte minha queria ficar ali e explorar a Nova Zelândia com ela para sempre. Outra parte mal podia esperar para viver o resto da nossa vida em casa, juntos.

Eu estava no último ano da residência; Jules progredia na Silver & Klein e já havia sido designada para trabalhar com um sócio sênior em um caso importante. No mês anterior, havíamos ido morar juntos para termos mais tempo de convivência, mesmo com as agendas malucas. Resolvemos a questão da locomoção escolhendo uma casa no meio do caminho entre o hospital e o escritório de advocacia.

Com tudo isso, Stella estava morando sozinha no Mirage. Ela havia fechado um acordo com o proprietário, e fora liberada de pagar a parte de Jules no aluguel até o fim do contrato. Isso aliviou parte da culpa de Jules por deixar a amiga sozinha no antigo apartamento, embora Stella garantisse que estava tudo bem.

Nova Zelândia era uma fantasia; Washington era a realidade. Os dois eram incríveis.

— Ainda me odeia? — sussurrei, entrelaçando os dedos nos de Jules.

Os olhos dela brilharam, maliciosos, quando ela afagou minha mão.

— Para sempre.

Sorri.

— Ótimo.

CENA BÔNUS 1

Josh

— É DIFÍCIL NEGOCIAR COM VOCÊ. — AFASTEI A CALCINHA DELA PARA o lado e acariciei o clitóris com o polegar. Meu pau ficou duro quando senti a umidade dela puxar meus dedos. — Que tipo de demonstração gostaria de ter? Quer que eu foda essa buceta até você se esquecer do próprio nome? Quer que eu te chupe até você gozar na minha cara? Ou talvez... — Introduzi um dedo nela e flexionei, até tocar um ponto que a fez gemer — quer que eu preencha cada buraco seu como a putinha que você é?

Jules gemeu. Os brinquedos dela não ficavam de fora da nossa vida sexual, e, embora alguns homens não gostassem de nada além do próprio pau enquanto faziam o trabalho no quarto, eu não me incomodava nem um pouco. Estava sempre disposto a experimentar coisas novas, e se essas coisas terminavam em orgasmos... bom, eu certamente não ia reclamar.

— E aí, Ruiva, o que vai ser? — Introduzi mais um dedo nela. — Fala.

— Eu...

Jules ficou vermelha e fechou os olhos.

— Precisa melhorar sua habilidade verbal. — Fingi decepção. — Mas como estou me sentindo generoso e precisamos comemorar sua aprovação na ordem, vou dar uma amostra grátis dos três...

Ela deixou escapar mais um gemido quando me ajoelhei à sua frente e abaixei sua calcinha. Quando a vi inchada e molhada para mim, a ansiedade que me consumia transformou meu pau em granito.

Apoiei suas pernas nos meus ombros e beijei a parte interna de uma coxa, subindo. A pele era macia como seda nos meus lábios, e o leve tremor nas pernas dela só me deixava mais faminto.

Eu poderia me banquetear de Jules pela vida toda e nunca me cansar disso.

Quando cheguei ao centro da excitação dela, encostei a língua no clitóris e a mantive ali por um segundo até movê-la em uma lambida longa e lenta.

Jules agarrou meu cabelo e gritou:

— *Josh...*

— Eu sei, meu bem. — Mais uma lambida lânguida. — Mas estamos só começando.

Parei por um segundo, enfiei a língua nela e devorei como se não me alimentasse havia dias.

O sabor e os gemidinhos que ela produzia cada vez que eu a penetrava com a língua eram melhores que tudo que eu já havia experimentado.

Jules chegou ao orgasmo cinco minutos depois, e senti o gosto da satisfação dela na língua. Meu sangue pegava fogo quando lambi toda a umidade. Se não a penetrasse logo, ia acabar explodindo.

Dei a ela um momento para se recuperar, depois me levantei e a penetrei. Os gemidos recomeçaram quando a ergui, enlacei minha cintura com as pernas dela e a levei para o quarto com o pau ainda dentro da sua vagina.

Tive que ranger os dentes para suportar o atrito provocado pelo movimento, mas consegui me controlar, em vez de ir até o fim com ela no chão da sala como um animal. Havia um momento e um lugar para isso, mas Jules tinha acabado de ser aprovada no exame da ordem, e eu queria prolongar a comemoração, digamos assim.

Quando chegamos ao quarto, eu a coloquei na cama e peguei dois dos nossos brinquedos favoritos na coleção dela. Digo que eram nossos favoritos porque, bom, sempre os usávamos juntos, e eu havia comprado um deles como presente no nosso aniversário de namoro.

Pus um deles na frente dela.

— Mostra para mim quanto sua boca é talentosa.

Respirei mais depressa quando Jules obedeceu, pôs a boca na cabeça do pinto de borracha e chupou.

Meu pau pulsava com a necessidade, mas dei meu melhor para ignorar, enquanto a preparava com muito lubrificante. Ela estava acostumada com os brinquedos ali atrás, então não demorei muito para deixá-la pronta, mas queria amenizar o desconforto ao máximo.

Assim que me dei por satisfeito, introduzi lentamente o plug anal e liguei o brinquedo. O ruído da vibração quase abafou os gemidos de Jules.

Ela arqueou as costas para mim e não precisei de outro convite para penetrá-la com um movimento escorregadio, mas forte.

Gememos juntos, mas os gemidos dela eram abafados pelo brinquedo na sua boca. *Porra*. Eu sempre ficava surpreso com quanto era bom estar dentro dela – apertada, molhada e moldada tão perfeitamente para mim que eu não sabia onde eu terminava e ela começava.

Fechei os olhos e rangi os dentes. *Brócolis. Couve-de-Bruxelas. Beterrabas.* Listei mentalmente todos os vegetais de que conseguia me lembrar para não descarregar minha porra como um adolescente transando pela primeira vez, e então aumentei a velocidade dos movimentos.

Recuei até deixar só a ponta do pau dentro de Jules, depois entrei completamente de novo, de novo e de novo até ouvir os estalos de carne contra carne se misturando aos meus grunhidos e aos gemidos dela.

— Continua chupando, meu bem. — Agarrei o quadril de Jules e olhei para a cabeça dela subindo e descendo no brinquedo. Embora não fosse eu na sua boca, vê-la chupar com todo aquele entusiasmo era erótico demais. — Está fazendo direitinho. Isso.

Não saí de dentro dela nem por um segundo. Metendo cada vez mais rápido, até um círculo de eletricidade se formar na base da minha coluna. Deixei escapar um último grunhido e fui rasgado pelo orgasmo que incendiou todas as minhas terminações nervosas. Jules gritou ao mesmo tempo, e a vagina dela apertou meu pau e bebeu até a última gota.

Esperei até nossa respiração acalmar para sair de dentro dela e descartar a camisinha.

— Que orgulho de você, Ruiva.

Beijei seu ombro, e ela caiu na cama, exausta.

— Por ter sido aprovada na ordem, ou por outra coisa? — perguntou ela, com a voz abafada pelo travesseiro.

Dei risada e removi o plug do seu corpo com delicadeza. Envolvi o brinquedo com um lenço de papel da caixa sobre a mesa de cabeceira e o deixei lá para ser limpo mais tarde.

— As duas coisas.

Dei mais um beijo no ombro dela, e então a virei para ficarmos frente a frente.

— Hum. Ah, foi uma boa comemoração. — Jules se espreguiçou e bocejou. Mesmo tão perto dela, eu não conseguia ver um único defeito. Aquela mulher era perfeita em todos os sentidos. — Trabalho de primeira, Chen. Nota dez.

— Ah, mas eu ainda não acabei. Só estou deixando você descansar para não provocar um esgotamento. — Puxei Jules para mais perto de mim. — Tenho muitos planos para você hoje.

— É mesmo?

Ela conteve o riso.

— Aham. Melhor descansar enquanto pode, porque vamos começar a segunda rodada em dez minutos.

Dei um beijo na cabeça dela e a puxei contra o peito, ouvindo sua respiração entrar em um ritmo regular, profundo e tranquilo.

Jules e eu tínhamos uma vida sexual robusta, mas aqueles seriam sempre meus momentos favoritos – aqueles em que ficávamos deitados lado a lado, satisfeitos, ouvindo o coração do outro bater.

Não precisávamos de palavras ou atos para sermos felizes.

Precisávamos só de nós.

CENA BÔNUS 2

Jules

— NÃO VAMOS PENDURAR ESSA COISA NA NOSSA CASA. — CRUZEI OS braços e olhei com desgosto para a pintura vermelha e cor de laranja horrorosa que Josh carregava. — Isso vai reduzir o valor da propriedade a zero.

Tínhamos acabado de voltar de uma expedição de compras para decorar nossa casa, e, apesar de não ter conseguido impedir Josh de comprar a monstruosidade, esperava ser mais... *convincente* em casa.

— Em primeiro lugar, esta é uma bela obra de arte. — Ele ignorou o protesto e pendurou a monstruosidade na parede, ao lado do espelho dourado. — Em segundo lugar, você está sendo dramática.

— Em primeiro lugar, não, não é. Em segundo lugar, eu sempre sou dramática. — Estreitei os olhos. — O que é isso, afinal?

— Um pôr do sol. É evidente.

Não tinha nada de evidente naquilo. Parecia que alguém tinha derrubado refrigerante de laranja na tela e rolado nela até se machucar e sangrar.

— Bom, é o pôr do sol *mais feio* que eu já vi... ei! — gritei quando Josh me agarrou e me jogou sobre um ombro. O sangue invadiu minha cabeça quando meu mundo virou de pernas para o ar. — Me põe no chão!

— Não enquanto você não admitir que a tela é uma obra de arte.

— É uma obra de arte, ok. Mas é feia.

Uma gargalhada se misturou ao meu segundo grito de protesto quando ele deu um tapa na minha bunda – um tapa leve o bastante para ser de brincadeira, mas forte o bastante para arder.

— Mais uma palavra, e não vai ter massa para você hoje à noite — resmungou ele, mas notei que estava achando divertido. — Vai jantar salmão e salada de repolho.

Meu sorriso desapareceu e quase vomitei ao pensar no combo.

— Você *não* faria isso comigo.

Era um dos raros dias em que Josh e eu estávamos de folga do trabalho, por isso havíamos combinado um programa em casa. Ele cozinharia; e eu escolheria a música e arrumaria a mesa.

Se alguém na faculdade me dissesse que um dia eu ficaria tão animada com um programa tão bobo, eu teria rido e perguntado que droga a pessoa havia usado. Meu lema sempre fora: quanto maior, melhor. Beber e dançar em um lugar cheio, voar em um balão, ver o pôr do sol a bordo de um barco no Potomac... essas coisas eram meu ponto fraco.

Josh e eu tínhamos feito tudo isso, mas eu preferia ficar em casa com ele. Não precisávamos de loucura e agitação para nos divertirmos, e eu gostava de tê-lo só para mim... a menos que cometesse a crueldade de me obrigar a comer salada de repolho.

— Ah, faria, por isso seja boazinha. Seu jantar está nas minhas mãos.

Josh foi para a cozinha e me pôs sentada em cima da bancada. Nossa casa tinha um plano semiaberto, não havia paredes dividindo cozinha, sala de jantar e sala de estar.

Dei risada, meio atordoada com a súbita mudança de posição e o cheiro limpo e inebriante de Josh. Fazia quase um ano que estávamos namorando oficialmente, e eu ainda sentia o mesmo frio na barriga quando estava perto dele.

Ele se colocou entre minhas pernas e enlaçou minha cintura com os braços.

— E aí? Ficamos com o quadro, em troca da melhor massa que você já comeu na vida.

Arqueei uma sobrancelha.

— Você confia demais nos seus dotes culinários, dr. Chen.

Mas ele era um cozinheiro incrível. Eu havia economizado centenas de dólares em delivery desde que tínhamos começado a namorar, porque a comida que ele preparava era melhor que muitos pratos servidos em restaurantes.

— Tenho bons motivos para isso. — A covinha de Josh fez uma aparição devastadora. — E aí? Acordo fechado?

Olhei para a tela por cima do ombro dele por um longo instante, e então soltei um suspiro.

— Tudo bem, mas se o jantar não for um sucesso *absoluto*, vou pedir reembolso, e o Pôr do Sol Horroroso vai direto para a lata de lixo.

Ele riu e me deu um beijo rápido.

— Combinado. Agora vai se arrumar enquanto me acabo de trabalhar na cozinha para você.

— O rei do drama.

— Disse a rainha.

Verdade. Eu *era* a rainha do drama, e me orgulhava disso. Era melhor que ser sem graça.

Não conseguia apagar o sorriso do rosto quando pulei da bancada e fui para o quarto. Josh e eu morávamos juntos havia um ano, desde que tínhamos voltado de Nova York, mas estávamos sempre tão ocupados que não havíamos tido tempo de pensar na decoração até pouco tempo antes.

Até um mês antes, a única mobília que tínhamos era o básico – um sofá, uma cama, mesas de jantar e de centro. Agora havia souvenirs da viagem que tínhamos feito à Nova Zelândia, inclusive um belo relógio kauri de madeira e esculturas pounamu espalhados pela casa de dois quartos, e as (questionáveis) escolhas estéticas de Josh se misturavam às minhas em todos os cômodos. Aquele quadro do pôr do sol escolhido por ele, o tapete cor-de-rosa peludo escolhido por mim. Uma cabeceira de cama em couro preto escolhida por ele, uma almofada em forma de boca vermelha escolhida por mim.

Coisas que não deviam dar certo juntas, mas funcionavam bem. Como nós.

Enquanto Josh preparava o jantar, tomei uma ducha e me arrumei com o mesmo capricho que teria se fôssemos comer em um restaurante cinco estrelas. Um programa doméstico não era desculpa para não me apresentar na melhor versão.

Quando terminei o cabelo e a maquiagem e coloquei meu vestido favorito de seda verde, os aromas de alho, tomate e queijo dominavam a casa e me faziam salivar.

Meu estômago roncava quando voltei à cozinha, mas hesitei quando vi a sala de jantar. Meu queixo caiu.

De algum jeito, em apenas duas horas, Josh não só havia preparado o jantar como tinha transformado a sala em um cenário de filme romântico.

Ele havia reduzido a iluminação, limitando-a a uma dúzia de velas espalhadas pelo espaço. O brilho dourado e morno transformava o cômodo, normalmente utilitário, em um ambiente mais aconchegante e íntimo. Uma toalha de linho branco cobria a mesa, arrumada com nossos melhores pratos de porcelana, uma garrafa de vinho tinto e um arranjo feito de rosas cor de laranja, minha flor preferida.

Josh estava ao lado da mesa, sorrindo. Havia trocado a camiseta por uma camisa branca, paletó e jeans escuro.

— Este é nosso primeiro programa de verdade em um mês, por isso decidi caprichar um pouco mais. — Ele me olhou da cabeça aos pés, um olhar tão lânguido e preguiçoso que deixou um rastro de fogo por onde passou. O frio na barriga voltou, mas àquela altura ele aparecia sem muito estímulo. — Você ficou linda, Ruiva.

Eu estava perplexa demais para dar uma resposta adequada.

— O quê... como...

Ele deu de ombros.

— Não levo muito tempo para cozinhar, e entrei no quarto para trocar de roupa enquanto você estava no banho. — O sorriso dele se alargou. — Você demora uma eternidade no chuveiro.

— Eu, *não*!

Quarenta e cinco minutos não são uma eternidade. Afinal, uma garota precisa usar muito esfoliante e condicionador antes de um encontro.

Cheguei perto da mesa e passei a mão sobre a toalha.

— Arrumar a mesa era tarefa minha.

— Decidi cuidar disso para podermos passar direto para a parte boa. — Josh puxou uma cadeira, e esperou eu me sentar para se acomodar do outro lado, na minha frente. — Agora me fala se essa massa não é a melhor que você já comeu.

— Que arrogante.

Enrolei o macarrão no garfo e provei. Os sabores explodiram na minha boca, e não consegui evitar um suspiro de prazer.

— Isso... — Engoli e olhei de relance para a pintura horrorosa. O prazer provocado pela comida brigava com o desgosto causado pela tela. — ... é...

— Sim?

Josh arqueou uma sobrancelha.

— Muito bom — admiti, relutante.

Não podia mentir. A comida estava *incrível*, mas a verdade significava que teria que olhar para um pôr do sol feio todos os dias por sei lá quanto tempo.

Suspirei quando Josh riu.

— Não faz essa cara triste, Ruiva. Você vai aprender a amar o Ensolarado com o passar do tempo.

— Você não deu o nome de Ensolarado para aquela coisa, *né*?

— Me pareceu bem adequado. — A expressão dele ganhou suavidade. — Falando sério, estou feliz com tudo isso. Senti saudade de você.

O frio na barriga ficou mais forte.

— A gente se vê todo dia.

— Eu sei.

Bebi o vinho e tentei engolir o nó na garganta. Mesmo depois de um ano de namoro, ainda era estranho ser amada como Josh me amava.

Completa, profunda e incondicionalmente.

Minha antiga versão teria duvidado do nosso relacionamento e dos sentimentos dele por mim, mas, por sorte, havia superado aquelas inseguranças... pelo menos a maioria delas. Às vezes, tentavam invadir minha consciência, mas eu só precisava olhar para Josh para acalmá-las.

Deixei a taça em cima da mesa e ajeitei o cabelo atrás da orelha. Não desviava os olhos dele.

— Dr. Chen, quem diria que você podia ser esse romântico?

— Não era, até você aparecer. — O sorriso voltou, e tive certeza de que havia também um leve rubor nas bochechas. — Mas chega dessa conversa melosa antes que o açúcar estrague minha bela refeição.

— Vai com calma, Chen. Só tem lugar para dois nesta mesa. Seu ego vai ter que encontrar outro lugar para se sentar.

— Desculpa, benzinho, mas meu ego e eu somos um pacote. — Josh serviu mais vinho para nós dois. — E aí, como vai o planejamento da despedida de solteira? Troquei mensagens com Ava hoje mais cedo, ela só fala nessa viagem à Espanha.

A despedida de solteira de Ava aconteceria em setembro, em Barcelona, e em outubro ela se casaria em Vermont.

— Está indo bem. — Ava se recusava a escolher uma madrinha, então Bridget, Stella e eu dividíamos as tarefas do planejamento: Stella e eu um pouco mais, porque Bridget estava meio ocupada comandando um país. — Encontrei um bar incrível em uma cobertura...

Josh e eu conversávamos todos os dias, por mais ocupados que estivéssemos, mesmo que fosse só um telefonema rápido ou uma troca de mensagens entre os plantões dele no hospital e minhas noites debruçada sobre casos da Silver & Klein. Mas eu vivia para momentos como aquele, quando podíamos compartilhar os detalhes mais bobos e insignificantes da nossa vida e até nossa obsessão ou a raiva causada por eles. O novo food truck que descobrira na Farragut Square, os filmes cult da década de 1990 que ele achara para nossa próxima noite de cinema em casa.

Relacionamentos eram construídos de pequenos momentos, não de gestos grandiosos.

Desde que tínhamos começado a namorar, Josh e eu havíamos feito a trilha das Montanhas Blue Ridge, praticado bungee jump e skydiving na Nova Zelândia e jantado nos melhores restaurantes, mas não precisávamos de nada disso para sermos felizes.

Só precisávamos um do outro.

— Qual é o veredicto do programa de hoje? Correspondeu às suas elevadas expectativas? — perguntou Josh, enquanto limpávamos a cozinha depois do jantar.

— Dez de dez, Chen. Bom trabalho. — Deixei os pratos na pia e abracei a cintura dele. — Mas você se esqueceu de uma coisa.

— O quê?

— A segunda rodada de sobremesa. — Eu o beijei e sorri quando ele respirou fundo. — E se a gente continuar esse programa no quarto? A louça pode esperar.

A risada rouca e mansa me esquentou por dentro.

— Gosto do seu jeito de pensar, Ruiva.

Como o esperado, não lavamos os pratos naquela noite. Nosso programa só acabou de madrugada, e tudo que posso dizer é que...

Foi a melhor noite de *todos* os tempos.

Obrigada por ler *Amor e ódio*! Se você gostou deste livro, seria incrível se deixasse uma avaliação na sua plataforma preferida.

Avaliações são como gorjetas para o autor, e cada uma delas ajuda!

Com amor,
Ana

CONTINUE LENDO PARA DAR UMA ESPIADA NO PRÓXIMO LIVRO DA SÉRIE TWISTED!

MENTIRAS DO AMOR

Nosso acordo ficava mais real a cada minuto, e eu não conseguia me livrar da sensação de que não iria demorar para tudo sair dos trilhos.

— Devia. — A resposta relaxada de Christian calou minha ansiedade. — Você vai ao evento hoje à noite comigo. Devia tirar algum proveito da situação.

— Vou tirar. — Respirei fundo para me acalmar. — Talvez poste alguma coisa hoje à noite.

Se um baile de gala não fosse um bom material para mídia social, eu não sabia o que seria.

— Ótimo.

Percebi a nota possessiva na voz dele.

Uma mecha fina escapou do meu coque e emoldurou meu rosto. Eu havia ficado tão abalada quando Christian chegara mais cedo que me esquecera de reforçar o spray de fixação.

Por sorte, usava um desses penteados que ficava melhor bagunçado, mas uma corrente estranha manteve meus lábios selados e meu corpo tenso quando Christian levantou a mão para ajeitar a mecha atrás da orelha.

O movimento era lânguido, o toque era leve como um sussurro, mas meus mamilos endureceram quando senti o contato leve com meu rosto. Duros, sensíveis, implorando pela mesma atenção.

Eu estava sem sutiã.

Christian ficou parado. A atenção dele se voltou para a reação do meu corpo ao toque simples, e eu teria ficado perplexa se não estivesse tão distraída com a tensão que desabrochava em mim.

Uísque e fogo iluminaram aqueles olhos intensos.

A mão dele permaneceu no meu rosto, mas a atenção me tocava em todos os lugares – rosto, seios, ventre, até o clitóris sensível. Deixava uma trilha de fogo tão escaldante que quase esperei ver meu vestido se desintegrar em cinzas.

— Cuidado, Stella. — O aviso baixo pulsou entre minhas pernas. — Não sou o cavalheiro que você imagina.

Imagens de seda amarrotada e ternos descartados, palavras cruas e toques mais firmes passaram pela minha cabeça.

Frutos do instinto, não da experiência.

A resposta passou com esforço pela minha garganta seca.

— Não imagino que seja um cavalheiro.

O sorriso lento distendeu os lábios dele.

— Garota esperta.

AGRADECIMENTOS

Em primeiro lugar, um enorme obrigado a minhas leitoras alfa e beta, Brittney, Sarah, Rebecca, Aishah, Allisyn, Salma e Kimberly, e a minhas alfas especialistas, Logan, Aya, Alexa e Ashley, pelo feedback incrível e honesto e pela orientação médica e jurídica. Vocês leram esta história na forma mais crua, com erros de digitação e tudo mais, e as observações de vocês transformaram um rascunho grosseiro em algo que me orgulho de dividir com o mundo.

À Christa Désir e à equipe da Bloom Books, é incrível trabalhar com vocês, obrigada por fazerem este livro brilhar.

À minha agente Kimberly Brower, por ser sempre uma estrela do rock. Sou muito grata pela sua orientação e pelo seu incentivo.

À Amber, por estar sempre comigo quando estou me questionando demais (99% do tempo) e por ser uma assessora genial.

À minha editora, Amy Briggs, e à minha revisora, Krista Burdine, por fazerem sua magia como só vocês conseguem fazer.

À Amanda, da E. James Designs, pela bela capa, e às equipes da Give Me Books e Wildfire Marketing por me manterem sã durante o caos do mês do lançamento.

Finalmente, aos meus leitores, blogueiros, bookstagrammers e editores, amo vocês! Nunca vou me esquecer de todo o apoio que me concederam nem do quanto são incríveis. Sou grata a todos e a cada um de vocês.

Um beijinho,
Ana

PARA MAIS DE ANA HUANG

Grupo de leitores: facebook.com/groups/anastwistedsquad
Site: anahuang.com
BookBub: bookbub.com/profile/ana-huang
Instagram: instagram.com/authoranahuang
TikTok: tiktok.com/authoranahuang
Goodreads: goodreads.com/anahuang

Quer discutir meus livros e outras coisinhas divertidas com leitores com os mesmos gostos que você? Junte-se ao clube de leituras só para associados: facebook.com/groups/anastwistedsquad.

**Acreditamos
nos livros**

Este livro foi composto em FreightText Pro e impresso
pela Geográfica para a Editora Planeta do Brasil em março de 2024.